# VIES SECRÈTES

# DIANE CHAMBERLAIN

# VIES SECRÈTES

PRESSES DE LA CITÉ

Titre original :
*Secret Lives.*
Traduit par Renée Tesnière

© Diane Chamberlain, 1991. Publié avec l'accord de Harper Collins Publishers Inc.
© Presses de la Cité, 1993, pour la traduction française
ISBN 2-266-06363-4

A la mémoire de
Diane Mary McCrone

# 1

Eden Swift Riley excellait dans l'art de peindre. Cela l'aiderait pour l'interview, la première depuis de nombreux mois. De l'extrémité du salon, dans sa maison de Santa Monica, elle regardait l'équipe de télévision déplacer son canapé d'un côté, puis de l'autre, et respirait lentement, profondément. Elle devait donner l'image du calme. Les téléspectateurs s'émerveilleraient de sa tenue, de sa dignité. Elle était passée maître en faux-semblant. Quelle ironie ! C'était la raison même pour laquelle Wayne l'avait quittée. « Tu es continuellement en représentation, lui avait-il dit. Tu joues sans cesse un rôle. »

Nina traversa la pièce pour la rejoindre.

— Vraiment, vous êtes parfaite, remarqua-t-elle.

Elle rajusta le col du chemisier d'Eden.

— Je ne vous ai jamais vue en aussi grande forme depuis... depuis longtemps.

— Vous n'avez rien à m'envier, dit Eden.

Nina portait un jean bleu – elle n'avait rien de l'agent hollywoodien typique –, un tee-shirt rouge et, noué à son cou, un foulard violet qui mettait en valeur ses cheveux d'un noir de jais coupés court. Elle n'avait que trente-quatre ans, un an de moins qu'Eden, et elle avait effectivement l'air adorable.

— Ils essaient de déplacer votre canapé afin de cadrer l'océan, derrière les baies, reprit Nina.

— Mmmm...

Ce qu'ils voulaient, en réalité, se dit Eden, c'était faire en sorte que ce salon ait l'air de celui d'une grande vedette, d'une star digne d'une interview de Monika

Lane. Bah, son intérieur ne serait une surprise pour personne. On la savait sans prétention.

Nina secoua la tête.

– Ils sont en train d'abîmer tout votre tapis.

– Je m'en moque.

Eden était sincère. Les marques sur le tapis couleur pain brûlé lui étaient indifférentes. Depuis le départ de Wayne, cette maison n'avait plus d'intérêt pour elle. Au cours des dernières semaines, l'idée d'un déménagement lui était passée par l'esprit à maintes reprises. S'installer dans un endroit où il y aurait plus d'enfants de l'âge de Cassie. Un endroit plus tranquille, loin de la plage. Ces temps-ci, elle s'était surprise à avoir envie d'arbres, de véritable verdure.

Finalement, l'équipe s'estima satisfaite de ses efforts. Monika Lane disposa son élégante personne à l'une des extrémités du canapé bleu acier, fit signe à Eden de s'approcher. Eden s'assit à l'autre extrémité. Elle imaginait la scène, vue à travers l'objectif de la caméra. La manière dont elle et Monika se mettraient mutuellement en valeur, Monika avec ses cheveux de nuit, Eden avec sa chevelure blonde. Mais, Eden le savait, il y avait entre elles plus de ressemblances que de différences : toutes deux avaient réussi, sans ménager leur peine, à force d'ambition et d'intégrité.

Eden replia les jambes sous elle. Elle avait les pieds nus. Elle portait un pantalon de soie blanche, un chemisier souple, blanc lui aussi, ouvert sur la gorge. C'était sa tenue favorite pour les situations difficiles. Elle s'y sentait à l'aise, avait l'impression d'être enveloppée d'un nuage. Ce jour-là, elle avait laissé ses cheveux flotter librement, alors que depuis quelque temps elle les nouait en chignon. Une chaîne en or pendait à son cou. Elle était très peu maquillée : on l'avait toujours vue ainsi.

Quelqu'un lui tendit une tasse de café qu'elle garda entre ses deux mains, sur ses genoux.

Dès le début de l'interview, Eden comprit que Monika allait la traiter avec douceur, plus qu'à son habitude, en tout cas. Monika le savait, son public n'apprécierait pas de la voir déchirer à belles dents sa bien-aimée Eden Riley, si vilainement trahie.

– Cette période est pour vous, Eden, l'une des plus heureuses sur un plan professionnel, mais l'une des plus pénibles d'un point de vue personnel, commença Monika.

– Elle a été difficile, c'est vrai, acquiesça Eden, mais je survis.

Elle devrait s'étendre un peu sur le sujet. Prendre le contrôle de l'entretien, comme disait Nina. Elle imagina celle-ci adossée au mur et marmonnant entre ses dents, et l'idée lui procura un certain plaisir.

– Votre mariage a duré longtemps, selon les critères de Hollywood.

– Quinze ans.

– On le considérait comme l'un des plus stables, en ces lieux.

Eden se redressa légèrement. Monika n'allait pas la manier aussi facilement qu'elle l'avait cru.

– Eh bien, un mariage peut paraître solide, vu de l'extérieur, tout en regorgeant de problèmes.

– Le vôtre regorgeait-il de problèmes ?

Eden baissa les yeux sur sa tasse pour mieux réfléchir à sa réponse. Elle n'avait jamais soupçonné l'existence des problèmes. Comme tout le monde, elle avait été douloureusement surprise quand Wayne l'avait quittée.

– Il y en avait, je suppose, mais je n'en avais pas conscience. Je travaillais beaucoup. Mon mari voyageait énormément. Sans doute nos rapports en ont-ils souffert en chemin. On a fait passer Wayne pour le seul coupable, mais un mariage, c'est une rue à double sens.

– Vous ne lui en voulez pas ?

– Il ne voulait plus être l'époux d'une comédienne. Je ne peux lui en vouloir. D'autres choses, oui, peut-être. Mais pas de ça.

– Il doit se remarier prochainement, je crois. C'est exact ?

Eden approuva d'un signe de tête.

– Le mois prochain, oui. En Pennsylvanie.

Comme si Monika l'ignorait. Comme si le monde entier n'était pas au courant. *Une maîtresse d'école,* avait jubilé Wayne. *On ne peut guère faire plus terre à terre.*

– Et votre petite fille, Cassie ? Vous en avez la garde l'un et l'autre ?

Eden sentit une douleur lui transpercer le crâne, si brutale, si aiguë qu'elle n'avait pas eu le temps de s'y préparer. Cassie était l'unique sujet qui pourrait faire basculer l'interview, la transformer elle-même en une loque gémissante. Mais elle se reprit, sourit largement.

– Oui. Elle passera d'une côte à l'autre.

– Quel âge a-t-elle, maintenant ?

– Quatre ans. D'une certaine manière, cette année a été bonne pour moi. Je n'ai pas beaucoup travaillé, ce qui m'a laissé le temps d'être simplement une maman.

– Vous vous êtes aussi beaucoup occupée de votre projet favori.

– Le Fonds d'aide aux enfants handicapés. Oui, c'est vrai.

Monika changea brusquement de sujet. Sans doute était-elle d'avis que l'aide aux enfants handicapés plongerait l'auditoire dans le sommeil.

– Vous étiez merveilleuse dans le personnage de Lily Wolfe, dans *Au cœur de l'hiver*.

– Merci.

– Quelle impression avez-vous eue, après des années passées à tourner des films destinés aux moins de treize ans ?

– Je me suis sentie libérée. En même temps, j'avais peur. Je n'étais pas sûre d'être prise au sérieux dans ce genre de rôle.

– Votre Oscar a dû vous rassurer. Cette victoire vous a surprise ?

Eden prononça quelques mots modestes, pleins d'humilité, qui lui venaient machinalement aux lèvres, et qu'elle aurait oubliés quelques instants plus tard. A la vérité, la surprise n'avait pas été telle. Elle avait assisté à la première de *Au cœur de l'hiver,* beaucoup plus inquiète que d'ordinaire à l'idée de ce qu'elle allait voir à l'écran. Mais, dès les premières images, quand elle avait constaté à quel point elle s'était identifiée à Lily Wolfe, elle avait compris qu'elle avait accompli un exploit extraordinaire. La projection terminée, l'assistance était restée silencieuse, pétrifiée durant quelques secondes, avant d'exploser en applaudissements frénétiques. La preuve lui était donnée que les spectateurs, eux aussi, avaient conscience de son exploit.

– Pourquoi avez-vous obstinément refusé de vous laisser filmer nue ? demanda Monika.

Eden changea de position sur le canapé. Elle aurait aimé pouvoir poser la tasse dans laquelle le café avait refroidi.

– J'aurais eu l'impression de faire un bond démesuré, répondit-elle. Vous comprenez, pendant un temps je suis une héroïne pour les enfants de dix ans et, l'instant d'après, je me roule toute nue dans un lit avec un type.

– Et ce type était Michael Carey.

Eden sentit ses joues s'empourprer.

Monika eut un sourire ravi.

– Vous rougissez, Eden.

– On a donné des proportions démesurées à notre amitié.

– De l'amitié ? Rien d'autre ?

– Absolument.

Elle imagina Michael devant l'écran de télévision. Ces mots-là, il les avait entendus cent fois de sa bouche. Peut-être finirait-il par la croire, si elle les prononçait en public.

– J'apprécie sa compagnie, mais je n'ai pas l'intention de me précipiter dans les bras de qui que ce soit, même pour des motifs sérieux.

Monika secoua la tête d'un air déçu.

– Vous avez l'air tellement faits l'un pour l'autre. En dépit du fait que vous êtes restée vêtue durant toute la séquence, je crois n'avoir jamais vu de scène d'amour plus érotique que celle qui se déroulait entre vous deux dans cette chambre d'hôtel.

Eden sourit, sentit la couleur remonter à ses joues.

– Il s'était formé une réaction chimique entre les deux personnages. Cela ne signifie pas qu'elle existait entre les deux acteurs.

Oh, Dieu, avait-elle vraiment dit ça ? *Pardon, Michael.*

– Et votre enfance, Eden ? C'est le seul sujet que vous refusez résolument d'aborder dans une interview.

Eden maintint son sourire en place.

– Et je ne vais pas changer de ligne de conduite pour vous, Monika.

Elle n'évoquait son enfance avec personne, pas même avec elle-même. Elle avait l'impression qu'une autre fille avait vécu sa vie, avant son départ pour la Californie.

– Voyons, permettez-moi de résumer un peu. Vous êtes la fille d'un écrivain pour enfants, Katherine Swift, qui a connu un immense succès. Elle est morte quand vous étiez encore tout enfant. A votre avis, le fait d'être la fille de Katherine Swift a-t-il un rapport avec votre succès de comédienne ?

Eden hocha la tête.

– Cela m'a permis de mettre un pied dans la place. Cela m'a aidée à obtenir des rôles dans les films adaptés des livres de ma mère. Mais, après ça, j'ai dû me tirer d'affaire toute seule.

– Vous êtes l'un des auteurs du merveilleux scénario de *Au cœur de l'hiver*. Avez-vous hérité du talent d'écrivain de votre mère ?

– Je l'espère. C'était pour moi une activité toute nouvelle, et j'aimerais refaire l'expérience.

– Lui ressemblez-vous par d'autres aspects ? Elle s'était acquis la réputation d'une sorte d'excentrique... une femme étrange, recluse, qui tenait les gens à distance.

Eden refréna le désir de voler au secours de sa mère. Elle se mit à rire.

– Me trouvez-vous étrange, excentrique ?

– Certainement pas en surface.

– Et sous la surface, pas davantage, affirma-t-elle avec une nuance de bravade.

Mais, dans sa tête, elle entendait la voix de Wayne : « Qui est la *véritable* Eden Riley ? Je ne pense pas l'avoir jamais rencontrée. Et je ne crois pas que, toi-même, tu la connaisses. »

– Quels sont vos projets, Eden ?

À cette question, elle le savait, Nina allait dresser l'oreille. Nina en avait assez. L'une après l'autre, Eden avait refusé toutes les propositions. Aucune ne lui convenait, avait-elle prétexté pour son agent. Les rôles étaient trop vulgaires, elle perdrait ses admirateurs. Mais la vérité était autre : depuis le départ de Wayne, elle n'avait plus envie de rien. Aucune force. Aucune énergie.

Elle plongea son regard dans les yeux soigneusement maquillés de Monika.

– Je ne veux pas plonger dans une histoire dont je ne sois pas sûre, déclara-t-elle. Le prochain tournage sur lequel je travaillerai devra être un projet dans lequel je pourrai m'investir tout entière...

L'image de sa mère se présenta à son esprit. Katherine Swift assise à son bureau, penchée sur sa machine à écrire, éclairée dans l'obscurité par les flammes des bougies de la caverne de Lynch Hollow.

– Eden ?

Monika haussait les sourcils.

Eden se pencha en avant.

– Vous avez fait allusion à ma mère. Je songe à faire quelque chose sur sa vie, peut-être.

À l'entendre, on aurait dit que l'idée mijotait dans son esprit depuis des mois, alors qu'elle venait tout juste d'y penser. Elle sentit que Nina, dans le coin de la pièce, se raidissait. *De quoi diable parle-t-elle ?* devait-elle se dire.

– Je pourrais la faire mieux connaître, poursuivit Eden. (Ses paumes pressaient plus fort la tasse restée entre ses mains.) Mieux apprécier.

– Vous avez l'intention de réaliser un film sur votre mère ?

– Oui. J'aimerais en écrire moi-même le scénario. Et interpréter aussi son personnage.

Les mots coulaient de ses lèvres sans qu'elle eût la moindre idée de leur source. Ses aisselles étaient moites, elle éprouvait un picotement sur la nuque.

Monika eut un sourire épanoui.

– Quelle idée formidable !

Elle reprit son questionnaire avec un enthousiasme renouvelé. Eden répondait, mais dans son esprit flambaient maintenant des images : la caverne, le vert luxuriant de la vallée de la Shenandoah, la maison de bois de son enfance, à Lynch Hollow. Son oncle et sa tante habitaient maintenant cette maison. Verraient-ils cette interview ? Qu'allaient-ils en penser ? Elle les voyait se tourner l'un vers l'autre d'un air incrédule.

Il lui faudrait tourner pendant l'été, l'époque où la verdure, d'une densité à vous couper le souffle, remplirait tout l'écran. Mais elle ne savait à peu près rien de sa mère. Une somme énorme de documentation lui serait nécessaire, et elle devrait passer quelque temps à Lynch Hollow. En serait-elle capable ? Sous l'effet de la surexcitation, son cœur lui martelait les oreilles. Sous le coup de la peur, aussi. Parce que Lynch Hollow était réel, aussi réel que la caverne, aussi réel que la rivière. Là-bas, elle ne pourrait plus faire semblant. Elle ne pourrait plus se réfugier derrière une façade.

# 2

Eden rangea la voiture sur le bas-côté de la route et, à pied, s'engagea dans les bois. Malgré plus de vingt années écoulées sans y revenir, malgré le crépuscule et l'ombre qui s'épaississait parmi les arbres, elle connaissait son chemin.

Des lucioles dansaient dans l'air humide de ce mois de juin, et, quand Eden atteignit la caverne, son chemisier lui collait au dos. L'endroit était resté tel qu'il était la dernière fois qu'elle l'avait vu. Elle avait alors onze ans et n'avait d'autre foyer que ce trou dans la vallée de la Shenandoah, en Virginie. L'entrée de la caverne était toujours bloquée par deux rochers d'un gris pâle que l'Oncle Kyle et quelques voisins avaient roulés jusque-là. Mais, au-dessus des rocs énormes, s'ouvrait un triangle obscur. Eden s'approcha. Elle ne se rappelait pas cet orifice. Peut-être une grosse pierre s'en était-elle dégagée au cours des vingt-quatre dernières années. La caverne était ainsi accessible aux chauves-souris, aux mulots. Oncle Kyle le savait-il ? se demanda-t-elle. Arrivait-il à des enfants de tenter de se faufiler par l'ouverture, quand ils se lançaient dans des paris ?

– *C'est la caverne où Katherine Swift écrivait ses histoires,* devaient-ils se dire. *La caverne où elle est morte.*

Et peut-être entendaient-ils le cliquetis saccadé de la machine à écrire, porté par le courant d'air froid qui s'échappait de l'orifice. Eden elle-même l'entendait maintenant, comme si sa mère était encore à l'intérieur, à écrire, sans se soucier de l'approche de la nuit.

Elle revint lentement vers la voiture, les bras croisés sur la poitrine. Un mois avait passé depuis l'interview de

16

Monika Lane, et, tout au long de ce mois, l'idée de faire un film sur sa mère l'avait consumée. Deux studios s'y intéressaient, mais, pour le plus grand dépit de Nina, Eden tenait tout le monde à distance. Elle refusait de se laisser bousculer. Elle tenait à conserver la maîtrise entière du projet.

– C'est *fantastique,* avait déclaré Nina, après avoir noté l'enthousiasme suscité par l'idée d'Eden. Qui, mieux que vous, pourrait faire un film sur Katherine Swift ?

Mais, à la mort de sa mère, Eden avait tout juste quatre ans. Ses souvenirs étaient vagues, presque impalpables. Les quelques notes biographiques sommaires sur Katherine Swift décrivaient ses excentricités comme des manifestations proches de la folie et perpétuaient le mythe selon lequel c'était une femme froide qui avait choisi de mener une existence d'ermite.

Les articles consacrés à la mère d'Eden commençaient toujours par « l'étrange Katherine Swift » ou « l'excentrique Katherine Swift ». Une critique de la dernière réédition de ses livres disait : « Il est remarquable que Katherine Swift ait décrit ses jeunes personnages dans un style aussi chaleureux, quand on sait que, durant la plus grande partie de sa courte vie, elle a dédaigné la compagnie de ses semblables. »

Peut-être Eden serait-elle en mesure de modifier l'exaspérante opinion que le public avait de sa mère. Elle-même était la preuve vivante que Katherine avait eu au moins une tendre relation. Le père d'Eden, Matthew Riley, était mort peu de temps après sa naissance. La jeune femme, cependant, se plaisait à imaginer son bref mariage avec sa mère comme une union vibrante de passion. Il avait bien fallu un homme d'une qualité particulière pour arracher Katherine à sa coquille.

Ce matin-là, au cours du vol de Los Angeles à Philadelphie, Eden avait eu l'inspiration d'un titre pour le film. *Une vie de solitude.* Le mot « solitude » ne portait aucune connotation péjorative. Il ne portait aucune accusation sur les choix de sa mère. Là serait le thème du film : le monde se trompait dans son analyse d'une femme qui était à la fois écrivain et archéologue. Elle n'était pas froide. Elle n'était pas folle.

Après avoir loué une voiture à Philadelphie, Eden avait couvert avec Cassie les quelque cinquante kilomètres qui les séparaient de la maison de Wayne et de Pam. En dépit de longues conversations sur le sujet, Cassie, apparemment, ne comprenait pas encore qu'elle allait passer un mois avec son père et la nouvelle épouse de celui-ci... sans Eden. En arrivant devant le pavillon de banlieue de Wayne, Eden avait été soulagée de trouver son ex-mari seul à la maison. Il était là dans son élément, elle le vit aussitôt. Il taillait les rosiers. Son pantalon était sali aux genoux, ses mains durcies par le sécateur. Quand il se pencha pour embrasser sa fille, il avait les larmes aux yeux. Il serra ensuite la main d'Eden.

— Deux mois chez Lou et Kyle, alors ? fit-il en souriant. Je n'arrive pas à y croire, Eden. Mais je trouve ça très bien. Et ici, tout ira pour le mieux.

Il baissa les yeux sur Cassie qui s'accrochait encore à la main de sa mère.

En reprenant en sens inverse la longue allée, Eden se permit un seul dernier coup d'œil vers sa fille. Ce fut une erreur. La petite fille suivait la voiture d'un regard fixe, voilé d'incrédulité. Eden sentit de nouveau monter en elle une vague de culpabilité.

Le trajet de Philadelphie à Washington se passa dans une sorte de brouillard, mais, ensuite, les douces collines boisées de Virginie vinrent bercer la route entre leurs bras et ramenèrent la jeune femme au but de ce voyage. Peut-être serait-il bon d'ouvrir le film sur une vue aérienne de ces collines. Ou peut-être encore, pensait-elle maintenant, en abandonnant la forêt pour la route, la caméra devrait-elle se faufiler parmi les arbres, lentement, sans heurt, jusqu'au moment où elle atteindrait l'ouverture de la caverne. *Détends-toi,* s'enjoignit-elle. Au cours des semaines suivantes, il lui viendrait encore des centaines d'idées pour les premières images du film. Inutile de prendre dès maintenant des décisions.

Elle remonta en voiture, suivit avec prudence la route étroite. Elle cherchait dans l'obscurité le tournant qui l'amènerait, à travers la forêt, vers Lynch Hollow et la maison de son enfance, la maison où Kyle, le frère de Katherine, s'était retiré en quittant New York. Au début, elle avait reculé devant la suggestion que lui faisait Kyle de venir passer l'été avec lui et Lou, pendant qu'elle se documenterait. Elle les avait vus le moins souvent possible, depuis le jour où, à dix-neuf ans, elle les avait quittés, et les visites étaient toujours tendues, empreintes de malaise. L'idée de passer avec eux un été entier l'accablait, mais elle avait l'impression de n'avoir pas le choix. Kyle en savait plus que personne sur Katherine. Elle allait donc, durant les deux mois suivants, vivre dans la maison de sa petite enfance, ce qui ne manquerait pas de réveiller des souvenirs prudemment et profondément ensevelis.

Elle repéra le rocher qui marquait l'accès et le petit écriteau de bois gravé qui le surmontait. *Lynch Hollow.* En s'engageant dans l'allée, elle eut la surprise de la trouver macadamisée. La dernière fois qu'elle l'avait suivie, elle avait onze ans et elle se trouvait à l'arrière d'une voiture noire en compagnie de l'épouse de son grand-père, Susanna. Elle se souvenait de ses paupières brûlantes, irritées par la poussière orangée qui filtrait par les vitres du véhicule. Qui était au volant ? Elle ne se rappelait pas. Un parent de Susanna, probablement. Ce jour-là, quand la voiture s'était éloignée de la petite maison blanche, elle ne savait pas qu'elle ne la reverrait plus pendant vingt-quatre années. « Nous allons faire une promenade, lui avait dit Susanna. Juste une petite promenade. » Eden avait trouvé ça bizarre. La spontanéité ne faisait pas partie de la nature de Susanna, et elle toussait encore beaucoup, elle restait très pâle, après des semaines de lit. La promenade se prolongeait indéfiniment. Eden finit par en avoir assez. Quand le véhicule s'arrêta enfin devant un bâtiment carré en briques, isolé au milieu d'un champ, elle se réjouit d'être enfin arrivée quelque part. Il s'écoula encore une heure avant le moment où elle comprit que Susanna avait l'intention de la laisser là, avec des religieuses vêtues de noir et des enfants qu'elle ne connaissait pas. Et des jours et des jours passèrent encore, avant celui où elle comprit que Susanna avait projeté de la laisser là pour toujours.

Les deux ans passés à l'orphelinat lui parurent une éternité. Mais, alors qu'elle venait d'avoir treize ans, Kyle et Lou la retrouvèrent, l'emmenèrent avec eux à New York City, où s'écoula le reste de son adolescence. Depuis cette époque, elle évitait New York aussi résolument que Lynch Hollow.

Dans l'obscurité, la petite maison semblait différente. Les bois alentour paraissaient plus touffus, les arbres plus hauts, penchés vers le toit pour le protéger. Les contours de la construction se dessinaient plus nettement que dans l'image vague qu'elle gardait en mémoire.

La maison avait changé, et la constatation redonna courage à la jeune femme. Mais, lorsqu'elle mit pied à terre, elle eut un recul devant le parfum familier et envahissant du chèvrefeuille, devant l'odeur du buis. Un mélange à la fois doucereux et musqué.

La porte d'entrée s'ouvrit. La véranda s'illumina. La haute silhouette de son oncle se dessina dans l'encadrement, profila son ombre jusqu'aux pieds d'Eden.

— Eden !

Kyle s'avança sur la véranda, laissa le battant grillagé se refermer derrière lui. Il traversa la cour, et elle fit un effort pour lui rendre son sourire. Elle ne l'avait pas revu depuis un an et demi, quand Lou et lui, à Noël, avaient pris l'avion pour la Californie, afin de venir gâter Cassie.

Kyle la serra dans ses bras.

— Tes bagages ?

Elle ouvrit le coffre, révéla deux valises, la machine à traitement de texte portable.

— Lou est là ?

Elle souleva une valise, la posa sur le sol.

Kyle répondit d'un hochement de tête, sourit en sortant du coffre la machine. Comme bien des fois déjà, elle pensa à quel point cet homme était chaleureux, combien elle aurait aimé pouvoir lui rendre cette chaleur.

A l'intérieur de la maison, tout avait été transformé. Urbanisé. La porte d'entrée ouvrait toujours bizarrement sur la cuisine, mais la pièce avait été réduite à ses quatre murs avant d'être rénovée. Eden ne l'aurait jamais reconnue. Les plans de travail, l'équipement ménager, tout était assez bas pour s'adapter au fauteuil roulant de Lou. Dans le plafond, au-dessus de la table, on avait ménagé un châssis vitré. Le petit passage mal-commode entre la cuisine et la salle de séjour avait disparu, et le mur nord de la grande pièce était maintenant entièrement vitré.

Le chevalet de Lou était placé devant ce mur. Un concerto pour piano de Prokofiev jaillissait à flots des enceintes stéréo placées dans deux angles de la salle.

— Vous avez fait des merveilles, avec cette maison, constata Eden.

Mains aux hanches, au milieu de la pièce, elle regardait autour d'elle.

— Vous avez amené New York à Lynch Hollow.

Lou fit rouler son fauteuil jusqu'à elle pour lui tendre un verre de thé glacé.

— Kyle a bien dû me faire quelques concessions pour

me convaincre de venir vivre ici, dit-elle. J'espère que nous n'aurons rien gâché pour ta documentation.

– Non.

Eden se pencha pour poser un baiser sur la joue de sa tante.

– Ça me plaît énormément.

Elle regarda Lou passer sans effort de son fauteuil au canapé, comme si n'avoir qu'une jambe était sans importance. Lou approchait des soixante-dix ans et elle était très belle. La peau restait lisse et tendue sur les pommettes saillantes, sur la ligne nette de la mâchoire. Elle avait d'immenses yeux bleus aux lourdes paupières, sous des sourcils expressifs. Ses cheveux, théâtralement mêlés de noir et de blanc, étaient noués très haut en un chignon rond : la coiffure, sur une autre femme, aurait pu être désastreuse, mais elle donnait à Lou une allure fière, aristocratique. Avec son jersey noir au décolleté bateau et sa longue jupe verte, elle aurait pu passer pour une ballerine à la retraite, et il était vrai que, par le passé, elle avait adoré danser. Du temps où Eden était adolescente, Kyle, chaque samedi soir, emmenait sa femme au bal. Mais, Dieu merci, elle n'en avait pas fait sa profession. Eden se rappelait le soulagement de Kyle quand, quelques semaines seulement après avoir perdu sa jambe, Lou avait repris sa place devant son chevalet.

Kyle posa sur la table basse un gâteau au chocolat. Une bougie rose était plantée dans la couche de sucre glacé.

– Heureux anniversaire, Eden. Avec quelques jours de retard.

– Merci.

Eden s'assit sur le petit canapé, se tourna vers Lou.

– C'est toi qui as confectionné le gâteau ? Il est superbe.

Lou secoua la tête.

– Je ne fais plus grand-chose dans ce domaine, ma chérie. Il y a à Coolbrook une excellente boulangerie. Sers-toi, ajouta-t-elle. Mais fais un vœu.

Eden souffla la bougie, se sentit coupable parce que le premier vœu qui lui était venu en tête consistait à souhaiter que sa besogne en ces lieux fût terminée très vite, afin d'échapper aussi vite que possible à son oncle et à sa tante.

Lou lui tendit une part de gâteau.

– Nous t'avons logée à l'étage, dans l'ancienne chambre

de ta mère, annonça Kyle. Elle a été à peine touchée par les remaniements de la maison. Tu pourras peut-être encore la retrouver là-haut, espérons-le.

Eden hocha la tête. C'était pour elle l'endroit le plus logique. Le rez-de-chaussée ne comportait que la chambre des maîtres de maison et une autre plus petite, qui avait d'abord été celle de sa mère et de Kyle, et, plus tard, celle de Katherine seule. Peu de temps avant la naissance d'Eden, on avait ajouté un étage. Il y avait là-haut une vaste chambre et une pièce plus petite, de l'autre côté du palier, où Katherine écrivait lorsqu'il faisait trop froid dans la caverne. Il n'y avait pas de rochers pour interdire l'accès à l'escalier, mais la chambre de Katherine était restée aussi isolée du reste du monde que sa caverne.

— Ceci est arrivé pour toi aujourd'hui.

Kyle revenait dans la salle avec un vase empli de deux douzaines de roses rouges. Il le posa sur la table à côté du gâteau.

Tout en sachant qui avait envoyé les fleurs, Eden prit la carte qui leur était jointe. *Vous me manquez déjà,* avait écrit Michael.

— C'est de Michael Carey ? demanda Lou.

— Oui.

Kyle et Lou étaient manifestement au courant des derniers potins de Hollywood. Eden abandonna la carte sur la table, reprit son assiette.

— Il est très séduisant, reprit Lou.

— C'est vrai.

— Mais il a une satanée réputation, remarqua Kyle. Ne sois pas trop pressée de te lancer dans l'aventure.

Lou se mit à rire.

— Ky, ce n'est plus une petite fille.

— Bon, bon, fit-il en souriant. Les vieilles habitudes ont du mal à mourir.

— Michael s'est acheté une conduite, Kyle. Il se montre plein de sollicitude parce qu'il espère jouer Matthew Riley dans le film. Mais, en réalité, nous sommes simplement bons amis. Inutile de te tourmenter.

— Deux douzaines de roses pour une amie ? questionna Kyle avant de disparaître dans la cuisine.

Eden soupira, regarda sa tante.

— D'où vient mon impression d'avoir de nouveau dix-huit ans ?

— On ne cesse jamais de se tracasser, Eden. Alors, comment va Cassie ? Nous avons hâte de la revoir.

– Elle va très bien.

– Elle va te manquer tout ce mois, je parie.

Eden haussa les épaules.

– Elle s'amusera bien avec Wayne, Pam et les enfants de Pam.

Elle sentit les larmes menacer, but une longue gorgée de thé glacé pour les arrêter. *Pourquoi es-tu obligée de partir, Maman ?*

– Nous avons vu trois fois *Au cœur de l'hiver,* Eden, annonça Kyle, du seuil de la cuisine, où il dégustait son thé. Nous sommes vraiment fiers de toi, ma chérie.

Quel âge avait Kyle, à présent ? Soixante-quatre ans ? Sa barbe bien taillée, poivre et sel, lui prêtait une certaine dignité, mais les rides du rire gravées autour de ses yeux d'un bleu limpide trahissaient sa bonne humeur. Il était vêtu d'un jean et d'une chemise à carreaux bleue et il était mince sans être maigre. Quand il parlait, un reste d'accent de la vallée de la Shenandoah adoucissait encore les mots. Il avait pourtant passé loin de Lynch Hollow la plus grande partie de sa vie d'adulte. Il possédait encore une grande séduction, tout à fait remarquable pour son âge. Elle en avait pris conscience pour la première fois quelques années seulement auparavant. Venu à Los Angeles pour une conférence archéologique, il avait tenu à l'inviter à dîner. Passer une soirée en tête à tête avec lui était impensable, et Eden avait demandé à Nina de se joindre à eux. Au restaurant, elle venait à peine de s'asseoir quand Nina l'avait entraînée aux toilettes.

– Votre oncle est magnifique, lui avait-elle dit. Est-il marié ?

Eden la dévisagea d'un air incrédule.

– Il est presque assez âgé pour être votre grand-père, Nina.

La jeune femme se pencha vers le miroir pour appliquer une nouvelle couche de mascara sur ses cils déjà surchargés.

– Il est âgé comme l'est Paul Newman, comme l'est Sean Connery. Vous voyez ce que je veux dire ?

Elle se renversa en arrière, battit des paupières pour mieux jauger son reflet dans la glace.

– Alors, il est marié ?

Eden passa le reste de la soirée à observer Kyle. Elle le vit éviter sans effort, habilement, les tentatives de séduction de Nina. Stupéfaite, elle comprit qu'il était accoutumé à ce genre de gymnastique, qu'il l'avait sans doute pratiquée sa vie durant.

Ici, à Lynch Hollow, elle voyait s'avancer subrepticement les premiers signes de l'âge. Il se déplaçait un peu plus lentement, et elle le vit grimacer légèrement lorsqu'il vint s'asseoir près de Lou.

– C'est l'arthrite, dit-il. Elle a fini par me rattraper.

Le fauteuil roulant était depuis longtemps attaché à l'image de Lou, mais Eden ne s'était pas attendue à trouver un changement chez Kyle. Elle se sentit parcourue à l'improviste d'un frémissement de peur.

La conversation languissait. Entre eux trois, il en allait toujours ainsi. Pas une seule fois, durant les années de son adolescence passées avec eux, ils ne s'étaient entretenus en toute liberté. Alors, comme maintenant, la faute lui en était revenue à elle. Elle était capable, avec la plupart des gens, d'échanger des propos superficiels à l'abri de son masque d'Eden Riley. Mais, avec Kyle et Lou, elle ne pouvait être qu'elle-même, et c'était le seul rôle qu'elle n'avait jamais été en mesure d'apprendre par cœur.

Kyle, subitement, posa sa tasse sur la table basse, se leva.

– J'ai quelque chose pour toi.

Il sortit de la pièce, revint quelques minutes plus tard. Il tenait un mince paquet, enveloppé de papier-cadeau, qui avait à peu près les dimensions d'un magazine. Il le laissa sur la table, alla se rasseoir près de Lou qui se rapprocha de lui.

– C'est ton cadeau d'anniversaire, dit-il.

Elle perçut dans sa voix une certaine réserve, comme s'il n'était pas bien sûr de vouloir lui offrir ce présent.

Eden ouvrit le paquet, découvrit un cahier relié de toile sombre. Elle leva les yeux vers Kyle.

– C'est le début du journal intime de ta mère.

– Quoi ?

Elle posa la main à plat sur le cahier.

– Elle tenait un journal intime ?

Kyle hocha la tête.

– J'avais l'intention de te l'offrir depuis longtemps, mais...

Il haussa les épaules.

– On s'est tellement mépris sur le compte de ta mère. Je ne voulais pas te voir en faire autant.

Lou posa les doigts sur le bras de son mari.

– Maintenant encore, j'hésite, reprit-il. C'est égoïste de ma part, je suppose. J'étais le seul à être au courant.

– Mon père ne le savait pas ?

Kyle hésita, les yeux baissés sur la main de Lou qui reposait sur son poignet.

– Matt était au courant de l'existence de ce journal, mais il ne l'a jamais lu.

Il se redressa avec un long soupir.

– Voilà. Je te les donnerai... Il y a d'autres cahiers. Une douzaine, peut-être. Et Katherine, je le sais, voulait que tu les aies. Mais j'ai l'intention de te les remettre un par un : je ne veux pas que tu les lises trop vite. C'était un personnage complexe, ta mère. Une femme compliquée. Et, si tu ne la comprends pas à l'âge de treize ans...

Il se pencha en avant pour reprendre le cahier.

– ... tu ne seras jamais capable de la comprendre à l'âge de trente et un an.

Eden se laissa aller contre le dossier de son siège. De treize à trente et un ans ! Le journal intime allait faciliter ses recherches. Finalement, elle n'aurait sans doute pas besoin de passer tout l'été en ces lieux. Toutefois, elle éprouvait plus d'émoi que de joie à l'idée de lire ce qu'avait écrit sa mère sur sa propre vie. Elle n'aurait guère la possibilité d'interpréter le texte, de forcer les faits à se plier à son thème. Et elle en était trop proche. Elle devrait prendre ses distances pour le lire.

– Ne t'inquiète pas, dit-elle. J'ai toujours su qu'elle était méconnue. J'en ai assez de la voir représentée comme froide et détachée.

Kyle se leva, se retourna vers le mur de verre. Il avait les mains dans les poches, les épaules rigides. Eden se demanda si elle avait dit ce qu'il ne fallait pas.

– Kate n'était pas froide, dit-il. Elle a choisi l'isolement parce qu'elle s'y sentait plus en sécurité.

Il se tourna vers la jeune femme.

– Je t'aiderai du mieux que je pourrai, Eden. Mais je ne veux pas qu'on tourne dans la caverne. La caverne demeurera fermée.

– Je n'y vois pas d'inconvénient.

Elle avait prévu cette réaction et, d'une certaine façon, c'était pour elle un soulagement. La caverne lui faisait un peu peur.

– Nous en trouverons une autre, ou nous reproduirons celle-là.

— Tu ne vas pas être trop déçue, j'espère, poursuivit Kyle. Une histoire à propos d'une femme qui passait quatre-vingt-quinze pour cent de son temps dans une caverne pourrait bien être assez ennuyeuse.

— Le film ne sera peut-être pas pour tous les publics, mais je n'ai pas l'intention d'en faire quelque chose d'assommant.

— Tu dois être fatiguée, après cette longue route, ma chérie, intervint Lou.

Eden reposa son assiette sur la table, se leva avec une feinte lassitude. Elle avait passé trois heures de cette journée à voler vers l'est et elle n'était pas vraiment fatiguée, mais ce serait un soulagement de se retrouver seule.

— Oui, c'est vrai. Je pense que je vais me mettre au lit de bonne heure.

Kyle reprit le cahier, le lui tendit comme s'il s'agissait d'un défi.

— Peut-être aimerais-tu lire un peu, avant de t'endormir.

Elle prit le cahier.

— Demain, je demanderai à mon associé, Ben Alexander, de te montrer le site archéologique.

Il l'accompagna jusqu'à l'escalier.

— Il faudra que tu t'en imprègnes pour comprendre la passion qu'il suscitait chez Kate.

Eden répondit d'un signe de tête. Kyle avait déjà organisé toute sa documentation.

La chambre de sa mère était spacieuse et accueillante, avec son mobilier en bois de pin et son grand lit. Un fauteuil à bascule bleu en osier faisait face à la fenêtre nord. Un petit bureau était placé devant celle qui donnait au sud. Eden examinait l'ensemble d'un œil expert, imaginait l'effet que produirait cette pièce à l'écran. Elle voyait Katherine se balancer dans le fauteuil, écrire au bureau.

Elle entreprit de défaire sa valise, posa la photo de Cassie sur la commode. Cassie était sur une balançoire, dans le parc, ses cheveux bruns volaient droit derrière elle. Elle avait son habituel sourire espiègle. Eden chercha des yeux le téléphone. Il n'y en avait pas dans la chambre. Tant mieux. Elle résisterait plus facilement au désir constant d'appeler en Pennsylvanie. Elle n'était pas habituée à n'avoir personne à border dans son lit, personne pour demander avec insistance une autre histoire, un verre d'eau, un baiser supplémentaire. Jamais elle ne s'était trouvée aussi loin de sa fille. Lorsque les tournages l'obligeaient à voyager, elle emmenait Cassie. La séparation de cet été-là était la conséquence du droit de visite très libéral accordé à Wayne par le juge, après l'horrible bataille au tribunal. Jamais elle ne pardonnerait à Wayne ses efforts pour la discréditer en tant que mère. Pam et lui, avait-il dit au juge, pouvaient offrir à Cassie une existence normale. « Ma fille a été offerte en pâture au public depuis sa conception, avait-il déclaré. Je ne veux pas la voir grandir dans l'idée que Hollywood représente le monde réel. »

Eden avait apporté à Lynch Hollow une autre photo, sans cadre, jaunie, cornée. La femme qu'elle représentait, agenouillée dans l'angle d'une fosse archéologique, levait un visage souriant vers le photographe. Elle avait de magnifiques dents blanches. Son épaisse chevelure, couleur de miel comme celle d'Eden, retombait sur son épaule en une longue natte. Elle portait un short kaki, une chemise blanche ouverte sur la gorge. Elle devait avoir vingt-cinq ou vingt-six ans. C'était l'une des rares photos de sa mère que possédait Eden, et elle la partageait avec le reste du monde : c'était l'image publicitaire le plus souvent utilisée pour les jaquettes des livres pour enfants écrits par Katherine.

Eden appuya la photo à la lampe posée sur la table de chevet. De son nécessaire, elle tira un médaillon, le plaça près de la photo. Au centre de l'ovale de porcelaine blanche était peinte une délicate fleur de lavande. Le bijou avait appartenu à sa mère. Kyle l'avait offert à Eden pour son seizième anniversaire, mais elle ne s'était jamais sentie à l'aise lorsqu'elle le portait. Elle ne savait pas trop pourquoi elle l'avait pris pour ce voyage.

Elle se dévêtit, enfila sa courte chemise de nuit en satin blanc et se mit au lit. Son regard alla vers le journal intime posé sur la table de chevet. La couverture avait probablement été vert foncé, mais, avec l'âge, elle était à présent presque noire. Le cahier se refermait mal : le bord des pages ondulait un peu, comme si elles avaient passé trop de temps à l'humidité. Eden souleva la couverture, découvrit l'écriture régulière de sa mère, en bleu sur le papier jauni. Elle referma le cahier. Non, pas ce soir. Pas encore.

Un hurlement de freins, le grincement du métal sur du métal l'éveillèrent en sursaut. Elle se redressa dans l'obscurité, le cœur battant à tout rompre. Il lui fallut un moment pour situer l'endroit où elle se trouvait. Lynch Hollow. Et il s'était seulement agi d'un cauchemar. *Le* cauchemar. Elle ne l'avait plus fait depuis longtemps, mais tous les détails étaient restés les mêmes. L'obscurité, les grincements, les craquements sinistres qui se prolongeaient sans fin. Elle se retournait, comme au ralenti, pour voir la berline blanche et le break noir se fondre l'un dans l'autre, sous la lueur surréaliste d'un réverbère. Cette fois, au moins, elle s'était réveillée avant d'entendre les hurlements.

Elle sortit du lit, s'approcha de la fenêtre. Le mince croissant de lune était la seule lumière. Elle distinguait à peine l'endroit où la cour herbue se confondait avec la forêt.

*Ce n'était qu'un rêve,* se répétait-elle. *Tu es éveillée. Tout va bien.*

Elle avait prévu cela, non ? Elle ne pourrait pas se trouver, avec Kyle et Lou, dans la même maison sans faire ce cauchemar.

*Oh, Dieu, Lou, je donnerais n'importe quoi pour changer ce qui s'est passé.*

Elle alluma la table de chevet afin de chasser les ombres, s'assit dans le fauteuil à bascule, près de la fenêtre. Elle ne voulait pas se recoucher avant de s'être débarrassée du cauchemar. Elle se balançait, et le mouvement l'apaisait. Ses yeux se posèrent sur le vieux cahier vert. Avec un soupir, elle disposa le fauteuil de façon à avoir la lumière derrière son épaule.

Et elle tendit la main vers le journal intime de sa mère.

# 3

*4 avril 1941*

Je vais encore écoper. Maman a trouvé le dictionnaire que Mrs Renfrew m'avait donné et elle l'a brûlé. Je l'ai vue l'emporter dehors, dans la cour, et y mettre le feu avec une allumette. Quand elle me trouvera, j'aurai droit à la râclée, c'est sûr.

Ma main tremble en écrivant ça et je m'excuse de mes lettres boiteuses. J'ai toujours peur quand je sais que je vais me faire battre, parce que je ne sais jamais jusqu'où elle ira. J'ai les cuisses et les fesses pratiquement calleuses, à force de coups de courroie à affûter les rasoirs. Je devrais y être habituée, à présent, je suppose, mais je ne peux pas m'empêcher de trembler.

Je vais lui mentir, pour le dictionnaire : je lui dirai que je l'ai trouvé. Comme ça, Mrs Renfrew n'aura pas d'embêtements.

Je n'aurais pas cru que Mrs Renfrew avait de l'amitié pour moi. Pourtant, en plus du dictionnaire, elle m'a donné ce cahier. Elle m'a dit que je devais écrire dedans comme si je tenais mon journal. Pas seulement ce qui se passe chaque jour, mais aussi ce que, moi, je *pense* de ce qui se passe. J'ai bien ri quand elle m'a dit ça, parce que j'écoperais encore plus que d'habitude si ma mère savait ce que je pense. Elle a dû lire dans mes pensées parce qu'elle m'a dit : « Kate, ce journal est pour toi toute seule. Tu n'es pas obligée de le montrer, ni à moi ni à personne d'autre. »

Du coup, je me suis arrêtée de rire et je me suis sentie bien, comme si j'avais un ami secret à qui je pourrais dire n'importe quoi. Mais il faut que je cache bien ce cahier parce que si Maman le trouvait, elle me tuerait, et Mrs Renfrew par-dessus le marché. Pourtant, je laisserai peut-être Kyle le lire, surtout que c'est lui qui m'a montré un endroit où le cacher (sous les lames du plancher qui ne tiennent pas bien, sous mon lit). Maman n'aime pas qu'on lise ou qu'on écrive. Quand elle nous regarde écrire, elle dit que ça fait penser à des coups de griffes du diable et, l'autre fois, quand Kyle a lu tout haut un passage de la Bible, elle a dit qu'il l'avait appris par cœur, qu'un garçon de quatorze ans ne pouvait être capable de lire aussi bien.

Papa a caché pour nous des livres dans la resserre, et Maman n'en sait rien. Quelquefois, il les sort et nous permet de lire au lieu de faire les corvées. Les corvées, c'est lui qui les fait, pour que Maman ne sache rien. Il a fait ça depuis que nous étions petits. Comme ça, Kyle et moi, on lit mieux que personne d'autre dans le voisinage.

Kyle dit que, puisque Mrs Renfrew est si gentille pour moi, je devrais arrêter, en classe, de lui jouer des tours qui l'embêtent : faire semblant, par exemple, d'attraper dans le vide des mouches invisibles, pendant le cours, ou faire comme si j'avais le hoquet sans pouvoir m'arrêter. J'ai dit à Kyle que je n'arrivais pas à m'en empêcher. On dirait que quelque chose s'empare de moi, et que les choses se font toutes seules. Maman a peut-être bien raison quand elle dit que j'ai le diable dans la peau. Je voudrais bien qu'une de ses râclées le fasse sortir de moi une bonne fois pour toutes.

Kyle est à côté de moi pendant que j'écris ; il m'aide pour l'orthographe. On est assis sur la grosse branche d'un vieil orme géant, dans la cour de la maison. De là-haut, on la voit, la maison, et aussi un peu à l'intérieur des bois, mais personne ne peut nous voir.

Kyle dit que je devrais écrire que Maman est complètement folle. On ne savait pas qu'elle était folle, jusqu'au jour où, il y a quelques années, on a entendu les autres enfants, à l'école, parler d'elle : ils disaient des choses qu'ils avaient sans doute entendu dire par leurs mères. On devrait l'enfermer, ils disaient. Jusque-là, je croyais que toutes les mères parlaient à des gens qui n'étaient pas là, qu'elles lavaient tous les jours les draps et les vêtements qu'elles avaient déjà lavés la veille. Une fois, elle m'a fait sortir de mon lit au beau milieu de la nuit pour changer mes draps, alors qu'elle les avait changés le matin même.

Elle a peur aussi des Indiens, et, jusqu'au jour où Kyle

m'a persuadée qu'il n'y avait pas d'Indiens par ici, j'avais peur, moi aussi. Il y a des nuits où, quand je me réveille, j'entends le fauteuil à bascule se balancer très lentement sur la véranda. Il craque quand il part en avant, il craque quand il revient en arrière, avant de s'immobiliser. Je sais que, si je vais à pas de loup jusqu'à la fenêtre, je verrai Maman dans le fauteuil, la bouche entrouverte comme si elle était sur le point de prier, les yeux grands ouverts, fixes, et en travers de sa poitrine, le fusil. Quelquefois, elle passe comme ça toute la nuit, à guetter les Indiens.

Maman nous prépare à dîner quand elle y pense, mais, le plus souvent, c'est Kyle ou moi qui faisons la cuisine. Papa se met en colère quand il n'y a rien à manger au retour du travail, et, même si Papa ne nous tape pas dessus, sa colère est pire que celle de Maman. Kyle dit que c'est parce que c'est de la *vraie* colère, pas de la colère de folie. Moi, tout ce que je sais, c'est que, quand je suis dans la chambre de derrière où on dort, Kyle et moi, et que j'entends craquer les lattes du plancher, devant la porte, mon cœur bat si fort qu'il m'en fait mal, et je retiens mon souffle : je m'attends à voir Papa ouvrir la porte à toute volée pour se mettre à hurler, ou Maman entrer en trombe avec la courroie.

Si Kyle ne vivait pas ici, avec moi, je me sauverais.

L'année dernière, Mrs Renfrew nous a fait faire une rédaction à propos d'une personne que nous aimions. Presque tout le monde a parlé de son père ou de sa mère. Kyle et moi, on a parlé l'un de l'autre. J'ai raconté comment, quand nous étions petits, il me tenait par la main pendant que j'apprenais à marcher. (Mrs Renfrew a dit que c'était peu probable : il n'avait même pas un an de plus que moi et il savait à peine marcher lui-même. Mais moi, je me rappelle très bien.) J'ai écrit que c'était quelqu'un de calme et de gentil, et il a écrit que j'étais drôle mais que je faisais des choses avant de réfléchir à ce que ça allait donner. Mrs Renfrew a dit que, quelquefois, on a du mal à croire que nous sommes de la même famille.

Nous habitons plus loin que presque tous les autres enfants de l'école. Alors, la plupart du temps, on reste entre nous, Kyle et moi. Moi, j'en suis bien contente parce que je n'aime pas beaucoup nos camarades de classe. Je dis à Kyle que c'est parce qu'ils sont stupides, mais, la vérité, c'est que je ne sais pas quoi leur dire. Quand j'arrive finalement à dire quelque chose, on dirait qu'ils me regardent comme si j'étais aussi folle que Maman. Pourtant, ils aiment bien Kyle, et, quelquefois, après les corvées, il part avec l'un ou l'autre, pour aller pêcher ou je ne sais quoi d'autre. Depuis peu, c'est comme ça de plus en plus souvent. Il me demande toujours d'aller avec lui, mais moi, je ne veux pas. Je rentre à la maison et je m'asseois dans l'arbre pour l'attendre. Mais, une fois qu'il est là, je fais comme si j'avais à peine remarqué son retour.

Finalement, je ne peux pas laisser lire ce journal à Kyle.

### 5 avril 1941

Kyle a dit à Maman que le dictionnaire était à lui.

On était dans la cuisine, on mangeait le poulet frit que j'avais fait pour dîner quand Maman a dit que, sitôt après le dîner, j'aurais ce que je méritais. Alors, Kyle a dit que le dictionnaire était à lui, qu'il l'avait laissé la veille sur mon lit. Les yeux de Kyle s'accrochaient sans bouger au visage de Maman, sa mâchoire était crispée comme le jour où il m'avait annoncé que Francie, notre chienne, était morte. Moi, je ne pouvais pas parler. Le morceau de poulet me restait en travers du gosier.

Maman a repoussé sa chaise en arrière, ce qui a fait un horrible grincement. Elle s'est levée et elle est allée vers l'office où elle accroche la courroie. Kyle était resté assis, il avait l'air vraiment épouvanté.

Papa s'est levé à son tour. Il n'avait mangé que la moitié de son poulet, mais il a pris le fusil et il est sorti. Il nous abandonnait, comme il le fait toujours quand Maman pique sa crise.

Maman est revenue dans la salle. Elle tenait la courroie entre ses deux mains et elle s'est approchée de la chaise de Kyle. Elle lui a dit de se lever. En écartant sa chaise, il l'a soulevée un peu pour ne pas la faire grincer.

— Baisse ton pantalon, lui a dit Maman.

Une rougeur est montée du cou de Kyle jusqu'à ses oreilles.

— On peut passer dans l'autre pièce ? a-t-il demandé.

Il avait les mains posées sur la boucle de sa ceinture. Elle les a cinglées d'un coup de courroie.

— Maintenant ! a-t-elle hurlé.

J'ai voulu dire : « Maman, il était à moi, le dictionnaire. » Mais je n'ai poussé qu'une sorte de gémissement.

Les mains de Kyle tremblaient quand il a défait son
pantalon et l'a descendu jusqu'à ses genoux. Maman lui a
appuyé sur le dos pour lui faire poser les coudes sur la
table. Son derrière tout blanc ressortait. Je détestais
Maman de l'humilier comme ça. Je me suis levée, je l'ai
prise par les mains.

— Maman, c'était à moi. Le dictionnaire, il était à moi !
lui ai-je dit.

Elle m'a repoussée et elle a donné un coup de courroie
à Kyle. Tout son corps a tressailli. Je voyais déjà les car-
rés rouges laissés derrière ses jambes par la courroie. Une
fois de plus, je me suis jetée sur elle, j'ai essayé de lui
arracher la courroie des mains, mais elle m'a prise par
l'épaule, et je suis tombée dans un coin de la pièce.

Les larmes roulaient déjà sur les joues de Kyle.

— Tu la rends encore plus furieuse, Kate, m'a-t-il dit.

J'ai regardé les yeux de Maman. Ils brûlaient de fureur.
Kyle avait raison. J'empirais encore les choses pour lui.
Alors, je suis sortie en courant et je suis tombée à genoux
dans le jardin, les mains sur les oreilles. Mais j'entendais
encore le bruit de la courroie. J'ai compté jusqu'à onze
avant de vomir le poulet. Elle tapait toujours, et Kyle
poussait des hurlements. Je souhaitais qu'elle meure,
qu'elle tombe morte là, dans la cuisine. Je la déteste tellement.

Quand Papa et Maman ont été couchés, j'ai apporté de
l'aspirine pour Kyle. Il était couché sur le ventre et il
avait beau être au lit depuis le repas, je savais qu'il
n'avait pas fermé l'œil. Je me suis mise à genoux près de
lui pendant qu'il redressait le dos pour boire l'eau. Il faisait frais dans notre chambre, mais il n'avait que le drap
sur lui : il m'a dit que la couverture lui faisait trop mal.

J'ai pensé que je devrais examiner ses jambes, peut-être
les passer à la teinture d'iode, mais il n'a pas voulu. Il ne
voulait pas que je voie ce qu'elle lui avait fait en lui donnant la correction qui me revenait.

Je me suis assise par terre pour regarder son visage à la
lumière de la lune qui entrait par la fenêtre. Il me ressemble. Seulement, les gens disent qu'il est beau et ils ne
disent pas grand-chose de moi, sinon pour admirer mes
cheveux. Nous avons des cheveux de la même couleur,
pareille au blé mûr, et ils sont très épais. Mais les miens

sont très, très longs, ils descendent bien au-dessous de ma taille. Maman en coupe un petit peu, toutes les fois que la lune est pleine, pour les faire pousser plus vite. Quelquefois, les gens les touchent, comme s'ils ne pouvaient pas s'en empêcher, mais ils ne disent jamais grand-chose de mon visage. Kyle et moi, nous avons tous les deux les yeux bleus et trop de taches de rousseur, qui vont mieux à un garçon qu'à une fille. Nous avons aussi tous les deux des cils très longs. Je suis restée assise comme ça, à regarder les cils de Kyle pendant qu'il s'endormait. Ils étaient mouillés, collés ensemble en quatre ou cinq petites pointes, et ça m'a fait pleurer. Je suis restée là, près de lui, la tête appuyée contre le bord de son matelas, jusqu'au moment où j'ai vu la première lueur de l'aube derrière la fenêtre. J'ai compris que je ferais bien d'aller me coucher dans mon lit avant que Maman vienne chercher les draps.

### 1er mai 1941

Aujourd'hui, Mrs Renfrew a lu à haute voix une de mes histoires. Après ça, elle a dit devant tout le monde que j'étais l'une des élèves les plus intelligentes qu'elle ait jamais eues, et celle qui écrivait le mieux. Tout le monde me regardait, et j'étais tellement rouge que j'aurais pu mettre le feu à mes cheveux. A la récréation, Sara Jane m'a traitée de chouchoute de la maîtresse. Tous les autres ont répété la même chose jusqu'à ce qu'ils en soient fatigués. Ils sont partis sans moi, les garçons pour jouer au ballon, les filles pour faire un petit cercle et parler de ce qui les intéresse, je ne sais pas trop quoi. J'ai pris un des livres que Mrs Renfrew garde dans la classe et je me suis assise sur la marche du seuil, pour lire. C'est la même chose à toutes les récréations.

Après la classe, je suis rentrée à la maison en courant : je ne voulais plus les entendre m'appeler la chouchoute de la maîtresse. J'ai grimpé dans l'arbre où je suis en train d'écrire en attendant que Kyle revienne. Mais, aujourd'hui, il a pris sa canne à pêche. Alors, il est sans doute à la rivière, avec Getch.

### 7 mai 1941

Aujourd'hui, Mrs Renfrew m'a parlé après l'école pour me dire qu'elle ne reviendra pas l'année prochaine. (On raconte qu'elle va avoir un bébé.) Elle m'a dit que nous aurions une autre maîtresse, Miss Crisp, et que Miss Crisp ne me supporterait pas. « Elle ne tolérera pas tes fantaisies comme je le fais, Katherine », m'a-t-elle dit. Elle m'a expliqué que je n'avais pas besoin de m'attirer des ennuis pour capter l'attention d'autres élèves, qu'il existait de meilleurs moyens, comme écrire mes histoires, ou être une bonne élève. J'ai eu envie de lui dire qu'elle est trop vieille pour comprendre, de lui apprendre que, quand elle lit une de mes histoires en classe, ou quand elle dit quelque chose de gentil pour moi, les autres me détestent encore plus. J'espère que la nouvelle institutrice ne me trouvera pas si bien, qu'elle me punira quand je me conduirai mal. Mrs Renfrew m'a donné un autre livre, cette fois sur la grammaire et la ponctuation. Je l'ai remerciée, avant de bien reprendre mon souffle pour lui dire que j'avais perdu le dictionnaire. Elle m'a regardée d'un drôle d'air mais, sans un mot, elle s'est levée, m'a tendu son dictionnaire à elle, pris sur son étagère. Il a son nom, Madeline Renfrew, écrit à l'intérieur de la couverture. Je lui ai promis qu'il n'arriverait rien à celui-là. En rentrant à la maison, je me suis fait du mauvais sang pendant tout le chemin : je ne pourrai jamais cacher les deux livres, plus ce cahier, sous les lames du parquet. Mais justement, ils y tiennent parfaitement, comme si cet espace avait attendu qu'ils viennent le remplir.

*22 juillet 1941*

Il est difficile de décrire ce que j'éprouve ce soir. J'écris à la lumière d'une lanterne, dans une caverne que j'ai trouvée cet après-midi. Personne ne sait où je suis, pas même Kyle, et j'ai la frousse de rentrer à la maison. Ma maison me fait plus peur que tout ce qui pourrait se cacher dans cette caverne.

Ce matin, je me suis réveillée de bonne heure. J'avais une drôle d'impression, comme une chaleur, un chatouillement entre les jambes. Quand j'y ai mis les doigts, je les ai retirés pleins de sang ! J'ai sauté hors de mon lit et j'ai vu sur mon drap une tache rouge, toute ronde, qui avait même traversé jusqu'au matelas. J'avais une autre grande tache ronde au dos de ma chemise de nuit. J'ai cru que j'allais mourir, que j'avais peut-être une tumeur.

J'ai secoué Kyle pour le réveiller. Je lui ai parlé du sang, je lui ai montré la tache sur ma chemise de nuit. Je pleurais, maintenant. J'avais toujours pensé que, si je mourais, bon, je mourrais. Mais, tout à coup, je songeais aux ténèbres, au néant de la mort et j'étais terrifiée. Kyle m'a calmée. Il m'a dit que je n'étais pas en train de mourir. Il m'a dit aussi qu'il savait ce qui m'arrivait, que c'était *normal*. J'ai encore du mal à le croire, assise ici, avec le sang qui trempe le chiffon que j'ai mis à cet endroit, en bas. J'espère bien qu'il ne se trompe pas. Il a dit que j'avais ma « mensuration ». (Je ne suis pas bien sûre du mot. Kyle n'en était pas sûr non plus, et je ne le trouve pas dans le dictionnaire.) Il m'a dit que ça arrivait à toutes les filles une fois par mois (!) pour qu'elles puissent avoir des enfants. Il a appris tout ça de Getch qui a trois sœurs plus vieilles que lui. Je dois porter un chiffon à cet endroit-là pendant quelques jours, jusqu'à ce que le saignement s'arrête. Kyle m'a dit qu'il pensait que j'étais au courant, et je lui ai demandé comment je l'aurais su. Jamais Maman ne me parlerait d'un sujet pareil, et je n'ai pas d'amies.

— Tu devrais en avoir, a dit Kyle. Tu mérites d'avoir des amies. Mais il faut que tu fasses des efforts.

Il me répète ça très souvent, ces temps-ci, et je voudrais bien qu'il y renonce : on pourrait revenir au temps où il n'était pas encore sympathique à tout le monde. Je ne veux pas saigner ! Je ne veux pas avoir de bébés ! Et tous les mois ! Je n'ai jamais entendu parler d'une punition aussi injuste.

Kyle était encore en train de me parler d'amies quand Maman est entrée dans notre chambre pour prendre les draps. On s'est tu. En voyant mon drap, elle a poussé un hurlement, comme si elle avait été mordue par un serpent. Vivement, elle a dégagé mon drap du matelas et elle est sortie en courant. De la fenêtre, on l'a regardée descendre en courant les marches de la véranda, le drap bien serré en paquet contre sa poitrine. Elle l'a emporté dans la cour, l'a laissé tomber tel quel près des lis tigrés et y a mis le feu avec une allumette.

— Si c'est normal de saigner, pourquoi Maman est-elle en train de brûler mon drap ? ai-je demandé, d'un ton parfaitement calme.

Mais Kyle était devant la commode. Il en sortit ma salopette, une chemise, me les fourra dans les bras.

— Mets ça et sors d'ici avant qu'elle revienne, m'a-t-il dit.

— Il me faut un chiffon.

Le sang coulait le long de mes cuisses. Là où j'étais, deux petites taches rouges marquaient le plancher. Kyle s'est immobilisé pour regarder par terre.

– Bon sang, Kate, je ne croyais pas que tu allais en perdre tant que ça.

Je me suis remise à pleurer, mais il déchirait déjà une vieille chemise à lui, m'en mettait les morceaux dans les mains. Je les ai bien pliés entre mes jambes et je me suis appuyée sur son épaule pour passer une jambe de la salopette et puis l'autre. J'ai retiré ma chemise de nuit par-dessus ma tête, sans penser que Kyle ne m'avait pas vue déshabillée depuis longtemps, et que mon corps a changé. Les changements se sont faits très lentement, et il a fallu que je baisse les yeux sur ma poitrine pour comprendre ce qu'il regardait fixement. Il a rougi, et j'ai bien failli me mettre à rire en le voyant si gêné, mais je savais que je n'avais pas de temps à perdre à rire.

Maman est revenue en trombe dans la chambre, mais elle n'a même pas paru remarquer notre présence dans la chambre, à Kyle et à moi. Elle a attrapé un coin du matelas, l'a enlevé du lit, l'a traîné hors de la chambre. Nous l'avons entendu cogner d'une marche à l'autre de la véranda. Quand j'ai regardé par la fenêtre, elle le traînait dans la cour, et la tache de sang devenait déjà plus sombre au soleil. Papa est sorti en courant de la maison, il lui a attrapé les mains quand elle a voulu mettre le feu au matelas. J'avais honte que Papa sache ce qui arrivait à mon corps. Il a enlevé les allumettes à Maman et il est rentré dans la maison. Maman s'est assise par terre et s'est mise à pleurer dans ses mains.

Déjà, Kyle m'aidait à passer par la fenêtre.

– Je te retrouverai à l'usine, m'a-t-il dit.

(Kyle et moi, on travaille à l'usine, cet été.)

J'ai pénétré dans la forêt et j'ai cherché un sentier qui ne me blesserait pas les pieds : j'étais partie si vite que j'avais oublié mes chaussures ! Je savais que je ne pourrais pas aller à l'usine aujourd'hui, pas en saignant comme ça et les pieds nus. J'étais dans une partie de la forêt que je connais bien : l'endroit où les arbres descendent en pente raide vers le champ près de Ferry Creek. J'ai donc été surprise quand j'ai découvert la caverne. Elle a été là toute ma vie, et je viens seulement de la trouver. J'ai vu un écureuil disparaître derrière des buissons. Quand je me suis approchée, j'ai vu que les buissons bouchaient l'entrée d'une caverne. J'ai tiré avec mes mains nues sur un des buissons, et il était là, le trou creusé dans le flanc de la colline. J'ai pénétré à l'intérieur, aussi loin que le soleil me permettait d'y voir clair. L'air était d'une merveilleuse fraîcheur. J'ai crié « Hello ! », et le son a été renvoyé par toutes les parois.

Au bout d'un moment, je suis rentrée à la maison.

Maman n'était pas là. Papa et Kyle étaient à l'usine. J'ai pris mon temps pour chercher des fruits dans le compotier, par-dessous, pour que Maman ne voie pas qu'il en manquait. J'ai été chercher mes chaussures, une lanterne, le dictionnaire, le livre de grammaire et ce journal, et je suis retournée à la caverne. *Ma* caverne. Quand j'ai regardé pour la première fois autour de moi à la lumière de la lanterne, je me suis sentie riche. C'est comme les cavernes que les touristes visitent à Luray, mais en beaucoup plus petit. La première partie est longue et étroite, avec un sol en pente qui vous amène à la partie principale, une grande salle, immense. Je vois un petit tunnel qui part du fond de la salle. Du plafond et du sol de cette grande salle sortent des pierres d'une couleur rougeâtre. Je sais qu'on les appelle des stalactites et des stalagmites : j'ai appris ça quand j'ai été à Luray. Par endroits, le plafond est vraiment très haut, les stalactites qui en sortent sont grosses, et les stalagmites qui montent vers elles sont aussi grosses. Par endroits aussi, les stalactites et les stalagmites (ça me fatigue la main d'écrire ces mots-là) se rejoignent et forment des murs qui ont l'air de drôles de rideaux en velours. Il y a aussi un bassin où se mirent un bon million de petites stalactites pendues au plafond. Et l'eau est si claire que, pour commencer, je n'arrivais pas à savoir si c'était un million de petites stalagmites qui montaient du fond du bassin ou bien un reflet. Je ne crois pas avoir vu jamais vu d'endroit plus magnifique que cette caverne. Il y a des gens qui voient le paradis comme un endroit vert, avec des choses qui poussent partout, mais, aujourd'hui, j'ai trouvé mon Jardin d'Éden.

J'ai fait encore deux voyages jusqu'à la maison et j'ai maintenant ici mon matelas, retourné pour que la tache ne se voie pas, et des bougies que j'ai placées tout autour de la caverne, sur des rebords de rochers. J'ai apporté aussi une couverture et des chiffons que j'ai pris dans le sac à chiffons, pour mon problème féminin. Kyle ne m'a pas dit jusqu'à quand cette « mensuration » va durer. J'aimerais bien mieux comprendre tout ça. Qu'est-ce qui saigne, en moi ? Et qu'est-ce que le sang a à faire avec les bébés ? Je n'aurais pas plus de mal à imaginer qu'un esprit a pris possession de moi qu'à croire ce que Kyle m'a raconté.

Je vais passer la nuit ici, dans mon jardin, mais je regrette maintenant de ne pas avoir laissé un mot à Kyle. Il va s'inquiéter, surtout que je ne me suis pas non plus montrée à l'usine. Je suis lâche, j'ai peur de rentrer chez moi. La courroie m'effraye plus que jamais.

Je vais éteindre la lanterne et me coucher dans l'obscurité. Ici, je n'ai peur de rien. Rien dans mon jardin ne peut me faire de mal.

### 23 juillet 1941

De très bonne heure, ce matin, je suis retournée à la maison et je suis passée par ma fenêtre. J'ai réveillé Kyle en lui posant un doigt sur les lèvres. Quand il a ouvert les yeux, j'ai vu qu'ils étaient tout rouges, et je me suis sentie malade à l'idée de l'inquiétude que je lui ai causée.

– Où étais-tu donc ? m'a-t-il demandé.

Il parlait d'une voix furieuse, mais c'était surtout de l'inquiétude que j'entendais.

– Il fallait que je reste à l'écart, ai-je dit.

– Non, tu n'étais pas forcée.

Il avait un air surexcité.

– Maman a dit hier que tu étais une femme, maintenant. Trop grande pour être fouettée.

Je savais que Kyle ne me mentirait jamais. Pourtant, j'avais peine à le croire. Mais Kyle m'a juré que Maman avait bien dit ça, qu'elle était tout à fait calme, après sa crise d'hier.

– Reste ici, Katie, je t'en prie, ajouta-t-il. Je ne la laisserai plus te battre, je te le promets.

Je n'étais pas très rassurée et je suis restée assise sur la chaise de notre chambre, en attendant l'heure du petit déjeuner.

Là, je me suis montrée comme s'il n'y avait rien de changé. J'avais tellement peur que je n'ai pas pu toucher à mes œufs ni à mon gruau d'avoine. Personne n'a rien dit jusqu'au moment où Papa est parti pour l'usine. Alors, Maman s'est levée pour débarrasser la table et, finalement, elle a parlé.

– Je suis contente que tu aies eu la décence de te débarrasser de ce matelas, Katherine, a-t-elle dit.

J'ai eu peur de me tourner vers elle pour la regarder. Je l'entendais entrechoquer les casseroles dans la bassine.

— Tu es grande, maintenant, a-t-elle continué. Trop grande pour être fouettée.

Kyle m'a souri. Mais j'ai vu tout à coup ses yeux s'agrandir, sa bouche s'étirer. Il s'est renversé sur le dossier de sa chaise en hurlant :

— Maman, non !

Je n'ai même pas eu le temps de me retourner : Maman m'avait attrapée par les cheveux pour me renverser la tête en arrière. Alors, j'ai entendu le bruit des ciseaux qu'elle manipulait tout près de mon cuir chevelu. En quelques secondes, mes cheveux étaient par terre : ils faisaient un tas d'un jaune brillant.

Maman reposa les ciseaux sur la table, calmement, comme s'il ne s'était rien passé, et quitta la pièce. Pendant un moment, j'ai gardé les yeux fixés sur mes cheveux, par terre, et j'ai senti les larmes qui essayaient de couler de mes yeux. Mais, d'un seul coup, je m'en suis fichu. Je regardais les cheveux et je ne sentais plus rien. J'ai touché les bouts hérissés, taillés à coups de hache, et ça ne m'a rien fait du tout. Kyle a bondi de sa chaise, il a ramassé les cheveux, les a posés sur mon crâne, comme s'il était capable de trouver le moyen de les remettre en place.

— Laisse ça, lui ai-je dit. J'ai quelque chose à te montrer. Un endroit que j'ai découvert.

— Mais, Kate, tes cheveux...

Il avait l'air fâché de ne pas me voir pleurer ou piquer une colère, comme j'aurais dû le faire à son avis. Je me suis levée.

— Viens avec moi.

Avant d'arriver à la caverne, je lui ai fait jurer qu'il ne parlerait jamais à personne de ce que j'allais lui montrer. J'ai écarté les broussailles que j'avais entassées devant l'entrée et j'ai fait entrer Kyle. Quand j'ai allumé la lanterne, il a laissé échapper un long sifflement. J'ai vu qu'il était stupéfait et je me suis sentie très fière.

— Ici, je pourrai lui échapper, ai-je dit.

Il a fait le tour, comme je l'avais fait la veille. Il a touché les stalagmites, plongé son regard dans le miroir du bassin.

— Mais tu ne peux pas *rester* ici !

J'ai répondu :

— De temps en temps, c'est tout.

Mais j'avais déjà pensé qu'il serait agréable de dormir là pendant les chaudes nuits d'été.

J'ai porté la main derrière ma tête. Les petites mèches raides m'ont fait l'effet de poils de balai, contre ma paume.

— Je reste ici, ai-je déclaré.

J'ai passé le reste de la journée à arranger la caverne pour en faire mon refuge. La maison des Smith est abandonnée depuis l'année dernière, quand ils sont partis pour la Virginie-Occidentale. J'y ai pris un fauteuil et une table et je les ai traînés jusqu'ici. J'ai trouvé aussi des bougies et un écritoire plein de crayons et de feuilles de papier. Au-dessus du bassin, il y a un long rocher qui fait comme une sorte d'étagère, parfaite pour mon dictionnaire et mon livre de grammaire. Maintenant, ils sont posés tout droits, comme ils doivent l'être. Au-dessus de l'endroit où j'ai mis mon matelas, il y a un trou profond dans la muraille. C'est là que je garderai mon journal.

# 4

Ben Alexander était assis sur son lit, dans sa petite maison de bois, bien au-dessus de Lynch Hollow. Un vieux carnet d'adresses était posé sur ses genoux. Il prit une autre lampée de whisky à la bouteille qui l'attendait à même le plancher, sans quitter des yeux le nom inscrit. Valerie Collins. C'était la dernière. Au long des mois récemment écoulés, il avait appelé tous ceux qu'il avait connus dans le temps. Valerie était son ultime espoir.

Naguère, elle lui envoyait des cartes pour Noël. Elle les adressait à Sharon et à lui, mais il les savait destinées à lui seul. Les cartes représentaient toujours Valerie et ses sloughis. Avec les années, elle avait fini par ressembler à ses chiens : très fine, longiligne. Son nez s'amincissait, devenait plus aigu, ses cheveux s'allongeaient, ils étaient plus soyeux, plus sombres. Sharon riait en suivant la transformation de Valerie en représentante de la race canine. Jamais elle ne découvrait le sens caché des messages : *J'espère vous voir bientôt*, ou *Je vous aime*. Ce « vous », Ben le savait, n'était qu'un « vous » de politesse. Elle ne connaissait pas Sharon et ne se souciait pas de la connaître.

Il but encore un peu de whisky, transféra l'appareil téléphonique de la caisse d'emballage qui lui servait de table de chevet à son lit.

Le téléphone était d'un vert militaire, crevassé, réparé à l'aide de bandes de toile collante qui menaçaient de se déchirer avec chaque tour de cadran.

— Allô ?

La voix de Valerie était d'une grande douceur. Si un sloughi pouvait parler...

– Valerie ?

Ben se redressa.

– Qui est à l'appareil ?

– C'est Ben Alexander, Valerie.

Il y eut ce silence pesant auquel il commençait à s'accoutumer. Le nom éveillait un écho, les photos des journaux, sur lesquelles il avait un visage barbu, ravagé par la fatigue, devaient défiler à l'esprit de Valerie.

– Il est tard, Ben. J'allais me coucher.

Il poursuivit rapidement, en désespoir de cause :

– Je me demandais si nous pourrions nous rencontrer. Je vis maintenant dans la vallée de la Shenandoah, mais je pourrais me rendre à Washington. Nous ne nous sommes pas vus depuis longtemps... J'ai divorcé. Je ne sais pas si tu étais au courant.

De nouveau, le silence... Suivi d'un soupir. Une reprise de souffle, de courage.

– Ben, pour dire toute la vérité, je souhaite ne jamais te revoir. Tu as dû bien changer, avec les années, pour faire ce que tu as fait. Je t'en prie, ne m'appelle plus.

Il sursauta en l'entendant raccrocher brutalement, et il lui fallut un bon moment pour raccrocher lui-même.

Longtemps, il demeura assis au bord de son lit, les mains croisées sur ses genoux. La lampe allumée derrière la porte ouverte du cabinet de toilette l'attirait irrésistiblement. Il se représentait le flacon de Valium posé sur le rebord du lavabo. Il avait fait renouveler la prescription plusieurs mois auparavant, mais il n'avait pas pris un seul comprimé. Il y en avait toujours vingt. Ils feraient leur effet. Combien de temps faudrait-il à Kyle pour le découvrir ? S'il ne se montrait pas sur le site le lendemain matin, Kyle supposerait qu'il ne s'était pas réveillé à l'heure ou qu'il avait une course urgente à faire. Mais, dans l'après-midi, il commencerait à se poser des questions. Le soir, peut-être, il prendrait sa voiture pour monter jusque-là et il trouverait Ben. Celui-ci lui laisserait un mot pour le remercier d'avoir été le seul à lui faire confiance, à lui avoir offert ce travail sur les fouilles quand on ne voulait l'engager nulle part. A avoir été son ami. Ben frissonna. Il ne pouvait pas faire ça à Kyle.

Il prit encore une lampée. Il buvait trop, ces temps-ci. Et seul. Il n'avait pas le choix. Ceux qui auraient condescendu à boire avec lui n'étaient pas des hommes dont il souhaitait faire des amis. C'étaient des hommes qui le regardaient d'un air entendu en clignant de l'œil, comme s'ils comprenaient comment un homme pouvait commettre le crime dont il ·avait été accusé.

Il avait eu l'espoir que là, dans la vallée, il pourrait échapper à ces regards sagaces. Mais une ou deux personnes étaient au courant, elles avaient parlé aux autres. Il lui arrivait de se sentir un lépreux, en cet endroit, comme à Annapolis.

Le téléphone sonna. Son cœur eut un bref tressaillement. Le vieux rêve se ranimait : Bliss avait réussi à se procurer son numéro, et, quand il allait décrocher, il entendrait la petite voix de cinq ans. Elle demanderait d'un ton perplexe : « Papa, tu ne reviendras donc jamais de ton voyage ? »

Il porta le combiné à son oreille. C'était Kyle.

— Navré de vous appeler si tard, mais ma nièce est arrivée ce soir.

Toujours occupé par l'image de sa fille, Ben ne répondait pas.

— Ben ? Vous vous rappelez ? Elle travaille à un film sur sa mère.

— Oui. J'y suis.

*Eden Riley.*

— Elle va devoir se familiariser avec le site. Il a été si étroitement mêlé à la vie de sa mère. Vous aurez de quoi occuper une autre paire de mains, cet été, n'est-ce pas ?

Ben imagina le flacon de Valium, tourna le dos à la porte ouverte du cabinet de toilette.

— S'y connaît-elle un peu ? demanda-t-il.

— Pas du tout, mais elle apprendra vite. Vous n'avez pas d'objection, hein ?

— Non, naturellement.

Afin de pouvoir se préparer à cette rencontre, il eut envie de demander : « *Est-elle au courant, en ce qui me concerne ?* » Il en fut incapable. Rien qu'à l'expression de ses yeux, il saurait si Kyle lui avait parlé ou non.

— D'accord, c'est parfait. Envoyez-la-moi demain matin.

Il raccrocha, emporta la bouteille jusqu'au canapé. Il alluma la télé, fit rapidement le tour des stations, éteignit le récepteur. Étendu sur le canapé, il fixa son regard sur la tache brune que l'humidité avait dessinée sur les planches du plafond.

Il avait horreur de la solitude. Durant la plus grande

partie de sa vie, il s'était arrangé pour l'éviter. Enfants, Sam, son frère aîné, et lui étaient inséparables et très proches de leurs parents. Jamais il n'avait connu l'habituelle période de rébellion des adolescents. Ses parents avaient la main trop leste. Mais ils étaient morts depuis cinq ans, à présent, et il était heureux qu'ils n'eussent pas vécu assez longtemps pour connaître ces derniers dix-huit mois. Il se plaisait à croire qu'ils auraient été convaincus de son innocence, sans pourtant en être sûr. Mieux valait ne pas le savoir, imaginer qu'ils l'auraient soutenu comme l'avaient fait Sam et Jen. Durant le procès, ils avaient été pour lui un soutien vital. Ils voyaient toujours Bliss, téléphonaient à Ben après chaque visite pour lui dire comme elle était mignonne, comme elle semblait peu marquée par ce qui s'était passé. « Elle va bien, lui disait Jen. Et elle demande de tes nouvelles. » Il ne savait pas si c'était vrai, ou si l'on cherchait seulement à le réconforter. Des mois s'étaient écoulés, et la mémoire des enfants... Qui plus est, elle avait maintenant un autre père. Jeff. L'appelait-elle Papa, et sa joue se creusait-elle toujours, sur la seconde syllabe, de cette fossette qu'il attendait chaque fois ?

Après son séjour en prison, Sam et Jen l'avaient supplié de rester à Annapolis.

— Notre présence t'est nécessaire, lui répétait Sam.

Peut-être pressentaient-ils déjà ce qu'alors il ignorait. L'ostracisme qu'il devrait affronter. Écarté de toutes les expéditions, il avait posé sa candidature dans une demi-douzaine d'universités, mais toutes avaient refusé de l'employer. C'est alors qu'était arrivé l'appel de Kyle.

— Pourquoi ne m'avez-vous pas mis au courant ? lui avait reproché la douce voix familière qu'il avait gardée en mémoire depuis les années où il avait été l'étudiant de Kyle, puis son ami. J'ai entendu la rumeur publique, mais je voulais avoir l'histoire de votre bouche.

Ben lui raconta donc, le plus calmement possible, les accusations, le procès, l'avalanche de preuves qu'il ne parvenait pas à réfuter. Il apprit ensuite à Kyle qu'il avait perdu son emploi et n'en retrouvait nulle part.

— Je vous connais comme un fils, Ben.

La voix de Kyle était pleine d'assurance, de conviction.

— Aucune preuve ne saurait me convaincre. Je vous crois incapable d'un tel forfait. Je peux vous offrir du travail ici même : mon arthrite ne me laisse plus grand temps à passer dans les fosses. C'est une piètre proposition, je le sais, après les postes auxquels vous avez été accoutumé. Ne vous en formalisez pas, je vous en prie.

– Mais non, ce sera parfait.

Ce même jour, on lui avait refusé un emploi pour nettoyer des écuries.

Au début, il ne quitta guère Kyle et Lou. Il était soulagé par leur confiance et il savait leur sympathie sincère. Peu de temps après son arrivée, alors qu'il était encore engourdi par les mois passés en prison, ils allèrent ensemble voir *Au cœur de l'hiver*. Le film transforma l'image qu'il s'était faite d'Eden Riley. Elle interprétait généralement des rôles d'anges, d'êtres merveilleux, et s'était taillé un bon succès en jouant le personnage favoris de Bliss, la belle sorcière de *L'Enfant de l'étoile du Nord*. Mais, désormais, il ne pouvait se représenter Eden que dans cette chambre d'hôtel, avec Michael Carey. La seule séquence érotique du film, la seule séquence érotique d'une carrière qui, obstinément, les avait toujours évitées. Il ne parvenait pas à chasser de son esprit l'image des mains expertes de Carey sur son corps vêtu d'une soyeuse robe noire, juste assez décolletée pour laisser entrevoir à la caméra la naissance de ses seins.

Ben avait senti la tension de Kyle et de Lou, les yeux fixés sur la femme qu'ils avaient élevée durant son adolescence, la femme qu'ils adoraient et voyaient rarement, en train de faire l'amour avec ce libertin de Michael Carey. Il entendit le « Oh, mon Dieu ! » étouffé de Lou, le petit rire de Kyle en réponse, avant d'être repris par les images qui défilaient sur l'écran. Il régnait dans la salle un silence pesant, une atmosphère électrique qui semblait prendre naissance au creux des reins de Ben. Après tous ces mois où il n'avait rien éprouvé du tout, il était stupéfait de retrouver une souffrance de tout son corps, un désir qui dépassait de loin la pulsion sexuelle. Pendant quelques instants trop brefs, il alla jusqu'à s'imaginer que la vie lui réservait peut-être encore des chances, qu'il n'avait peut-être pas tout perdu dans ce tribunal d'Annapolis.

Puis il était revenu à sa cabane, au téléphone silencieux, à la solitude annihilante. Kyle et Lou avaient leur propre vie, il ne pouvait passer toutes ses soirées avec eux. Il tenta de renouer avec ses anciens amis : l'un après l'autre, ils le rejetèrent. Personne ne prenait la peine de feindre la politesse. A leurs yeux, il n'était même pas digne d'une courtoisie de pure forme. Il était devenu la cible de leur mépris et symbolisait à leurs yeux tout ce qui allait mal dans le monde.

Il n'entrevoyait aucune issue à sa solitude. Le whisky était devenu une évasion, mais il n'en appréciait ni le goût ni la brûlure, rien d'autre que l'oubli momentané qu'il lui procurait. Les comprimés, eux, pourraient lui offrir une solution plus permanente.

Mais il avait promis de rendre un service à Kyle. Il aiderait Eden sur le site des fouilles, il lui montrerait ce qu'il fallait chercher, comment cataloguer les découvertes. C'était le moins qu'il pût faire pour Kyle.

# 5

– J'ai appelé Ben, annonça Kyle.

Il versait du lait sur les flocons empilés dans son bol. Lou continuait à faire elle-même ses flocons, comme du temps où Eden était adolescente.

– Il t'attend ce matin. Je t'emmènerai là-bas après le petit déjeuner.

– Je connais encore le chemin, dit Eden.

Le site des fouilles se trouvait dans le champ qui s'étendait entre la caverne et Ferry Creek. Elle préférait y aller seule à pied, plutôt que d'avoir à soutenir une conversation avec Kyle.

– La subvention cesse à la fin de cette année, reprit celui-ci.

– Et après ?

– Après, nous fermons boutique.

Kyle haussa les épaules, comme s'il s'en moquait, mais Eden savait qu'il n'en était rien.

– N'y a-t-il pas moyen d'obtenir une nouvelle subvention ?

Il secoua la tête, avala une cuillerée de son petit déjeuner avant de lui répondre.

– La compétition est trop vive. Un petit site dans la vallée de la Shenandoah a du mal à survivre. Je peux y travailler seul, mais, sans argent, nous n'aurons pas une grande crédibilité.

Eden buvait son café à petites gorgées en regardant Lou s'affairer dans son fauteuil roulant électrique. Du réfrigérateur au grille-pain, puis à la cafetière, et retour à la table où elle posa devant Kyle une assiette de toasts.

– Je suis prête à lire le deuxième cahier, dit Eden.

Kyle haussa les sourcils au-dessus de sa tasse.

— Tu as toujours lu très vite. Quelle est ton opinion, au point où tu en es ?

Elle s'était endormie, la veille au soir, en songeant à quel point la vie de Kyle allait lui être révélée, à travers les pages du journal de sa mère. Elle l'imaginait tout à coup gamin, dans cette même cuisine, courbé sur la table, le jour où il avait évité à Katherine une correction. Elle comprenait son hésitation à lui confier les cahiers du journal intime. Ils racontaient sa propre histoire en même temps que celle de Katherine. Il lui vint à l'esprit de le remercier, mais elle préféra reporter son attention sur son bol de flocons. Lui était-il jamais arrivé de le remercier pour quoi que ce fût ?

— Tu étais un gentil garçon, remarqua-t-elle.

Il eut un bref sourire surpris.

— Et ta maman ?

— Pour le moment, je ne pense pas à elle sous l'aspect de ma mère. J'essaie de lire en toute objectivité.

— Mmm...

Lou pianotait du bout des doigts sur sa tasse à café.

— Je me demande combien de temps tu pourras continuer.

— Assez longtemps pour avoir écrit le scénario, j'espère.

Eden voulait ignorer le défi glissé dans la question de Lou. Pourtant, si elle voulait être sincère avec elle-même, son objectivité, elle le savait, commençait déjà à lui échapper.

— Je n'ai jamais su quelle enfance difficile elle avait eue.

— Pas plus dure que la tienne, dit Kyle.

— Bah...

Eden versa de la crème dans son café, consternée de voir sa main trembler.

— Je suis ici pour penser à ma mère, pas à moi.

— Je ne suis pas sûr que tu pourras faire l'un sans l'autre, ma chérie, déclara Kyle.

— Le journal est extraordinaire, reprit Eden. Je vois déjà se former son style d'écrivain.

Kyle lui permit de changer de sujet.

— Elle lisait sans répit. Notre père — ton grand-père — lui passait sans cesse des bouquins. Je n'ai jamais découvert où il se les procurait.

– Je dois déjà me demander à quelle enfant confier le rôle à cet âge. Et nous devrons aussi trouver quelqu'un pour interpréter ton personnage.

Jusqu'à la veille au soir, elle ne s'était pas préoccupée de la distribution du rôle de Kyle, enfant ou adulte. Elle venait seulement de saisir son importance.

– Si je devais apparaître sous les traits de Robert Redford, je ne serais pas contre.

Lou se mit à rire.

– Il n'est pas assez coureur de jupons pour jouer ton rôle, Ky.

Eden haussa les sourcils.

– Coureur de jupons ? Kyle ?

– Tu ne connais pas très bien ton oncle, ma petite fille, dit Lou.

– Je me demande quel âge devra avoir Katherine avant que je puisse incarner son personnage. J'ai déjà cinq ans de plus qu'elle quand elle est morte.

Le téléphone sonnait. Kyle se leva pour répondre, mais, avant de décrocher, il se retourna vers Eden.

– On te donnerait dix-huit ans, ma chérie.

Il prononça quelques mots dans l'appareil, couvrit le récepteur de sa main.

– C'est pour toi, Eden. Ton *ami* Michael Carey. Tu peux prendre la communication dans la salle de séjour, si tu préfères.

Elle s'installa sur la causeuse, attendit d'avoir entendu Kyle raccrocher, avant de parler dans l'appareil.

– Michael ?

– 'jour.

Il semblait à moitié endormi.

– Bon sang, Michael, quelle heure est-il donc ? Le soleil est-il déjà levé, chez vous ?

– Je vous appelle de mon lit, répondit-il en bâillant. J'aimerais que vous y soyez avec moi.

Jamais elle ne s'était trouvée dans le lit de Michael, ni lui dans le sien. Ce qui ne l'empêchait pas d'imaginer son partenaire. Les cheveux sombres sur l'oreiller, les yeux bruns frangés de longs cils qui rendaient les femmes complètement folles.

– Les roses sont magnifiques, dit-elle.

– Je suis incapable de fonctionner sans vous, Eden, déclara-t-il, d'une voix épaissie de sommeil. Je suis allé hier à la soirée donnée par Sophie et je suis parti à onze heures. *Onze heures*. Les femmes étaient superbes, mais je m'en moquais comme de l'an quarante. Je n'avais même pas envie de me soûler. Tout le monde m'a traité de rabat-joie. A cause de vous, je suis perdu de réputation.

Elle sourit.

— Vous me manquez.

— Merde, alors. Vous avez vraiment dit ça ?

Elle l'entendit bouger. Il se réveillait. Elle aurait aimé pouvoir reprendre ses paroles. Ce n'était pas vraiment Michael qui lui manquait. C'était la sécurité d'être avec lui, dans le rôle qu'elle jouait à son côté.

— Je n'en sais rien. Vous feriez mieux de ne pas attacher trop d'importance à tout ce que je raconte.

Elle tourna le dos à la porte de la cuisine, parla d'une voix plus basse.

— Je suis prise au piège dans l'Amérique profonde, chez deux personnes auxquelles je croyais avoir échappé depuis des années.

— Oui, mais c'est pour une bonne cause. Ne quittez pas l'objectif des yeux, mon chou. Dès que j'aurai un moment de liberté, je viens vous retrouver. D'accord ?

Ils en avaient discuté sans parvenir à une décision. Il pourrait l'aider, lui avait-il dit. Il pourrait se charger en partie des recherches sur Matthew Riley. Mais elle le voyait mal en ces lieux. Elle devrait jouer les équilibristes entre lui et Lou et Kyle.

— Je n'en sais rien, Michael. Nous en reparlerons dans quelques jours, ça vous va ?

Elle l'amena sur un terrain plus sûr en lui demandant des détails sur la réception chez Sophie. C'était un monde qu'elle connaissait bien, un monde qui l'accueillait avec joie, qui la respectait. Elle avait bâti sa renommée sans l'aide de personne et elle ne pouvait se permettre de la perdre. Si elle en était privée, elle ne saurait plus que faire.

Le chemin à travers bois était plus étroit, plus rude qu'elle ne se le rappelait. Elle imaginait la jeune Katherine sur ce chemin, pieds nus, effrayée, suivie par la caméra. Le sentier n'en finissait pas. Eden commençait à se dire qu'elle avait dû prendre la mauvaise direction quand elle atteignit le haut talus boisé qui descendait en pente raide jusqu'à la caverne. Un autre chemin, récent celui-là, zigzaguait au flanc de la colline. Il faudrait le masquer pour le tournage. Quand elle était petite, elle se laissait tout bonnement glisser et rouler jusqu'à la caverne et jusqu'au champ qu'elle dominait. Mais Kyle, avec son arthrite, devait maintenant avoir bien besoin de ce chemin.

Elle passa devant l'entrée condamnée de la caverne. Elle émergea des arbres, se retrouva sur le champ. Il s'étendait entre le haut talus et la large Ferry Creek, depuis le chemin de terre jusqu'aux hauteurs de Blue Ridge, à près de deux kilomètres de là. C'était sur la portion du champ juste devant la caverne que se trouvait le site archéologique découvert longtemps auparavant par la mère d'Eden. Il y avait maintenant trois fosses ouvertes, chacune d'environ un mètre cinquante de large sur trois mètres de long, à des distances différentes de la caverne. Elle avait eu de la chance, la veille au soir, de ne pas tomber au fond de l'une d'elles, dans l'obscurité.

Le site donnait une impression de solitude et de tristesse. Eden venait seulement d'apprendre que la subvention cessait en décembre. D'aussi loin qu'elle s'en souvînt, Kyle avait parlé de le rouvrir dès qu'il serait à la retraite et qu'il pourrait couler des jours tranquilles chez lui, après des années de dur labeur en Amérique du Sud. La perte de la subvention marquerait la fin de son rêve. Déjà, les fosses silencieuses avaient l'aspect de l'abandon.

Elle longea lentement la première. Elle était profonde et vide, le fond bien uni, les quatre flans parfaitement verticaux. Le fond de la deuxième avait été taillé sur différents niveaux, et les larges tranches de terre étaient recouvertes de feuilles de plastique.

En approchant de la troisième fosse, elle vit qu'en fin de compte, le site n'était pas désert. Dans l'angle le plus éloigné, un homme était agenouillé, toute son attention absorbée par quelque chose qui se trouvait sur le sol. Il tournait le dos à Eden qui l'observa un instant. Il portait des écouteurs reliés à un baladeur fixé à sa ceinture et il fredonnait. Ses cheveux étaient châtains, avec des reflets dorés – la couleur de ceux de Cassie –, un peu trop longs sur la nuque. Il était en jean et tee-shirt bleu. Il avait les pieds nus, mais ses sandales étaient posées l'une à côté de l'autre sur l'herbe rare, au bord de la fosse. Une camionnette blanche – la sienne, sans doute, pensa Eden – attendait à l'ombre d'un orme, près de la rivière.

Mon associé, avait dit Kyle. Elle s'attendait à trouver

quelqu'un de l'âge de Kyle, ou presque, quelqu'un heureux de passer ses dernières années de vie active sur un petit site tranquille. A quelques mètres de la fosse, elle marqua une hésitation. Elle observait la sueur qui s'étalait sur le dos du tee-shirt, le jean, délavé au point d'en être presque blanc, qui couvrait les cuisses de l'homme. Même à cette distance, elle sentait renaître quelque chose qui était resté longtemps enseveli, quelque chose qui était tout à la fois irrésistible et dangereux.

*Réveille-toi.* Elle releva le menton, s'avança vers la fosse, soulagée de retrouver autour d'elle la protection de la vieille armure familière.

— C'est vous, Ben ? demanda-t-elle en atteignant le bord de la fosse.

Il bondit sur ses pieds, enleva les écouteurs de ses oreilles, tout en se retournant vers la jeune femme.

— Désolée de vous avoir fait peur, dit-elle.

— Non... il n'y a pas de problème.

Il levait la tête vers elle. Le gris pâle de ses yeux accrochait la lumière du soleil. Troublée, elle se laissa aller à lui rendre regard pour regard. C'était ridicule. A Los Angeles, elle était entourée d'hommes séduisants et elle n'éprouvait rien. Et voilà qu'elle rencontrait ce type transpirant, mal soigné, au fond d'un trou, et qu'elle...

— Asseyez-vous donc, dit-il.

Elle s'installa précautionneusement au bord de la fosse, les pieds à la hauteur des épaules de l'homme. Il détourna les yeux, ajusta le baladeur accroché à sa ceinture, et elle perçut son malaise. Elle y était accoutumée. Souvent, lorsqu'ils la rencontraient, les gens avaient tendance à se montrer embarrassés. Elle lui tendit la main.

— Je suis Eden, la nièce de Kyle.

— Oui, je sais.

Il s'essuya la main sur son jean. Elle n'en sentit pas moins sur sa peau la tiède couche de poussière quand il pressa sa paume contre la sienne.

— Vous vous documentez sur Katherine Swift pour un film.

— Oui. Kyle m'a dit que vous me mettriez au courant.

Il hocha la tête.

— Nous pouvons commencer ici-même.

Il désignait l'échelle. Elle descendit dans la fosse, tout en sentant qu'il l'observait d'en bas.

— Je suis ici au niveau des quatre mille ans.

Ben s'agenouilla, là où elle l'avait vu tout d'abord, pour lui montrer un carré d'une trentaine de centimètres de côté, délimité au fond de la fosse.

— Ce qui nous donne à peu près deux mille ans avant Jésus-Christ. Ces fragments sont des morceaux de poterie.

Il effleurait quelques minuscules blocs de terre posés sur un bout de papier journal.

— Vraiment ?

Elle s'agenouilla près de lui.

— Rien de bien extraordinaire. On ne fabriquait rien de très recherché, à l'époque. Seulement des objets fonctionnels. On pourrait les prendre pour de la terre, en ce moment, mais ils ne se désintégreront pas comme de la terre quand on les lavera. Vous verrez.

Il lui montra comment on écartait doucement la poussière afin de découvrir les fragments d'argile. Il semblait soulagé de pouvoir se concentrer sur sa besogne. De la timidité, peut-être. Ces scientifiques étaient souvent timides. Elle ne tenait pas à le laisser dans cet état. Elle lui posa quelques questions, dans l'espoir de lui rendre un peu d'assurance et de l'amener à la regarder : elle avait envie de sentir de nouveau sur elle la force d'attraction de son regard. Mais il lui répondait sans lever les yeux.

— Vous pouvez continuer à travailler ici, dit-il. Moi, je vais m'attaquer à l'autre angle.

Pendant une heure, ni l'un ni l'autre ne dit un mot. Au début, Eden était fascinée par ses propres mains, elle imaginait la caméra sur elles, sur leurs mouvements prudents, sur la fine couche de poussière fauve qui, peu à peu, lui recouvrait les doigts. Mais des courbatures la prirent aux épaules, tandis qu'elle dégageait couche après couche de terre sans rien trouver. Elle commençait à comprendre pourquoi ces petits fragments d'argile paraissaient si précieux. Finalement, elle se tourna vers Ben.

— Avez-vous découvert quelque chose ?

Il se mit à rire, sans toutefois se retourner.

— Vous en avez déjà assez ?

— Est-ce la règle ? De ne rien trouver, veux-je dire ?

— Imaginez que vous examinez un espace : il est aussi significatif d'y trouver quelque chose que de n'y rien découvrir.

Cette fois, il se retourna pour lui sourire.

— Vous êtes la première à toucher cette poussière depuis plus de quatre mille ans. Est-ce que ça vous aide ?

– Pas vraiment, fit-elle en riant.

Ben s'assit, le dos appuyé à la paroi de la fosse.

– Votre mère n'est jamais descendue aussi loin. Elle serait stupéfaite de ce que nous découvrons maintenant.

– Où sont ses trouvailles ?

– Au musée de Coolbrook, pour la plupart. Kyle a conservé le reste de la collection. Dans l'ancienne resserre.

Il eut un brusque sourire, secoua la tête.

– Je n'arrive pas à croire que je suis en train de fouiller le sol en compagnie d'Eden Riley. Vous avez l'air d'un être ordinaire. Je ne pense pas que je vous reconnaîtrais si je vous croisais dans la rue.

– Tant mieux. Je préférerais rester incognito ici le plus longtemps possible.

Ben ramassa une poignée de terre, l'examina un moment avant de l'émietter entre ses doigts. Il releva les yeux vers la jeune femme.

– Que vous a dit Kyle à mon sujet ?

Surprise, elle haussa les épaules.

– Que vous étiez son associé, c'est tout.

– *Son associé ?* C'est ce qu'il vous a dit ?

– Oui. Ce n'est pas vrai ?

Ben secoua la tête.

– Jésus, il est extraordinaire. Je suis son employé. Étudiant, j'avais suivi des cours, et nous avons un peu travaillé ensemble en Amérique du Sud. C'est tout.

Soudain, toute l'histoire se mit en place. Elle se rappelait des lettres, elle se souvenait d'avoir entendu prononcer le nom de cet homme. Elle se rappelait aussi une jalousie qu'elle n'avait pas le droit de ressentir.

– Vous êtes le garçon dont Lou et Kyle me parlaient souvent dans leurs lettres, dit-elle. Vous voyagiez avec eux, n'est-ce pas ? Vous les connaissez depuis longtemps ?

– J'ai fait la connaissance de Kyle peu de temps après votre... départ.

Eden sourit.

– Je suis convaincue qu'il ne s'est pas servi de ce terme pour exprimer le fait que j'avais filé en Californie.

– Il a dit que vous vous étiez enfuie. Mais vous aviez dix-neuf ans, non ? L'âge de prendre vous-même vos décisions.

– C'était ce que je pensais.

Elle brossa de la main la poussière qui couvrait son short, ramena son regard sur son compagnon.

– Ben Alexander. Je me souviens, maintenant. Votre nom revenait sans cesse dans leurs lettres. J'étais jalouse. Sans doute aurais-je aimé savoir qu'ils pleuraient mon départ. Au lieu de quoi, ils semblaient vous avoir adopté. Vous me remplaciez.

Il secoua la tête.

– Ça n'aurait pas été possible. Ils vous adoraient. Et ils se désolaient vraiment de votre départ. Si c'était ce que vous vouliez, vous avez gagné.

Elle sentit ses joues s'empourprer, revint à son petit carré de terre.

– Je ferais bien de me remettre à fouiller cette vieille poussière, dit-elle.

Aucun doute sur le parti qu'avait pris ce type.

Elle compta une bonne minute avant de le sentir se retourner à son tour.

Les poils souples de sa brosse accrochèrent quelque chose. Elle les passa, les repassa plusieurs fois au même endroit, et une petite bosse, de la taille d'une pièce de dix cents, commença de se former sous la brosse.

– Ben ? J'ai quelque chose ici.

Il vint s'asseoir à côté d'elle, la regarda dégager l'objet de sa gangue.

– Allez-y doucement, conseilla-t-il. Il ne faut rien perdre de ce qui pourrait se trouver dans le voisinage.

– Peut-être feriez-vous bien de vous en charger vous-même.

Elle lui tendait la brosse.

– Non, non. C'est à vous. Vous vous en tirez très bien.

Il était si près d'elle qu'elle percevait sur sa peau l'odeur du soleil. Elle s'écarta légèrement, se rapprocha de la fraîche paroi de la fosse. Elle n'était pas accoutumée à des hommes de sa sorte. Tous ceux qu'elle connaissait étaient comédiens, figés dans le personnage qu'ils avaient une fois pour toutes adopté. Ils étaient ou homosexuels, ou phallocrates à tout crin, ou alors des mélanges plus subtils de force et de sensibilité, un modèle que Michael avait amené à la perfection, et que d'autres copiaient. Ils ressemblaient à des héros de bandes dessinées. Quoi de moins dangereux qu'une silhouette en papier ?

Lorsqu'elle pensait aux hommes qui avaient compté dans sa vie, elle n'y incluait même pas Wayne. Il n'avait aucune importance en tant qu'homme. Pardon, Wayne, mais c'était vrai. C'était l'une des raisons pour lesquelles elle l'avait choisi, il y avait bien longtemps. Asexué. Inodore et sans saveur. En ce temps-là, elle n'était encore qu'une gamine qui cherchait un appui sûr. Mais l'homme qui se trouvait maintenant près d'elle était tout sauf asexué, tout sauf sûr. Il était d'humeur changeante... timide un moment, audacieux le moment d'après. Elle le regardait passer les doigts sur la terre, devant elle. Elle ne parvenait pas à le situer dans une catégorie. C'était un genre tout différent de Wayne ou de Michael. Totalement différent.

La bosse avait maintenant le diamètre d'un dollar d'argent.

— Est-ce un morceau de poterie ? questionna-t-elle.

— Oui. Et, apparemment, ça va être le fragment le plus important que j'ai vu dans cette fosse.

Elle prit un air confus.

— Je vous demande pardon.

— Ne faites pas la sotte.

Il lui fit signe de continuer.

La bosse grossit jusqu'au moment où les poils de la brosse accrochèrent enfin une arête. Le morceau d'argile arrondi était alors de la largeur de la main d'Eden.

— La chance proverbiale du profane, fit Ben.

Il se dressa pour prendre au bord du trou un bloc, indiqua sur son plan l'emplacement de la poterie. Il glissa ensuite précautionneusement les doigts sous le fragment, le dégagea, le présenta à la jeune femme.

— C'est un morceau de coupe. Elle devait avoir environ vingt-cinq centimètres de diamètre.

Il passait sur la surface incurvée un doigt couvert de poussière.

— Vers cette époque, on s'est mis à mélanger l'argile avec des fibres végétales. Plus nous fouillerons profond et moins nous trouverons d'argile. Les coupes seront en pierre.

Il enveloppa le morceau de poterie dans du papier journal, le posa sur le bord de la fosse.

Il était près de midi. Eden voulait aller au service des archives de Winchester avant l'heure de fermeture.

— Je viendrai ici le matin, si vous n'y voyez pas d'inconvénient, dit-elle.

Le travail dans la fosse lui donnerait le temps d'assimiler ce qu'elle lirait dans le journal.

— Déjeunez avec moi, proposa Ben. J'ai deux sandwiches.

– Je ne voudrais pas vous priver de votre déjeuner.
Il tapota son ventre plat.

– Je n'ai vraiment pas besoin de deux sandwiches.

Ils grimpèrent sur la plate-forme de la camionnette, s'assirent à l'ombre de l'orme. Au-dessous d'eux, l'eau de Ferry Creek venait battre les berges. Eden entendait gémir la passerelle suspendue qui enjambait le cours d'eau. Étant enfant, elle y avait joué. Elle plairait sans doute énormément à Cassie.

Ben sortit une bière de sa glacière, la lui lança, lui tendit ensuite un sandwich au fromage. Elle l'ouvrit, découvrit deux tranches orangées de fromage, une feuille de laitue, de la mayonnaise. Elle se mordit les lèvres.

– C'est la mayonnaise qui vous fait cet effet ?

Elle acquiesça d'un signe.

– C'est un peu bizarre.

Il lui offrit la tranche de pain intacte de son propre sandwich.

– Un peu de musique ?

Il alluma le baladeur resté accroché à sa ceinture. La musique, rapide, était jouée à l'accordéon. Les paroles étaient en français. Eden regarda son compagnon d'un air intrigué.

– Intéressant.

– C'est une musique heureuse. Je n'ai pas la moindre idée de ce que ça chante, mais ça m'est égal. Vous ne parlez pas français, au moins ?

Il semblait inquiet. Elle secoua la tête.

– Tant mieux. Ça gâcherait tout si je comprenais ce qu'ils disent. De cette manière, je peux faire comme s'ils parlaient de ce qui me plaît. Imaginer selon mon humeur.

Elle lui sourit. Avait-elle vraiment cru, quelques heures plus tôt, qu'elle l'intimidait ?

Il se renversa contre la ridelle du camion.

– J'ai lu presque tous les livres de votre mère, quand j'étais gosse. Ils regorgeaient d'aventures.

– Les aventures de ma mère existaient uniquement dans son imagination, j'en ai peur.

– J'ai essayé d'en lire un à ma fille, mais elle a préféré regarder le film. C'est bien d'une gamine. Elle fait partie de vos admirateurs.

Ainsi, il était marié. Elle ne savait trop si elle en éprouvait de la déception ou du soulagement.

– Je lui ai dit qu'en quelque sorte je vous connaissais, continua-t-il.

– Vous pourrez lui dire maintenant que vous me connaissez pour de bon. J'aimerais bien la rencontrer si vous le vouliez.

– Je ne la vois pas très souvent. Elle vit avec ma femme.

– Oh. Et où habite votre femme ?

– A Annapolis.

Il allongea ses jambes devant lui.

– Votre fille a à peu près le même âge que la mienne. Cassie, c'est ça ?

– Avez-vous entendu parler d'elle par Lou et Kyle ?

– Tout le monde connaît l'existence de Cassie, non ? Y compris tous les détails personnels : vous avez longtemps essayé d'être enceinte, vous avez passé allongée vos trois derniers mois de grossesse, etc.

Elle fit la grimace. Wayne avait déclaré qu'il en avait assez de savoir que les gens apprenaient les détails les plus intimes de leur vie en faisant la queue dans les magasins.

– Comment supportez-vous d'avoir aussi peu d'intimité ? demanda Ben.

– Assez mal, parfois.

Après la sortie de *Au cœur de l'hiver,* elle avait fait la couverture de tant de magazines qu'elle en avait perdu le compte. Et puis Wayne était parti, et alors elle avait voulu échapper totalement aux regards.

– Comment fait-on pour écrire un scénario ?

– On doit commencer par se documenter. Je pensais d'abord exploiter les souvenirs de Kyle : il est le seul être encore vivant à avoir bien connu Katherine. Mais, hier au soir, il m'a dit qu'elle avait tenu un journal. Ça devrait me faciliter énormément la besogne, mais il y a une douzaine de cahiers, et Kyle a l'intention de m'en confier un seul à la fois.

Lentement, un sourire se dessina sur les lèvres de Ben.

– Il veut vous retenir ici le plus longtemps possible. Il était si heureux d'apprendre que vous alliez venir.

– Je me demande pourquoi. Il ne me doit pas les années les plus heureuses de sa vie. De toute manière, je ne veux pas travailler exclusivement à partir du journal : j'ai une idée précise de la façon dont je désire présenter le personnage...

Elle pencha la tête sur l'épaule.

– Que pensez-vous d'elle ? Vous personnellement, quelqu'un qui ne la connaît que par les médias ?

Il avala une bouchée de son sandwich.

— C'était une solitaire, dit-il. Une femme qui plaçait la solitude au-dessus de tout. J'ai du mal à comprendre ça. J'aimerais mieux passer sous un train que de vivre seul le reste de mon existence.

— Précisément, répondit Eden. Personne ne la comprend, à cause de la manière dont on l'a présentée par le passé. Je veux la montrer sous un jour plus normal. Je veux que les spectateurs se découvrent des affinités avec elle au lieu de penser : « Tiens, voilà encore cette étrange Katherine Swift. »

— Quel âge avait-elle quand elle a commencé à tenir son journal ?

— Treize ans.

— Que peut bien avoir à écrire une fille de treize ans ?

— Bien des choses. Elle était impulsive. Et solitaire. Les autres enfants ne l'aimaient pas. Elle a eu des tas de difficultés. A l'apparition de ses premières règles, sa mère — ma grand-mère —, qui était complètement folle, lui a coupé les cheveux presque à ras. Alors, elle s'est sauvée. C'est ce jour-là qu'elle a découvert la caverne.

Ben se tourna dans la direction de la caverne.

— Vous rappelez-vous comme c'était, à l'intérieur ?

La question était presque murmurée, comme s'il comprenait que le sujet méritait d'être traité avec respect.

Eden, elle aussi, regardait, par-delà le champ, le haut talus boisé. A travers les arbres, elle distinguait tout juste l'endroit plus sombre où les rochers marquaient l'entrée de la caverne.

— J'avais quatre ans quand on l'a murée, dit-elle. Mes souvenirs sont très vagues.

— Fermez les yeux.

— Quoi ?

Ben posa son sandwich.

— Mon frère est psychiatre. Toutes les fois que je ne me rappelle pas quelque chose, il me dit de fermer les yeux, et, par degrés, les souvenirs me reviennent.

Docilement, Eden abaissa les paupières, s'adossa au froid métal de la ridelle. Au début, sa concentration s'attacha seulement au bruit de l'eau de la Ferry Creek qui coulait tumultueusement au-dessous d'eux. Mais, soudain, elle entendit le *clac, clac, clac* de la machine à écrire, étouffé par le coton que sa mère lui avait mis dans les oreilles. Elle sentait l'air frais sur ses bras nus. La caverne était éclairée d'une manière diffuse par les lanternes accrochées aux parois et les bougies posées çà et là sur le sol et sur les arêtes de rochers. La salle était peuplée d'ombres. Eden jouait avec ses amies, les stalagmites. Elle les avait oubliées, ces formes grotesques, froides, qui, dans son imagination de quatre ans, prenaient des apparences humaines.

Sa mère était assise sur une chaise de bois, devant l'énorme monstre noir qui était sa machine à écrire. Des feuilles de papier s'éparpillaient autour de sa chaise, sur le sol de la caverne. Son visage était indistinct. Eden ne voyait que ses mains, l'épiderme lisse et soyeux, les doigts fins, les ongles coupés court. Ces mains-là n'étaient jamais immobiles. *Clac, clac, clac.*

Eden rouvrit les yeux. Ben l'observait en se mordant la lèvre.

— J'avais peur que vous ne puissiez plus quitter le passé, dit-il.

— Je me suis rappelé les stalactites et les stalagmites. Les tites et les mites, comme disait ma mère. Elles occupent toute la caverne. C'étaient mes compagnes de jeu. Je jouais avec elles pendant qu'elle tapait à la machine, et, quand elle s'arrêtait en fin de journée, elle me prenait sur ses genoux pour me cajoler et me faire la lecture.

Sa voix, plus douce, un peu étouffée, la trahissait. Elle avait oublié ce qu'on éprouvait à être câlinée ainsi, bercée par un amour sans condition aucune.

Ben se pencha vers elle, lui effleura le genou.

— Ce film ne va pas être facile à faire pour vous.

Elle n'aurait pas dû tant parler, se livrer ainsi. Avec chaque mot, elle s'était rendue plus vulnérable.

— Je ne pense pas que ce sera si difficile.

Elle se mit debout, sauta à bas de la camionnette, soulagée de ne plus sentir sur son genou la chaleur de la main de Ben.

— Je dois partir. Merci pour le sandwich.

— Pourriez-vous me montrer comment on fait ? demanda-t-il.

— Comment on fait quoi ?

— Comment on ferme aussi vite le robinet de ses sentiments, précisa-t-il, les paupières plissées.

— Je ne comprends pas.

— Mais si, je crois. Un instant, vous êtes mélancolique,

l'instant d'après, tout va pour le mieux dans le meilleur des mondes.

Avec un soupir, elle capitula.

— Pour être franche, j'y parviens généralement beaucoup mieux.

Les mains aux hanches, elle se tourna vers la caverne.

— Ici, je suis privée de mes défenses. D'ordinaire, je suis capable de faire comme si tout allait très bien jusqu'au moment où je commence à le croire pour de bon.

— Bon sang. Si vous m'apprenez à faire ça, je vous apprendrai à mener des fouilles. Pourquoi pas ce soir, à dîner ? Rien d'extraordinaire. Purement, comme on dit, *platonique*. Voyez-vous, ajouta-t-il en souriant, je suis au courant, pour vous et Michael Carey.

Elle laissa échapper un gémissement.

— Michael et moi, nous sommes des amis, sans plus. Et pourquoi vouloir dîner avec moi, si vous savez déjà tout à mon sujet ?

Il ignora sa question.

— Je passerai vous chercher à sept heures.

Elle avait envie d'accepter. Ce serait plus facile que de dîner avec Kyle et Lou.

— Je préférerais vous retrouver quelque part.

Elle serait ainsi plus libre de son temps. Pas de danger de l'avoir sur le dos plus longtemps qu'elle ne pourrait le supporter.

— Sept heures au Sugar Hill, fit-il. Kyle vous indiquera le chemin. N'oubliez pas d'emporter votre morceau de poterie, pour l'impressionner.

Traversant le champ, elle retourna à la fosse, ramassa le fragment et se mit en route vers le talus. Elle sentait sur elle les yeux de Ben. Que lui voulait-il ? S'il voulait la présenter à sa fille, il n'avait pas besoin, pour parvenir à ses fins, de l'emmener dîner. Il allait pouvoir écrire à la famille qu'il sortait avec Eden Riley. Il fallait espérer qu'il ne se faisait pas d'illusions : elle ne coucherait pas avec lui. Ou peut-être cherchait-il à se mettre au mieux avec Kyle, pour se faire pistonner dans sa carrière. Il devait forcément s'ennuyer sur ce site minuscule. Ou bien souffrait-il simplement de sa solitude ? Peu importaient ses mobiles. Tout en se dirigeant à travers bois vers la maison, elle savait bien que ce qu'elle devait craindre, c'étaient ses propres aspirations et non celles de Ben.

# 6

Sugar Hill était, dans la région, le restaurant préféré de Ben. Il en aimait l'atmosphère rustique, l'odeur de bois. A l'intérieur, il faisait toujours sombre, ce qui facilitait l'anonymat. Il y avait une piste de danse au milieu des tables, et le bar tenait toute la longueur d'un mur.

Il s'assit à une table discrète, dans un coin, et surveilla la porte. Il cherchait à se rappeler si, ces derniers dix-huit mois, il lui était arrivé de dîner avec quelqu'un d'autre que Kyle et Lou ou Sam et Jen. Non. Sauf bien sûr en prison, mais là, il n'avait pas eu le choix de ses commensaux.

Il avait donc de bonnes raisons de se sentir nerveux. Lorsqu'il vit Eden sur le seuil, il se leva vivement. Elle hésita, le temps d'accoutumer ses yeux à la pénombre. Il s'avança vers elle. Elle portait ses cheveux blonds relevés, comme ce matin. Son cou était long et mince, de même que son corps, mais elle possédait une sorte de solidité qui l'attirait. Peut-être à cause du contraste avec la fragilité de Sharon. Elle avait l'air capable d'affronter tout ce qui pourrait se présenter. Elle ne devait pas s'effrayer aisément.

Une certitude le frappa de nouveau : elle n'était pas facilement reconnaissable. Tant mieux. Il n'avait pas envie d'attirer l'attention sur lui-même, dans cet établissement.

A sa vue, Eden sourit. Elle prit la main qu'il lui tendait. Il la conduisit jusqu'à leur table, la fit asseoir, lui donna le menu.

— Qu'aimeriez-vous boire ? demanda-t-il.
— Du vin. Blanc.

Il alla commander au bar le vin de la jeune femme et,

pour lui, une bière. En lui donnant les verres, le barman lui sourit ironiquement, cligna de l'œil.

— Un peu trop âgée pour votre goût, non ?

Ben se détourna sans répondre. Un autre soir, il aurait pu répliquer, se défendre avec une riposte acerbe. Mais il ne voulait pas commencer ainsi la soirée. *N'y fais pas attention,* s'enjoignit-il. *Ne te laisse pas troubler.*

Mais, quand il eut posé le verre d'Eden devant elle et qu'il se fut rassis, il sentit ses jambes trembler. Cette simple remarque du barman l'avait bouleversé. Il n'était pas aussi anonyme dans cet endroit qu'il aurait aimé l'être. Il but quelques gorgées de bière. Il se demandait si tous les regards, dans la salle, étaient fixés sur Eden et sur lui.

— Vous venez souvent ici ? demanda-t-elle.

Il hocha la tête.

— On prend des habitudes, je suppose.

La serveuse d'un certain âge, Ruth, s'approcha de leur table. Son rouge à lèvres orangé débordait le contour de sa bouche.

— Comme d'habitude ? demanda-t-elle à Ben.

— N-non...

C'était vrai : il s'encroûtait.

— Ce soir, je vais prendre les croquettes au crabe.

Il avait chaud. Une couleur brûlante, il le sentait, montait de son cou à ses joues. Si le barman connaissait la vérité à son sujet, Ruth devait être au courant, elle aussi.

— Et, pour moi, le carrelet farci.

Eden leva les yeux, gratifia Ruth d'un sourire candide.

Il fut certain de voir la serveuse lui adresser un regard de mépris glacial, avant de s'en retourner vers la cuisine. Jamais il n'aurait dû amener Eden dans ce restaurant. Il aurait pu proposer un autre lieu de rendez-vous, plus lointain, où personne ne le connaissait. Mais ici, on dansait. Presque chaque soir, il regardait danser des couples, se demandait s'il retrouverait jamais le plaisir de tenir une femme entre ses bras.

— Aimez-vous danser ? questionna-t-il.

— J'adore ça.

— L'orchestre ne va plus tarder à jouer.

Elle fit un signe affirmatif, baissa les yeux pour boire une gorgée de vin.

— Qu'a dit Kyle de votre fragment de poterie ?

— Il pense que vous l'aviez placé là tout exprès pour que je le découvre.

– L'a-t-il nettoyé ?

– Oui. Et j'ai peint les petits chiffres par derrière.

Agacé par son propre embarras, il faisait tourner la bière dans son verre. Ce matin-là, il s'était senti à l'aise avec elle, après avoir compris que Kyle n'avait pas parlé de son histoire. Mais, ici, il ne pouvait chasser l'impression que ses moindres mouvements étaient observés par les autres dîneurs et par le personnel. Il allait devoir maintenir la conversation sur elle, sans la laisser s'égarer sur lui-même.

– Vous êtes plongé dans vos pensées, on dirait, remarqua-t-elle.

– J'essayais de trouver quelle question je pourrais vous poser sans en connaître d'avance la réponse.

Elle se mit à rire. Le diamant qu'elle portait au cou étincela dans la lumière qui venait de la piste.

– Dites-moi ce que vous savez, et, de là, nous pourrons faire machine arrière.

– Eh bien, vous vous êtes séparée de votre mari il y a près d'un an.

Son compagnon de cellule lisait le *National Enquirer,* et l'article s'étalait à la une. On voyait un homme brun bras dessus bras dessous avec une femme rousse. Le titre en gros caractères proclamait quelque chose du genre : EDEN RILEY ÉCRASÉE DE CHAGRIN PAR LA LIAISON DE SON MARI AVEC UNE INSTITUTRICE DE PENNSYLVANIE. L'angle inférieur droit était occupé par une petite photo d'Eden, les traits contractés par l'émotion. Sans doute l'avait-on tirée d'un de ses films pour la coller, hors de son contexte, dans le journal. Ben, assis sur sa couchette dans la froide cellule en parpaings, l'avait prise en pitié. Il savait ce que c'était de voir sa vie taillée en pièces par la foule.

– Il y aura un an le mois prochain, dit-elle. Et vous ? Depuis combien de temps êtes-vous divorcé ?

– Nous nous sommes séparés il y a environ un an et demi, et le divorce a été prononcé en janvier dernier.

Il ne voulait pas se laisser questionner.

– Votre mari était un homme de loi, je crois ?

– Mmmm.

– Vous avez de la chance d'avoir obtenu la garde de l'enfant.

– Wayne s'est férocement battu.

– Je n'en doute pas. Les hommes de loi ne comptent pas au nombre des gens que je préfère.

Il baissa les yeux sur sa bière. Bon sang, il parlait comme un idiot.

— Vous devez connaître des gens, par ici, après y avoir passé votre enfance.

— Pas beaucoup. Personne que je souhaite revoir.

— Quel âge aviez-vous, quand vous avez rejoint Kyle et Lou à New York ?

— Treize ans.

— Et, avant ça, c'étaient vos grands-parents qui vous élevaient, n'est-ce pas ?

— Mon grand-père et sa seconde femme. Vous connaissez réellement l'histoire de ma vie, hein ?

— Kyle et Lou ne tarissent pas à votre sujet. Et ils sont fous de Cassie.

Il vit le visage d'Eden s'illuminer et il comprit qu'il était tombé sur le sujet idoine. Un sourire éclatant découvrit les belles dents blanches, tandis qu'elle lui parlait de sa fille. Il n'y avait qu'un seul problème : il était incapable de l'écouter. Il était trop cruel d'entendre parler d'une petite fille de quatre ans. Il avait envie de déclarer : *Bliss fait ça, elle aussi* ou bien : *Oui, je sais exactement ce que vous voulez dire.* Mais c'était impossible. Alors, il fermait ses oreilles à la voix d'Eden, fixait toute son attention sur le bleu de ses yeux.

— Cassie sera ici en juillet, dit-elle. Votre fille viendra-t-elle vous voir, cet été ? Elles pourraient jouer...

— Chut !

Vivement, il posa sa main sur celle de la jeune femme, au moment où Ruth posait leurs assiettes devant eux, lui imposa des yeux le silence jusqu'au départ de la serveuse.

— Je vous demande pardon, dit-il en libérant sa main.

Il saisit sa fourchette.

— Non, pas cet été.

Ni aucun autre été.

Eden fronça les sourcils.

— Quelque chose ne va pas ?

— Non.

Il mit une grande application à couper un morceau de croquette de crabe. Il ne pouvait pas regarder la jeune femme et il fut soulagé quand, finalement, elle se mit à manger à son tour. Comment avait-il fait pour imaginer qu'il pourrait jamais entretenir de nouveau des relations normales avec une femme ? Et *avec Eden Riley ? Bon sang, Alexander !* Tout l'après-midi, il avait pensé à elle, il avait nourri l'espoir qu'un lien naîtrait entre eux – quelque chose de bref, sans lendemain. Il ne demandait pas grand-chose. Lorsqu'elle lui avait déclaré que Michael Carey et elle n'étaient que bons amis, n'était-ce pas une manière détournée de lui dire qu'il l'intéressait ? *Imbécile*. Cette femme était une grande vedette de cinéma. Chacune des personnes présentes dans ce restaurant connaissait son nom. Elle portait au cou un diamant énorme. Sa fille fréquentait ce qui avait tout l'air d'un pensionnat huppé. Elle habitait une maison magnifique au bord de l'océan. Il la revoyait dans la séquence de la chambre d'hôtel, avec le séduisant Michael Carey. Quelle sottise d'avoir cru qu'elle pourrait s'intéresser à lui. Par le passé, il aurait peut-être eu sa chance. Plus maintenant. Il gagnait tout juste de quoi avoir un cœur de laitue et un bout de fromage dans son réfrigérateur, un toit au-dessus de sa tête. Il avait envie de lui parler de la maison qui avait été la sienne et celle de Sharon, la maison qu'il avait entièrement conçue lui-même. Il voulait lui dire qu'il avait occupé un poste qui lui valait le respect de la communauté archéologique tout entière. Mais il devrait alors lui expliquer comment il avait tout perdu.

Eden avait mangé un tiers de son carrelet lorsqu'elle reposa sa fourchette.

– Ben, je ne sais pas bien ce qu'il se passe, mais, à vous voir, vous préféreriez être à peu près n'importe où plutôt qu'ici, avec moi. Nous ne sommes pas obligés de faire traîner les choses, n'est-ce pas ? Mettons fin tout de suite à cette soirée.

– *Non !*

Dans son affolement, il lui reprit la main.

– Je vous demande pardon. Je suis préoccupé mais je ne veux pas partir tout de suite.

L'orchestre commençait à jouer. Il aimait bien cette formation. Elle jouait du vieux rock and roll. Il regarda un couple s'avancer sur la piste.

– Allons-y, dit-il en se levant.

En dansant, il n'aurait plus besoin de parler.

L'orchestre avait entamé un ancien air des Doobie Brothers. Le rythme était rapide, et Eden suivait sans effort les pas de Ben. Il était heureux de la voir de nouveau sourire, tandis qu'ils tournoyaient autour de la piste.

La danse suivante était plus lente. La jeune femme ne souleva aucune objection quand il l'attira contre lui. La soie musquée de ses cheveux lui effleura la joue lorsqu'elle ôta les mains de ses épaules pour lui passer les bras autour du cou. Le geste le surprit, il eut peur. Il ferma les yeux pour ne pas voir les regards des autres dîneurs fixés sur eux. Durant toute l'année précédente, il s'était demandé s'il lui arriverait de faire à nouveau l'amour, si une femme consentirait un jour à l'accepter. Il n'était même pas certain d'en avoir encore la capacité physique. Jamais il n'aurait cru qu'un affront à sa sexualité laisserait en lui de telles traces. Pourrait-il jamais se sentir une fois encore un homme normal ? Pourrait-il toucher ou se laisser toucher sans honte, sans un sentiment de culpabilité, même si de telles émotions étaient parfaitement déraisonnables ?

Eden, peut-être... Dieu, comme elle sentait bon. Trop bon. Il s'efforçait de penser au fragment de poterie qu'elle avait découvert ce matin-là, à la forme du bar du Sugar Hill, aux paroles de la chanson... n'importe quoi pour maîtriser son érection. Mais il finit par être sûr qu'elle allait s'en apercevoir et il s'écarta d'elle, brutalement. Elle ouvrit démesurément les yeux, laissa retomber ses bras.

— Qu'y a-t-il ? demanda-t-elle.

— Allons nous asseoir.

D'une main légère posée sous son coude, il la ramena à leur table.

Elle s'assit, tendit la main vers son sac.

— Je ferais mieux de partir, je crois.

— Non, Eden, je vous en prie.

— Vous croyez-vous obligé de me distraire parce que je suis la nièce de Kyle ?

Les joues de la jeune femme s'étaient empourprées.

— Non !

— C'est pourtant ce que je crois. Nous n'avez pas l'air très heureux d'être ici avec moi. C'est votre droit, mais, s'il vous plaît, ne vous servez pas de moi pour marquer des points avec Kyle, ni pour m'exhiber, ni...

— Ce n'est pas ce que je fais.

Il se sentait injustement accusé. L'impression ne lui était que trop familière.

— Je pars. Je vous verrai sur le site, demain matin.

— Laissez-moi vous accompagner jusqu'à votre voiture.

Il ne tenait pas à ce que tout le monde la vît le planter là.

Arrivé à la voiture, il lui posa une main sur l'épaule, la retourna vers lui.

– C'était ma faute, dit-il. Il y a longtemps que je ne suis pas sorti avec une femme. J'avais un tel désir que la soirée se passe bien que j'ai tout gâché.

– Je vous verrai demain.

Elle se mit au volant, et le gravier jaillit derrière le véhicule quand elle quitta à vive allure le parc de stationnement.

Beaucoup plus lentement, Ben regagna sa cabane. Il se déshabilla et, parce que sa chemise avait gardé le parfum d'Eden, il l'étala sur son oreiller avant de se mettre au lit. Il avait oublié d'éteindre la lumière dans le cabinet de toilette et il imagina les comprimés restés sur le lavabo. Mais, ce soir-là, il était trop fatigué pour faire honneur à l'idée de suicide.

Dans la faible lueur qui venait du cabinet de toilette, il distinguait la photographie de Bliss glissée dans le cadre de la glace. Il roula sur lui-même pour faire face au mur, tourna le dos à la photo, au passé.

# 7

*2 octobre 1941*

Maman est morte.

Je regarde ces trois mots et je n'arrive pas à croire à leur réalité. Kyle l'a découverte, et je sais que ça lui a fait du mal. Nous avons entendu le coup de feu tous les deux. Il était tard, la nuit dernière, et je dormais si profondément que j'ai cru avoir rêvé. J'ai pensé que Maman s'était enfin trouvé un Indien à descendre, mais, après, j'ai entendu Kyle sortir du lit et se précipiter dans le couloir. Je me suis levée lentement, comme si quelque chose me retenait, me disait que c'était dans mon propre intérêt de ne pas me presser. Quand je suis arrivée à la salle commune, Kyle se dressait sur le seuil pour me barrer le passage. On dirait qu'il a grandi du jour au lendemain, et ses épaules tenaient presque la largeur de la porte. Sa lanterne brûlait derrière lui dans la pièce, et son visage était dans l'ombre, mais le peu de clair de lune qui pénétrait dans la maison se concentrait dans le blanc de ses yeux qui étaient agrandis, tout ronds, pleins de frayeur.

— Qu'est-ce qui s'est passé ? ai-je murmuré.

J'ai voulu entrer malgré lui dans la pièce, mais il m'a retenue par les bras.

— N'entre pas, m'a-t-il dit. C'est Maman. Elle s'est tuée.

— Elle est morte ? lui ai-je demandé.

Il a hoché la tête et il s'est écarté, parce que Papa était maintenant dans le couloir et voulait entrer. Nous avons tendu l'oreille pour entendre sa réaction, mais il n'en a eu aucune. Il n'y a jamais eu d'homme plus silencieux que

Papa. Je voulais la voir pour être sûre qu'elle était morte, mais Kyle m'a empêchée de passer.

– C'est sa tête, Kate, m'a-t-il dit.

J'ai remarqué qu'il ne regardait pas, lui non plus, dans cette direction. Je n'imaginais pas ce qu'un fusil de chasse pouvait faire à la tête de quelqu'un.

Je ne suis pas quelqu'un de bien, je pense, parce que j'avais envie de rire. J'ai honte d'écrire ça, mais c'est la vérité, et ce cahier est le seul endroit où je peux exprimer la vérité. J'avais du mal à m'empêcher de rire. C'étaient seulement les yeux épouvantés de Kyle qui me retenaient. J'avais envie de dire : « Oh, Kyle, nous sommes libres ! »

Papa est sorti de la salle. Il est resté dans le couloir, la tête baissée, avant de me regarder.

– Elle n'a jamais été elle-même depuis le jour où tu es venue chez nous, Kate.

Ça m'a fait un choc, mais j'ai bien vu qu'il n'était pas en colère contre moi. Il parlait d'une voix douce et il m'a même posé la main sur la tête, ce qu'il n'avait jamais fait.

– Faut pas t'en vouloir, petite, a-t-il dit. C'était pas ta faute. C'est mieux qu'elle ait fait ça. Maintenant, elle a la paix. Maintenant, vous avez la paix.

Kyle et moi, on n'est pas allé à l'école, mais moi, je suis venue ici, dans ma caverne, et Kyle a fait ce qu'il y avait à faire dans la salle. Je lui ai demandé si je pouvais l'aider, mais il m'a dit que non, qu'il ne voulait pas de moi. Il est venu tout à l'heure et il m'a raconté tout ce qu'il avait vu. C'est trop horrible pour que je l'écrive ici. La façon dont elle s'est détruite, ce n'est pas possible à mettre noir sur blanc. Mais je me suis forcée à écouter Kyle parce qu'il a dit qu'il avait besoin d'en parler. Il était assis sur le canapé qu'il m'a aidée à transporter depuis la maison des Smith, et sa voix était monotone : elle ne s'abaissait pas, ne s'élevait pas, il me racontait sur le même ton une horreur après l'autre. Ses yeux n'étaient plus les mêmes, après ce qu'il avait vu, et j'aurais voulu que Papa n'ait pas dit que c'était ma naissance qui était cause de tout ça, parce que je me sentais coupable de la tristesse répandue sur la figure de mon frère.

### 3 octobre 1941

J'ai éprouvé un choc terrible, hier au soir. En revenant de la caverne, j'ai trouvé Papa assis sous le porche. Je lui ai demandé ce qu'il avait voulu dire en nous apprenant que Maman n'avait pas été bien depuis mon arrivée dans la maison. Il tenait la bouteille de whisky et il en a bien avalé cinq grandes lampées avant de parler.

– Maman n'était pas ta vraie mère, a-t-il dit.

Il a continué en m'expliquant que Maman avait une sœur qui s'appelait Sissy, et que c'était elle, ma maman. Elle s'est tuée quelques jours après ma naissance parce qu'elle n'était pas mariée. Maman a eu bien du mal à accepter la perte de Sissy, et Papa et elle m'ont accueillie chez eux.

– Nous t'avons adoptée, a dit Papa. On se disait qu'on vous élèverait comme frère et sœur, Kyle et toi.

– Tu n'es pas mon vrai papa.

– Je suis ton papa de toutes les manières sauf une, petite, et ne va pas penser autrement.

Il était moitié furieux, moitié triste, et je me suis dit qu'il valait mieux ne pas lui poser d'autres questions.

Au début, je n'avais pas l'intention d'en parler à Kyle. Mais, la nuit dernière, je pleurais dans mon lit. Il est venu me trouver, m'a prise dans ses bras. Il croyait que je pleurais à cause de Maman. Alors, je lui ai dit ce que Papa m'avait raconté, et il répétait : « Ça ne peut pas être vrai, c'est impossible. » Mais je lui ai dit que je savais que c'était vrai. Je me cramponnais à lui parce que j'avais peur : il n'allait plus m'aimer comme avant, peut-être ne me prendrait-il plus jamais dans ses bras. Mais il m'a dit :

– Kate, je me moque que tu aies une autre mère. Tu seras toujours ma sœur.

*20 octobre 1941*

Papa parle davantage, ces temps-ci. A table, quand il a fini de manger, il repousse sa chaise et il parle de l'usine ou du travail qu'il y a à faire dans la maison. Surtout, il parle de Maman, et je suis surprise de voir combien elle lui manque. A mon avis, ce n'est pas vraiment la maman que j'ai connue qui lui manque mais la femme qu'elle était il y a longtemps, avant mon arrivée.

– Elle était si belle, dit Papa, en regardant par la fenêtre. Et elle chantait bien.

J'essaie d'imaginer Maman en train de chanter, mais c'est impossible.

– Et danser, dit-il encore.

Et il sourit.

– Je parie que vous n'auriez jamais cru que votre

maman savait danser. Sur le parquet de danse, on aurait dit un ange avec ses ailes, tant elle était libre et légère. Et toujours souriante, elle était.

Papa baissa les yeux sur son assiette vide. J'ai essayé de me rappeler la dernière fois où j'avais vu Maman sourire. Je n'ai pas pu.

– Comment était ma maman à moi, Papa ? lui ai-je demandé.

– Sissy ? Jolie comme un pétale de fleur. Tous les gars étaient attirés par ta mère. C'était plutôt là, le problème, je pense. Elle a eu honte quand elle t'a eue : elle savait pas trop qui était ton père, et tout ça. Les gens étaient mauvais avec elle. Sans doute qu'elle s'est dit qu'elle n'aurait pas une vie très drôle, après ça. Maman voulait te prendre chez nous. Elle voulait des petits plus que tout, a dit Papa. Quand tu es né, Kyle, elle te berçait dans ses bras, elle t'embrassait, elle te chantait des chansons. Elle se sentait bien comme tout. Après ta naissance, elle s'est levée tout de suite, et elle était heureuse comme je ne l'avais jamais vue. Ses yeux brillaient tout le temps. Elle t'emmenait au marché pour te montrer à tout le monde. Mais après ça, quand Sissy s'est tuée, quand tu es arrivée chez nous, a dit Papa en me regardant, elle est tombée malade. Quelque chose dans la poitrine, j'ai d'abord cru : c'était ça qui lui avait changé l'humeur. Elle était debout toute la nuit, à tousser. Ta berceuse, Kate, ça a été ça. La toux de Maman. Elle n'avait pas la force de te tenir souvent dans ses bras. Après, elle s'est mise à voir des choses qui n'existaient pas, à imaginer des choses. Moi, je pensais que c'était parce qu'elle ne dormait pas assez. Elle a changé du jour au lendemain. Elle ne s'intéressait même pas à Kyle non plus, après ça.

– Je te demande pardon, Papa.

J'avais du mal à le regarder.

– Non, Kate, a-t-il dit, ne va pas te sentir coupable. Peut-être était-ce parce qu'elle avait à s'occuper de deux petits, presque du même âge, tout de suite après la mort de sa sœur. C'était trop pour une seule femme.

Papa s'est levé, il a été porter son assiette dans l'évier, et je me suis levée aussi. J'avais envie d'aller à ma caverne : je savais que je m'y sentirais tout de suite mieux. Papa s'est retourné pour me regarder.

– Je ne sais pas où tu passes tout ton temps, petite, m'a-t-il dit.

Je me suis contentée de le regarder, mais j'avais l'estomac en révolution.

– Tu es en sûreté, là où tu vas ? m'a-t-il demandé.

– Oui, Papa.

– Alors, vas-y.

Je me sens si triste, ce soir. Il y avait une femme qui était ma mère, et je ne la connaîtrai jamais. Jolie comme un pétale de fleur, et qui a eu honte de m'avoir mise au monde. Et Maman. Une mère normale, on dirait, avant mon arrivée. Une femme heureuse et gaie. J'ai probablement détruit les vies de deux femmes.

## 1er décembre 1941

Miss Crisp trouve que j'écris bien, comme le pensait Mrs Renfrew. J'ai écrit une histoire à propos d'une fille qui découvrait un trésor (des bijoux « précieux » dans une caverne), et Miss Crisp l'a lue à haute voix devant toute la classe. Elle lit d'une voix un peu haletante, avec des petits silences à des endroits auxquels je n'aurais jamais pensé, et, du coup, ma petite histoire a l'air d'un poème. J'ai commencé à me sentir vraiment nerveuse quand elle l'a lue : je pouvais à peine respirer. Après elle a dit : « Tu as un talent *bona fide,* Katherine. » *Bona fide,* on me l'a expliqué, ça veut dire « réel, sérieux », en latin. Tout le monde s'est tourné vers moi pour me regarder. J'ai entendu Sara Jane chuchoter quelque chose à Priscilla, et Priscilla a ricané. Je déteste Priscilla. Cette année, à la rentrée, elle m'a demandé pourquoi j'avais coupé mes cheveux. C'était tout ce que j'avais de bien, a-t-elle dit, et il avait fallu que je m'en débarrasse. Je suis la fille la plus laide de la classe, je le sais bien. Les autres ont toutes des cheveux longs et elles les retiennent avec des rubans. Sara Jane, elle, a des fossettes, et Kyle les amène toujours dans des conversations où elles viennent comme des cheveux sur la soupe. Quand il prend ce ton admiratif à propos de Sara Jane ou d'une autre fille, je me sens sur le point de défaillir. J'éprouve une véritable douleur dans la poitrine et, un de ces jours, je vais tomber morte à ses pieds.

Le soir, Kyle vient s'asseoir dans ma caverne (on s'enveloppe dans des couvertures, maintenant, parce qu'il fait vraiment froid, moins pourtant dans la caverne que dehors) et il me demande quelle fille, à mon avis, est la plus jolie ? La plus gentille ? Il ne pense qu'à ça, ces temps-ci. Parfois, Miss Crisp l'interroge, et il n'a aucune idée de ce qu'elle lui demande, trop occupé qu'il est à admirer les nattes noires qui pendent dans le dos de Lucy.

Nous sommes tous en train de changer, dans cette classe. Je veux parler de nos corps. Getch a le front couvert de boutons. William a des poils noirs tout fins sur la lèvre supérieure. Les seins de Sara Jane sont devenus si gros que les boutons de son chemisier agrandissent les boutonnières. J'en suis venue à comprendre que les seins ont une grande importance. Il arrive à Kyle de trembler comme une gelée en regardant ceux de Sara Jane, ce qui se produit souvent. Moi-même, j'ai senti le pouvoir des miens. Ils sont bien plus petits que ceux de Sara Jane, mais, si je rejette les épaules en arrière en passant devant Getch ou William, je sais qu'ils me suivent des yeux, et que j'exerce un pouvoir sur eux. En même temps, quand ça arrive, j'éprouve une drôle de sensation, comme si les regards de Getch et de William *touchaient* pour tout de bon mes seins. Parfois, mes seins ont une envie presque douloureuse d'être touchés, et il m'arrive, le soir, quand Kyle est endormi, de les caresser moi-même. Je n'en reviens pas que ça puisse être si agréable.

Si tout ça m'occupe tellement l'esprit, ce soir, c'est à cause d'une conversation que nous avons eue un peu plus tôt dans ma caverne, Kyle et moi. Kyle est de loin le garçon le plus beau de notre classe. Il est grand : il vient d'avoir quinze ans et il mesure déjà un mètre quatre-vingts. Ses cheveux sont droits et abondants, toujours brillants, et il a de belles dents blanches (j'ai les mêmes). Il a aussi de larges épaules, et il porte maintenant les chemises de Papa.

Bref, ce soir, il m'a demandé s'il m'arrivait quelquefois, à l'école, d'imaginer comment étaient les garçons sans leurs vêtements ! Je me suis récriée :

— Non !!! Pourquoi aurais-je envie de me faire du mal ?

Il a pris alors un air tourmenté, et j'ai compris : il imaginait de quoi avaient l'air Sara Jane et Lucy quand elles étaient toutes nues, et il pensait qu'il n'était pas normal. Est-il normal ? Est-ce normal, ce genre d'idées ? Je n'en sais rien.

J'ai entendu Sara Jane et Priscilla parler de leurs « anglais ». Je sais qu'elles appellent ainsi leurs *mensurations*. Je voudrais bien leur poser des questions là-dessus parce que je ne comprends toujours pas à quoi sert cet embêtement mensuel. Mais, dès qu'elles se sont rendu

compte que j'essayais d'écouter leur conversation, elles se
sont tues.

## 6 janvier 1942

Hier, je suis arrivée ivre à l'école. Je n'avais aucune
bonne raison à ça. J'ai seulement eu envie de goûter le
whisky de Papa et je ne me suis pas arrêtée quand j'aurais
dû. J'ai passé toute l'avant-dernière nuit dans ma caverne,
à boire et à lire Jane Austen, enveloppée dans ma courtepointe. Il y faisait bon, en comparaison du dehors. Kyle
est venu me chercher pour aller à l'école, mais je lui ai dit
que j'étais trop fatiguée. Il n'avait qu'à partir sans moi.
J'y suis quand même allée un peu plus tard. J'avais pensé
que le trajet me remettrait peut-être les idées en place,
mais je me trompais. Je me suis assise à ma place, et
Miss Crisp m'a demandé : « Tu es malade, Katherine ? »
Mais Priscilla a dit : « Non, elle est soûle. Vous ne sentez
pas l'odeur ? »
J'ai répliqué :
— Toi, tu sens tout le temps mauvais.
Et j'ai ajouté, pour Miss Crisp :
— A mon avis, Priscilla ne se lave jamais.
Priscilla s'est mise à pleurer. Sara Jane m'a dit :
— Tu es grossière, répugnante.
Getch m'a demandé :
— Hé, Kate, il t'en reste un peu, de ta gnôle ?
Miss Crisp s'est dirigée vers moi. Je ne voyais que sa
grosse tête qui se rapprochait de plus en plus. Tout à
coup, Kyle m'a attrapée par le bras pour me faire lever et
m'entraîner dehors. Là, il m'a poussée contre le mur et
m'a retenue prisonnière.
— Qu'est-ce que tu essaies de faire ? m'a-t-il crié.
Je ne pouvais pas parler. Ses mains pressaient mes
épaules contre le mur, ses hanches touchaient les miennes,
et j'étais prise de vertige.
— Comment peux-tu espérer te faire des amis en te
conduisant comme ça ?
— Je n'ai pas besoin d'amis. Je t'ai, toi.
Kyle a reculé brusquement, comme si, d'un seul coup,
je m'étais retrouvée couverte d'épines.
— Je suis bien content de ne pas être ton frère, m'a-t-il
dit.
Il aurait aussi bien pu me frapper. Mais il a repris une
voix très calme.

– Rentre à la maison. Tu pourras y arriver ? Tu n'as pas besoin de moi pour t'accompagner ?

J'ai secoué la tête. J'avais honte de moi. Sur-le-champ, je me suis fait une promesse. Jamais plus je ne me conduirai comme ça. Je ne l'embarrasserai plus devant les autres élèves. Je ne le rendrai plus honteux d'être mon frère.

## 6 juin 1942

Le frère aîné de Getch, Pete, qui vit à Washington, est venu rendre visite à sa famille et il nous a emmenés, Getch, Kyle et moi, à la bibliothèque de Winchester. Je n'avais pas l'intention d'y aller. Premièrement, parce que je n'aime pas me trouver en ville – je ne sais pas pourquoi, mais ça me fait peur. Deuxièmement, parce que Getch y allait. Mais la bibliothèque ! Comment aurais-je pu résister ?

Ça me faisait drôle d'être la seule fille. Pete, qui a vingt-trois ans et qui est encore plus séduisant que Kyle (d'une certaine façon), a dit qu'il était heureux d'avoir une aussi charmante compagnie dans sa voiture. « Je ne parle pas de mon frère ni du tien », a-t-il ajouté. Je ne crois pas qu'il existe au monde une seule personne qui m'ait jamais dit que j'étais charmante. Pour commencer, j'ai cru qu'il se moquait de moi, mais j'ai vu à son expression qu'il parlait sérieusement. Pete nous a laissés à la bibliothèque et il est allé faire des courses. Je me suis séparée des garçons, et la première chose que j'ai cherchée, c'est la menstruation. Ça a été aussi la dernière chose que j'ai cherchée dans l'encyclopédie : j'étais tellement intéressée par ce que je lisais que je ne suis pas allée plus loin.

Il y avait des illustrations, dans le livre, et des explications. Je sais maintenant exactement pourquoi je saigne chaque mois. Je n'en reviens pas que mon corps sache faire ça tout seul, et qu'un jour, un enfant puisse se former dans mon utérus. Je voudrais seulement ne pas être forcée d'avoir un mari pour que ça m'arrive.

Pendant le trajet de retour, je me suis surprise à regarder le pantalon de Pete. Je me rappelais ce qu'avait dit Kyle sur la façon dont il imaginait les filles de l'école toutes nues. J'étais stupéfaite d'en faire autant. Mais je n'avais pas dû être assez prudente : en arrivant à la maison, Pete a fait descendre en vitesse Getch et Kyle, avant de me prendre la main pour la poser sur la bosse que faisait son pantalon.

— C'est ça que tu veux ? m'a-t-il demandé.

J'ai retiré ma main et j'ai voulu ouvrir la portière, mais il m'a attrapé le bras. Tout de suite après, j'ai senti sa main sous ma jupe, ses doigts qui appuyaient très fort sur l'endroit entre mes cuisses. Le plus affreux, c'est que j'avais envie de retenir sa main où elle était, au lieu de la repousser. Par bonheur, ma fierté a repris le dessus : j'ai mis ma bouche sur son épaule et je l'ai mordu de toutes mes forces jusqu'au moment où il m'a lâchée. Je suis descendue de la voiture et j'ai couru presque sans arrêt jusqu'à ma caverne. Là, mes jambes ont failli céder sous moi. Je tremblais de tout mon corps. Je pensais sans arrêt à ma mère. Ma vraie maman qui cédait trop facilement aux garçons. Pour la première fois, je comprends comment une fille peut devenir ainsi.

Je n'ai allumé qu'une bougie, celle qui est posée sur la corniche, près du bassin-miroir. Je me suis déshabillée dans l'ombre froide de ma caverne, je me suis couchée sous la courtepointe étendue sur mon matelas et je me suis touchée là où Pete l'avait fait. Mes doigts paraissaient savoir ce qu'ils devaient faire. Très vite, une sensation m'a envahie, comme l'eau quand elle se précipite vers les chutes. Et puis j'ai crié, et ma voix m'a surprise, quand les parois se la sont renvoyée de l'une à l'autre. J'espérais que personne ne m'avait entendue. On aurait pensé que je souffrais. Mais ça ne ressemblait à aucune souffrance que j'aie connue.

*7 juin 1942*

Kyle et moi, hier au soir, dans la caverne, nous révisions pour nos examens quand je me suis rendu compte qu'il me regardait fixement.

Quand je lui ai demandé pourquoi il me dévisageait comme ça, il m'a répondu :

— C'est vrai que tu es charmante, jolie. Je ne l'avais jamais remarqué avant que Pete le dise. Mais c'est vrai.

# 8

Eden n'attendit pas, pour se lever, la sonnerie de son réveil. Inutile de rester plus longtemps éveillée, les yeux rivés au plafond. Son cerveau en pleine activité l'empêcherait de dormir, de toute façon. Elle aurait aimé pouvoir appeler Cassie, mais il était bien trop tôt. Elle descendit au rez-de-chaussée, s'immobilisa devant la paroi vitrée de la salle de séjour pour regarder la forêt passer du gris au vert à mesure que le soleil s'élevait derrière les arbres.

Le chevalet de Lou était près d'elle. Eden fit un pas en arrière pour mieux voir le tableau. C'était un exemple typique du travail de Lou : des masures délabrées, faites de boue séchée et de fer-blanc, sur un fond de ciel d'un bleu éclatant, semé de petits nuages. Un hameau en Amérique du Sud, sans aucun doute. Ces dix dernières années, Lou et Kyle avaient passé la majeure partie de leur temps entre l'Équateur et la Colombie. Kyle complétait ses travaux de recherche, Lou prenait des photos qu'elle utiliserait pour ses toiles. Elle avait un don pour l'ironie, pour traduire le contraste entre la misère de l'homme et la richesse de la nature.

Eden entendit du bruit dans la cuisine, se détourna. L'instant d'après, Kyle entrait dans la salle et lui tendait une tasse de café.

— Merci.

Elle prit la tasse, s'assit dans le fauteuil de rotin, près de la cheminée. Elle se sentait mal à l'aise avec Kyle, ce matin-là. Il y avait des choses qu'il ne lui avait pas dites, un tas de détails qu'elle ignorait.

— Tu es debout de bonne heure, remarqua-t-il, en portant sa propre tasse à ses lèvres.

– Je n'ai pas très bien dormi.

La veille au soir, elle était restée longuement éveillée, à penser à Ben. Quelle soirée désastreuse. Finalement, elle avait conclu qu'il cherchait à la manœuvrer. Sans doute, comme archéologue, n'avait-il jamais accompli ce qu'il avait escompté. Il avait obtenu de Kyle cet emploi et il se proposait maintenant de lui faire de la lèche pour se trouver des relations et passer à des activités plus spectaculaires. Exaspérée par ses réflexions à son propos, Eden avait fini par se lever pour reprendre la lecture du journal de sa mère. Après ça, il lui avait été impossible de dormir. C'était probablement tout aussi bien. Le sommeil, ces temps-ci, n'était pas un ami. Il représentait tout juste une période intermédiaire entre deux cauchemars.

– Pourquoi ne m'avais-tu pas dit que tu n'étais pas mon oncle ? questionna-t-elle brutalement, d'un ton chargé de reproche.

Kyle se raidit.

– Que veux-tu dire ?

– Je parle du fait que personne n'est ce que je croyais. Mon grand-père n'était pas vraiment mon grand-père. Tu es... quoi ? Mon cousin au second degré ?

– Ah, je vois.

Kyle s'assit sur le canapé, sa tasse en équilibre sur son genou.

– Oui, c'est à peu près ça, je pense.

– Pourquoi ne me l'as-tu jamais dit ?

– Quand tu es arrivée chez nous, la première fois, Eden, tu étais repliée sur toi-même. J'ai pensé qu'une telle révélation te rendrait la situation plus difficile, augmenterait ta confusion. Je jugeais que ce n'était pas tellement important. Plus tard...

Il sourit.

– Eh bien, tu n'étais pas une adolescente avec laquelle on pouvait parler très facilement.

Elle se surprit à lui rendre son sourire. Elle avait du mal à s'accrocher à son indignation.

– C'est vrai, je ne devais pas l'être.

– Peut-être simplement parce que nous ne savions pas, Lou et moi, comment on élève une enfant de cet âge.

Eden soupira.

– C'était ma faute, je pense, Kyle, pas la vôtre. Cassie, je l'espère, sera un peu plus malléable que moi.

La tendresse contenue dans sa voix la surprit.

– Mmmm.

Kyle porta la tasse à ses lèvres.

– Comment s'est passé le dîner, hier au soir ?

– Un peu tendu. Je ne crois pas que nous devenions jamais les meilleurs amis du monde.

Elle prit un temps. Elle s'attendait à l'entendre faire l'éloge de Ben, afin de le lui rendre plus sympathique. Mais Kyle se renversa sur le dossier du canapé.

– Eh bien, j'en suis plutôt soulagé. Sans doute vaut-il mieux, pour toi et pour Ben, que vous vous contentiez de travailler ensemble sur le site, cet été, en maintenant vos relations sur un plan impersonnel.

Elle fut stupéfaite. Intriguée aussi.

– Je croyais que tu l'aimais bien.

– Je l'aime, oui. Comme un fils. Mais, pour l'instant, il n'est pas le genre d'homme avec lequel tu doives te lier.

– Pourquoi ça ?

En fin de compte, elle ne s'était pas trompée dans son opinion sur Ben. Pourtant, elle se sentait déçue.

Kyle, sans lever les yeux de sa tasse, haussa les épaules. Eden s'aventura plus avant.

– Il m'est venu à l'esprit qu'il pouvait vouloir se servir de moi. Pour mon argent, ou pour la satisfaction de son amour-propre. Ou encore pour obtenir davantage de toi. Des relations... je ne sais quoi.

Kyle haussa les sourcils, éclata de rire.

– Non, ma chérie, tu n'y es pas pas du tout. Ben a plus de relations que moi, actuellement, dans notre domaine. Et ce n'est pas un carriériste. Il a connu un divorce très douloureux, c'est tout. Il n'en est pas encore remis. J'aimerais te voir fréquenter quelqu'un qui n'appartienne pas à Hollywood, Eden, mais il vaudrait mieux qu'il s'agisse de quelqu'un dont la vie soit un peu plus stable.

– Mais pourquoi travaille-t-il ici pour... Avec la suppression de la subvention, tu ne dois pas pouvoir le payer très cher.

Elle comprit brusquement que le salaire de Ben sortait sans doute de la poche de Kyle.

– Il faudra poser la question à Ben.

– Où travaillait-il, avant de venir ici ?

– A l'université du Maryland. Il y était professeur. Et vice-président de la faculté.

Elle se pencha en avant.

– Mais alors, que fait-il ici, sur un chantier aussi peu important ?

Kyle haussa les épaules.

– Tu n'as pas l'intention de me le dire, n'est-ce pas ?

– Si je peux te donner un conseil, en ce qui concerne Ben, c'est de le traiter avec bienveillance, tout en gardant tes distances.

Elle se redressa, noua ses mains autour de sa tasse. Toute cette conversation avait un aspect familier. Kyle avait repris le ton dont il usait quand elle était adolescente et essayait de s'intégrer à la classe d'art dramatique de l'école. Elle avait fini par y parvenir. Mais ses nouveaux amis ne plaisaient pas à Kyle. Ses remontrances étaient toujours faites avec douceur mais elles étaient incontournables. Une autorité masquée de gentillesse, qui donnait à Eden l'envie de réagir à coups de poings. Ces gosses prenaient de la drogue, lui disait-il. Les garçons se serviraient d'elle.

– Ils ne valent rien, ma chérie. Tu ne vois donc pas ? Leur unique talent, c'est la comédie. Ils risquent de t'entraîner à faire des choses que tu regretteras. En fin de compte, ils ne te feront que du mal.

Avec son regard d'adulte, elle reconnaissait que Kyle avait alors absolument raison. Mais, pour la première fois de sa vie, elle avait capté l'attention de gens de son âge. Sur scène, elle avait trouvé une assurance qui ailleurs lui faisait défaut. Elle pouvait s'introduire dans la peau d'un personnage avec autant de facilité qu'elle aurait enfilé un vêtement. Néanmoins, les élèves du cours d'art dramatique n'étaient pas des fréquentations de tout repos et elle était attirée par les garçons. Leurs cheveux longs, leurs boucles d'oreilles l'étonnaient. Ils la comblaient d'herbe, de poésie, de vers libres, chargés de sous-entendus amoureux, si bien que, lorsqu'ils cessaient de lire et commençaient à la caresser, il semblait que c'était dans l'ordre des choses. Elle apprit à se glisser dans un rôle, dans la peau de quelqu'un d'autre, à se comporter comme la véritable Eden aurait pu refuser de le faire. Elle se convainquit que dix-sept ans, c'était un âge magique. Personne ne pouvait plus lui faire du mal. Sa vie débordait soudain de plaisir, d'une joie qu'elle avait cru ne jamais connaître. Elle ne comprenait pas, en ce temps-là, comment Kyle pouvait lui demander d'y renoncer.

Et maintenant, en l'entendant parler de Ben en ces termes, elle sentait se réveiller en elle un peu de cette adolescente rebelle. Ben ne cherchait pas à se servir d'elle.

C'était là le plus important. Quelque chose le troublait, certes, elle le voyait bien. Mais on pourrait aussi bien lui donner le même conseil à son propos à elle, non ?

— Es-tu prête à lire le cahier suivant ? demanda Kyle.

— Oui, je suppose, répondit-elle.

Sa lecture de la nuit précédente l'avait vidée de ses forces. Elle n'aurait pas été mécontente de voir Kyle ralentir un peu le rythme. Elle promena son regard autour de la salle, questionna d'une voix assourdie :

— C'est la pièce où ta mère s'est tuée ?

Il hocha la tête.

— La découvrir ainsi a dû être une terrible épreuve pour toi, Kyle.

Les mots lui étaient venus sans heurt, mais, même ainsi, c'était la première fois, elle le savait, qu'elle lui parlait avec une telle sympathie.

— Elle était assise dans un fauteuil à bascule, précisément à l'endroit où tu es, dit Kyle. Mon père à brûlé le fauteuil. Il était couvert de sang. Du sang, il y en avait partout, sur le plafond, sur le sol, et des fragments de son crâne là...

Il désignait le mur, derrière la jeune femme.

— Rien de ce que j'ai connu par la suite, à la guerre, ne pouvait se comparer à ce que j'ai vu dans cette pièce, cette nuit-là.

Elle leva les yeux vers le plafond. Il était peint d'un blanc pur, traversé par les énormes poutres de chêne.

— Elle vous a laissés, Katherine et toi, vous élever l'un l'autre.

— Nous le faisions déjà depuis des années.

— Katherine semblait un peu précoce, pour quatorze ans, sur le plan sexuel.

Elle s'agita nerveusement dans le fauteuil. Elle avait l'intention de changer de sujet et les mots, comme à son insu, s'étaient échappés de ses lèvres.

— Vraiment ? Il me semble que l'unique préoccupation de chacun de nous, à cette époque, était le sexe.

— Était-elle vraiment aussi désagréable avec les autres élèves de la classe ?

— Pire encore, fit-il en riant. Elle se fait passer pour une sainte, dans son journal. Mais si elle était désagréable, c'était pour se défendre. Les autres n'étaient pas non plus très gentils avec elle.

— Tu étais tout ce qu'elle avait. Tu ne lui en voulais pas d'être aussi dépendante de toi ?

Il se pencha en avant, posa les coudes sur ses genoux.

– Moi aussi, j'étais dépendant d'elle. Ça ne se sent pas, dans son journal... Peut-être Kate ne s'en est-elle jamais rendu compte. J'insistais beaucoup pour qu'elle fréquente d'autres gens, mais, plus tard, quand elle s'est liée d'amitié avec Matt, j'ai été rudement jaloux.

– Le journal n'est pas aussi facile à lire que je l'aurais cru, déclara Eden. Il m'est plus difficile que je ne le pensais de rester objective. Katherine est devenue si réelle pour moi.

Il fit un signe d'approbation, comme s'il avait prévu cette réaction.

– Qu'est-ce que tout cela va donner, Kyle ? Je parle du film. Quand tu te verras – ou plutôt le comédien qui jouera ton rôle – découvrir ta mère morte après son suicide, t'occuper de tout ce qu'il fallait faire ? Tu pourras le supporter ?

– Ça s'est passé il y a bien longtemps, Eden. Tout ce que je demande, c'est que tu présentes honnêtement le passé, sans l'exploiter.

– Quand j'aurai achevé le premier jet du script, j'aimerais te le faire lire...

Une fois encore, elle se surprenait elle-même.

– Je veux être sûre que tu approuves.

– J'aimerais bien, dit-il.

Eden serrait très fort la tasse entre ses doigts.

– Kyle, je comprends pourquoi tu as attendu si longtemps avant de me parler du journal. C'est ton histoire que je lis, aussi bien que celle de Katherine. Je voudrais que tu saches combien j'apprécie.

Il hocha lentement la tête. Un sourire pensif se dessinait sur ses lèvres. Enfin, il se leva, se dirigea vers la porte.

– Je suis heureux que tu sois ici, Eden. Le moment était venu.

De l'appareil téléphonique qui se trouvait dans la cuisine, elle appela Cassie, avant de partir pour le site.

– Je suis bronzée comme un pruneau, Maman, annonça Cassie.

Eden entendit le rire de Pam, à l'arrière-plan.

– Pas un pruneau, Cass, dit Pam. Un *brugnon*.

– Ah oui. Je suis comme un brugnon, Maman.

– Ne prends pas de coup de soleil, ma puce.

Elle imaginait Pam, tout près de Cassie : elle faisait mine de s'affairer à une besogne ménagère, mais elle écoutait la conversation.

— Papa a-t-il de la crème solaire pour toi ?

— Pam en a. Et on a un radeau pour chacun. Le mien est bleu !

— Ta couleur préférée.

— Oui, et tu sais quoi ?

— Quoi donc ?

— C'est la couleur préférée d'April aussi !

— Je m'ennuie de toi, Cassie.

— Et tu sais quoi encore ? Demain, on va à Hershey Park.

— C'est merveilleux, Cassie.

Eden s'efforçait de mettre un peu d'enthousiasme dans sa voix qui, à ses propres oreilles, sonnait trop blanche.

— Je te rappellerai demain soir, et tu me raconteras tout.

— O.K.

— Je t'aime, ma puce.

— Je t'aime aussi, Maman.

Eden écouta Cassie poser sur le combiné une douzaine de baisers collants. Elle entendit de nouveau Pam à l'arrière-plan :

— Oh, Cassie, c'est dégoûtant. D'autres personnes que toi se servent de ce téléphone, tu sais.

Eden entendit ensuite le cliquetis de l'appareil qu'on raccrochait. Durant quelques secondes, elle écouta le silence, avant de raccrocher à son tour. Elle gravit ensuite l'escalier jusqu'à sa chambre et parvint à atteindre le fauteuil de rotin avant de laisser couler ses larmes.

# 9

Ben se réveilla d'aussi méchante humeur qu'il s'était endormi : furieux contre lui-même. Sa chemise était restée étalée sur l'oreiller, sous sa tête, mais, pendant la nuit, elle avait perdu le parfum d'Eden. Il était temps d'abandonner le pays des rêves pour revenir à la réalité.

Le téléphone sonna. Il se redressa sur un coude pour répondre.

— Allô ?

— Ben ? Alex, ici.

Un instant, il resta sans voix. Par deux fois, depuis sa sortie de prison, il avait appelé Alex, et, la seconde fois, Alex l'avait prié de ne plus téléphoner.

— Je suis surpris que tu me donnes signe de vie, dit-il enfin.

— C'est une question professionnelle, Ben. Tu te rappelles Tina James ?

— Bien sûr.

Tina avait été l'une de ses étudiantes les plus pleines d'avenir.

— Elle sollicite un poste à Stanford et elle m'a chargé de te demander si tu accepterais de lui fournir une lettre de référence.

C'était donc ça. Ce pauvre vieil Alex n'avait pas eu le choix : il avait été obligé de lui téléphoner.

— A mon avis, une lettre signée de moi lui fera plus de mal que de bien, tu ne penses pas ?

— Je lui en ai parlé. Pour elle, quoi que tu aies pu faire dans ta vie privée, tu as toujours un nom dans votre champ d'activités, et...

— D'accord, je vais le faire.

Il prit sur la caisse le stylo-bille et le bloc.

— Donne-moi son adresse : je lui enverrai la lettre.

— Oui... Voilà, elle m'a dit que tu pourrais me l'adresser, et je la lui ferai suivre.

Ben soupira. La fille voulait une référence signée de lui, mais elle refusait de lui confier son adresse.

— Comme vous voudrez. Ainsi, tu donnes des cours, cet été ?

Il y eut une hésitation à l'autre bout du fil : Alex se demandait s'il devait ou non prolonger la conversation.

— Oui. Pour une seule classe.

— Comment va Leslie ?

— Très bien.

— Et ma filleule ?

En d'autres temps, il aurait dit « Kim » en parlant de la fille d'Alex qui avait huit ans, mais il tenait à rappelait à celui-ci leur étroite amitié passée.

— Elle va bien aussi.

— Dans deux semaines, c'est son anniversaire.

— Bon sang, tu as une mémoire incroyable. Moi-même, je l'avais oublié.

Alex... j'aimerais que nous nous revoyions.

— Nous avons déjà abordé la question.

— Tu ne connais l'histoire que du point de vue de Sharon. Laisse-moi t'expliquer.

— Je ne peux pas, Ben.

— Pourrais-tu au moins en discuter avec Sam ? Laisse-le te dire...

— J'ai parlé à Sam. Il te croit innocent, je le sais, mais, franchement, je ne vois pas sur quoi il base sa conviction, sinon sur son amour fraternel.

— Tu as fait des études de droit. Tu pourrais l'aider à découvrir un moyen de...

— Laisse tomber.

— Combien de temps avons-nous été des amis, Alex ? Je crois vraiment que tu me dois bien ça.

— Je ne te dois rien.

La voix d'Alex prenait cette fois une nuance déplaisante.

— Je dirai à Tina que tu vas expédier cette lettre d'ici une semaine ou deux ?

Ben serra les dents.

— Entendu, fit-il, avant de raccrocher.

— Bonjour.

Ben, du fond de la fosse, leva les yeux, découvrit Eden, une main en visière au-dessus des yeux pour se protéger du soleil matinal. Heureux de la voir, il se leva.

— Je craignais que vous ne reveniez pas, après la soirée d'hier.

Elle descendit l'échelle.

— Je voudrais bien trouver d'autres fragments de poterie.

La voilà mordue, se dit-il. Comme sa mère. Comme lui-même.

— Par ailleurs, j'ai le sentiment que Kyle souhaite utiliser toute l'aide dont il dispose, avant que la subvention lui soit supprimée.

— Vous ne vous trompez pas. Il a bien eu une paire d'étudiantes, mais elles sont parties à peu près au moment de mon arrivée.

A la vérité, les deux femmes étaient parties le lendemain de son arrivée. Kyle avait inventé un prétexte à ce brusque départ, mais, Ben le savait, c'était sa présence qui les avait mises en fuite.

Eden ôta la feuille de plastique du carré de terre sur lequel elle avait travaillé la veille. Elle prit sa brosse.

— Eden, dit Ben.

Elle leva les yeux vers lui.

— Je vous dois des excuses pour hier au soir. Il y a si longtemps que je ne suis sorti avec quelqu'un. J'étais nerveux. Pardonnez-moi.

— Ce n'est rien, répondit-elle.

Elle ne disait pas : « *Ce n'est rien. Nous ferons une autre tentative.* » Elle se désintéressait de lui : « *Je veux bien vous excuser, mais vous avez perdu toute chance avec moi.* »

Il s'assit sur le sol, à l'autre bout de la fosse, se remit au travail. Le silence lui était intolérable. Il sentait derrière lui la présence de la jeune femme. Elle ne demandait pas mieux que de se taire. Peut-être Kyle lui avait-il tout raconté à son retour, la veille. Peut-être, en rentrant, était-elle allée trouver Kyle pour lui dire : « Ce type est complètement tordu. » Et Kyle avait approuvé : « Oui, mais, tu comprends, il a passé six mois en prison. »

— Je suis en train de trouver quelques petites masses d'argile, annonça-t-elle tout à coup.

Il se retourna. Elle examinait de la terre, au creux de sa main.

– Mais ce n'est que de la poussière, j'en jurerais.

Il s'approcha. Elle déposa les mottes minuscules sur sa paume.

– Ce sont bien des fragments de poterie. Sans doute des morceaux de cette coupe que vous avez découverte hier.

Durant une heure encore, ils travaillèrent ensemble, à balayer le sol devant Eden, à marquer ses trouvailles sur le plan. Il allait être onze heures quand Ben se releva, s'étira.

– Un peu de jus d'orange? proposa-t-il.

Elle leva la tête. Ses lèvres étaient blanchies de poussière, magnifiques.

– C'est exactement ce qu'il me faut.

Il alla sortir deux bouteilles de la glacière, dans sa camionnette, revint à la fosse. Elle s'adossa à la paroi, dans l'angle, dévissa la capsule, but à longs traits. Elle n'avait plus du tout l'air d'une vedette de Hollywood. La poussière brune lui couvrait les mollets, suivait le contour de son visage entre la tempe et la mâchoire.

Il s'assit dans l'angle opposé, avala une gorgée de jus d'orange.

– Alors, où en est votre maman, ces temps-ci, dans son journal? demanda-t-il.

Elle répondit, sans quitter des yeux le bout de sa chaussure de tennis.

– Eh bien, sa mère s'est suicidée, et elle a appris à se faire l'amour toute seule.

Ben sourit à cette totale sincérité. Kyle, en fin de compte, n'avait pas dû la mettre au courant.

– Quand le monde s'écroule autour de vous, la seule façon de survivre consiste à trouver en soi-même son propre réconfort, je suppose, dit-il.

Elle le regarda.

– Je n'avais pas envisagé la chose sous ce jour.

Elle tira de sa poche un bloc et un crayon, écrivit quelques mots.

– J'ignorais que la mère de Kyle s'était suicidée.

– Elle était folle.

Eden manipulait les petits fragments de poterie posés près d'elle sur le journal.

– Elle faisait des choses démentes. Elle avait des hallucinations. Elle battait ma mère et Kyle. Elle s'est tiré une balle dans la tête. C'est Kyle qui l'a trouvée. Il n'avait qu'une quinzaine d'années.

— Mon Dieu. Ça a dû être abominable. Saviez-vous qu'elle était folle, avant d'avoir lu le journal ?

Elle répondit d'un hochement de tête.

— On se moquait sans cesse de moi, parce que j'étais la fille d'une femme qui vivait dans une caverne et la petite-fille d'une folle. Les gosses, à l'école, sautaient à la corde en chantant cette chanson...

Elle ferma les yeux, se mit à scander :

*La vieille madame Swift était folle à lier,*
*Elle lavait son linge du soir au midi,*
*Mangeait des insectes au p'tit déjeuner*
*Et pour son dîner des chauves-souris.*
*Quand elle a jugé le jour arrivé,*
*Elle s'est fait sauter la tête au fusil.*

Elle rouvrit les paupières, regarda Ben.

— Ma mère avait publié vingt-six livres, mais personne ne s'en souciait. J'ai appris à parler de mon père, sans l'avoir jamais connu, parce qu'il était respectable. C'est lui qui avait lancé le *Coolbrook Chronicle*.

— Je ne savais pas.

Il était maintenant parfaitement certain que Kyle ne lui avait rien dit. Si elle avait été au courant, jamais elle ne lui aurait parlé avec une telle franchise.

— De toute manière, j'ai appris que ma grand-mère, en fin de compte, n'était pas vraiment ma grand-mère. Katherine et Kyle étaient cousins. Les parents de Kyle l'ont adoptée après le suicide de sa propre mère.

— Il y a beaucoup de morts prématurées, dans votre famille. Beaucoup de suicides.

— On dit que c'est une maladie qui court, dans certaines familles.

— Avez-vous déjà éprouvé ça ? demanda-t-il.

— Le désir de me tuer ? Non. Et vous ?

— L'idée m'est passée par la tête, après que mon mariage s'est brisé.

Elle posa sa bouteille de jus d'orange sur le sol, entre ses pieds.

— Pourquoi en êtes-vous arrivé là, Ben ? Mais c'est peut-être une question trop personnelle...

— Sharon a pris la décision parce que...

Il hésita longuement. Il ne trouvait aucun mensonge acceptable à lui faire. Pécher par omission était une chose. Mentir, une autre. Elle le délivra.

— Oui, c'est trop personnel. Pardon de vous avoir questionné. Kyle m'a dit que, dans le temps, vous étiez professeur. Que vous êtes un archéologue très connu. Pourquoi êtes-vous ici, sur un site qui n'intéresse plus personne ?

– Kyle ne vous l'a pas dit ?

– Il a seulement fait allusion à un divorce traumatisant.

Ben hocha la tête.

– Oui, c'est vrai. Et je... je ne pouvais pas vraiment conserver mon poste...

Voilà, c'était dit. Le mensonge. Pas tout à fait éhonté, ce mensonge, mais, maintenant, elle devait supposer qu'il avait été victime d'une dépression nerveuse. C'était quand même préférable à la vérité.

– Kyle a appris ce qui m'arrivait et il est venu à mon aide.

Elle sourit.

– C'est son dada, venir en aide aux autres. Il l'a fait aussi pour moi, une fois ou deux. Serez-vous prêt à reprendre l'enseignement, quand la subvention s'arrêtera pour ce site ?

Il regardait la traînée de terre qui lui barrait la joue, la mèche de cheveux blonds qui s'était échappée pour retomber sur sa poitrine. Il aurait aimé pouvoir être aussi franc avec elle qu'elle l'était avec lui.

– C'est un peu plus compliqué que ça, dit-il seulement.

Eden contemplait fixement l'écran vierge de sa machine à traitement de texte. Elle s'efforçait de se concentrer sur sa mère, mais ne pouvait penser qu'à Ben. La matinée avec lui avait été parfaitement détendue. Elle n'avait pas porté de masque et elle avait survécu. Elle n'avait pas eu l'intention de se confier si librement à lui, mais il avait accueilli ses paroles avec intérêt et respect.

La tristesse de Ben l'émouvait. *Il est inoffensif, Kyle.* Assis dans ce coin de fosse, il avait le corps d'un footballeur et la douloureuse vulnérabilité d'un petit garçon. Dieu, qu'il était séduisant. Il lui manquait le vernis de Michael, mais peut-être était-ce justement ce qui lui plaisait. Rien ne s'éveillait en elle, lorsqu'elle était en compagnie de Michael. Le fait qu'il eût été nommé l'homme le plus sexy de l'année par le magazine *People* n'avait aucun effet sur le corps d'Eden. Il s'imaginait qu'elle faisait preuve d'une force de volonté herculéenne en refusant de coucher avec lui. En réalité, elle trouvait extrêmement facile de ne pas lui céder.

Serait-elle capable de résister à Ben ? Lui en offrirait-il jamais l'occasion ? Elle avait aimé sentir sur elle le regard de ses yeux gris, tandis qu'il buvait son jus d'orange dans la fosse, ce matin-là. La ligne de sa mâchoire, les poils sombres de sa poitrine qui bouclaient très légèrement par-dessus l'encolure de son tee-shirt vert, ses doigts écartés, couverts de poussière, qui ratissaient doucement la terre... Elle n'avait aucun désir de jouer un rôle avec lui, et cela même l'effrayait et l'emplissait de joie tout à la fois. S'il devait lui arriver encore de la toucher, elle désirait qu'il touchât Eden Riley la femme, pas l'actrice.

Mais il ne s'était pas approché d'elle, ce jour-là. Elle avait senti son corps désirer ce contact, fût-ce seulement celui de ses doigts sur son genou. Elle sourit au souvenir de sa mère dont les seins étaient douloureux quand elle passait devant les garçons de l'école. Katherine, à présent, était si réelle pour elle, si totalement humaine. Elle mit la machine en marche, commença d'écrire.

# 10

*9 septembre 1942*

Cet été, Kyle s'est mis à faire la cour à Sara Jane. Il va la voir chez elle à peu près deux fois par semaine, et, ces soirs-là, j'écris, j'écris, j'écris, pour m'empêcher de penser. Sara Jane est mon ennemie, et je ne comprends pas pourquoi elle plaît tellement à Kyle. Au début, il me demandait conseil sur ce qu'il devait lui dire, sur la façon dont il pouvait l'inviter à sortir avec lui. Il me demandait :

– Qu'en penserais-tu, si un garçon te disait : « Veux-tu venir au cinéma avec moi ? » Ou bien : « Est-ce que je peux passer chez toi, ce soir ? »

J'étais stupéfaite qu'il pût croire que mon opinion serait pareille à celle des autres filles et j'essayais de lui répondre comme elles l'auraient fait. Je lui disais : « Je serais heureuse d'être en ta compagnie... etc. » Mais je n'étais vraiment pas certaine des mots dont se servirait Sara Jane. Je commence à me rendre compte de mon ignorance sur de tels sujets.

Il se met sur son trente et un pour sortir avec elle et il s'arrête à la caverne pour me demander :

– Comment me trouves-tu ?

Je lui dis qu'il est superbe, que Sara Jane va être toute palpitante de joie, rien qu'à le voir, et je lis la surexcitation dans son regard. L'autre soir, je lui ai demandé s'il avait déjà embrassé Sara Jane.

– Sara Jane aime qu'on s'embrasse, m'a-t-il répondu.

Et j'ai regretté de lui avoir posé la question.

Sara Jane, je pense, essaie d'être plus gentille avec moi. Elle m'offre des bonbons, elle cherche à me parler avant la classe, mais moi, je l'ignore. Elle croit que, si elle est gentille avec moi, Kyle l'aimera encore davantage.

Les autres filles sont jalouses d'elle. Elle et Kyle se tiennent les mains ou rapprochent leurs têtes pour partager un secret. Aux récréations et à l'heure du déjeuner, Kyle ne va plus avec les autres garçons : il reste maintenant avec Sara Jane. Ils s'installent sur le banc, tout près l'un de l'autre, et ils parlent. Les filles forment leur cercle sans Sara Jane, mais leurs regards sont toujours tournés vers le banc, et je voudrais bien pouvoir entendre ce qu'elles disent. Moi, assise sur la marche du seuil, je lis, comme toujours, et j'observe. J'entame une autre année scolaire comme j'ai fini la précédente : en lisant, en écrivant, en regardant le monde tourner autour de moi. Seulement, d'une certaine manière, cette année-ci est pire. Je me sens vraiment mal à l'école, comme si j'allais tomber dans les pommes. J'ai hâte d'entendre sonner la cloche, à la fin de la journée.

Papa a une nouvelle bonne amie, une femme vraiment jeune, de Strasburg. Un matin, il y a une semaine ou deux, à la table du petit déjeuner, il a dit :

— Je pense à me remarier. Qu'est-ce que vous diriez, vous autres, d'une nouvelle maman ?

Kyle et moi, on s'est regardé. On se passait très bien d'une mère, et Papa a bien vu que son idée ne nous plaisait pas tellement. Il s'est râclé la gorge et il a repris :

— Bon, elle serait pas exactement votre maman, mais moi, ça me ferait pas de mal d'avoir une femme. Vous voudriez pas me refuser ça, vous autres, hein ?

Il avait sur la figure un sourire que je ne lui avais jamais vu.

— Non, Papa, a dit Kyle.

Moi, mon cœur battait comme un fou. Je ne voulais pas d'une étrangère dans ma maison.

— Elle s'appelle Susanna Cody, a déclaré Papa. Elle est un petit peu jeune, mais...

— Jeune comment ? ai-je demandé.

— Elle a dix-neuf ans. Presque vingt.

— Dix-neuf ans ! a répété Kyle.

Moi, le choc m'empêchait de parler. Papa a trente-cinq ans !

— Elle est trop jeune pour toi, Papa, a dit Kyle.

— Tu as le toupet de me dire ce que je dois faire, mon gars ?

Mais Papa n'était pas vraiment en colère. Pour dire toute la vérité, je ne l'ai pas vu en colère depuis avant la mort de Maman.

Samedi dernier, donc, Papa a invité Susanna Cody à dîner. Naturellement, c'est moi qui ai fait la cuisine, mais ça m'était égal : ça me donnait une occupation, pendant que Kyle et Papa parlaient avec Susanna dans la salle. Je me demandais si elle savait qu'elle se trouvait dans la pièce où la première femme de Papa s'était fait sauter la cervelle.

Susanna est presque aussi grande que Papa, et très jolie. Elle n'est pas bavarde, et je me demande ce qu'elle et Papa peuvent bien trouver à se dire. Elle a des cheveux presque noirs, courts et frisés, et, à mon avis, elle ne fait pas plus de dix-huit ans. A la voir, elle serait mieux avec Kyle qu'avec Papa, mais elle n'a pas montré le moindre intérêt pour Kyle. Elle n'a d'yeux que pour Papa. Je ne comprends pas ça. Papa n'est pas laid, mais sa figure est ridée, et ses cheveux se clairsèment. Pourtant, elle lui sourit tout le temps et elle l'appelle Charles, ce qui est nouveau pour nous. Maman l'appelait toujours Papa. En tout cas, Susanna a l'air assez gentille, à condition qu'elle nous laisse en paix. Papa a annoncé pendant le repas qu'ils allaient se marier en novembre.

### 7 novembre 1942

La plupart du temps, je ne me sens pas solitaire, même quand je suis seule dans la caverne. Ou peut-être même, là moins que partout ailleurs. Les tites et les mites ont quelque chose de vivant. Elles me tiennent compagnie, comme mes histoires. Et comme toi, mon journal.

Mais, aujourd'hui, au mariage, je me suis sentie plus seule que je ne l'avais jamais été. La cérémonie a été célébrée dans une chapelle de Strasburg. Il n'y avait à peu près personne. Rien que la mère de Susanna, qui est veuve et ferait sans doute pour Papa une épouse plus indiquée que Susanna, sur le plan de l'âge, en tout cas ; une amie de Susanna et le petit ami de l'amie ; et la sœur aînée de Susanna, avec son mari. Kyle avait amené Sara Jane. Nous nous sommes querellés pour ça, j'ai honte de le dire. Nous étions dans la caverne. Il m'a dit qu'il en avait assez de mes critiques et de mon attitude désagréable avec Sara Jane.

— Elle essaie de te parler, et tu fais comme si elle

n'existait pas. L'autre soir, elle me le disait et elle a pleuré, parce que tu lui fais de la peine.

J'ai été indignée.

– Et toutes les fois où elle m'a fait de la peine, elle ?

– Quand nous étions gamins, c'est possible. Dans ce temps-là, elle n'était pas facile, je le sais. Mais elle a changé, aujourd'hui. Elle aimerait bien te voir davantage. Vous pourriez courir les magasins, ou bien bavarder, faire ce que font la plupart des filles quand elles se retrouvent.

– Je ne suis pas comme « la plupart des filles ».

– Eh bien, je trouve ça dommage. Regarde-toi donc. Tu vis comme un ermite dans cette stupide caverne. Tu t'habilles n'importe comment, tu ne t'occupes pas de l'allure que tu as ou...

– Tu me ferais plaisir en sortant tout de suite de ma caverne, ai-je dit très calmement.

Je n'allais pas rester là, à écouter ses insultes. Il était tout rouge. Il a tourné les talons, à la manière d'un soldat, et il est sorti. Après son départ, j'ai pris la décision de traiter Sara Jane plus gentiment. Sinon, je perdrai Kyle.

J'étais donc bien décidée à me montrer gentille avec elle au mariage. J'étais assise à côté de Kyle, Sara Jane de l'autre côté. J'ai pensé à ce que je pourrais lui dire après la cérémonie, mais j'avais l'esprit vide comme une feuille de papier toute neuve. Un sentiment d'affolement m'a envahie, et je me suis dit que j'allais mourir si je ne sortais pas de cette chapelle pour prendre l'air.

En quittant l'église, Sara Jane m'a dit :

– Ton père a l'air si heureux.

J'ai essayé de lui dire oui, mais pas une syllabe n'est sortie de mes lèvres. J'ai voulu lui répondre d'un signe de tête, mais j'avais le cou tout raide et je ne pouvais pas le remuer. Je voulais m'écarter de Sara Jane afin de trouver ma respiration. Franchement, je ne me suis jamais sentie si près de suffoquer.

Ce n'est pas seulement Sara Jane. La mère de Susanna s'est approchée de moi, elle m'a pris la main pour me dire :

– Nous faisons partie de la même famille, maintenant.

J'ai eu l'impression que j'allais m'évanouir.

Voilà ce que je voulais dire en parlant de solitude. J'avais voulu me montrer charmante, sociable. Au lieu de quoi, je me sentais comme la fois où je m'étais trouvée enfermée par accident dans le placard à provisions, quand j'avais cinq ans. Je n'arrivais pas à respirer convenablement, ma vue était toute brouillée, et mon cœur battait à tout rompre, comme si j'allais mourir. Je ne peux même pas expliquer ça à Kyle : il dirait que je ne fais pas assez d'efforts. Mais je ne sais pas comment en faire davantage.

### 5 janvier 1943

Susanna avait un frère, John, qui est mort à Pearl Harbor. Il avait tout juste dix-sept ans, un an de plus que Kyle. Quand j'essaie d'imaginer ce que ce serait, si Kyle venait à mourir, je ressens cette douleur dans la poitrine, comme une crise cardiaque. Je regarde Susanna et je me demande comment elle peut encore sourire, comment elle peut continuer à vivre.

Je voudrais que la guerre finisse avant que Kyle quitte l'école, l'année prochaine, parce qu'il est bien décidé à se battre. Il dit que c'est son devoir et, maintenant, il parle de « venger la mort de John ». Moi, je lui dis : « Et si tu allais mourir, toi aussi ? » Mais il n'a pas l'air de penser que ce soit possible. A en juger par son attitude, rien de mauvais ne peut lui arriver, il est protégé d'une certaine manière. Moi, je n'ai jamais ce sentiment-là. Au contraire, j'ai l'impression que la mort m'attend au prochain virage de la route. Chaque matin, je m'étonne de me retrouver vivante.

# 11

Cent vingt kilomètres à l'heure. Eden ne quittait pas des yeux le compteur, tandis que Lou appuyait sur l'accélérateur avec son pied unique, celui qui devrait aussi, le cas échéant, actionner le frein. La 81 n'était pas très fréquentée, ce qui n'empêchait pas la jeune femme de se cramponner d'une main moite à l'accoudoir. Elles se rendaient chez un médecin de Winchester. Lou avait demandé à Eden de l'accompagner à son rendez-vous, et Eden avait accepté, dans l'idée que Lou pourrait avoir besoin de son aide. Elle avait offert de prendre le volant, mais sa compagne avait ri.

— Il faut être habitué, pour conduire ce truc-là, fit-elle en désignant la fourgonnette.

Eden la regarda actionner sans effort l'élévateur qui amenait son fauteuil roulant en position derrière le volant. Tandis qu'elles roulaient à vive allure sur les petites routes sinueuses entre Lynch Hollow et la nationale, elle comprit que Lou ne lui avait pas demandé de venir pour l'aider.

Au moment où Eden grimpait dans la fourgonnette, Kyle lui avait tendu le cahier suivant du journal.

— Tu auras peut-être envie de lire un peu pendant que tu attendras Lou.

Le cahier était maintenant sur ses genoux, avec un script que Nina lui avait envoyé pour qu'elle le lût.

Eden regardait monter de l'asphalte les vagues de chaleur. Entre sa tante et elle, le silence habituel se prolongeait.

— Il fait chaud, dit-elle au bout d'un moment.

— Cet été va être torride, répondit Lou.

– Mais ça doit encore être pire à New York. Est-ce que la ville te manque ?

– Non, pas vraiment. Trop de circulation. J'aime bien rouler librement.

– Oui, je l'avais remarqué.

– Nous allons là-bas une fois par mois, à peu près. Voir des amis, aller au spectacle, courir les magasins. Mais j'ai toujours su que nous finirions par nous retirer ici. Les racines de Kyle y sont profondément ancrées.

Dans le salon d'attente du médecin, il y avait plusieurs autres patients, pour la plupart d'un certain âge.

– Il se spécialise en gériatrie, chuchota Lou à Eden, en se propulsant dans la pièce.

Eden s'assit à côté du fauteuil roulant de sa tante, posa de nouveau le journal sur ses genoux. Elle avait laissé le script dans la voiture. A son habitude, Nina se montrait insistante, mais, pour le moment, Eden était incapable de penser à un autre film.

De l'autre côté de la pièce, quelques propos murmurés firent savoir à Eden qu'elle avait été reconnue. L'instant d'après, une petite femme d'allure fragile abandonna son siège pour venir s'asseoir auprès d'elle.

– Vous êtes bien Eden Riley, n'est-ce pas ?

– Oui, c'est exact, fit-elle en souriant.

– Je le savais ! J'étais justement en train de lire cet article dans *People*...

Elle brandit le magazine, ouvert sur une photo d'Eden en compagnie de Michael Carey.

– Je lève les yeux, et vous voilà, en chair et en os.

– Vous avez un œil très exercé. Tout le monde ne me reconnaît pas. Aimeriez-vous que je signe cette photo ?

– Oh, oui. Ma petite-fille vous adore. Elle va être aux anges.

Eden posa le magazine sur le cahier resté sur ses genoux. Elle avait déjà vu très souvent cette photographie, prise lors de la sortie de *Au cœur de l'hiver*. Elle et Michael, bras dessus bras dessous, en grand tralala, lui en smoking, elle dans une robe couverte de paillettes. Ce soir-là, ils avaient donné naissance à un flot de rumeurs.

Elle personnalisa l'autographe destiné à la petite-fille de la femme, signa : *La sorcière de l'étoile du Nord, Eden Riley*. Son admiratrice avait l'air beaucoup moins fragile lorsqu'elle retraversa la pièce d'un pas sautillant, avec son nouveau trésor.

– Tu fais ça sans grand mal, n'est-ce pas, ma chérie ? demanda Lou. Le retour au personnage professionnel d'Eden Riley ?

– Au bout d'un certain temps, ça devient une seconde nature.

Ce qui lui paraissait plus malaisé, c'était de sortir de ce rôle.

La réceptionniste passa la tête hors de sa cabine vitrée.

– Bonjour, Mrs Swift, dit-elle. Comment va Mr Swift ?

– Très bien, merci, ma chère enfant.

– Kyle aurait-il été malade ? questionna Eden.

– Mais non, pas du tout. C'est simplement son arthrite qui le met en rage. Mais, quand on arrive à un certain âge, on prend conscience que, même dans le meilleur cas, on ne dispose pas de tellement de temps. Kyle va donc très bien, mais la moindre douleur, le moindre bobo le fait souffrir, et ça l'amène à penser à ce qui est important pour lui, à ce qu'il veut accomplir pendant le temps qu'il lui reste à vivre.

– Le site de fouilles ?

Lou referma le magazine qui reposait sur ses genoux.

– Le site a pour lui une grande importance, mais, à ses yeux, c'est toi qui es plus importante que tout le reste, dit-elle. Toi et Cassie. Voilà pourquoi il est si heureux que tu séjournes chez nous. Il désire... normaliser la situation avec toi. Il a toujours regretté de ne pas t'avoir accueillie tout de suite après la mort de Kate. Il souhaiterait pouvoir réparer vis-à-vis de toi. Il pense en avoir l'occasion en t'aidant à mettre le film sur pied.

– Kyle en a déjà assez fait pour moi, dit Eden.

Lou lui lança un coup d'œil.

– Tu t'en es bien rendu compte, ma chérie ?

– Oui.

La jeune femme, les joues brûlantes, baissa les yeux sur le journal. Kyle avait beaucoup fait pour elle, mais, sur un point décisif, Lou en avait fait plus encore.

– Peut-être, un de ces jours, pourrais-tu trouver le courage de le lui dire.

Une infirmière emmena Lou. Eden gardait les yeux fixés sur ses mains posées sur le journal de sa mère. Kyle, elle le savait, avait voulu la prendre chez lui, après la mort de Katherine, mais son grand-père s'y était opposé. Grand-Papa n'aimait pas Lou. Il avait dit à Kyle que les voyages continuels ne seraient pas bons pour une enfant.

Eden était donc restée à Lynch Hollow, avec Grand-Papa et Susanna. Son grand-père l'ignorait plus ou moins. Il prétendait que Katherine l'avait irrémédiablement gâtée, et que c'était maintenant à lui de la remettre dans le bon chemin. Susanna soufflait le chaud et le froid, et il était toujours hasardeux de se tourner vers elle. Eden se rappelait le jour, quelques semaines seulement après la mort de Katherine, où elle avait essayé de grimper sur les genoux de Susanna. Celle-ci l'avait repoussée, en prétendant qu'elle était trop grande pour se faire câliner, et Eden n'avait jamais pris la peine de faire une nouvelle tentative.

Eden avait sept ans quand son grand-père mourut. Sa mort fut inattendue, attribuée à une défaillance cardiaque. Peu de temps après, Susanna contracta une pneumonie. La maison entière fit écho à ses quintes de toux. Cette même année, le toit se mit à fuir. Eden plaçait des seaux et des cuvettes sur le plancher de la salle, toutes les fois qu'il pleuvait, pendant que Susanna restait au lit, pâle, le souffle court. Son état finit par s'aggraver au point que sa famille la prit chez elle. Mais ils se refusèrent à accueillir Eden : ils ne voulaient rien avoir à faire avec la fille de la femme qui avait vécu dans une caverne. Susanna ne dit pas un mot à Eden de ses projets. Elle l'emmena un beau jour à l'orphelinat. Le premier choc passé, Eden ne fut pas surprise de se trouver là. Elle avait appris à ne s'attacher à personne, à n'aimer vraiment personne. Elle ne s'étonna donc pas, ne souffrit pas.

Elle passa deux années à l'orphelinat, entourée d'enfants dont la vie avait été plus désolée encore que la sienne, de sorte qu'ils ne pouvaient l'accabler de sarcasmes. Mais il était trop tard. Eden n'était pas disposée à courir le risque d'une relation étroite avec quiconque, et les autres enfants eurent tôt fait de renoncer à l'approcher. Elle consacrait tout son temps à faire ses devoirs et à lire. L'une des religieuses, un jour, décida d'emmener les enfants à des séances de cinéma, et Eden découvrit alors sa passion. Les films demeuraient dans sa mémoire des semaines durant, et elle s'imaginait dans les rôles de ses actrices favorites. Au beau milieu de la nuit, elle se glissait dans la salle de bains commune et s'exerçait devant la petite glace fixée au-dessus du lavabo à l'émail écaillé. Elle se fit surprendre, une fois, en pleine imitation dramatique d'Ingrid Bergman apprenant qu'elle était atteinte de tuberculose dans *Les Cloches de Sainte-Marie*, et elle eut toutes les peines du monde à expliquer ce qui l'avait bouleversée à ce point.

Le lendemain de son treizième anniversaire, Eden fut appelée dans le bureau de la directrice. Sœur Joseph, la toute petite supérieure à la langue acérée, lui faisait peur, et, lorsqu'elle se retrouva devant la porte, elle tremblait de tous ses membres. La grande table de travail en acajou rapetissait encore sœur Joseph, mais, pour Eden, elle restait redoutable, avec ses épais sourcils noirs et ses lèvres minces et décolorées. Deux autres personnes occupaient les fauteuils qui faisaient face à la directrice, mais ce fut seulement lorsqu'elles se levèrent pour se tourner vers l'enfant qu'Eden reconnut Kyle et Lou. Elle ressentit une joie ancienne, presque oubliée, parce qu'ils étaient venus lui rendre visite, mais cette joie fit place à la peur, avec la certitude qu'ils allaient de nouveau la laisser là. Il en allait toujours ainsi, avec Kyle et Lou. Ils avaient fait de brefs séjours à Lynch Hollow, entre deux voyages en Amérique du Sud, mais ils repartaient toujours assez rapidement. Eden ne s'attendait donc pas à une visite différente des autres. La peur et la joie s'affrontaient, si bien qu'elle ne laissa aucune émotion percer sur son visage. Il n'y avait là rien de nouveau. Les seuls moments où elle pleurait, alors, les seuls où elle riait, c'était durant ses heures d'évasion devant la glace de la salle de bains.

Kyle la serra contre lui. Entre ses bras, elle garda la rigidité de la pierre.

— Je suis désolé, mon cœur, lui dit-il. Nous ignorions que Susanna était tombée malade. Quand nous l'avons découvert, nous avons eu du mal à te retrouver. Sinon, jamais nous ne t'aurions laissée ici.

Cette fois, donc, ils ne faisaient pas que passer, se dit-elle. Kyle et Lou avaient l'intention de l'emmener. Pourtant, elle ne montra rien de sa joie. Elle pouvait encore se tromper. Peut-être serait-elle de retour en ces lieux dans moins d'une semaine.

Sœur Joseph prit Kyle à part. Elle lui disait, Eden le savait, qu'elle était trop renfermée, trop morose. Les religieuses le lui répétaient sans cesse. Mais Kyle sortit du bureau avec un sourire déterminé. Il passa un bras autour de l'enfant, l'autre autour de Lou.

— Nous prendrons bien soin d'elle, affirma-t-il à sœur Joseph.

Eden était déjà adulte lorsqu'elle comprit l'étendue du sacrifice que Kyle et Lou avaient fait pour elle. Ils avaient intentionnellement renoncé à avoir des enfants, afin d'être libres de voyager, de poursuivre leur carrière. Lorsqu'elle vint s'installer chez eux, Kyle accepta un poste de professeur à l'université de New York, mit fin à ses déplacements, renonça à sa passion première afin de donner à Eden un foyer stable.

Ils vivaient à New York, à un pâté d'immeubles de Washington Square, dans Greenwich Village. A New York, les gosses avaient lu tous les livres de Katherine Swift et, au début, la présence d'Eden les impressionna. En revanche, son accent ne tarda pas à lui valoir d'innombrables railleries.

Eden apprit à garder la bouche close. Kyle et Lou faisaient pour elle tout ce qu'ils pouvaient. Ils lui payaient des leçons de danse, d'élocution, ils essayaient de gommer toute trace de Lynch Hollow. Ils lui auraient même acheté des amis, si cela avait été possible.

Eden gardait de sa vie dans cet appartement le souvenir d'une suite d'émissions télévisées. Elle veillait tard pour regarder de vieux films, toujours en cachette parce que Kyle n'était pas d'accord. Elle entendit un jour Lou et Kyle parler de son appétit vorace pour le cinéma. Elle ressemblait à Kate, disait Kyle : elle vivait sa vie à travers celle d'autres êtres. L'appartement n'était rien d'autre pour elle que sa caverne...

*La caverne.* Les yeux d'Eden revinrent au cahier posé sur ses genoux. La réceptionniste troubla le silence recueilli du salon d'attente en appelant un autre patient. Il fallait qu'elle revoie cette caverne. Si seulement Kyle ne s'entêtait pas à en interdire l'accès. Mais y pénétrerait-elle, s'il le lui permettait ? Il le faudrait bien. Elle négligeait là quelque chose, l'atmosphère dans laquelle sa mère avait trouvé le réconfort et qui donnerait au film sa véritable tonalité.

Eden prit le journal sur ses genoux, se mit à lire.

### 11 octobre 1943

Kyle a maintenant dix-sept ans mais il se comporte comme un garçon de vingt-cinq ans. Il se prend pour un homme.

Hier, c'était son anniversaire, et Sara Jane l'a invité à dîner à Winchester. Quand il est rentré, j'étais dans ma caverne, et il rapportait une bouteille de whisky. J'ai vu qu'il avait déjà pas mal bu : sa cravate était dénouée, les pans de sa chemise étaient sortis de son pantalon, ses cheveux blonds et raides pendaient sur son visage. Une couverture drapée sur ses épaules, il s'est assis sur le canapé et m'a demandé de lui lire à haute voix l'histoire que j'étais en train d'écrire.

— Donne-moi d'abord un peu de ce whisky, lui ai-je dit.

Il s'est approché du matelas, s'est assis à côté de moi, m'a tendu la bouteille. J'ai bu à en avoir les oreilles brûlantes. Je voulais m'enivrer le plus vite possible. J'ai déjà été ivre deux ou trois fois et j'aime ça : ça me donne l'impression pendant quelques heures de ne plus avoir le moindre souci.

Pendant un bon moment, nous nous sommes passé et repassé la bouteille. La présence de Kyle m'emplissait plus que jamais de joie, parce qu'il était détendu, souriant, moins sérieux que d'habitude.

— J'ai besoin de l'avis d'une sœur, a-t-il dit.

J'ai vu qu'il essayait de reprendre sa gravité, mais son regard était incertain.

— L'avis d'une fille, a-t-il précisé.

Je comprenais mal et, pourtant, j'étais moins ivre que lui.

— Tu comprends, a-t-il continué, nous avons décidé de faire l'amour, Sara Jane et moi.

Les sourcils haut levés, il attendait ma réaction.

J'ai eu envie de lui dire qu'il ne devait pas faire ça avant d'être marié, mais je ne suis pas certaine d'y croire moi-même, et je suis sûre, en revanche, de ne pas vouloir lui mettre en tête l'idée d'épouser Sara Jane.

— En quoi puis-je t'aider ? lui ai-je demandé.

— Eh bien, je ne sais pas comment on s'y prend. Bien sûr, je comprends théoriquement ce qu'on fait, mais...

Il fut pris d'un fou rire incontrôlable. Moi, je me contentais de le regarder avec stupeur : jamais encore, je ne l'avais vu faire l'idiot de cette manière. Quand il s'est enfin arrêté, je lui ai demandé :

— Jusqu'où êtes-vous déjà allés ?

J'étais contente qu'il fût assez ivre pour me permettre de donner libre cours à ma curiosité.

— Pas plus bas que la taille, a-t-il répondu.

Cette fois, il était parfaitement sérieux.

Mes seins ont été pris de ce picotement douloureux si bizarre qui s'apaise seulement s'ils sont caressés.

– Elle s'impatiente, reprit-il. Mais je ne sais pas comment la toucher... au-dessous de la taille, je veux dire. Je ne suis même pas sûr de ce qu'il y a, à cet endroit-là.

Je n'arrivais pas à croire que Kyle était capable de me dire tout ça sans même rougir.

– Tu comprends, la seule fille que j'aie jamais vue, c'était toi, et tu ne devais pas avoir plus de cinq ans.

Il nous arrivait, à Kyle et à moi, de nous examiner au bord de Ferry Creek, quand nous pouvions nous déshabiller et laisser l'eau courir sur nos corps.

– Eh bien, ai-je dit, je vais te montrer ça tout de suite.

Déjà, je défaisais les bretelles de ma salopette, mais Kyle n'était pas assez ivre pour ça ! Il a bondi du matelas comme si on l'avait chatouillé.

– Kate ! Ne fais pas ça !

– Très bien, ai-je fait, en haussant les épaules. Alors, je vais te faire un dessin.

J'ai donc dessiné de mon mieux, avec des représentations de l'intérieur aussi, l'utérus, les tubes et tout le reste, et je lui ai expliqué ce que j'avais appris sur la menstruation. Je n'allais pas lui enseigner ce qui faisait du bien à une fille sans m'assurer qu'il aurait un certain respect pour son corps. Assis près de moi, la tête sur mon épaule, il me regardait dessiner. Je lui ai montré l'endroit où il pourrait toucher Sara Jane pour la rendre folle de désir pour lui.

Avec un large sourire, il m'a affirmé qu'elle était déjà folle de désir pour lui.

– Mais ça, c'est différent, lui ai-je dit. Si tu la caresses là, en frottant doucement... eh bien, tu n'en reviendras pas de l'effet produit.

J'ai posé mon crayon, tout en pensant au service que je rendais à Sara Jane.

– Comment sais-tu tout ça ? m'a-t-il demandé.

– Je me caresse moi-même comme ça, ai-je répondu.

– Ah oui ? Je croyais qu'il n'y avait que les garçons pour faire ça.

Du coup, c'est moi qui ai été surprise ; il ne m'était jamais venu à l'idée que les garçons pouvaient se caresser aussi. Mais c'est normal, je suppose.

Nous avons encore parlé un moment, mais Kyle commençait à fonctionner au ralenti. J'ai réussi, en le poussant, en le soutenant, à l'emmener jusqu'au canapé avant qu'il perde conscience. Je lui ai prédit qu'il serait

malade comme un chien ce matin (et ça n'a pas manqué).
Après ça, je me suis allongée sur mon matelas. Mon corps
tout entier brûlait, après notre conversation, et j'ai passé
le reste de la nuit avec mes mains expertes.

*22 octobre 1943*

Sara Jane et Kyle ne se quittent décidément plus. Je les
observe, à l'école, quand ils sont assis sur le banc et ne
remarquent personne d'autre qu'eux-mêmes. Ils se
caressent en passant lentement la main sur la peau de
l'autre, comme si je ne sais quelle substance collante les
reliait.

Les autres me montrent plus d'égards, ces temps-ci.
C'est parce que je suis la sœur de Kyle, j'en suis sûre :
Kyle est plus considéré que n'importe qui, dans notre
école. Je voudrais savoir si ma leçon d'anatomie lui a été
utile, mais je sais qu'il serait gêné si je lui posais la question. Il faudra que j'attende la prochaine fois où il aura un
peu trop bu.

Hier, Miss Crisp m'a longuement parlé. Mes histoires
se sont améliorées, m'a-t-elle dit, et mon style est « plus
expérimenté, plus émouvant ».

— Mais tes personnages sont plus vivants que toi, Kate,
a-t-elle ajouté. Tu as sans cesse le nez plongé dans un
livre. Loin de moi le désir de te décourager de la lecture,
mais il y a d'autres choses dans la vie.

— Mes moments les plus heureux, c'est quand je lis ou
quand j'écris.

Elle m'a regardée comme si elle ne me croyait pas, et
je ne suis plus tellement convaincue moi-même, mais
c'est le genre de bonheur dont je devrai me contenter. Il
y a certains éléments de la vie que je ne connaîtrai
jamais : une amie intime, un petit ami. Jamais je n'aurai
d'enfant. Je serai moi-même mon seul amant. Jamais je
ne verrai d'autres régions du monde. Les seuls endroits
où je peux respirer à l'aise, c'est dans ma maison ou dans
ma caverne.

Hier, Susanna m'a emmenée faire des achats pour ma
garde-robe, et j'ai eu des nausées constantes, au point
d'être prise de haut-le-cœur chaque fois que je devais me
tourner ou me pencher pour essayer des vêtements. Les
rues, en ville, tremblaient devant mes yeux et me donnaient le vertige. J'étais effrayée de me trouver seule avec
Susanna parce que je ne trouvais rien à lui dire. Elle est

gentille, et je m'en veux d'être ainsi avec elle. J'ai toujours cru que, si j'avais du mal à parler avec les gens, c'était parce qu'ils étaient idiots, comme à l'école. Je sais maintenant que le problème vient de moi, pas des autres.

En sortant du cabinet du médecin, Lou tint à s'arrêter à la boulangerie de Coolbrook.

– Je vais prendre des petits pains pour le dîner, dit-elle.

– Nous avons encore du pain de mie, remarqua Eden.

Il restait encore au moins la moitié du paquet, après le dîner de la veille.

– Ah oui, c'est vrai. Alors, des muffins pour le petit déjeuner.

Lou semblait bien décidée à se rendre à la boulangerie. Elle se lança sur le trottoir dans son fauteuil roulant, pendant qu'Eden pressait le pas pour la suivre.

Une énorme femme au visage de pleine lune, vêtue de blanc, se tenait derrière le comptoir.

– Tiens, bonjour, Lou ! dit-elle.

Sa bouche était un minuscule bouton de rose rouge dans un océan de mentons blancs. Ses cheveux blancs et bouclés étaient coupés bien trop court pour son visage de pleine lune.

– Que vous faut-il, aujourd'hui ?

– Une demi-douzaine de muffins, répondit Lou. Trois aux myrtilles et trois au son.

La femme tendait déjà la main vers la vitrine où se trouvaient les muffins, mais elle s'immobilisa quand son regard tomba sur Eden. Elle se redressa.

– Seigneur, vous devez être la petite de Kate. Eden Riley, hein ?

Eden lui sourit.

– Oui.

La femme se mit à rire.

– La fille de Kate, devenue une vraie grande personne. Bon sang, mais vous êtes son image tout crachée. Et aussi jolie en chair et en os qu'au cinéma.

Lou leva la tête vers Eden, se détournant légèrement afin de pouvoir cligner de l'œil sans être vue de la boulangère.

– Eden, je te présente Sara Jane Miller, une ancienne amie de ta mère.

– Et de votre oncle Kyle, précisa Sara Jane.

Les yeux d'Eden s'élargirent. Lou lui pressa la main pour l'aider à garder son sang-froid.

– Je suis ravie de vous connaître.

La jeune femme tendait le bras par-dessus le comptoir, et Sara Jane lui serra les doigts dans une molle étreinte.

Elles échangèrent quelques propos, pendant que Sara Jane plaçait les muffins dans un sac en papier. Eden tint ensuite la porte ouverte pour laisser sortir sa tante. Celle-ci avait à peine atteint le trottoir qu'elle fut prise de fou rire.

– Toutes les fois que Kyle la voit, il me dit : « Si seulement je ne t'avais pas rencontrée, Lou, tout ça aurait pu être à moi. »

Eden s'arrêta pour la regarder.

– Tu sais précisément où j'en suis arrivée, dans le journal, hein ?

Lou hocha la tête.

– Oui. Ça t'ennuie ?

– Je ne sais pas.

La jeune femme se remit en marche, lentement.

– Ça me fait un drôle d'effet, un peu comme si l'on m'observait à chaque instant, tandis que j'apprends tout ce qui concerne ma mère.

– Et qu'apprends-tu sur elle, dans ce journal ?

– Que sa vie solitaire ne relevait pas tellement d'un choix, comme je l'avais cru. Elle éprouvait une véritable *phobie* à l'égard des gens, à la seule idée de quitter Lynch Hollow.

– Tu as raison. Kate avait une telle peur du monde qu'elle en était figée. Ses terreurs la paralysaient bien plus que cette vieille jambe ne me handicape.

Eden posa une main légère sur l'épaule de sa tante. Elle sentit les os, sous le fin chemisier.

– Tu te débrouilles si bien, Lou. J'en suis soulagée.

Lou lui tapota la main.

– Oui, ma chérie. Je vais très bien.

Durant le retour vers Lynch Hollow, toute tension dans l'atmosphère avait disparu. Eden se sentait libérée par quelque chose... la petite ruse imaginée par Lou, peut-être, pour lui présenter Sara Jane Miller. Ou peut-être, plus simplement, le fait que, pour la première fois, la jambe de Lou avait cessé d'être entre elles un sujet inabordable. Quoi qu'il en fût, Eden avait retrouvé assez de confiance en elle-même pour demander à Lou son opinion sur Ben.

– Ah, Ben...

Lou sourit, hocha la tête, comme si elle s'était demandé quand Eden se déciderait à poser la question.

— Parmi tous les étudiants de Kyle, Ben a toujours été mon préféré. Il travaillait avec nous en Amérique du Sud, tu le sais. Mais la question la plus importante, c'est, je crois : Et *toi*, que penses-tu de lui ?

— Je n'en sais rien. Kyle me dit qu'il aimerait me voir fréquenter quelqu'un qui ne soit pas de Hollywood. Sur quoi, il me jette dans une fosse longue de trois mètres et large d'un mètre cinquante et me déclare : « Mais je ne veux pas te voir fréquenter ce quelqu'un-là. »

Lou se mit à rire.

— Là-dessus, il n'a pas tort. Ben a besoin de remettre de l'ordre dans sa vie, avant d'être en état de la partager avec quelqu'un d'autre. Mais il n'en est pas moins adorable.

Elle s'engagea sur la route qui menait à Lynch Hollow, leva un bref instant le pied de l'accélérateur pour prendre le premier virage.

— Mon histoire favorite, à propos de Ben, c'est celle du jour où nous avons déjeuné dans un petit restaurant spécialisé dans les fruits de mer, quelque part en Équateur, je crois. Nous étions tous les trois, Ben, Kyle et moi, et nous occupions une table toute proche de l'aquarium dans lequel ils gardaient les langoustes vivantes. Or, toutes les langoustes avaient l'air mornes, résignées à leur sort. Toutes, sauf une qui ne cessait de s'agiter. Elle essayait d'attirer les autres dans... je ne sais trop comment appeler ça... dans ses jeux, ou dans une bataille... ou autre chose. Elle ne voulait pas renoncer, et nous l'avons observée pendant tout le repas. Juste avant de partir, Ben a acheté cette langouste. Il voyait en elle une créature à part, de la race des survivants, qui ne méritait pas de finir comme les autres, dans l'assiette d'un dîneur. Nous avons dû ensuite faire un détour de près de cinquante kilomètres pour permettre à Ben de remettre la langouste en liberté dans le Pacifique.

Eden ouvrait de grands yeux.

— C'est l'histoire la plus ridicule que j'ai jamais entendue.

Lou sourit.

— Si c'est là ton opinion, ma chérie, je doute que Ben soit l'homme qu'il te faut.

# 12

Il arriva en camionnette dans la vallée au moment où le soleil franchissait le sommet des collines et réchauffait les champs de sa rose clarté matinale. Il arrêta le véhicule sur l'épaulement de la route étroite, descendit et se mit à courir en direction de Coolbrook. Il n'avait plus couru depuis longtemps. Naguère, c'était pour lui une passion. A Annapolis, il quittait la maison tôt le matin, avant que Sharon et Bliss fussent levées, et il allait courir le long de la rivière, sans même compter les kilomètres. C'était pour lui le moment où il réfléchissait, et, en ce temps-là, toutes ses réflexions étaient agréables.

Durant les premières semaines de prison, alors qu'il croyait encore trouver le moyen de survivre à cette expérience sans perdre courage, il avait encore couru. Il resterait en forme, s'était-il promis. Il lirait les classiques, apprendrait le français et l'espagnol. Mais l'engourdissement s'était si vite emparé de lui qu'il s'était demandé si la nourriture était droguée. Avant cela, il n'avait jamais été grand amateur de télévision, mais il connut bientôt les intrigues de tous les feuilletons, et ses rêves se peuplèrent des balivernes qui émaillaient les jeux télévisés. Si la dépression qui l'accablait lui laissait un peu d'énergie, il la consacrait à cacher à ses compagnons d'infortune la cause de son incarcération et à se protéger d'eux lorsqu'ils l'apprenaient. Son crime n'était pas de ceux qui appellent le respect.

C'était bon signe qu'il éprouvât maintenant l'envie de courir. Il revenait à la vie, à la façon d'un nageur en train de couler et qui est tout surpris de se retrouver à la surface de l'eau. Il n'avait pas fallu grand-chose pour le remettre à flot. Rien de plus que quelques conversations toutes simples avec une femme qui le traitait comme un être humain et non pas comme un criminel.

Il n'allait pas la voir pendant deux jours. Elle travaillait aux archives de Winchester, et, le lendemain, elle devait rencontrer à Richmond les bénévoles du Fonds d'aide aux enfants handicapés. Elle rendait visite, chaque fois qu'elle en avait l'occasion, lui avait-elle dit, aux bureaux locaux du Fonds. Elle l'avait invité à l'accompagner, mais il avait refusé. Il ne l'imaginait que trop bien en train de le présenter à tout un tas de gens qui travaillaient avec des enfants. Il y aurait bien quelqu'un pour reconnaître son nom, et ce serait la fin de tout. Elle lui avait raconté qu'elle avait failli perdre son poste de porte-parole pour le Fonds, après son rôle dans *Au cœur de l'hiver*.

– Ils ont prétendu que j'avais terni mon image.

Si on la voyait en sa compagnie à lui, son image en souffrirait encore davantage.

Parvenu devant le bureau de poste de Coolbrook, il prit le temps de s'étirer et de reprendre haleine, avant d'entrer pour vérifier le contenu de sa boîte aux lettres. Il y trouva une grande enveloppe qui venait de Sam. De retour dans la rue, il surprit son reflet dans une vitre. *Bon Dieu.* Il se passa la main dans les cheveux. Il avait l'air d'un hippie vieillissant.

Il s'arrêta chez le coiffeur, où un petit homme grisonnant prit un malin plaisir à lui couper les cheveux plus court qu'il ne l'avait demandé. Il traversa ensuite la rue pour entrer dans la boulangerie Miller. Il acheta un beignet et un café, emporta le tout jusqu'au parc qui s'étendait devant le musée de Coolbrook. Il s'assit sur un banc, but une gorgée de café et ouvrit l'enveloppe.

Elle contenait les copies des trois articles de journaux et quelques lignes de Sam. Ben explora le fond de l'enveloppe, au cas où une photo de Bliss lui aurait échappé. Sam lui en envoyait parfois, en cachette de Jen : de l'avis de celle-ci, il ne faisait ainsi qu'empirer la situation. Mais jusqu'à quel point pouvait-elle encore empirer ?

Il jeta un coup d'œil sur le titre du premier article : « Le témoignage de l'enfant est discrédité. » Il secoua la tête, remit le papier dans l'envelopppe. Il avait conseillé à Sam de ne pas se lancer dans cette voie, mais son frère semblait bien décidé à remuer ciel et terre. Le deuxième article développait à peu près le même thème. Mais le troisième était une étude faite par deux assistantes sociales : « Dans l'intérêt de l'enfant : le pouvoir curatif du droit de visite. »

– *Oui,* fit Ben à haute voix.

Il mordit dans son beignet, lut l'article de bout en bout, avant de prendre connaissance du court billet de Sam. Il n'obtenait pas grand-chose de l'avocat, écrivait Sam. Une procédure en appel semblait hors de question pour le moment. Leur meilleur espoir était l'obtention d'un droit de visite surveillée, et ils auraient peut-être une chance de l'obtenir en janvier. Le seul ennui, c'est qu'il leur faudrait demander pour cela l'approbation du juge Stevens. Ben laissa échapper un gémissement. C'était à peine si Stevens avait pu retenir un sourire triomphant, quand, au tribunal, il avait tiré brutalement sous les pieds de Ben le tapis de l'avenir. Mais Ben n'avait pas à s'inquiéter, écrivait encore Sam. On trouvait partout des preuves que le droit de visite serait pour Bliss la meilleure solution. Il suffirait de réunir ces preuves, de trouver quelques experts qui apporteraient leur témoignage, et le tour serait joué.

Au fait, ajoutait Sam dans un post-scriptum, Sharon et Jeff lui avaient dit que quelqu'un appelait chez eux et raccrochait. Ils soupçonnaient Ben et envisageaient de demander un numéro sur liste rouge. *Alors, frangin, si par hasard c'est toi qui les appelles, mets une sourdine.*

Très bien, il devrait renoncer à ce petit stratagème. De toute manière, ça n'avait pas marché : c'était toujours Sharon qui répondait. Il appelait à peu près une fois par semaine, dans l'espoir que Bliss décrocherait. Il ne lui parlerait pas : il n'était pas fou à ce point. Il avait seulement envie d'entendre sa voix. Il avait demandé à Sam et à Jen s'ils pourraient enregistrer une conversation avec elle et la lui envoyer. Il était horrifié de constater que sa voix s'était perdue dans sa mémoire : il ne se rappelait ni son intonation ni la façon dont elle liait les mots les uns aux autres. D'ailleurs, elle ne s'exprimait sans doute plus de la même manière. Il voulait l'entendre. « Je ne crois pas que ce soit là une très bonne idée, Ben, avait dit Jen. Tu n'as pas besoin d'autres souvenirs pour réveiller ton chagrin. »

Sam et Jen l'appelaient une fois par semaine, le dimanche soir. Ils lui disaient comment progressait leur projet d'adoption d'un enfant, ils lui racontaient que Bliss, la dernière fois qu'ils l'avaient vue, leur avait paru bien équilibrée. Ils lui posaient des questions sur son travail. Ben ne leur avait pas encore annoncé que son emploi prendrait fin en décembre. Il ne voulait pas les inquiéter. Il ne tenait pas lui-même à y penser.

Il arrivait parfois à Sam de lui téléphoner dans le courant de la semaine. En de telles occasions, Ben savait que Sam jouait son rôle de psy. « Tu dors bien ? » demandat-il. « Comment va l'appétit ? » Une fois, longtemps auparavant, Sam lui avait demandé s'il éprouvait le désir de se tuer. Ben avait trouvé la force d'écarter la question par une plaisanterie, et Sam s'était excusé d'avoir pu avoir une telle idée. S'il connaissait la vérité, cela ne ferait que l'inquiéter. Ou alors, à Dieu ne plaise, il essaierait de mettre son frère dans un hôpital. C'était bien la dernière chose qu'il lui fallait. Quand il pensait à se tuer, quand ces pilules, dans le cabinet de toilette, commençaient à lui faire signe, c'était la pensée de Sam qui l'arrêtait.

Ce matin-là, le flacon de pilules était à une quinzaine de kilomètres de son corps et à des centaines de lieues de son esprit. Il se leva, s'adossa à un arbre pour dégourdir ses mollets. A rester assis, ils s'étaient crispés. Sans doute allait-il devoir marcher, au lieu de courir, pour retrouver sa camionnette. Et il n'aurait pas dû manger ce beignet. Pourtant, il se mit à trotter. A mesure qu'il laissait derrière lui les minuscules boutiques de Coolbrook, et que les champs de maïs les remplaçaient, il prit sa course.

# 13

## 8 novembre 1943

Il y a un nouveau dans notre classe, un nommé Matt Riley. Il a l'âge de Kyle, dix-sept ans. Sa mère et lui viennent d'arriver de Richmond pour se rapprocher de sa grand-mère qui est malade, et il fait l'objet de toutes les conversations, comme c'est toujours le cas toutes les fois qu'arrive un nouveau visage. Kyle lui montre une sympathie particulière. Ils ont passé tout le samedi ensemble, à pêcher, pendant que j'écrivais.

## 16 novembre 1943

Un événement bouleversant s'est produit hier.

Je m'installe généralement dans la grande salle de ma caverne, où j'ai mon matelas, le canapé, un vieux fauteuil à bascule et une ou deux chaises à haut dossier. La vaste salle a à peu près les dimensions d'une petite église, mais l'espace est morcelé par différentes formations rocheuses et par les stalactites et stalagmites. Près de l'entrée, le plafond est bas. A mesure qu'on avance davantage, vers le bassin qui se trouve au fond, il s'élève de plus en plus et il est décoré de stalactites.

Un tunnel part de cette salle. Depuis le temps que j'occupe ma caverne, je ne me suis jamais aventurée au-delà de quelques mètres dans ce tunnel. Aujourd'hui, j'écrivais une histoire à propos d'une fille qui explore une caverne. Elle rampe le long d'un tunnel et découvre une salle extraordinaire qui a été aménagée en une sorte de sanctuaire.

Là-dessus, je me suis dit : Pourquoi écrire tout ça, alors

que je ne me suis même jamais donné la peine de voir où mène mon propre tunnel ? J'ai donc pris ma lanterne et je m'y suis engagée. C'était à vous donner la chair de poule ! Je n'ai pas peur de ce genre d'endroit, mais les parois rapprochées, les plafonds bas étaient difficilement supportables. Au début, le passage était assez haut pour me permettre de me tenir droite, mais, bientôt, j'ai été obligée de me courber. Le niveau du sol montait rapidement, et, par moments, je perdais presque l'équilibre. La lanterne n'éclairait qu'à quelques pas devant moi, et j'avais l'impression d'avancer dans un vide obscur.

Finalement, je suis arrivée au bout du tunnel. Au lieu de me trouver dans le magnifique sanctuaire de mon histoire, j'ai découvert une immense caverne basse de plafond. De longues stalactites, pareilles à des lances, en descendaient, et de longues et minces stalagmites montaient du sol à leur rencontre. Elles se rejoignaient à hauteur de ma taille pour former des colonnes entre lesquelles, pour traverser cette salle, je devais me faufiler. J'avais l'impression d'être au milieu d'un décor de guimauve étirée. La lanterne se heurtait aux rochers, et je me cramponnais à mon sens de l'orientation afin de retrouver mon chemin pour sortir.

J'ai vu alors qu'il y avait une sorte d'espace libre dans ce labyrinthe, une surface restreinte où il n'y avait ni stalactites ni stalagmites. Sur le sol gisait... J'ai d'abord cru que je me trompais et j'ai rapproché ma lanterne le plus possible... Mais oui, c'était bien un squelette humain ! J'ai hurlé si fort que l'écho de mon cri m'a fait mal aux tympans. J'ai battu en retraite vers le labyrinthe et, dans mon affolement, j'ai cherché le tunnel. Il m'a fallu de longues minutes pour le retrouver. Quand j'en ai enfin découvert l'entrée, je riais et je pleurais tout à la fois. Mes bras et mes jambes étaient couverts d'écorchures laissées par les rochers. J'ai suivi le tunnel le plus rapidement que j'ai pu, je suis sortie en courant de la caverne et je n'ai interrompu ma course qu'à l'extrémité de Ferry Creek où pêchaient Kyle et Matt. J'ai attrapé Kyle par le bras.

– Il faut que tu viennes avec moi ! lui ai-je dit.

– Qu'est-ce que tu fais avec cette lanterne ?

Je portais encore ma lanterne allumée, en plein jour.

– Viens, c'est tout !

Kyle a soupiré. Il a grommelé que j'étais vraiment embêtante, mais il a commencé de remonter sa ligne.

– Allons voir ce qu'elle veut, a-t-il dit à Matt.

– Non ! Matt ne peut pas venir avec nous.

Kyle m'a regardée bouche bée, comme s'il ne pouvait pas croire que je me montre aussi grossière, mais ça m'était bien égal.

A voix basse, pour ne pas être entendue de Matt, j'ai expliqué :

– Kyle, c'est la *caverne* !

Il s'est tourné vers Matt qui avait pris une attitude complètement détachée.

– Je reviens dès que je pourrai. Tu peux te servir de ma canne si tu veux.

Matt a hoché la tête sans nous regarder... Il est bizarre, mais je n'ai pas le temps de m'expliquer là-dessus pour l'instant.

Sur le chemin de la caverne, j'ai parlé à Kyle de ma découverte, afin de le préparer à ce qu'il allait voir quand nous nous trouverions au milieu du labyrinthe. Nous portions maintenant chacun une lanterne, et je frissonnais de froid et de surexcitation nerveuse. Les « tites » et les « mites » projetaient leurs ombres sous nos pas, pendant que nous traversions le labyrinthe.

Je m'attendais à ne plus retrouver le squelette : je m'étais déjà convaincue qu'il s'était agi d'un effet de mon imagination. Mais il était toujours là, soigneusement étendu, comme si son propriétaire était mort en plein sommeil.

Kyle pâlit, s'agenouilla tout près.

– Mon Dieu, fit-il.

Son regard alla du crâne aux orteils, revint.

– Quand j'ai vu ça, j'ai hurlé comme une fille, avouai-je.

– Mais *tu es* une fille, riposta Kyle.

Son regard ne quittait pas le squelette.

– Et Matt s'en est aperçu. Tu lui plais bien.

– Moi, il ne me plaît pas.

– Regarde comme ce squelette est petit.

Kyle allongea son mètre quatre-vingts près des ossements. Il était presque deux fois aussi grand.

– Ça devait être un enfant.

Sa remarque m'attrista.

– Comment est-il arrivé ici ? questionnai-je. Et *quand* ?

Il secoua la tête.

– Nous devrions en parler à quelqu'un, dit-il en se relevant.

– Non ! On pénétrerait dans ma caverne.

– Kate, cette chose a été un être humain. Nous ne pouvons pas faire comme si nous ne l'avions pas découverte.

– Nous ne dirons rien à personne. C'est *ma* caverne, et je dis, moi, que nous n'en parlerons pas.

*20 novembre 1943*

J'ai baptisé le squelette Rosie. Je ne suis pas retournée la voir au labyrinthe et, au début, je me sentais mal à l'aise dans la caverne, en la sachant à l'autre bout du tunnel. Mais, après lui avoir donné un nom, je me sens mieux en sa compagnie. Je me demande quelquefois ce qui l'a tuée. Un accident ? Un meurtre ? Une maladie ? Je ne le saurai sans doute jamais.

Je suis plus jalouse de Matt Riley que de Sara Jane. Kyle passe tant de temps avec lui. On dirait deux frères, et il leur arrive de plaisanter ensemble d'une manière qui me tient à l'écart. Quand ils voient que je n'ai rien compris, l'un des deux m'explique la plaisanterie, mais, à ce moment-là, elle n'est plus drôle.

La grand-mère de Matt est morte la semaine dernière. Depuis, il a les yeux rouges. C'est un garçon très émotif, très sensible. A côté de Kyle, qui pourrait déjà passer pour un homme, il fait très jeune, un peu efféminé.

Kyle insiste pour que je laisse Matt pénétrer dans la caverne. J'ai décidé de le lui permettre, pas parce que j'ai envie de le voir dans mon domaine, mais parce que les visites de Kyle se font de plus en plus rares, ces temps-ci. C'est le seul moyen qui me soit venu à l'esprit pour récupérer sa compagnie.

# 14

Eden éprouvait le besoin de parler du squelette à Ben. Du moins fut-ce ce qu'elle se dit lorsqu'elle téléphona à la cabane pour se faire inviter. Il parut heureux de l'entendre, lui indiqua le chemin.

— C'est difficile à trouver, après le coucher du soleil, ajouta-t-il. Préférez-vous que nous nous retrouvions ailleurs ?

Elle songea à leur horrible rendez-vous de Sugar Hill.

— Non, je trouverai.

Elle venait tout juste de raccrocher quand Michael appela. Quelques jours seulement s'étaient écoulés depuis leur dernière conversation, mais elle avait l'impression qu'il y avait de cela des mois. Nina s'inquiétait à son sujet, lui dit-il. Elle voulait connaître l'opinion d'Eden sur le script qu'elle lui avait envoyé.

— Je n'y ai pas encore jeté un œil, répondit-elle.

— Elle dit qu'elle en a quelques autres à te soumettre, si celui-là ne te plaît pas. Elle veut savoir si tu as l'intention de te remettre un jour au travail.

— Dis à Nina de se détendre.

— Ça lui déplaît de te savoir à cinq mille kilomètres d'elle. Tu échappes à son contrôle, tu comprends.

Eden adressa au téléphone un large sourire.

— Eh bien, moi, ça me plaît.

Michael, après un silence, demanda :

— Ça te plaît d'être si loin de moi, en même temps ?

— J'avais besoin de rompre un temps avec la vie que je menais. Avec Los Angeles. Je ne m'en étais même pas aperçue moi-même jusqu'à maintenant. Cela n'a rien à voir avec toi.

– Tu commences à prendre un accent campagnard, on dirait.

– Ah oui ? Je me mets déjà dans la peau de mon personnage, sans doute.

Par la fenêtre, elle jeta un coup d'œil sur les bois assombris. Elle voulait arriver chez Ben avant la nuit.

– Il faut que je me sauve, Michael.

– Où vas-tu ?

Il semblait blessé.

– Je dois voir un ami de Kyle.

– Rappelle-moi à ton retour.

– Je ne sais pas à quelle heure je vais rentrer.

– Peu importe. Je ne sors pas. Les soirées ne sont pas les mêmes, si je n'ai pas ma dose. Ou si tu n'es pas là. Tu n'es pas fière de moi ? Trois semaines sans une seule prise.

L'une des raisons pour lesquelles, lui avait-elle dit, elle ne pouvait envisager d'avoir avec lui une relation sérieuse, c'était la cocaïne.

– C'est formidable, Michael.

– As-tu trouvé quelque chose sur Matthew Riley ?

– Ma mère écrit dans son journal qu'il est trop sensible et un peu efféminé.

– Ouah ! Si tu veux que je joue le rôle, tu ferais bien de déformer un peu la vérité.

– Nous verrons. Il faut que je parte, maintenant.

– Eden, n'oublie pas que je suis là, d'accord ? Je t'aime.

Elle tressaillit.

– Au revoir, Michael. Merci de m'avoir appelée.


Elle s'habilla avec soin, se décida finalement pour un pantalon kaki et un simple chemisier blanc. Elle laissa ses cheveux flotter sur ses épaules, se glissa presque en cachette hors de la maison. Kyle et Lou savaient où elle allait, mais elle ne tenait pas à se montrer, à ce qu'ils déchiffrent sur son visage que cette soirée avait de l'importance pour elle.

Elle se rendit d'abord à Coolbrook pour y prendre du poulet frit et des biscuits. Au retour, elle dépassa Lynch Hollow, prit la direction des collines. Elle n'avait pas d'adresse précise, seulement quelques points de repère. La voiture s'emplit de l'odeur du poulet frit, tandis qu'elle passait devant le grand chêne, la ferme au bord de l'eau. Elle appuya plus fort sur l'accélérateur.

Qu'était-elle en train de faire ? Elle avait été froide, presque impolie, avec un homme qu'elle fréquentait depuis des mois parce qu'elle avait hâte d'en voir un autre qu'elle connaissait à peine. Un homme qui sauvait des langoustes de la mort dans des restaurants spécialisés dans les fruits de mer. Oui, eh bien, elle tenait à lui parler du squelette. Allons donc ! Si elle n'avait pas appris la découverte du squelette dans le journal de sa mère, elle aurait dû inventer une autre raison pour le retrouver ce soir-là. Elle ne l'avait pas vu depuis deux jours. Elle avait passé la majeure partie de la journée de la veille aux archives de Winchester et elle avait consacré la matinée de ce jour-là à un petit discours stimulant devant les bénévoles du Fonds de l'aide aux enfants handicapés. Elle avait ensuite déjeuné avec Fred Jenkins, le directeur aveugle mais dynamique du Fonds. L'après-midi, elle ne se rappelait même plus la forme des mains de Ben, ni si ses yeux étaient bleus ou gris, et ces détails avaient pour elle plus d'importance que n'en avait eu n'importe quoi d'autre depuis bien longtemps.

Elle faillit ne pas voir la maisonnette de bois. Elle était minuscule, si bien cachée parmi les arbres que tout ce qu'on distinguait de la route, c'était la lumière ambrée des deux petites fenêtres.

— Ça me plaît, lui cria-t-il du seuil de la porte ouverte, avant même qu'elle eût mis pied à terre. Je parle de vos cheveux.

— Merci.

Elle lui tendit le sac qui contenait le poulet frit.

— Vous êtes allé chez le coiffeur. Ça vous va bien.

— Qu'est-ce que c'est ? demanda-t-il, avec un geste vers le cahier qu'elle tenait dans sa main.

— Une partie du journal de ma mère. J'ai quelque chose à vous montrer.

Il ouvrit la porte toute grande pour la laisser entrer. Il portait un jean et un tee-shirt qui avait dû être rouge ou violet, délavé au point d'être devenu d'un rose mauve qui contrastait avec ses bras bronzés.

— Désolé, il fait vraiment trop chaud, ici.

Oui, il faisait chaud. L'intérieur de la cabane avait les dimensions de la chambre d'Eden à Santa Monica, et tout y était purement fonctionnel. La minuscule cuisine aménagée dans un angle comportait un petit réfrigérateur, un réchaud à deux brûleurs et un évier. Un canapé et deux fauteuils, recouverts d'un solide tissu écossais dans des tons de brun, occupaient un autre angle, près d'un poêle à bois. Des journaux, des livres s'amassaient sur une massive table basse faite de planches. Un ventilateur, installé dans la fenêtre au-dessus du poêle, brassait l'air chaud de la pièce. Le troisième angle était occupé par un petit cabinet de débarras ou, plus probablement, par un cabinet de toilette. Le lit de Ben se trouvait dans le quatrième coin, devant l'une des deux fenêtres en façade. Un simple divan assez large, sans bois à la tête ni au pied. La courtepointe blanc et bleu qui le recouvrait tranchait par sa beauté sur le reste de la pièce. Au milieu de celle-ci trônaient une table ronde aux pieds en fuseaux et quatre chaises à dossier droit.

– Je suis navré de l'exiguïté des lieux...

Ben regardait autour de lui comme s'il venait seulement de découvrir les dimensions de son logis.

– Et primitif, ajouta-t-il.

– C'est rustique, fit-elle, d'un ton flatteur.

Elle regardait Ben. En dépit de son allure robuste, il n'était pas à sa place dans ce petit chalet de montagne sans confort.

– Il fait un peu plus frais dehors, dit-il. Si nous transportions la table à l'extérieur, pour le dîner ?

Ils déposèrent la table et deux des chaises de bois dans la petite clairière, devant la cabane.

– Vous êtes vraiment isolé, ici, remarqua-t-elle. Ce doit être un peu effrayant, la nuit.

– Non, ce n'est pas effrayant. Solitaire, seulement.

Il avait apporté une bouteille de vin et en versa dans des gobelets en matière plastique.

– Désolé, je n'ai pas d'autre verres.

– Si vous me faites encore une seule fois des excuses, je m'en vais.

Elle prit le gobelet qu'il lui tendait. Le vin, elle l'espérait, allait délier un peu la langue de Ben.

Elle songea à Kyle qui, du fond de son ivresse, avait demandé l'aide de Kate sur la manière de s'y prendre avec Sara Jane, et ce souvenir la fit rire.

– Qu'y a-t-il de si drôle ?

– J'en apprends plus sur Kyle que je n'aurais voulu en savoir. Vous connaissez la boulangerie, dans Main Street ?

– Chez Miller ?

– C'est ça. Vous connaissez aussi Sara Jane Miller ?

– Cette femme un peu corpulente ?

Qu'il pût se montrer si bienveillant dans sa description de Sara Jane en disait long sur lui, pensa-t-elle.

– Voilà. Eh bien, elle a été la première pour Kyle.

– La première... ?

Il parut un instant déconcerté, mais son visage se fendit bientôt d'un large sourire.

– Oh, vous voulez dire *la* première ?

Elle hocha la tête. Ben posa son verre, se mit à rire.

– Vous ne devriez pas me raconter des choses pareilles. Lou est au courant ?

Eden lui expliqua comment Lou s'y était prise pour lui faire rencontrer Sara Jane.

– J'aurais dû le deviner, dit Ben. Kyle et Lou n'ont pas de secrets l'un pour l'autre.

*Sauf un,* pensa Eden.

– Lou est unique en son genre, reprit Ben. Quand je me vautre dans l'apitoiement sur moi-même, je pense à tout ce qu'elle a accompli grâce à une attitude positive. Jamais elle ne s'est laissé défaire par son handicap.

– Non, c'est vrai, jamais.

Eden avait envie de changer de sujet, mais elle se demandait jusqu'à quel point Ben était au courant.

– Vous a-t-elle dit comment ça lui était arrivé ?

– Dans un accident de voiture. Vous étiez avec elle, c'est bien ça ?

Elle se surprit à avoir envie de lui dire la vérité, opta pour le mensonge.

– Oui.

– Elle m'a dit qu'elle roulait trop vite, et qu'une fourgonnette lui était rentrée dedans.

– A l'entendre, c'était sa faute.

– Elle conduit comme une folle furieuse, dit Ben. Vous avez eu de la chance de ne pas être blessée.

Eden dégustait son vin.

– Elle vous aime beaucoup, déclara-t-elle.

– Lou et Kyle ont été merveilleux à mon égard. Ils sont allés bien plus loin que ne leur commandait leur devoir.

Eden ôtait par petits morceaux la peau croustillante de son poulet.

– Ce qui me sidère, c'est que Kyle n'ait absolument pas censuré le journal. Moi, à sa place, j'aurais tenu à en arracher quelques pages çà et là.

— Peut-être en a-t-il eu l'envie, mais c'est un archéologue, un homme de science. Jamais il ne trahirait un document. Par ailleurs, il vous a bien dit, n'est-ce pas, que votre mère désirait que vous lisiez son journal ? Elle savait ce qu'il contenait.

— Bien sûr, mais, à la vérité, ma chère maman était un peu dérangée. Peu lui importait ce que je pourrais apprendre sur son compte.

Elle se pencha en avant, posa ses coudes sur la table.

— Parlez-moi de vous, Ben. Je ne sais pas trop ce que je peux vous demander : j'ai l'impression que certaines questions ne sont pas bonnes à poser.

— Certaines, c'est vrai.

Il sourit. Ses yeux étaient gris, d'un gris sans mélange, pâle comme la brume.

— Je suis né dans le Maryland. A Bethesda. Il y a trente-huit ans de ça. J'ai un frère, Sam, qui est psychiatre, à la fois riche et éminent. Mon père était médecin, ma mère infirmière. Ils sont morts il y a quelques années, à quelques semaines l'un de l'autre.

— Je suis désolée.

Ben, avant de répondre, prit une bouchée de poulet.

— Pour Sam et moi, ça a été moche, bien sûr. Mais, pour eux, d'une certaine façon, cela valait mieux. Je n'imagine pas l'un des deux vivant sans l'autre.

— Avez-vous toujours voulu être archéologue ?

— Depuis mon adolescence. J'aime étudier le passé. C'est plus sûr que l'avenir. On n'a pas trop de surprises.

— L'enseignement vous manque ?

Il continuait à parler, il semblait à l'aise.

— Oui, je suppose.

Il jeta un morceau de son biscuit à un écureuil qui attendait à la limite de la clairière.

— J'aimais bien me trouver en face d'un auditoire, lui transmettre mes connaissances d'une façon assez attrayante pour qu'il en garde quelque chose. J'aimais travailler avec des étudiants brillants, ceux en qui je décelais un potentiel exceptionnel.

Il haussa les épaules.

— Mais, vous savez, c'est intéressant aussi d'être sur le terrain.

— Et votre... Comment s'appelait votre femme ? Elle vous manque ?

Elle s'aventurait en terrain plus dangereux, mais il ne parut pas troublé par la question.

– Sharon ? Je regrette la vie que nous avons connue ensemble. Nous avions tant de projets et nous en avions déjà accompli beaucoup tous les deux. C'est difficile à oublier, vous comprenez ?

Elle approuva d'un signe. Elle songeait à son propre mariage. Wayne et elle avaient accompli étonnamment peu de choses, au cours des quinze années de leur vie conjugale. Cassie était leur seul trait d'union.

Ben posa son assiette, se pencha en avant.

– J'avais conçu la maison que nous habitions. J'avais toujours eu ce désir, et nous l'avons construite en grande partie nous-mêmes. Voulez-vous voir une photo ?

– Oh, oui !

Il s'essuya les doigts sur sa serviette, rentra dans la cabane et revint, avec l'instantané d'une maison superbe, en cèdre, de style contemporain. Elle y imagina sans peine son hôte.

– Elle est merveilleuse, dit-elle.

– Elle était située sur un terrain boisé longé par une étendue d'eau. Pas immense – nous n'aurions pas pu nous le permettre –, mais vraiment agréable. Beaucoup de baies. Nous y avons vécu huit ans, et je n'ai jamais cessé de m'émerveiller de ce que nous avions accompli.

Il leva les yeux vers elle. Elle vit briller dans son regard une lueur de fierté, perçut son sentiment de perte.

– Sharon l'habite toujours ? demanda-t-elle.

Il hocha la tête.

– Avec son nouveau mari. Elle s'est remariée il y a deux mois environ, à peu près à la même époque que Wayne et son institutrice...

Il parlait d'une voix basse. Sa souffrance, presque tangible, semblait en suspens au-dessus de la table branlante.

– Il y a quelque chose qui cloche, dit-elle.

Il se redressa, inquiet.

– Non, pas ici. Je veux dire que vous vous êtes fait rouler.

Il eut un rire amer.

– Vous plaisantez.

– Vous aviez une maison superbe, une profession qui vous plaisait. Un divorce peut être cruel, je le sais, mais personne n'y perd tout ce qu'il a, à moins d'avoir commis un crime ou...

Il secoua la tête, lui effleura la main.

– Vous avez dit que vous vouliez me faire voir quelque chose dans le journal de votre mère.

Elle repoussa son assiette, se pencha vers lui, les bras croisés sur la table.

— Ben, comprenez-vous que je sais très précisément ce qu'on ressent quand un mariage se rompt ? Quand l'être qu'on aime épouse quelqu'un d'autre ?

— Chut... J'éprouve simplement le besoin de changer de conversation, d'accord ?

Il repoussa sa chaise.

— Où est ce journal ?

Il commençait à faire trop sombre pour lire dehors. Ils rapportèrent la table et les chaises dans la cabane. Eden s'assit sur le canapé, Ben dans le fauteuil assorti.

— Ma mère a trouvé un squelette humain dans sa caverne, annonça-t-elle.

Ben haussa brusquement les sourcils.

— Qu'en a-t-elle fait ?

— Rien, pour autant que je sache jusqu'à présent. Elle n'avait que seize ans quand elle l'a découvert. Elle ne s'intéressait pas encore à l'archéologie.

— En avez-vous parlé à Kyle ? Le squelette est-il toujours là ?

— Je ne lui en ai pas touché mot.

Lorsqu'elle avait dit à Kyle qu'elle dînait avec Ben ce soir-là, il avait secoué la tête.

— Fais bien attention, ma chérie, lui avait-il répondu.

Trop contrariée par sa mise en garde, elle ne lui avait posé aucune question.

Elle ouvrit le cahier à la date du 16 novembre, lut à haute voix ce que Kate avait écrit ce jour-là. Quand elle se tut, Ben éclata de rire.

— Votre mère était un cas, fit-il. Qui est ce Matt ?

— Mon père, dit Eden en souriant. Je le rencontre pour la première fois.

— Votre mère semble pleine d'affection pour lui, remarqua Ben ironiquement.

— Nous sommes en 1943, et je ne suis née qu'en 1955. Je crois que ce sera passionnant de voir évoluer ses sentiments pour lui. Je veux pour elle une histoire d'amour passionnée. Ne pouvez-vous imaginer ça, dans le film ? La manière dont leurs relations vont se transformer à mesure qu'ils iront vers l'âge adulte. La profonde tension sensuelle. C'est Michael Carey qui va jouer Matt. Jusqu'à quel point, à votre avis, peut-il se rajeunir pour incarner le personnage à différents âges ?

– Sur le plan de l'aspect physique, vingt et un ou vingt-deux ans, avec l'aide du maquillage. Sur le plan intellectuel, quinze ans environ.

– Vous ne l'aimez pas beaucoup, hein ? fit-elle en riant.

– Je suis jaloux.

– Vous n'avez aucune raison de l'être.

Il soupira, posa le cahier sur la table basse.

– Demain, je parlerai du squelette à Kyle, mais c'est sans doute sans importance, ou il m'aurait mis au courant. S'il avait même seulement un peu plus de deux cents ans, il accroîtrait la valeur de Lynch Hollow, en tant que site archéologique, et, dans ce cas, Kyle aurait sûrement pris les mesures qui s'imposaient. De toute manière, les squelettes ne subsistent guère plus de quelques centaines d'années. A moins que cette partie de la caverne ne soit particulièrement sèche. Votre mère disait bien que le tunnel était en pente, hein ? Oui, c'est possible.

Eden ne l'écoutait plus. Elle avait aperçu la photo d'une petite fille sur le miroir au-dessus de la commode. Elle alla jusqu'au meuble, détacha le cliché glissé entre la glace et l'encadrement.

– Est-ce votre petite fille ?

– Oui.

– Comment s'appelle-t-elle ?

– Bliss.

– Bliss ? répéta Eden en souriant. Cela veut dire « félicité », n'est-ce pas ?

– Oui. Nous avions pensé à deux prénoms féminins et nous n'avions pas encore fait notre choix quand elle est née. Lorsque je l'ai vue dans la pouponnière de l'hôpital, ce nom de Bliss a pour ainsi dire jailli de mon esprit. J'ai pensé que quelqu'un qui porterait ce prénom ne pourrait jamais être malheureuse.

Il se frotta les paumes sur les cuisses.

– J'étais un peu naïf, je suppose.

– Elle vous manque.

– Oh, Dieu, oui.

Eden se pencha vers lui.

– Est-ce pour une question d'argent que vous ne pouvez la recevoir ici cet été ? Vous ne devriez pas vous laisser arrêter par ça. Vous pourriez avoir, elle et vous, des rapports tellement exceptionnels, ici. Quelque chose d'inoubliable. Lui faire découvrir la nature, le site archéologique, tout ce que des pères attelés la journée au long à leur travail ne peuvent offrir, même s'ils sont riches à millions.

— Eden.

Il se leva, lui reprit la photographie.

— Je ne peux pas aborder ce sujet.

Il alla jusqu'à la commode, remit la photo à sa place. Elle sentit un mur s'élever entre eux, comme cela s'était produit à Sugar Hill.

— Je vous demande pardon, dit-elle. Apparemment, je ne sais jamais quand je dois me taire.

— Ce n'est pas votre faute, c'est la mienne.

Il s'était arrêté, les mains dans les poches, devant la petite chaîne stéréo.

— Quel genre de musique préférez-vous pour danser ?

— N'importe laquelle.

Il engagea une cassette de vieux succès. Le premier était un slow. Il tendit la main à la jeune femme. Elle hésita un peu à la prendre.

— Allez-vous me repousser, comme vous l'avez fait l'autre soir ?

— Non.

Il l'attira contre lui.

Elle ferma les yeux, et un délicieux vertige s'empara d'elle. Elle respirait avec avidité le parfum subtil de sa lotion après-rasage, l'odeur de propreté de sa chemise. Il resserra les bras autour d'elle. La pression de sa cuisse entre celles d'Eden ne semblait pas tout à fait accidentelle. *Fais bien attention, ma chérie.* Elle retourna la pression, et il gémit. Du bout des doigts, il lui releva le menton, l'embrassa doucement, mais elle s'écarta de lui, sans pour autant dénouer l'étreinte de ses bras autour de son cou.

— J'ai peur de me rapprocher de vous davantage, dit-elle. Vous ne voulez pas me permettre de vous connaître. Si je me laisse entraîner, je crains de vous voir disparaître.

Il se mit à rire.

— Vous avez parfaitement résumé mes propres appréhensions. Si je vous laisse trop m'approcher, c'est vous qui disparaîtrez, j'en ai peur.

— Pourquoi ça ?

— D'autres l'ont fait.

— Que pourriez-vous me dire de si terrible ?

— Chut.

Il l'attira de nouveau contre lui.

– Dansons, c'est tout. C'est moins dangereux que de s'embrasser et beaucoup moins encore que de parler.

La musique se fit plus rapide, et ils dansèrent sur tous les airs de la cassette, se serrant parfois l'un contre l'autre. Le vin et la chaleur faisaient leur effet. Elle aimait suivre du regard les mouvements de son partenaire. Il lui plaisait d'imaginer la cabane vue de l'extérieur, de la profondeur des bois, où l'on devait tout juste percevoir la musique, et voir deux ombres tournoyant dans une lueur ambrée.

Peut-être Sharon avait-elle enlevé Bliss. Certains parents, pour une raison ou pour une autre, disparaissaient avec les enfants. Mais Sharon habitait toujours leur maison : ce n'était donc pas le cas. Bah, quelle importance ? Elle n'avait pas à connaître le secret de Ben. Il pouvait le garder. Elle se contentait du moment présent. Elle oubliait le passé.

Quand une mélodie plus lente débuta, elle n'attendit pas le geste de Ben pour se blottir entre ses bras. Elle se serra contre lui, écouta leurs souffles accordés. La mélodie s'acheva. Elle consulta sa montre par-dessus l'épaule de son compagnon. Il allait être minuit.

– Je ferais bien de partir, dit-elle.

Un autre air, rapide celui-là, avait commencé, mais elle ne bougeait pas.

Ben lui souleva les cheveux, qui s'acccrochèrent à la peau moite de son cou. Il y enfouit ses lèvres, juste derrière l'oreille. Elle sentait son cœur battre contre sa propre poitrine, et elle rejeta la tête en arrière pour trouver sa bouche. Celle-ci était tiède, salée de sa transpiration.

– C'est bon, fit-il, les lèvres sur les siennes.

Elle pensait au lit, un peu trop large pour une personne, un peu trop étroit pour deux. Elle avait envie qu'il l'étendît sur la superbe courtepointe. Elle ne se rappelait pas la dernière fois où elle avait vraiment désiré un homme. Elle avait les seins douloureux à l'idée que Ben pût les toucher. Elle était bien la fille de sa mère. Mais, à notre époque, il fallait prendre certaines précautions avant de faire l'amour avec un inconnu. Brutalement ramenée à la réalité, elle pensa à la réserve de Ben, à l'avertissement de Kyle.

– Avez-vous des préservatifs ? murmura-t-elle.

Il éclata de rire, recula d'un pas.

– Vous avez vraiment le don de ramener un homme à la conscience de l'instant présent. Non, je n'en ai pas. Mais à quoi pensez-vous donc, femme ? Je vous embrassais, c'est tout.

Elle pressa son front contre la poitrine de son compagnon afin de lui dissimuler son visage empourpré.

– Je ne sais plus comment me comporter dans une soirée à deux, dit-elle.

– Alors, nous sommes dans le même bain. De toute manière, c'est plutôt à moi de me faire du souci. Michael Carey est un genre de Casanova.

– C'est vrai, mais lui et moi ne sommes pas amants.

– Allons, Eden. Et cette séquence dans *Au cœur de l'hiver* ?

– Nous *interprétions* nos rôles. En réalité, nous n'avons rien *fait*.

– Mais, après une scène comme celle-là... après avoir été aussi proches l'un de l'autre, même s'il s'agit seulement de rôles à jouer... comment peut-on sortir ensemble sans...

– Je n'ai jamais eu envie de coucher avec lui.

Elle se demandait jusqu'où elle pouvait aller, jusqu'à quel point elle pouvait se montrer vulnérable.

– Je n'ai eu envie de faire l'amour avec personne, depuis le départ de Wayne. Et, même avec lui, faire l'amour ne me tentait pas outre mesure.

Le visage grave, il restait silencieux, ne la quittait pas des yeux. Finalement, il lui posa un baiser sur le front.

– Je ferais mieux de vous emmener hors d'ici avant qu'un autre slow ne commence.

Quand elle rentra, il était près d'une heure, Kyle était encore debout.

– Tu m'as attendue, dit-elle, avec un mélange de contrariété et de gratitude.

– Mais non.

Lentement, il s'arracha à son fauteuil, lui tendit un cahier.

– Je lisais simplement le prochain fascicule de ton feuilleton. As-tu passé une bonne soirée ?

Il y avait dans sa voix une nuance d'inquiétude qui n'échappa pas à Eden.

– Il me plaît, Kyle, mais je n'ai pas complètement négligé ton avertissement.

Elle avait presque oublié qu'une heure plus tôt, elle voulait voir l'homme en question lui faire l'amour sur sa courtepointe.

Kyle lui sourit.

— Vois-tu, il fut un temps, il y a de cela bien des années, où je pensais que vous iriez bien ensemble. Mes deux jeunes gens favoris. Je me disais que je pourrais l'envoyer en Californie : tu tomberais amoureuse de lui, et il te ramènerait vers nous.

Elle ressentit le coup de poignard d'une très ancienne culpabilité.

— J'avais mon propre rêve, Kyle, et je devais le mener à son accomplissement.

— Oui, je sais.

Il lui posa une main dans le dos, la poussa vers l'escalier.

— En fin de compte, c'était sans doute ce qu'il y avait de mieux pour toi, dommage seulement que cela ait creusé un tel écart entre nous.

Au bas des marches, il la prit par le coude, la tourna vers lui.

— Ben t'a-t-il parlé de... de la rupture de son mariage ?

— Non, mais j'ai décidé que c'était sans importance. Je suis ici pour l'été, c'est tout... Je n'ai pas l'intention d'épouser ce garçon. Nous n'avons pas besoin de connaître tous les horribles détails de nos passés respectifs.

Elle entreprit de gravir les marches, s'arrêta pour regarder son oncle. Il n'avait pas bougé.

— Si je savais tout, cela aurait-il une influence sur mes sentiments pour lui ?

— Il y a de grandes chances, oui, ma chérie.

— Alors, je préfère ne rien savoir.

# 15

*3 février 1944*

Nous sommes devenus plus ou moins trois inséparables, Kyle, Matt et moi. A l'école, maintenant, quand Kyle s'isole avec Sara Jane, Matt s'asseoit avec moi sur la marche du seuil, pour lire. Il n'attend pas de moi que je lui parle, il m'accepte telle que je suis, et c'est ce qui me plaît chez lui. Il est toujours joli comme une fille, avec ses yeux sombres et ses cheveux noirs, mais, au cours des quelques mois écoulés depuis que je le connais, ses traits se sont virilisés, et sa voix a pris un timbre plus grave que j'aime entendre dans la caverne. Il montre pour ce lieu tout le respect qui convient, et je lui fais pleinement confiance.

Je lui ai même lu mes histoires. Il appelle ça des « contes pour enfants », et je me suis rendu compte qu'il avait raison : j'ai beau avoir maintenant seize ans et demi, les enfants de mes histoires n'ont jamais plus de douze ans.

Je viens de relire ce que j'avais écrit, et on pourrait croire que je suis aussi proche de Matt que de Kyle. Ce n'est pas vrai du tout. Je ne parle pas beaucoup à Matt, mais ça ne fait rien : lui-même est plutôt du genre silencieux. Souvent, Kyle et moi, nous avons des conversations animées, et Matt se contente de nous observer en souriant. Hier soir, nous parlions, Kyle et moi, de la façon dont il s'y prend pour empêcher Sara Jane d'être enceinte : il se sert de capotes anglaises. C'est dégoûtant mais apparemment efficace. Matt a déclaré qu'il n'en croyait pas ses oreilles, à nous entendre aborder un sujet aussi intime. Kyle lui a répondu que nous n'ignorions rien l'un de l'autre, et que chacun de nous était le meilleur ami de l'autre, depuis toujours et à jamais.

### 3 avril 1944

La mère de Matt a eu un terrible accident, la semaine dernière. Une voisine, qui venait tout juste d'avoir son permis de conduire, l'a emmenée en voiture au marché. Les freins ont cédé, et la voiture a heurté un arbre. La mère de Matt est à l'hôpital et elle ne peut plus remuer les jambes. Toute cette semaine, Matt a été plus silencieux encore que d'habitude. En classe, je l'observe : il regarde par la fenêtre ou bien il plie et replie le bord de la feuille sur laquelle il devrait écrire et il finit par la déchirer. Pendant la récréation, il s'asseoit près de moi sur la marche, un livre sur les genoux, mais il ne tourne pas les pages.

Hier soir, il est venu à la caverne pour la première fois depuis l'accident. Kyle était dans le fauteuil à bascule, moi, j'étais assise sur mon matelas, et nous nous interrogions l'un l'autre sur des questions d'orthographe. Matt s'est laissé tomber sur le canapé et il s'est mis à pleurer. Kyle a posé son livre et s'est tout de suite retrouvé près de notre ami pour lui demander ce qui n'allait pas.

— Le médecin a dit qu'elle était définitivement paralysée, a déclaré Matt. Elle ne pourra plus jamais marcher.

A mon tour, je les ai rejoints sur le canapé. Kyle et moi, nous avons entouré Matt de nos bras pendant qu'il pleurait. *Mes bras* étaient autour de Matt, mais mes mains étaient sur les épaules de Kyle. J'avais le sentiment, non pas de consoler Matt, mais de me cramponner à l'un et à l'autre : nous sommes toujours en guerre, je ne vais plus tarder à perdre mon frère et notre ami, et je ne peux pas le supporter. Ils ont l'intention de s'engager dès qu'ils auront obtenu leur diplôme.

Je ne m'étais pas aperçue que je pleurais, moi aussi, jusqu'au moment où j'ai senti Kyle essuyer du bout des doigts les larmes qui roulaient sur mes joues.

Plus tard, après le départ de Matt, Kyle m'a dit que je devais être amoureuse de lui, pour avoir réagi à son chagrin avec une telle passion.

— Non, ce n'est pas vrai, lui ai-je répondu. J'aime bien Matt, mais je ne veux pas de lui ni de personne d'autre comme petit ami.

— Lui aussi est amoureux de toi, a continué Kyle, comme si je n'avais rien dit.

— Kyle, *je ne suis pas* amoureuse de lui !

— Mais oui.

Il a souri, comme s'il me connaissait mieux que je ne me connais moi-même. Après ça, les capotes au fond de sa poche, il est parti retrouver Sara Jane.

## 5 juin 1944

Je ne dors plus depuis des jours. La nuit, je reste éveillée dans mon lit, je regarde la lumière de la lune envahir le plafond de la chambre d'un mur à l'autre pour finalement se fondre dans la lumière de l'aube. J'écoute tous les bruits : la respiration de Kyle dans le lit voisin, quelques oiseaux de nuit, quelques grillons, bien que la saison ne soit pas encore avancée. Au milieu de la nuit, j'entends le lit de Papa et de Susanna grincer sur un rythme régulier. Parfois, Susanna pousse un cri, mais, la plupart du temps, elle se tait. Je les écoute mais je n'éprouve rien. Je ne me rappelle pas la dernière fois où j'ai ressenti l'envie de me toucher là, en bas. Je sais que, si j'essaie, ce sera comme si je touchais du bois mort.

Encore une semaine, et Kyle sera parti. Oh, pourquoi faut-il qu'il s'en aille ? Pourquoi a-t-il fallu qu'il passe son diplôme pendant que nous étions en guerre ? Il ne tient plus en place à l'idée de ce départ. Moi, je reste éveillée. Je pense au frère de Susanna qui est mort à Pearl Harbor, aux autres Américains qui sont morts en Europe, à ceux qui sont revenus avec une jambe en moins ou pis encore. Je pense, égoïstement, à ce que mes jours vont être cet été, sans lui, sans Matt. Je voudrais pouvoir quitter l'école, mais Papa refuse.

Matt, au moins, ne s'engage pas. Sa mère est rentrée chez elle, et il la soigne. Il la retourne dans son lit pour éviter la formation d'escarres, il lui passe le bassin, il la lave. C'est une existence horrible, pour lui. Une voisine vient s'occuper d'elle pendant quelques heures dans la matinée, afin qu'il puisse achever cette année scolaire et passer son diplôme.

La seule autre personne qui soit aussi affligée que moi du départ de Kyle, c'est Sara Jane. A l'école, elle a perpétuellement le nez rouge et elle s'accroche à Kyle, mais lui, il est incapable de nous témoigner de la sympathie à l'une comme à l'autre. Nous ne lui manquerons pas. Il est sûr que l'aventure lui tend les bras, et peut-être a-t-il raison.

## 13 juin 1944

Kyle est parti. Hier, nous avons fait une petite fête en son honneur. Papa, Susanna, Sara Jane, Matt et moi. Nous lui avons fait manger du poulet et du gâteau, nous avons raconté des blagues, nous avons essayé de rire. J'observais le visage de Kyle et je voyais qu'il n'était déjà plus là. Son regard était lointain, absorbé par sa vie nouvelle.

Vers la fin de la soirée, Sara Jane a entraîné Kyle dehors. Ils se sont fait de longs adieux passionnés, j'en suis sûre, pendant que je remettais de l'ordre. Je ne l'ai pas revu jusqu'au moment où il est venu se coucher. Il s'est assis au bord de mon lit, m'a dit que j'allais lui manquer plus que n'importe qui. Je lui ai répondu qu'il me manquerait aussi. Je faisais un grand effort pour ne pas pleurer. Il a pris tout à coup un air très grave.

— Je veux que tu me promettes une chose.

La seule promesse que je ne pourrais pas lui faire, ai-je pensé, ce serait de me lier d'amitié avec Sara Jane.

— Promets-moi d'abandonner la caverne. Je dis bien *l'abandonner*. Bloque l'entrée. Ce n'est pas normal d'y passer tout ce temps.

— Je me moque d'être normale ou pas.

— La caverne est liée à ton enfance, et tu n'es plus une enfant. Tu n'en as plus besoin.

Mais si, j'en ai besoin, me disais-je. Mais, ce soir-là, je ne voulais surtout pas me disputer avec Kyle.

— D'accord, lui ai-je dit.

Kyle a souri, il s'est penché vers moi pour me serrer dans ses bras. Alors, je me suis mise à pleurer. Il m'a caressé les cheveux, il m'a dit que tout irait bien, qu'il serait de retour avant que j'aie eu le temps d'y penser, et sans une égratignure.

## 22 août 1944

Matt est le plus joli garçon que j'aie jamais vu. Hier au soir, je l'observais : il lisait dans la caverne à la lueur d'une lanterne, et j'aurais voulu être peintre pour rendre justice à sa beauté. On a toujours l'impression qu'il devrait faire du théâtre : ses yeux sont si sombres, ses cils si longs, si fournis qu'il a l'air de se maquiller. Il a des lèvres charnues qui prennent une teinte rose pâle dans la lumière de la lanterne. Si je les effleurais du bout des doigts, j'en suis sûre, j'aurais l'impression de toucher du velours.

Je sais que Kyle lui a dit de veiller sur moi. Il s'installe dans le fauteuil à bascule ou sur le canapé, et il lit pendant que j'écris. J'ai besoin de sa présence, j'ai besoin de sa compagnie silencieuse. Pourtant, je me sens coupable : non seulement je suis toujours dans la caverne après avoir promis à Kyle de l'abandonner, mais j'en ai rendu Matt aussi dépendant que moi. Si j'étais amoureuse de lui, comme le croit Kyle, il n'y aurait pas de mal. Mais je ne le suis pas, et Matt devrait rencontrer des jeunes filles qui sauraient l'apprécier mieux que moi.

Pour mon dix-septième anniversaire, il y a une vingtaine de jours, Matt m'a offert une machine à écrire ! (Je crois qu'il a pas mal d'argent, mis de côté après la mort de son père.) La machine à écrire est énorme, noire, magnifique. Au début, j'osais à peine m'en servir, mais Matt m'a donné un livre qui explique comment on dactylographie, et, maintenant, je m'en tire très bien. Je l'ai posée sur une petite table, devant l'une des chaises. L'écho est terrible dans la caverne. Je me mets du coton dans les oreilles, quand je tape à la machine, et je m'en sers seulement avant l'arrivée de Matt, le soir, afin de ne pas le gêner dans sa lecture.

Je n'arrive pas à m'habituer à l'allure que prennent mes propres mots, ainsi imprimés !

*3 octobre 1944*

A l'école, c'est horrible. Je m'y sens plus nerveuse que jamais, comme lorsque je vais en ville. J'ai changé de place pour être tout près de la porte : c'est le seul endroit où je peux respirer, dans cette salle.

Sara Jane apporte les lettres qu'elle reçoit de Kyle pour les lire à Priscilla. Je crois qu'elle en a reçu plus que moi, et ça me dégoûte de la voir en faire la lecture à Priscilla. Kyle, j'en suis persuadée, n'aimerait pas savoir que d'autres oreilles que celles de Sara Jane entendent ce qu'il a écrit.

Sara Jane grossit de plus en plus.

## 15 octobre 1944

Près de l'entrée de la caverne se trouve un gros buisson qui pousse très vite, et, toutes les quelques semaines, je le taille pour laisser entrer la lumière du jour. Hier, j'ai décidé de le déraciner pour en finir une fois pour toutes.

J'ai eu beaucoup de mal, et le travail m'a pris presque toute la matinée, tant les racines s'enfonçaient profondément. Après avoir arraché le buisson et l'avoir emporté jusqu'à Ferry Creek, je me suis mise à combler le trou. C'est alors que j'ai aperçu quelque chose tout au fond. Je l'ai soulevé du bout de ma pelle. C'était une pointe de flèche, parfaitement façonnée. Impossible de la prendre pour autre chose. Après avoir creusé encore un peu, j'en ai trouvé une autre, moins parfaite, mais il était néanmoins évident que quelqu'un l'avait taillée avec soin.

Quand Matt arriva, ce soir-là, il faisait trop sombre pour chercher plus avant, mais nous avons décidé de fouiller encore le week-end suivant.

Je ne cesse de penser à Rosie le squelette et de me demander si sa famille avait quelque chose à voir avec ces pointes de flèches. Peut-être ne suis-je pas la première à vivre dans cette caverne.

## 22 décembre 1944

Matt m'a demandé de l'accompagner à une soirée donnée pour Noël chez Priscilla. Je n'ai pas été personnellement invitée, mais je n'en veux pas pour autant à Priscilla. Sans doute s'est-elle dit que, si elle m'invitait, je lui ferais une réponse désagréable, ce qui est d'ailleurs probable.

Pour commencer, j'ai dit « non » à Matt. Il m'a répondu qu'il s'y attendait, mais qu'il avait quand même tenu à me le demander. Matt me comprend. Il n'exige jamais rien de moi.

Il souhaitait me voir réfléchir, m'a-t-il dit, parce qu'il avait envie de sortir et qu'il ne voulait pas être seul. J'ai fini par accepter. C'est pour après-demain soir, et je suis très nerveuse.

## 24 décembre 1944

Matt a emprunté la voiture de son voisin pour se rendre avec moi à la soirée. Il conduit très lentement parce que, en réalité, il ne sait pas.

Je ne savais vraiment pas quoi mettre : je n'avais que des salopettes et des jupes qui convenaient seulement pour l'école. Susanna m'a dit que je pouvais lui emprunter une robe, mais elle est trop grande pour que ses vêtements m'aillent.

Du coup, je n'ai rien mis, sous mon grand manteau d'hiver en lainage marron.

Je me suis dit qu'il valait mieux prévenir Matt, avant d'arriver là-bas. Dans la voiture, il s'est tourné vers moi pour me dire que j'étais très jolie. J'avais rassemblé mes cheveux en arrière sous un nœud rouge. Je l'ai remercié, avant de déclarer :

– Je n'ai rien, sous ce manteau.

– Rien de vraiment habillé, tu veux dire.

– Non, je veux vraiment dire *rien du tout*.

Je n'avais même pas mis de sous-vêtements, et la doublure de mon manteau était froide sur ma peau nue. Nous étions maintenant à mi-chemin, et je commençais à regretter un peu ma décision. Matt s'est mis à rire.

– Je ne te crois pas, m'a-t-il dit.

J'ai déboutonné mon manteau, je l'ai ouvert et refermé très rapidement. Le souffle coupé, il a appuyé sur le frein, et nous avons dérapé jusqu'au bord de la route. Et nous sommes restés là. Après m'avoir dévisagée sans un mot, il a été pris d'un fou rire. Nous riions tous les deux si fort que les larmes roulaient sur nos joues. Lorsqu'il put enfin parler, ce fut pour déclarer :

– Tu es vraiment la personne la plus étrange qui soit au monde, Kate.

Il a remis la voiture en marche, et nous sommes repartis vers la réception.

A mon avis, Kyle lui-même aurait fait demi-tour pour que je rentre me changer à la maison. Peut-être était-ce ce que j'avais espéré.

Naturellement, une fois arrivés à la soirée, il m'a été impossible d'enlever mon manteau, et je devais faire attention à la façon dont je m'asseyais. Matt ne cessait de me regarder en souriant, pour me rappeler le secret que nous partagions. Tous les élèves de notre classe étaient là – je devais être la seule à ne pas avoir été invitée. Il y avait aussi Getch, qui a passé son diplôme l'année dernière, et une bonne douzaine de cousins de Priscilla. Elle a un cousin ou une cousine de notre âge dans chaque ville des alentours.

L'impression de ne plus pouvoir respirer s'est emparée de moi très vite, tandis que je restais assise dans mon coin en essayant de me montrer polie. Personne ne m'adressait la parole, ce qui me convenait parfaitement : j'aime avoir le sentiment d'être invisible. Matt bavardait avec un garçon de sa connaissance. Finalement, j'ai été forcée de me lever et de quitter la pièce. J'ai entrepris d'explorer la maison de Priscilla. C'est une vaste ferme ancienne, toute blanche. La famille de Priscilla n'est pas riche, mais on croirait bien le contraire, à voir les dimensions de la maison.

Les pièces du rez-de-chaussée étaient toutes pleines d'invités. Je suis montée à l'étage pour retrouver plus facilement mon souffle. C'était merveilleux, là-haut : silence et pénombre, comme dans la caverne. Je me suis engagée sans bruit dans le couloir, mais je me suis immobilisée en entendant des sons qui venaient du bout du passage. J'ai attendu que mes yeux se soient accoutumés à l'obscurité. J'ai vu alors qu'il s'agissait d'un garçon et d'une fille, et il ne faisait pas assez noir pour m'empêcher de voir à quoi ils étaient occupés. J'ai entrevu les fesses nues du garçon, avant de me faufiler dans une pièce dont la porte était ouverte. Au début, j'étais très gênée et je restais là, tremblant de tous mes membres. J'espérais qu'ils ne m'avaient pas vue.

La séance a continué longtemps. Je n'osais pas quitter la pièce, de peur d'être surprise. J'étais sûre que j'allais m'évanouir. Finalement, je les ai entendus se parler, remettre leurs vêtements en ordre. Leurs voix sont devenues plus fortes quand ils se sont rapprochés dans le couloir. Lorsqu'ils sont passés devant la pièce où je me cachais, ils riaient à gorge déployée. J'ai jeté un coup d'œil – je n'ai pas pu m'en empêcher – et j'ai reconnu la fille : c'était Sara Jane !

Je la déteste ! Elle aurait pu tout aussi bien m'enfoncer un poignard dans le cœur, tant j'ai souffert à ce moment. Mon frère se bat pour son pays, et elle, elle le trompe.

J'ai bondi dans le couloir, juste derrière eux.

– Sara Jane ! ai-je dit.

Elle s'est retournée vers moi, mais il faisait trop sombre pour me permettre de distinguer l'expression de son visage.

– Kate ? C'est toi ? a-t-elle demandé.

– Je t'ai vue.

– Qui est-ce ? a demandé le garçon qui l'accompagnait.

Je l'ai reconnu. Il s'appelle Tommy Miller, et son père tient la boulangerie de Coolbrook.

— Personne, lui a-t-elle répondu.

Ce n'était pas fait pour accroître ma sympathie pour elle.

— Kate, a-t-elle repris, je ne vois pas de quoi tu parles.

— Je vous ai vus baiser.

C'était la première fois de ma vie que j'employais ce mot-là, mais ce ne sera pas la dernière. J'en ai aimé le son, quand il est sorti de ma bouche, et il ne faisait pas trop sombre pour voir l'horreur qui s'est peinte sur la figure de Sara Jane.

— C'est un effet de ton imagination, Kate, a-t-elle dit calmement.

Elle s'est tournée vers Tommy.

— Kate écrit des histoires. Elle a une imagination très vive.

— Ah bon, a fait Tommy, comme si cela expliquait tout, comme si le problème était résolu.

— Retournons à la soirée, a décidé Sara Jane, pour lui comme pour moi.

Je les ai suivis dans l'escalier et je pensais de marche en marche à la pousser pour la faire dégringoler jusqu'en bas.

Au rez-de-chaussée, j'ai retrouvé Matt au centre d'un groupe de cousines de Priscilla (rien que des filles), captivées par ses yeux noirs. Je tremblais, je me sentais malade comme un chien. J'avais envie de lui demander quand nous pourrions partir, mais ça m'embêtait de lui faire quitter la soirée : il avait l'air de bien s'amuser. J'étais sur le point de lui dire que j'allais l'attendre dehors, mais il a dû voir que j'étais bouleversée : il s'est excusé auprès des filles, m'a pris le bras.

— Je suis prêt à partir si tu l'es.

Une fois dans la voiture, je lui ai raconté ce que j'avais vu. Il m'a dit que je devrais en parler à Kyle.

— Si j'étais à sa place, j'aimerais savoir ce qu'elle fait derrière mon dos.

Je n'en étais pas bien sûre. Je ne le suis toujours pas. Peut-être vaudrait-il mieux pour lui apprendre la vérité quand il sera de retour à la maison et qu'il aura Matt et moi pour le réconforter. Si je lui écrivais la vérité... Je le vois d'ici ouvrir la lettre et n'avoir personne à qui en parler. Il serait bouleversé, et perdrait la vigilance nécessaire à sa sauvegarde.

# 16

La pluie fouettait le mince toit de la cabane. Ben se redressa pour regarder par la fenêtre. Il pleuvait à verse. Il alluma le petit poste de radio qu'il gardait sous son lit pour guetter le bulletin météo. Pluie jusqu'à la fin de l'après-midi. Éclaircies vers le soir. Bon Dieu. Autrement dit, impossible de travailler sur le site, aucune chance de voir Eden.

Il regardait les gouttes d'eau qui tombaient du plafond, près du cabinet de toilette, la mare qui se formait sur le sol, au-dessous. Il pourrait passer la journée à colmater cette fuite. Ou à lire. Peut-être écrirait-il une lettre à Sam. Il sourit parce que, pour la première fois depuis des mois, il n'avait même pas envisagé le suicide comme alternative à une journée de solitude.

Kyle téléphona au moment précis où Ben sortait de la douche.

— Voulez-vous vous joindre à nous ce soir, pour un barbecue ? demanda-t-il. Des hamburgers, tout simplement, et des trucs de ce genre. La pluie devrait cesser vers quatre heures.

Ben eut un large sourire, resserra la serviette autour de sa taille.

— Oui, bien sûr. Merci.

— Et, Ben, écoutez-moi, reprit Kyle. Je suis inquiet pour vous et pour Eden. Son divorce ne date pas encore de bien longtemps, vous savez. Elle fait bonne figure – c'est sa spécialité –, mais elle est encore un peu vacillante.

— Moi aussi, fit Ben, blessé.

— Il faut lui dire la vérité sur votre divorce.

— Je le ferai, Kyle. Mais il me faut un peu de temps.

Ce n'est pas le genre de chose qu'on lâche tout à trac dans une conversation.

– Vous n'êtes pas honnête avec elle.

Il ne voulait pas entendre ce genre de propos.

– Je tenais à ce qu'elle me connaisse mieux, avant de lui faire cette révélation, afin qu'elle me croie.

– Sharon vous connaissait depuis dix ans et elle ne vous a pourtant pas cru.

Ben tressaillit de douleur, sous la cruauté de la remarque.

– Pardonnez-moi, dit Kyle, après un grand silence. Je prendrai votre parti, Ben, quand vous lui aurez parlé. Je lui dirai qu'à mon avis vous avez été condamné à tort. Mais il est juste qu'elle connaisse la vérité.

– Et je la lui dirai...

Ben entendit sa voix monter, fit effort pour en baisser le diapason.

– Mais pas tout de suite. J'aimerais, pour changer un peu, avoir l'impression d'être un homme normal qui mène une vie normale. Et, Kyle... ?

Il espérait que son interlocuteur allait lui permettre de changer de sujet.

– Elle m'a parlé du squelette dans la caverne.

– Et alors ?

La voix de Kyle était glaciale.

– Eh bien...

Ben hésita. Jamais encore, il n'avait eu autant de mal pour parler avec Kyle.

– Qu'est-il devenu ?

– En réalité, il y en avait trois, répondit Kyle, au bout d'un moment. Quand on a commencé de parler de la datation au carbone 14, à la fin des années 50, je suis allé prélever un os sur le premier. J'en ai découvert deux autres.

– Et... ?

Kyle prit tout son temps pour répondre.

– Deux mille ans avant Jésus-Christ, dit-il enfin.

Ben se mit debout.

– Pourquoi ne m'en avez-vous pas parlé ?

– C'est sans importance, voilà pourquoi. Les squelettes sont dans la caverne. La caverne est fermée, scellée, et elle le restera.

– Mais, Kyle, vous comprenez certainement que ces trois squelettes donneraient une importance nouvelle au site.

A quelques mètres seulement des fosses se trouvait une chance unique de sauver Lynch Hollow.

– Le sujet est clos, Ben.

Ben garda un moment le silence. La colère de Kyle dépassait son entendement.

– Je pensais seulement à la subvention, dit-il doucement.

– Je dirai à Lou et à Eden que vous venez ce soir ?

– Oui, je vous remercie.

Un poids sur le cœur, il raccrocha. Il passerait chez le marchand de vins pour prendre une bouteille du cognac préféré de Kyle. Et il ne parlerait plus du squelette. Mais que devait-il faire, en ce qui concernait Eden ? Il fallait lui dire la vérité, mais il savait ce qui allait se passer. Il se retrouverait seul. Kyle avait raison. Comment s'attendre à voir Eden croire en lui quand sa femme elle-même était convaincue de sa culpabilité ?

# 17

Au travers de la pluie, Eden sentit l'odeur du pain qui cuisait, en gravissant l'escalier extérieur qui menait à la salle de séjour de l'appartement situé au-dessus de la boulangerie Miller. Elle n'avait pas atteint le palier que Sara Jane lui ouvrit la porte.

– Entrez donc, Miss Riley. Mais vous êtes trempée jusqu'aux os !

Eden abandonna son parapluie sur le palier, pénétra dans la petite pièce où l'odeur de levure imprégnait l'atmosphère. Elle la sentit lui coller à la peau, s'installer dans ses cheveux, sut qu'elle allait l'emporter partout avec elle pour le restant de la journée.

La salle de séjour était exactement telle qu'elle l'avait imaginée : moquette vert sombre, papier mural jaune à motifs fleuris, photos de famille sur le récepteur de télévision. Trois enfants gloussaient derrière les jambes en cure-dents d'un grand homme chauve, et deux femmes – l'une qui devait avoir à peu près l'âge d'Eden, l'autre un peu plus vieille – étaient assises côte à côte sur le canapé et souriaient à l'arrivante.

– Oh, j'espère que ça ne vous fait rien, dit Sara Jane, avec un grand geste d'un bras gonflé à l'hélium. Ils avaient tous envie de vous voir. Janie a apporté son petit album d'autographes et tout. Dès qu'ils vous auront saluée, ils s'en iront, et nous pourrons parler du film en tête à tête, vous et moi.

Eden sourit.

– Voyons, présentez-moi tout le monde.

Elle jeta un coup d'œil vers l'une des fillettes qui, sans

143

cesser de glousser, se fit toute petite et se serra plus étroitement contre les jambes de son grand-père.

— Ça, c'est mon mari, Tom.

Sara Jane attrapa par le coude l'homme d'une maigreur inquiétante, l'attira plus avant.

— Heureux de faire votre connaissance, Miss, fit-il, tandis qu'Eden lui serrait la main. Nous faisons tous partie de vos grands admirateurs. Personne ici ne manque jamais un film d'Eden Riley.

— Merci beaucoup, dit-elle. Et, je vous en prie, appelez-moi Eden.

L'homme approuva de la tête.

— Bon, si vous voulez bien m'excuser, je vais aller vous chercher quelques rafraîchissements, les filles.

Il sortit. Eden s'accroupit.

— Et qui sont donc ces trois-là ?

— Nos petits-enfants, répondit Sara Jane.

Privées du soutien des jambes de Tom, les deux plus petites filles s'accrochaient maintenant aux bras de l'aînée qui tendait vers Eden un album d'autographes relié de bleu.

— Les filles de Maggie, que voilà, compléta Sara Jane.

Eden se tourna vers le canapé où les deux femmes étaient assises. L'une, Maggie probablement, arborait un petit sourire ironique, un peu blasé. Elle salua la visiteuse d'un bref signe de tête. Eden éprouva un choc en remarquant que sa voisine n'avait pas de bras : les deux mains étaient directement accrochées à ses épaules. La comédienne conserva son sourire, revint aux enfants.

— Allons, avance, Janie, dit Sara Jane. Fais signer ton album. Après ça, vous partirez.

Eden apposa sa signature, bavarda un instant avec les deux plus petites, avant de se relever. Maggie, à son tour, se mit debout, s'étira, embrassa sa mère sur la joue.

— On va te débarrasser, Maman.

Elle serra la main d'Eden, pendant que les fillettes s'agrippaient aux jambes de leur mère.

*Au cœur de l'hiver,* c'était plutôt audacieux, ajouta Maggie.

Elle gratifia la visiteuse d'un clin d'œil complice, comme si elles étaient les seules, dans la pièce, à pouvoir comprendre ce qu'elle sous-entendait.

— Est-ce que Michael Carey est aussi chaud qu'il en a l'air ?

Eden se mit à rire.

– Désolée de vous décevoir, Maggie, mais je n'en sais vraiment rien.

Sara Jane poussa sa fille de la main.

– Ça suffit, Maggie. Fiche le camp, maintenant. Miss Riley n'a pas de temps à perdre, j'en suis sûre.

Après le départ de Maggie, Eden pris son courage à deux mains pour se tourner vers l'autre femme, restée sur le canapé. Elle était remarquablement jolie, bien que son visage rond commençât à se bouffir comme celui de sa mère.

– Je m'appelle Eden, dit-elle.

Sur le point de tendre la main, elle retint son geste.

– C'est Eleanor, notre fille aînée, présenta Sara Jane. Dis bonjour, Ellie.

Ellie sourit.

– Salut. C'est vous, la belle sorcière ?

Son articulation était difficile, un peu confuse.

– Oui, c'est vrai. Il vous a plu, ce film ?

Ellie hocha la tête. Tom rentrait dans la pièce avec un plateau chargé d'une théière et de biscuits au gingembre.

– Votre maman avait un faible pour Ellie, déclara Sara Jane.

« Vraiment ? » allait dire Eden. Elle se reprit juste à temps.

– Viens, Ellie.

Tom tirait sa fille par l'épaule.

– On va laisser ta maman et Miss Riley un peu tranquilles.

Ellie se leva docilement, suivit son père. Elle traînait un pied, et Eden en eut la gorge serrée.

Après leur départ, Sara Jane émit un énorme soupir, avant de se tourner en souriant vers Eden.

– Prenez un siège, ma chère petite.

Elle désignait le canapé. Eden s'y assit, sortit dans son sac un petit magnétophone. Son hôtesse, qui versait le thé, s'immobilisa, les yeux agrandis.

– Vous allez m'enregistrer ?

– J'aimerais, oui. Ça vous ennuie ?

– Non, je ne crois pas. Je suis contente comme tout que vous vouliez me parler. J'espère pouvoir vous aider.

– Je vous en remercie sincèrement. Je voudrais entendre parler de ma mère de votre point de vue. Kyle est un peu partial.

— Oh, votre mère était une fille charmante, si jolie, si intelligente.

Sara Jane tendit une tasse à Eden.

— En voilà une qui savait écrire... même toute jeune. Ah ça, la façon dont elle savait...

— Mrs Miller, l'interrompit Eden en souriant, vous n'êtes pas obligée de ménager mes sentiments. Ce que je cherche, c'est la *réalité*. A mon avis, personne ne trouvait ma mère charmante. Par ailleurs, je dois vous dire qu'elle tenait un journal depuis l'âge de treize ans, et, ce journal, je l'ai.

Sara Jane écarquilla les yeux.

— Et elle parle de moi, dedans ?

— Oui.

— Oh, Seigneur. Je parierais qu'elle n'avait pas grand-chose de bon à dire de moi.

— Mais il est évident que mon oncle avait un sentiment pour vous.

Sara Jane s'illumina de joie. Sa peau s'empourpra au point qu'Eden crut voir battre le sang juste sous la peau.

— Ainsi, vous voulez connaître la vérité sur votre mère ? Je vais vous la livrer en deux phrases. Votre maman était folle. Et elle était amoureuse de Kyle. Elle était plus intelligente que nous autres, et... eh bien, l'ignorance, c'est quelquefois une bénédiction, vous savez. A mon avis, elle devait payer pour son intelligence.

— Que voulez-vous dire en affirmant qu'elle était amoureuse de Kyle ?

— Elle était attachée à ce garçon bien au-delà de l'affection normale entre frère et sœur, vous comprenez ? Nous étions très liés, Kyle et moi, et...

Sara Jane ferma étroitement le petit bouton de rose de ses lèvres, le tapota du bout des doigts.

— Qu'est-ce que vous savez, précisément ?

— Je sais que vous étiez amants, Kyle et vous.

L'autre se redressa, les yeux agrandis comme des soucoupes.

— Vous, alors, vous n'y allez pas par quatre chemins. Un peu comme votre mère. Elle était capable comme personne de parler carrément. Bon, ce que je voulais dire, à propos d'elle et de Kyle, c'était... Elle voulait tout le temps être avec lui, et il me disait parfois qu'il ne pouvait pas sortir, qu'il devait rester avec elle, comme s'il s'était agi d'une grande malade ou de quelque chose de ce genre.

Elle était rudement jalouse de moi, ça, je le sais. J'ai été si contente quand, finalement, Matt... quand votre père est arrivé : comme ça, elle a laissé Kyle un peu tranquille.

– Comment était-il, Matthew Riley ?

– Il était fait pour votre maman, pour ça, oui. Aussi intelligent qu'elle et il aimait les livres, comme elle. Mais lui, on le respectait, tandis qu'elle, on la trouvait simplement un peu... à côté de la plaque, si vous voyez ce que je veux dire. Quand nous avons su, pour la caverne, on a compris qu'elle était encore plus toquée qu'on l'avait imaginé.

Sara Jane mordit sa minuscule lèvre inférieure.

– Je vous demande pardon, ma chère. Je vous parle très brutalement. Mais vous avez dit...

– Ne vous inquiétez pas. Continuez.

– Naturellement, quand ses livres ont commencé à paraître, on a eu du mal à croire que la fille qui les avait écrits était celle que nous connaissions. Ils étaient merveilleux, mais j'ai mis longtemps à m'en rendre compte. Au début, je ne leur voyais pas un grand avenir, sans doute parce que je détestais Kate. Pourtant, elle avait un bon côté. C'était ce qu'il y avait de plus bizarre, chez elle, et que je n'ai jamais très bien compris. Quand Ellie est née, et que Kate a appris comment elle était, qu'elle a su pour ses mains, elle est venue la voir ici. Nous avions à peu près vingt ans, à l'époque, et elle a fait tout le chemin à bicyclette, depuis Lynch Hollow. Jamais elle n'allait nulle part. Alors, vous imaginez ma surprise quand j'ai ouvert la porte et que je l'ai vue là, sur le seuil. Je ne lui faisais pas confiance pour un sou. Je pensais qu'elle était venue pour faire de méchantes plaisanteries sur ma petite. Mais elle avait des fleurs plein les bras : elle les avait cueillies pour moi. Je l'ai laissée entrer, surtout parce que j'étais trop stupéfaite pour faire autre chose. Elle s'est assise. Elle avait l'air plutôt nerveuse, mais, dans ce temps-là, votre maman... Je crois qu'elle avait cette maladie qui fait qu'on ne peut pas sortir de chez soi, vous savez ?

Eden approuva de la tête.

– Toutes les fois que je la rencontrais dehors, elle avait cette figure, vous voyez : comme un lapin affolé qui s'attend toujours au danger. Bref, la voilà assise là où vous êtes, sur ce canapé. Je lui ai apporté Ellie, et j'étais toute prête à lui dire que, si elle faisait une seule plaisanterie sur mon bébé, j'allais la descendre. Mais elle tenait Ellie dans ses bras et elle avait les yeux pleins de larmes. Elle laissait Ellie s'accrocher à son doigt. Jamais je n'oublierai ça. Personne n'avait jamais fait ça, vous comprenez... jamais joué avec les mains d'Ellie. A part Tom et moi, tout le monde faisait comme si elles n'existaient pas. A mon avis, Kate savait peut-être ce que c'était que d'être différent des autres, vous voyez ? Après ça, elle est revenue une fois ou deux voir Ellie, mais, d'après moi, c'était dur pour elle. Une fois, Kyle l'a amenée, mais Tom... Il ne voulait pas de Kyle à la maison. Il pensait qu'il essayait peut-être de reprendre des relations avec moi.

Sara Jane plissa les paupières, regarda Eden.

— Est-ce que tout ça sera dans le film ? Mes... rapports avec Kyle ? Tom est au courant, bien sûr, mais je ne sais pas comment il le prendrait si le reste du monde devait voir ça. Il n'était pas content, l'année dernière, quand Kyle est revenu ici.

Eden hocha la tête avec sympathie. Elle essayait de ne pas sourire à l'idée que Kyle pourrait représenter une menace pour le mariage de Sara Jane.

— Peut-être devrais-je m'en servir, Mrs Miller : à mon avis, c'est important pour faire comprendre la vie de ma mère.

— Oh, mon Dieu...

Sara Jane tendit la main vers le plateau.

— Il me faut un biscuit.

Elles parlèrent encore un peu. Sara Jane fournit quelques autres anecdotes à propos de Kate et donna les noms des quelques personnes qu'Eden pourrait interroger sur son père au *Coolbrook Chronicle*.

— Vous m'avez été d'un grand secours, dit Eden, en se levant pour partir.

— Quand vous voudrez, ma chère enfant. Ça m'a fait plaisir. Si vous voulez encore parler, revenez me voir. Pas la peine de m'appeler avant.

Sara Jane fit l'effort nécessaire pour s'extraire de son fauteuil.

— Attendez une minute.

Elle disparut dans la cuisine, revint un instant plus tard avec un carton de pâtissier soigneusement ficelé.

— C'est de la tarte meringuée au citron, dit-elle en ouvrant la porte à Eden. A propos, j'admire le travail que vous faites pour ce Fonds d'aide aux enfants handicapés.

J'aurais bien voulu qu'il y ait quelque chose de ce genre-là quand Ellie était petite. Tom et moi, on donne de l'argent tous les ans à votre œuvre.

Émue, Eden lui serra chaleureusement la main.

— Merci.

Sur le palier, elle leva la tête, vit le ciel bleu lutter pour percer les nuages.

— Le temps se lève.

— Il serait temps.

Sara Jane retenait le battant grillagé.

— Comment va votre oncle, Eden ? Je vois Lou assez souvent, mais Kyle ne vient pas beaucoup à la boulangerie.

— Il se porte très bien, je vous remercie.

— C'était un homme à part, votre oncle.

Sara Jane s'empourpra de nouveau.

— Surtout, n'allez pas lui répéter que j'ai dit ça.

# 18

Quand Ben arriva, Eden allumait les bougies parfumées à la citronnelle sur la table de pique-nique. Il s'arrêta d'abord près du barbecue où Kyle attisait les braises, lui tendit une bouteille de cognac.

— En signe de réconciliation, lui dit-il d'une voix contenue.

Kyle lui posa une main sur l'épaule. Eden se demandait ce qui avait bien pu se passer entre eux pour justifier cette offrande de paix. Elle espérait qu'elle-même n'était pas en cause.

Kyle rentra dans la maison pour aller chercher les hamburgers, et Ben s'approcha de la jeune femme. Il pencha la tête vers elle, et elle crut qu'il allait l'embrasser sur la joue, mais il se contenta de murmurer :

— Ne parlez surtout pas du squelette à Kyle. Je lui en ai touché un mot ce matin, et il m'a vivement rembarré.

C'était donc ça.

Il lui effleura le coude.

— Si vous le voulez bien, je vais aller saluer Lou.

Peut-être par intuition, elle s'était gardée de parler du squelette à Kyle. Ce n'était pas tellement ce sujet-là qui était interdit. C'était la caverne elle-même. Kyle, en pleine fureur, avait bloqué l'entrée de la caverne. Il s'était déchargé ainsi de la colère soulevée en lui par la mort de Kate. Eden elle-même n'en gardait aucun souvenir, mais l'histoire avait pris des proportions de légende : Kyle, à lui seul, de ses propres mains, avait engagé le plus gros rocher dans l'ouverture, pendant que les hommes du voisinage le regardaient faire dans un silence stupéfié. Personne ne devrait plus jamais mentionner la caverne devant lui. A cette époque, et dans les années qui suivirent, chacun, tacitement, garda conscience qu'il ne fallait pas ouvrir la bouche sur ce sujet quand Kyle était présent. Avant d'entamer la lecture du journal de sa mère, Eden n'avait que partiellement compris la souffrance causée à Kyle par la perte de sa sœur. Elle ne savait rien du lien qui existait entre eux. Dans l'esprit de Kyle, la caverne était devenue un être vivant, responsable de l'emprise qu'elle avait exercée sur Kate, responsable du fait qu'elle en avait fait sa victime.

— Nous sommes quatre, ce soir, dit Kyle à Ben, pendant le dîner. Vous savez ce que ça signifie, n'est-ce pas ?

Ben saisit immédiatement.

— *Tramposo !* fit-il.

— Il y a si longtemps, dit Lou. Je ne suis pas sûre de me rappeler les règles.

Les deux hommes rirent de ce qui était apparemment une plaisanterie. Ben dut voir l'air intrigué d'Eden.

— C'est un jeu de cartes auquel nous jouions en Colombie, expliqua-t-il. Vous verrez.

Après le repas, ils s'installèrent à la table de la salle à manger pour jouer au *tramposo*. Ben était le partenaire d'Eden. Du regard, du pied sous la table, il trichait sans vergogne, pour lui faire savoir ce qu'il avait en main, quand elle devait jouer, quand elle devait s'abstenir. Au début, elle se sentit mal à l'aise. Elle le dévisageait d'un air incrédule, faisait l'opposé de ce qu'il lui demandait, dans un effort pour mettre un terme à son effronterie. Mais elle finit par se rendre compte que Kyle et Lou trichaient, eux aussi. Cela faisait partie du jeu, un jeu qui ne comportait pas de règles. La tricherie montait de plus en plus, jusqu'au moment où les cartes elles-mêmes n'avaient pratiquement plus d'importance, où tout le jeu se résumait à déterminer quelle équipe était la plus forte à communiquer sans un mot. Il n'était pas question de rivalité. Forts de leur longue expérience, Kyle et Lou, en trichant ensemble, tuaient toute compétition.

Kyle servit à chacun un verre du cognac apporté par Ben et parla à Eden de la première fois où ils avaient joué au *tramposo* avec certains voyous, dans un petit village de Colombie. Il y avait trois équipes : Kyle et Lou, Ben et un autre archéologue, et les deux Colombiens qui faisaient monter les enjeux en menaçant de tuer les perdants.

— Naturellement, ils n'en auraient rien fait, dit Ben,

mais, sur le moment, nous n'en étions pas bien sûrs. Ils cherchaient simplement à nous faire entrer dans l'esprit du jeu. Nous avons triché comme si nos vies en dépendaient.

— Les gens réduits au désespoir prennent des mesures désespérées, fit Lou.

Eden pensait aux rares soirées qu'elle et Wayne avaient passées avec Kyle et Lou. Elle redoutait ces visites, et leur seul souvenir suffisait à lui faire retrouver la brûlure qui lui déchirait la poitrine, la moiteur de ses paumes. Retrouver ces deux membres de sa famille, qui l'avaient recueillie, et qu'elle avait fuis, n'était pas autre chose qu'un devoir. L'atmosphère, en de telles occasions, était toujours gênée, guindée. Jamais, au grand jamais, ils n'auraient joué aux cartes. Chacun, poliment, parlait de sa propre profession : le plus récent projet de Kyle, les tableaux de Lou, les films d'Eden, les causes de Wayne. Des conversations sans vie, sans substance, desséchées comme de vieux ossements.

Cette fois, la soirée avait une qualité toute différente. C'était Wayne et elle, Eden le comprenait maintenant, qui avaient donné le ton à ces visites. Kyle et Lou avaient sans doute ressenti avec la même acuité le malaise ambiant. Elle était jalouse de la camaraderie qui existait entre eux et Ben. Il les traitait comme des *égaux*. Des intimes. Son affection, son admiration pour eux étaient évidentes, sincères. Elle aurait aimé pouvoir exprimer ses sentiments à leur égard avec la même facilité.

— Passons dans la salle de séjour pour goûter à cette tarte que Sara Jane t'a donnée en partant, proposa Kyle.

Lou actionna son fauteuil roulant jusqu'à la pièce voisine.

— Je ne suis pas sûre de vouloir que tu manges une pâtisserie préparée par Sara Jane, Kyle, dit-elle. Si j'en crois Eden, elle a encore un gros béguin pour toi.

— « Gros » est bien le mot qui convient, déclara Kyle en riant, avant d'aller chercher la tarte dans la cuisine.

Eden sortait de la petite armoire vitrée les assiettes à dessert quand Lou entreprit de passer de son fauteuil au canapé. Subitement, le contrôle de la machine lui échappa, et elle tomba sur le sol.

— Lou !

Eden s'élança vers sa tante qui se débattait pour se redresser. Sa jupe était remontée sur ses cuisses, le moignon de sa jambe droite battait l'air. Ben se retrouva tout de suite derrière elle, lui soutint le dos de ses deux mains. Eden ramena la jupe de Lou sur ses genoux, aida Ben à la soulever pour la déposer sur le canapé.

— Que se passe-t-il ? demanda Kyle, du seuil.

Eden ouvrait la bouche pour dire que Lou avait fait une chute brutale, mais Ben prit les devants.

— Lou a simplement glissé de son fauteuil, dit-il.

Il s'assit près de Lou, lui passa un bras autour des épaules.

— Ça va, Lou ? questionna Kyle.

D'un geste de la main, elle le renvoya à la cuisine, mais elle était visiblement secouée. Son visage avait perdu toute couleur, sa main tremblait violemment lorsqu'elle voulut ramener dans son chignon les longues mèches de cheveux poivre et sel. Eden s'agenouilla devant elle.

— Tu es sûre que tout va bien ?

— Mais oui.

Pourtant, la voix même de Lou semblait affaiblie par sa chute.

Ben resserra l'étreinte de son bras, posa ses lèvres sur la tempe pâlie.

— Vous nous avez fait peur, Lou, dit-il.

A côté de Ben, Lou paraissait assez frêle pour se briser sous l'étreinte de son bras.

— Veux-tu un peu de thé glacé ? De la citronnade ? proposa Eden.

— Du thé glacé, murmura l'infirme, au moment où Kyle posait la tarte au citron sur la table basse.

Seule dans la cuisine, Eden se mit à pleurer. Appuyée au réfrigérateur, elle se couvrit le visage de ses mains. Son esprit était obsédé par l'image de Lou étendue sur le sol, par ses jambes qui fouettaient l'air dans un effort désespéré pour se redresser. Oh, Dieu, elle s'était bercée de l'illusion que Lou ne souffrait pas.

— Eden.

Elle se retourna. Kyle était sur le seuil de la cuisine. Il s'avança vers elle.

— Lou va bien, dit-il. C'est sa fierté surtout qui a souffert.

— Tu n'as pas vu ce qui s'est passé, Kyle. Elle a fait une chute très dure. Ben en a parlé d'un ton léger, pour lui éviter d'être embarrassée.

Kyle posa son verre de cognac sur le comptoir.

– Il m'est déjà arrivé de la voir tomber.

– Tu veux dire que ça lui arrive souvent ?

– Plus souvent qu'elle ne voudrait te l'avouer.

– Peut-être lui faudrait-il un autre fauteuil. Le Fonds d'aide aux enfants handicapés pourrait lui en procurer un dans lequel on peut se lever et...

Kyle secoua la tête.

– Son fauteuil est parfait. Il y a longtemps que j'ai renoncé à vouloir la protéger de tout ce qui pouvait lui arriver. Elle ne veut pas de ce genre de sollicitude, Eden.

De nouveau, les yeux de la jeune femme se remplirent de larmes.

– Je ne veux pas la voir souffrir.

Kyle l'entoura de ses bras, et elle ne résista pas. Pendant quelques minutes, elle pleura doucement contre son épaule, tandis qu'il lui caressait le dos. Jamais, depuis ce jour si lointain à l'orphelinat, elle ne lui avait permis de la serrer ainsi contre lui. Elle se demandait s'il la garderait maintenant dans ses bras, s'il connaissait son rôle dans le tragique accident survenu à Lou.

Elle regagna la salle de séjour avec le thé glacé, mais Lou s'était réinstallée dans son fauteuil.

– Je vais me coucher. J'emporte le verre, ma chérie, dit-elle. Je me sens fatiguée, tout à coup. Je lirai un moment.

Kyle poussa le fauteuil roulant jusqu'à la chambre. Ben leva les yeux vers Eden.

– Vous avez pleuré.

Il tendait la main vers la sienne. Elle la prit, l'attira contre sa jambe, et le contact produisit en elle la décharge électrique qu'elle avait connu la veille au soir.

– Oui, un peu.

Elle regarda les parts de tarte sur la table basse, ferma les yeux.

– Je n'ai pas faim.

Ben se leva.

– Moi non plus. Je vais partir. Accompagnez-moi jusqu'à la camionnette.

Dehors, les grillons s'étaient emparés de la nuit. Leur chant montait et descendait en vagues douces. L'air, encore humide de pluie, sentait le chèvrefeuille. Eden en avait le vertige. A moins qu'elle ne fût ivre. Elle n'en savait trop rien, et peu lui importait. Lorsqu'ils atteignirent la camionnette, Ben tourna la jeune femme vers lui, la prit en sandwich entre son corps et le véhicule.

– J'ai attendu ce moment toute la soirée, dit-il.

Il baissa la tête pour l'embrasser. Elle ouvrit les lèvres, sentit la saveur du cognac sur la langue de son compagnon. Quand, enfin, il s'écarta d'elle, elle n'avait plus de souffle. Ses poumons luttaient pour aspirer l'air humide, compact.

– Reprenez haleine, avant que nous recommencions, murmura-t-il en souriant.

Elle laissa retomber sa tête contre le froid métal de la camionnette. Les mains de Ben glissèrent de son dos jusqu'à ses hanches. Elles remontèrent lentement, jusqu'au moment où les pouces vinrent s'immobiliser tout près des seins d'Eden, et elle faillit gémir, tant la tenaillait le désir d'obtenir davantage. Elle sentait contre elle l'érection de son compagnon, dure mais sans insistance. Elle se pressa contre lui. Il reprit brièvement, brutalement son souffle, laissa ses mains redescendre sur les fesses d'Eden. Saisie d'abord par l'intimité du geste, elle y prit aussitôt plaisir, lorsqu'il l'attira plus étroitement encore contre lui. Elle sentait les jambes lui manquer. Elle ferma les paupières, laissa sa tête s'emplir du chant des grillons.

– Je suis un peu ivre, je crois, dit-elle. Je ne suis plus responsable de ce que je fais.

Il se mit à rire.

– Vous savez très précisément ce que vous faites. Votre corps est très éloquent.

Mais il s'écarta d'elle, la tête d'abord, puis les mains et enfin les hanches, fit un pas en arrière.

– Il faut que nous parlions. Sérieusement.

– Je ne vois pas pourquoi.

– Vous voulez savoir ce qui a mis fin à mon mariage et vous en avez le droit, avant que nous... avant que les choses aillent plus loin entre nous.

Elle secoua la tête.

– J'y ai réfléchi, Ben. Je ne vois pas pourquoi je devrais connaître votre passé, sinon ce que vous voudrez bien m'en confier. C'est moi qui me sentirais plutôt obligée de vous parler sérieusement. Il faut que vous compreniez que je vis dans un monde à part et que je m'y retrouverai à la fin de l'été.

Une vision se présenta brutalement à son esprit : Michael et Nina, dans sa salle de séjour à Santa Monica. Ils parlaient fort, la tiraillaient d'un côté et de l'autre. Elle sentit nettement monter la nausée.

– Quoi qu'il puisse se passer entre nous cet été, cela devra prendre fin.

Elle ne parvenait pas à déchiffrer l'expression de son visage. Il finit par hocher légèrement la tête, avec un petit sourire.

– D'accord. Mais, si vous changez d'avis, s'il vous prend l'envie d'en savoir plus sur moi...

Le sourire s'élargit.

– ... ou si vous ne voulez plus que tout finisse avec l'été, faites-le-moi savoir.

Il se pencha vers elle pour la gratifier d'un petit baiser rapide, avant de monter dans la camionnette et d'attirer la main de la jeune femme par la vitre ouverte.

– Dites à Lou qu'elle ferait bien de ne plus boire de ce brandy. Et dites-lui aussi que je l'aime.

Ses dix doigts se refermèrent sur ceux d'Eden.

– Il devrait de nouveau pleuvoir demain. Aimeriez-vous faire quelque chose ? Une promenade ? Fouiller chez les bouquinistes ?

Elle éprouva soudain la sensation d'un danger : il était suspendu dans l'atmosphère comme un parfum qui se mêlait à celui du chèvrefeuille. Sa déclaration cavalière à propos de son départ à la fin de l'été avait peut-être convaincu Ben. Pas elle. Elle secoua vivement la tête.

– Je dois travailler à mon scénario.


Lou était seule dans la chambre quand Eden passa la tête par l'entrebâillement de la porte.

– Je voulais m'assurer que tout allait bien.

– Entre, ma chérie.

Lou tapotait le bord de son lit. Elle avait retrouvé ses couleurs. Soutenue par deux oreillers, elle tenait un livre entre ses mains. Ses cheveux abondants retombaient tout droits sur les épaules de sa chemise de nuit jaune pâle. Lorsqu'ils n'étaient pas noués en chignon, ils lui donnaient l'apparence d'un vieux sage plein d'expérience.

Eden s'assit sur le lit.

– Tu as bien meilleure mine.

Lou lui prit la main.

– Je me sens tellement idiote quand je fais des sottises de ce genre. Oublier de bloquer mon fauteuil roulant. Après tout ce temps, on pourrait penser que ce serait chez moi une seconde nature. C'est mon cerveau qui me cause des problèmes, Eden, pas ma jambe.

Eden tenait la main de Lou comme Ben avait tenu la sienne, un moment plus tôt : ses doigts enveloppaient ceux de Lou en un geste protecteur.

— Tu essaies d'apaiser mon sentiment de culpabilité, je le sais. Mais c'est impossible. Je me sentirai à jamais coupable. J'emporterai cette culpabilité dans la tombe.

Lou la dévisageait. *Elle ne parvient pas à croire que je puisse parler de l'accident,* pensa Eden.

— Ben m'a chargée de te dire qu'il t'aime, ajouta-t-elle. Et je t'aime, moi aussi.

Kyle pénétra subitement dans la chambre. Eden leva les yeux, vit sa surprise de la trouver là.

— J'interromps quelque chose, fit-il.

— Nous bavardions un peu, c'est tout, répondit Lou.

Ses yeux bleus s'étaient embués. Elle battit des paupières pour s'éclaircir la vue, avant de sourire à Eden en lui pressant la main.

Kyle était debout près du lit, les mains sur les hanches.

— Je n'avais pas entendu Ben rire autant depuis des années, déclara-t-il.

Lou approuva d'un signe de tête.

— Et je ne crois pas avoir jamais vu cette expression particulière sur ton visage, Eden.

— Quelle expression ? demanda la jeune femme.

— Ce regard *affamé,* répondit Kyle à la place de sa femme.

Tous deux se mirent à rire.

Eden sentit ses joues s'empourprer.

— C'était tellement évident ?

— Oui. Mais il n'est pas moins évident que Ben partage tes sentiments, dit Lou.

Kyle exhala un long soupir.

— Je ne veux gâcher en aucune façon ce qui vous rend heureux l'un et l'autre. Je ne te dirai plus un mot à propos de Ben.

Eden fut surprise de constater que ses paroles ne lui apportaient aucun soulagement. Elle se sentait plutôt abandonnée.

Kyle baissa les yeux sur sa femme.

— Comment te sens-tu ?

— Très bien.

Lou semblait très sûre d'elle-même.

Son mari se pencha sur elle, lui posa les mains sur les épaules. Il la baisa sur les lèvres, et Eden se leva. Elle avait déjà vu son oncle et sa tante manifester leur affection l'un pour l'autre, mais jamais ces démonstrations ne l'avaient troublée comme ce soir-là. La semaine écoulée l'avait amenée à voir en Kyle autre chose que l'homme solide et tout simple pour lequel elle l'avait toujours pris. *C'était un homme à part, votre oncle.* Il avait été dans le temps un amant passionné. Peut-être l'était-il encore. Elle comprit, au regard que Lou posa sur lui quand il se redressa, qu'ils étaient toujours amants. Cette nuit-là, après sa mésaventure, Lou trouverait le réconfort dans ses bras.

# 19

Le lendemain matin, comme l'avait prévu la météo, il pleuvait. Ben regarda sa montre. Sept heures et demie. Sept heures et demie, un samedi matin. Il se rappela de lointains samedis matin, lorsqu'il se levait pour trouver Bliss installée devant la télévision, un bol de céréales sur les genoux, en train de regarder des dessins animés. Pourquoi n'y avait-il pas songé plus tôt ? Peut-être serait-elle la seule personne déjà levée à cette heure matinale.

Il attrapa le téléphone, le posa près de lui, sur le lit. Il resta une minute à réfléchir car il lui semblait soudain qu'il avait de bonnes chances de l'avoir au bout du fil. Elle allait répondre, et... que se passerait-il, s'il lui parlait ? Il pourrait tout bonnement lui dire qu'il l'aimait, qu'il ne l'avait pas oubliée. Elle ne comprenait certainement rien à sa disparition. Quelles explications avait-on bien pu lui donner ? Il pourrait lui dire... Mais, s'il lui parlait, ce serait la fin de tout, non ? Que se passerait-il ? On le remettrait en prison ? On lui donnerait un avertissement ? Ça valait bien un avertissement. Il composa le numéro. Son cœur battait jusque dans ses entrailles.

Quelqu'un décrocha. Il se redressa dans son lit. Il entendit un cliquetis métallique, le bourdonnement d'une bande magnétique qui se mettait à tourner.

*Le numéro que vous avez demandé n'est plus en service actuellement. Votre correspondant a demandé un numéro sur liste rouge.*

Il refit le numéro, pour être certain d'avoir bien compris. Oui.

Il s'allongea de nouveau. C'était le coup de grâce. Il était maintenant définitivement coupé de sa fille.

Si quelqu'un, au cours des cinq dernières années, lui avait demandé ce qui était le plus important pour lui, il n'aurait même pas eu besoin de s'interroger pour donner une réponse. Rien... ni sa carrière, ni sa réputation, ni ses amis, ni même – bien qu'il eût certainement hésité à l'avouer – son mariage... rien ne pouvait se comparer à son attachement pour Bliss. Lui-même s'était demandé s'il lui était trop attaché. S'il devait lui arriver quelque chose, il n'était pas certain de la manière dont il réagirait à sa perte.

La joie que lui procurait Bliss avait été pour lui une surprise. Sharon et lui, au début de leur mariage, avaient mis l'accent sur leur carrière, et ils s'en trouvaient bien. Quand Sharon avait suggéré d'avoir un enfant, l'idée l'avait laissé indifférent.

– Je suis trop souvent obligé de voyager, avait-il dit.

– Je comprends très bien, avait répondu Sharon. Je ne te demanderai pas de faire la moitié du travail. Tu pourras être de ces papas qui rentrent à la maison pour les week-ends. Tu pourras t'amuser avec l'enfant pendant que je me chargerai de moucher le nez qui coule et d'enseigner les bonnes manières.

Sur ces bases, ils se lancèrent donc dans la conception d'un bébé, mais quelque chose changea. Ben prit conscience de la transformation qui s'opérait en lui quand Sharon fut enceinte. Toutes les fois qu'il rentrait de voyage, il trouvait son corps différent. Les émotions de la jeune femme passaient de l'enthousiasme à la dépression, et il se sentait coupable de ne pas être avec elle quand elle était au plus bas de la courbe, quand elle lui décrivait les mouvements de l'enfant dans son ventre, tard le soir. Elle prenait des précautions, il le savait, pour lui parler de ces choses : elle avait conclu avec lui un accord et tenait à le respecter. Elle n'en fut pas moins ravie, le jour où il décida d'arrêter pour un temps ses expéditions et d'enseigner, afin d'être plus près de chez lui. Il accepta un poste à l'université juste avant la naissance de Bliss.

En fait, le marché qu'ils avaient conclu fut l'antithèse de la réalité vécue. Son emploi du temps à l'université laissait à Ben plus de temps à la maison que n'en avait Sharon. (On avait fait valoir cet argument, durant le procès, on avait insisté sur tout le temps qu'il passait seul avec sa fille, sur le fait qu'il s'était délibérément arrangé pour avoir tous ses loisirs à lui consacrer.) A mesure que grandissait sa confiance en Ben pour s'occuper de Bliss, Sharon assuma de plus en plus de responsabilités à l'école privée où elle enseignait. (Par la suite, elle se le reprocha. « Est-ce moi, Ben, qui t'ai poussé à agir ainsi ? Peut-être ces penchants existaient-ils déjà en toi, mais, si j'avais été là plus souvent, sans doute n'y aurais-tu pas cédé. ») Quand Bliss était malade, c'était généralement Ben qui prenait un congé. C'était lui qui préparait les repas de l'enfant, la faisait manger, lui donnait son bain. (« En fait, avait dit le procureur, votre femme était absente la majeure partie du temps, et votre petite fille représentait toute la compagnie dont vous pouviez jouir. Elle prenait, n'est-ce pas, la place de votre femme ? »)

En matière de discipline, il ne valait strictement rien. Tout ce que faisait Bliss lui paraissait charmant. Lorsqu'il devait la réprimander, il avait du mal à maîtriser un sourire. Et elle le savait. A la plus grande exaspération de Sharon. « Si tu la laisses faire maintenant, elle sera indomptable à l'adolescence », avait-elle déclaré. Mais il ne voyait pas la nécessité de reprendre Bliss sur toutes les petites bêtises. Mieux valait réserver les sermons pour les cas graves. En fait, lorsqu'elle était avec lui, elle n'avait guère besoin d'une discipline sévère. Ses accès de colère, elle les réservait souvent à Sharon, qui la mettait en travers de ses genoux pour lui donner une fessée, ce que Ben trouvait barbare. Tout cela, durant le procès, on le leur arracha, à Sharon et à lui. On examina tout dans le moindre détail. Il avait traité Bliss, lui dit-on, plus en adulte qu'en enfant. C'était ridicule, répliqua-t-il. Il prenait soin d'elle, il la protégeait. Simplement, il se refusait à lui parler en bêtifiant. Parfois, les avocats essayaient de présenter la situation sous la forme d'une guerre entre Sharon et lui. Mais ce n'était pas cela. Il n'en voulait pas à Sharon : il était seulement blessé qu'elle refusât de le croire. Il la défendit quand son propre avocat voulut dépeindre la jeune femme sous l'aspect d'une mère toujours absente, incapable. Et jamais, pas une seule fois, Sharon ne fit contre lui une déclaration susceptible de l'incriminer. Mais, au tribunal, leurs paroles à tous deux étaient déformées, au point qu'ils se mirent à se considérer comme des ennemis. Même s'il avait été acquitté, Ben ne pensait pas que leur mariage aurait survécu à l'épreuve du procès...

Ben reprit le téléphone, composa un autre numéro. Au

cours des six derniers mois, l'appareil était devenu sa ligne de sauvetage. Son frère répondit à la deuxième sonnerie.

— Je t'ai réveillé ? demanda Ben.

— Pas tout à fait, répondit Sam. Que se passe-t-il ?

— Sharon a fait changer son numéro de téléphone ?

— Oui. Jeff a insisté. C'était toi qui appelais ?

— De temps en temps. Pas suffisamment pour qu'il ait pris le mors aux dents.

— Il le prend facilement quand tu es le sujet de conversation. C'est vraiment un peigne-cul.

— Tu dis ça pour me faire plaisir, je le sais, mais ça ne marche pas. Ma fille vit avec lui, rappelle-toi. J'aimerais pouvoir me dire que ce n'est pas un pourri.

Sam se mit à rire.

— Bon, c'est entendu. Je lui accorde ça : ce n'est pas un pourri.

— Écoute, je veux te dire quelque chose, mais c'est confidentiel. Jen est là ?

— Non. Elle jardine.

— Je fréquente... enfin, plus ou moins... Eden Riley.

— *Quoi ?* Qu'est-ce que tu entends par « plus ou moins » ? Elle est en visite chez Kyle ? Est-elle au courant... ?

Ben sourit.

— Doucement. Elle passe l'été chez Kyle parce qu'elle envisage de faire un film sur sa mère et qu'elle a besoin de se documenter. Je l'ai donc vue plusieurs fois.

— Précise « vue » ?

— Je suis sorti avec elle. J'ai parlé avec elle. Je l'ai embrassée.

— Merde, Ben, espèce de salaud !

Sam riait.

— Eden Riley ! Et son petit ami... comment s'appelle-t-il déjà ? Ce type avec qui elle faisait l'amour dans son dernier film ?

— Je ne pense pas qu'elle soit passionnément attachée à lui. Qui plus est, nos relations ne dureront pas au-delà de l'été.

Il devait se le remémorer sans cesse.

— Elle est au courant, pour Bliss ?

— Elle sait qu'il y a un problème. Elle ignore lequel et elle n'a pas l'air de s'en soucier.

— C'est une femme faite pour toi. Est-elle aussi collet monté qu'elle en a l'air à l'écran ?

162

– Non, je ne la trouve pas du tout collet monté.

Il se rappelait la pression insistante des hanches d'Eden contre les siennes, la veille au soir. En évoquant ce souvenir, il sentit son pénis se durcir.

– Elle me fait de l'effet, dit-il en riant.

– Alléluia ! Profites-en, vieux frère. Mais... Je m'en veux d'apporter une note grave dans cette belle histoire, mais ne te fais pas avoir, hein ? Pour moi, sinon pour toi. Je ne me crois pas capable de supporter d'autres traumatismes pour ton compte.

– Pas un mot à qui que ce soit, Sam. Pas même à Jen.

Après cette conversation avec Sam, il se sentait plus courageux. Au point qu'il appela Eden pour lui demander si elle avait changé d'avis et si elle aimerait sortir ce jour-là. Il avait l'intention de se rendre à Belhurst, afin d'acheter, pour l'anniversaire de Kim Parrish, des meubles destinés à sa maison de poupée. Elle serait ravie de l'accompagner, répondit Eden. Sans trop savoir pourquoi, il ne s'étonna pas de ce revirement. Elle était debout depuis des heures, poursuivit-elle, et elle avait bien avancé dans son scénario. Mais Kyle venait de lui confier un autre cahier, et elle avait envie de lire un moment. Onze heures, serait-ce trop tard ?

Onze heures, ce serait parfait.

Ben sortit de son lit, enfila son short, ses tennis et quitta la cabane pour aller courir une bonne heure sous la pluie.

# 20

7 mars 1945

La semaine dernière, la mère de Matt a contracté une pneumonie et, mardi, elle est morte. Matt se sent coupable parce qu'il pense qu'il aurait dû la faire admettre plus tôt à l'hôpital, mais, de l'avis du médecin, ça n'aurait rien changé.

Hier soir, Matt m'a demandé de venir chez lui pour l'aider à tout ranger. Il n'y avait pas grand-chose à faire, mais sans doute ne voulait-il pas être seul pour trier les affaires de sa mère.

Depuis qu'elle était alitée, elle s'était mise à lire des magazines. Je me suis assise sur le canapé dans la salle de séjour et j'ai essayé de lire *Life*, mais je me sentais vraiment mal à l'aise à l'idée que je me trouvais dans la maison d'une morte. Matt était dans la chambre de sa mère, mais j'étais incapable de l'y rejoindre.

Au bout d'un moment, il est entré dans la salle de séjour, il s'est assis à côté de moi, et j'ai vu qu'il avait pleuré. Matt pleure très facilement.

– Je voudrais te donner ça, m'a-t-il dit.

Il m'a mis quelque chose dans la main. C'était un pendentif ovale, peint en blanc, avec une fleur mauve au centre. La plus jolie chose que j'aie jamais vue.

– Elle le portait très souvent, et ce pendentif m'a toujours fait penser à toi, parce qu'il ne représente qu'une fleur, solitaire.

Il m'a repris le bijou pour l'attacher à mon cou. Il était si près de moi que je distinguais l'ombre de barbe qui avait repoussé depuis la dernière fois qu'il s'était rasé.

Brusquement, il s'est penché vers moi et m'a embrassée sur les lèvres. Vivement, j'ai détourné la tête.

– Kate ? a-t-il dit.

– Ne fais pas ça.

Je savais que je devais lui expliquer ma réaction. Alors, je lui ai tout dit : j'ai de l'affection pour lui, je l'aime même, d'une certaine façon, mais je ne suis pas amoureuse de lui. Je ne suis pas prude, lui ai-je dit. Je ne crois pas qu'on doive être marié avant de faire l'amour. Mais je suis convaincue qu'on doit être au moins amoureuse de son partenaire.

Après cette déclaration, Matt m'a dit :

– Mais je voulais seulement t'embrasser.

– Si nous nous embrassions, tu pourrais croire que je suis amoureuse de toi.

– Tu as été très claire là-dessus : tu ne l'es pas.

Il avait l'air triste, et je m'en voulais terriblement. J'avais pensé que nous nous comprenions, Matt et moi, que nous étions des amis, et que chacun n'en attendait pas davantage de l'autre.

– Je vais te ramener chez toi, a-t-il dit.

– Je peux rentrer toute seule, ai-je répondu.

J'avais envie de sortir de cette maison. Elle avait subitement tout changé entre nous. Avant que j'y aie mis les pieds, nous étions de bons amis, nous pouvions nous dire n'importe quoi. Maintenant, nous étions incapables de nous regarder en face. Je me suis tournée vers la porte. Tout à coup, il m'a entourée de ses bras, par derrière.

– Kate... ne me laisse pas seul ici, je t'en prie.

Il m'embrassait la nuque, sous mes cheveux.

Je suis restée parfaitement immobile. Au bout d'un moment, il m'a lâchée, il est entré dans la chambre de sa mère, a refermé la porte sur lui.

Je suis sortie de la maison et j'ai couru jusqu'à la caverne, tout en pleurant. Une fois arrivée, il m'a fallu très, très longtemps pour retrouver mon souffle.

Aujourd'hui, je me sens très mal. Je me suis réveillée avec des nausées, et je sais que c'est parce que j'ai rendu Matt malheureux. J'aurais dû le prendre dans mes bras, le consoler, mais j'ai eu peur qu'il ne recommence à vouloir m'embrasser. Pourquoi a-t-il fallu qu'il essaie de me retenir si près de lui ? Il a gâché notre amitié. Je voudrais que Kyle soit là pour lui parler de tout ça parce que je ne sais vraiment pas quoi faire.

*12 mars 1945*

Matt n'est pas revenu à la caverne depuis la mort de sa mère. Après Kyle, il est mon ami le plus cher (et le seul), et il me fait cruellement défaut. L'autre soir, je le sais, il cherchait seulement un peu de réconfort. Il n'aurait pas essayé de m'en demander davantage. Mais j'ai si peur de me trouver trop proche d'un autre être humain que j'ai été forcée de le tenir à distance. Je ne cesse de penser à ce que cette soirée a dû être pour lui, lorsqu'il s'est senti abandonné par sa mère et repoussé par moi.

Matt a besoin d'une amitié plus généreuse que celle que je suis capable de lui offrir. Il mérite une amie meilleure que moi. Peut-être ne devrais-je plus lui permettre de venir ici. Je devrais l'obliger à sortir, à fréquenter d'autres gens.

*13 mars 1945*

Hier soir, Matt est venu à la caverne, au moment précis où j'écrivais dans mon journal. Il est entré, il s'est assis dans le fauteuil à bascule et il m'a dit :

— Tout doit se passer précisément comme tu le désires, n'est-ce pas, Kate ?

— Je ne sais pas ce que tu veux dire, ai-je répondu.

Il a secoué la tête.

— Ça ne fait rien.

J'avais envie de lui demander pardon, de lui dire combien j'ai d'affection pour lui, combien je regrettais de l'avoir fait souffrir. J'ai cherché les mots qui convenaient, mais sans les trouver. Alors, finalement, je lui ai tendu mon journal, ouvert à la page que je venais d'écrire, et je lui ai permis de la lire. Je ne pouvais penser à un meilleur moyen de lui faire connaître mes sentiments.

Tandis qu'il lisait, je me sentais nue, plus encore que le soir de Noël, quand j'avais ouvert mon manteau dans sa voiture.

Quand il a relevé la tête, ses yeux étaient mouillés de larmes.

— Je ne vais pas te supplier de m'aimer, Kate. Mais, je t'en prie, ne me dis pas que je ne peux plus venir ici. Laisse-moi le choix.

Nous nous sommes donc installés. Il a lu, j'ai écrit, comme s'il ne s'était jamais rien passé.

*2 juin 1945*

Aujourd'hui, j'ai reçu mon diplôme, et, lors de la cérémonie, Sara Jane a annoncé qu'elle épouserait Tommy
Miller en juillet. J'ai écrit à Kyle une lettre aussi tendre
que je l'ai pu.

*14 août 1945*

Aujourd'hui, les Japonais ont capitulé, et nous avons
reçu la nouvelle que Kyle rentrait à la maison !

*21 août 1945*

J'ai cousu ensemble dix des histoires que j'ai écrites
durant cette longue année et je leur ai fait une couverture,
si bien qu'on dirait presque un vrai livre que je donnerai à
lire à Kyle. Plus que deux jours jusqu'à son retour. J'ai
aussi dans une boîte les pointes de flèches que je lui mon-
trerai. Je suis tellement énervée que je n'en dors plus, et
c'est à peine si je mange assez pour rester en vie. Susanna
et moi, nous faisons provision de tout ce qu'il aime. Matt
lui a choisi quelques chemises neuves, et Papa a acheté du
champagne.

*23 août 1945*

Je suis dans un état terrible. Susanna, Papa, Kyle et
Matt sont tous à la maison pour fêter le retour de Kyle, et
moi, je suis ici, toute seule, dans la caverne. J'ai plus
envie de pleurer que d'écrire. En fait, je fais les deux à la
fois.

Kyle est arrivé il y a seulement quelques heures, au
moment où le soir tombait. Nous ne l'attendions pas si tôt,
et j'écrivais dans la caverne, dans un effort pour
m'occuper afin de calmer mes nerfs. Tout à coup, j'ai vu
sa silhouette se découper à l'entrée de la grande salle. Il
était encore en uniforme, grand, superbe, et j'ai senti mes
bras devenir réellement douloureux. La souffrance, je le
savais, ne s'apaiserait que lorsque je l'aurais serré contre
moi.

J'ai bondi de ma chaise pour me précipiter vers lui,
mais il a tendu les bras en avant pour arrêter mon élan.

– Bon Dieu, Kate, a-t-il dit, que diable fais-tu encore
dans cette caverne ?

Je me suis immobilisée et j'ai essayé de déchiffrer son

expression, mais il faisait trop sombre. J'ai cru qu'il plaisantait, j'ai voulu de nouveau me jeter vers lui, mais, cette fois, il m'a attrapée par le bras.

– Tu m'avais promis de l'abandonner, a-t-il repris.

– Mais j'aime écrire ici.

Je me sentais coupable.

– Bon sang, qu'est-ce que tu peux bien avoir, Kate ? C'est de la folie. Tu m'entends ? C'est de la folie ! Tu as dix-huit ans, bon Dieu. Tu es une femme, pour l'amour du ciel.

Il a ramassé le livre de nouvelles que j'avais relié pour lui et il l'a jeté à travers la caverne, dans l'obscurité.

– Au diable tes écrivasseries !

Là-dessus, il m'a saisie par les épaules, et j'ai cru un moment qu'il allait me tuer : son entraînement militaire l'avait peut-être détraqué au point qu'il ne pouvait plus s'arrêter de tuer ou de torturer. Jamais de ma vie je n'avais eu aussi peur.

– Je ne suis pas l'ennemi, ai-je balbutié.

Il m'a lâchée si brusquement que j'ai failli tomber.

– J'espérais que tu aurais grandi, depuis l'année dernière, a-t-il dit.

Il a tourné les talons et il a quitté la caverne.

J'ai attendu. Je pensais qu'il allait se calmer, revenir. Ne le voyant pas, je me suis faufilée, à travers la forêt obscure, jusqu'à la maison. Je me suis approchée juste assez pour les voir tous les quatre dans la cuisine. Je me demandais où Papa et Susanna me croyaient. Je voyais distinctement le visage de Kyle. Il a l'air d'avoir vieilli de plusieurs années. Nous avons presque le même âge, mais lui, c'est un homme, maintenant. Son menton est devenu plus carré, plus ferme, et il ne reste plus rien d'enfantin dans sa figure. J'avais l'impression d'avoir dix ans, pendant que je les épiais ainsi. Finalement, j'ai repris le chemin de la caverne.

Pour la première fois, j'arrive à comprendre comment un être peut se sentir assez vide pour se tuer. J'ai pitié de ma pauvre maman et de sa sœur qui ont eu si longtemps ce sentiment.

*24 août 1945*

La nuit dernière, j'ai attendu que tout fût éteint dans la maison pour rentrer. J'ai bien songé à passer la nuit dans la caverne, mais je ne supportais pas l'idée de rester si loin de Kyle, qu'il désirât ou non m'avoir près de lui. Tout était silencieux, quand j'ai traversé à pas de loup la cuisine et le couloir. En arrivant dans notre chambre, j'ai découvert que Kyle n'était pas dans son lit. Je suis passée dans le salon. Il était là, endormi sous une couverture sur le canapé. Je l'ai contemplé un instant, avant d'aller retrouver mon lit pour y pleurer de tout mon cœur.

J'ai fini par m'endormir. Quand je me suis réveillée, il faisait encore nuit dehors. Kyle, assis au bord de mon lit, me tenait la main. Quand il a vu que j'avais les yeux ouverts, il m'a dit :

— Je me tourmente pour toi, Kate. Je regrette d'avoir réagi comme ça, hier au soir, mais ce qui m'a aidé à supporter toute cette année, c'est de penser que tu menais une vie normale, comme les autres filles de ton âge. Quand je t'ai vue dans cette caverne, j'ai...

Il secoua la tête.

— Le monde extérieur existe, Kate. Il faut que je trouve le moyen de te faire sortir de là.

J'avais l'impression d'être un fardeau pour lui. Je me suis redressée, adossée au mur.

— Tu n'as pas besoin de te tourmenter pour moi. Je suis heureuse comme je suis.

Il n'a pas eu l'air de me croire. Il a un peu changé de position sur le lit, afin de s'adosser au mur, lui aussi. Il lui faut des pyjamas neufs. Celui qu'il portait est maintenant bien trop petit pour lui.

— Pourquoi couches-tu dans le salon ? lui ai-je demandé.

— Nous ne pouvons plus dormir dans la même chambre. Les types de mon âge ne partagent pas une chambre avec leur sœur. Ce n'est pas normal.

— C'est idiot, affirmai-je. Nous l'avons fait pendant des années, et ça allait très bien.

— Non, ce n'est pas bien. Ça ne se fait pas. Je resterai sur le canapé.

J'ai décidé de ne pas discuter avec lui sur le moment. Dans quelques jours, me disais-je, il redeviendrait lui-même, il retrouverait une tournure d'esprit plus normale. Nous avons parlé encore un moment. Subitement, il m'a dit :

— Kate, te rends-tu compte que je suis rentré beaucoup plus tôt que prévu ?

— Eh bien, la guerre est finie.

– Oui, mais on ne part pas le lendemain du jour où la guerre s'arrête. J'ai été libéré par anticipation. Ce qu'on appelle une libération médicale.

Mon cœur a failli cesser de battre.

– Tu as été blessé ?

Il me massait la main lentement, fortement, comme pour faire disparaître une crampe de mes doigts.

– Ce que je vais te dire doit rester entre toi et moi, d'accord ? Tu ne le répéteras à personne ? Pas même à Matt ?

– Non, ai-je murmuré.

– Ils m'ont libéré parce que j'ai fait une dépression.

Il baissait les yeux. Je ne comprenais pas bien ce qu'il me disait, mais je voyais qu'il en avait honte.

– Que veux-tu dire ?

– Tu n'as pas idée de ce que c'est, Kate. J'ai *tué* des hommes. La première fois, j'ai eu du mal, mais, après, c'est devenu plus facile. On commence à se dire : « C'est lui ou moi, et du diable si ce sera moi. » Ça fait peur, la façon dont c'est devenu si facile. J'ai commencé à faire des cauchemars. Quelquefois, c'était à propos de ce que je voyais dans la jungle et, parfois, à propos de Maman, la nuit où... tu sais. Les cauchemars sont devenus si terribles qu'on a fini par m'envoyer à l'hôpital, mais je ne m'y sentais pas beaucoup mieux. Finalement, l'armée s'est dit qu'un dingue comme moi ne lui servait pas à grand-chose, et on m'a renvoyé chez moi.

– J'en suis bien heureuse, lui ai-je dit. Et tu n'es pas un dingue.

– Je continue d'avoir peur de m'endormir, le soir.

Je me suis écartée de lui.

– C'est pour ça que tu ne veux plus coucher ici ? Tu as peur de me réveiller par un cauchemar ?

Il a souri. C'était la première fois que je le voyais sourire depuis son retour.

– Non. Nous ne coucherons plus dans la même chambre. Point final.

Son sourire s'effaça.

– Tout le temps que j'ai passé à l'hôpital, je pensais à toi. Tous ces médecins s'évertuaient à me faire parler, ils me regardaient comme si j'étais fou. Moi, je pensais qu'il existait une seule personne au monde à qui je pourrais vraiment raconter certaines choses, une seule personne qui me garderait son affection, que je fusse fou ou non.

Tu m'as tellement manqué, Kate. Je ne veux plus jamais être si loin de toi.

– Eh bien, te voilà de retour, lui dis-je. Tu es en sécurité. Pas d'endroit plus sûr que Lynch Hollow.

Bien contre mon gré, il est reparti dormir dans le salon, et, ce matin, au petit déjeuner, il souriait. Pour la première fois depuis des mois, a-t-il dit, il avait bien dormi.

Eden trouva Kyle dans la resserre. Sans rien dire, elle s'immobilisa un moment sur le seuil, pour l'observer. Assis, il lui tournait le dos, sa tête penchée nimbée par la lumière d'une lampe de bureau. Elle comprit qu'il peignait les minuscules numéros d'identification sur les fragments de poterie. Des morceaux déjà marqués couvraient trois longues tables de bois qui occupaient presque tout l'espace dans la petite resserre.

– Kyle ?

Le vieux fauteuil de bois craqua lorsqu'il se retourna vers elle.

– Entre.

Il lui désigna un siège, de l'autre côté de la table la plus proche.

Elle s'assit. Il faisait frais, dans la pièce. Pas assez, cependant, pour l'obliger à croiser étroitement les bras sur sa poitrine, comme elle le faisait. Kyle revint à sa tâche, et elle suivit le mouvement de la main sûre qui peignait les chiffres sur un tesson. La lampe faisait briller la monture en argent des verres qu'il portait pour ce genre de travail minutieux. Elle attendit pour parler qu'il relevât la tête.

– Je ne savais pas que l'armée t'avait accordé une libération anticipée, Kyle.

– Peu de gens le savent.

Il posa son pinceau, écarta de quelques centimètres son siège de la table.

– Je l'ai finalement dit à Matt, une semaine ou deux après mon retour. Matt avait une manière bien à lui de vous faire croire que vous étiez équilibré, même si vous ne l'étiez pas. Tu pouvais lui raconter ce que tu avais fait de plus dingue, il réagissait comme si tu lui parlais de la pluie et du beau temps. Et je l'ai dit aussi à Lou, naturellement. Mais je ne crois pas qu'une seule autre personne le sache.

– Veux-tu que je n'en parle pas dans le film ?

Kyle se mit à rire.

— C'est le genre de truc dont on a honte à dix-huit ans, pas à soixante-quatre. Peu m'importe, maintenant, qui pourrait le savoir, mais, en ce temps-là, je croyais que je devenais fou... que j'avais hérité de ma mère certains gènes de loufoquerie.

Il ôta ses lunettes.

— Tu comprends, d'un côté, j'étais furieux contre Kate, parce qu'elle n'avait pas abandonné sa caverne. D'un autre côté, je l'enviais. Mon seul désir, alors, c'était de me cacher, de ne plus avoir à affronter ce qui se passait dans le monde. Mais on me considérait comme un garçon stable, équilibré. Kate pouvait s'isoler dans une caverne sans en subir les conséquences. Moi, non.

Il souriait à la jeune femme. Soudain, il se redressa, les yeux fixés sur le cou d'Eden. Quand il reprit la parole, ce fut d'une voix attendrie.

— Je n'avais pas vu ça depuis bien longtemps.

Elle effleura de ses doigts le pendentif.

— C'est la première fois que je le porte.

Secoué d'un léger frisson, Kyle reprit son pinceau.

— Ça m'a fait un petit choc de te voir avec. Tu ressembles déjà tellement à Kate.

Eden souleva l'un des plus gros fragments de poterie, posé sur la table, devant elle. Elle en caressa la surface lisse.

— Kyle, dit-elle, je serais très heureuse de venir en aide... Je ne sais trop comment dire... Je t'en prie, ne prends pas la mouche. J'aimerais te venir en aide, pour le site. Financièrement, je veux dire.

Il approcha le tesson de la lumière, remit ses lunettes.

— Merci, ma chérie, mais ce n'est pas ainsi que je désire voir survivre ce site.

— Je comprends. Si tu changes d'avis, fais-le-moi savoir.

Elle se leva.

— Ben vient me chercher dans quelques minutes. Nous allons passer l'après-midi à Belhurst.

Elle attendait sa réaction.

— Amusez-vous bien, dit-il.

A la porte de la resserre, elle se retourna vers lui.

— Tu me sortiras le prochain cahier ?

— Mmm...

Il se renversa en arrière dans son fauteuil, se retourna pour regarder la jeune femme.

— Tu n'aimerais pas marquer une pause de quelques jours dans ta lecture du journal ? J'ai relu ce matin le cahier suivant. Il couvre le semestre que nous avons passé ensemble à G.W., et...

— G.W. ? Tu veux dire quoi ?

— Tu ne savais pas que Kate avait passé un semestre à l'université George Washington, pendant que j'y étais moi-même ?

— Non.

Elle ignorait que sa mère se fût éloignée, même pour un temps très court, de Lynch Hollow.

— Son journal commence à devenir moins détaillé désormais : ses nouvelles occupaient la majeure partie de son temps. Et ce cahier en particulier, celui qu'elle a rédigé à G.W., est un peu gênant à lire. Du moins ai-je été gêné en le lisant. Qui plus est, nous abordons maintenant un matériau classé X. Tu es sûre de pouvoir le supporter ?

Eden éclata de rire.

— Classé X ?

— Tu pourrais être un peu choquée.

— Kyle, j'ai trente-six ans. Rien ne me choquera. Et, *non,* je ne veux pas interrompre ma lecture. Si tu me laissais faire, je lirais tout d'une traite.

Kyle se remit au travail.

— Très bien. Tu auras le cahier demain matin.

# 21

Elle l'attendait au bord de la route, assise sur la grosse pierre qui marquait l'entrée de la propriété de Kyle. Cette fois encore, elle avait relevé ses cheveux et elle portait un corsage bleu et un short blanc.

Elle grimpa dans la camionnette, s'installa sur le siège du passager.

— Salut, fit-elle en souriant.

Il avait envie de la toucher, mais il crispa les doigts sur le volant.

— Salut.

Il revint sur la chaussée.

— Vous avez lu comme vous le vouliez ?

— Oui-i.

La route plongeait, virait à travers les bois. Eden regardait par la portière.

— Mon Dieu, que j'aime cette région. Je voudrais pouvoir la mettre en bouteille et l'emporter avec moi.

— Peut-être devriez-vous venir voir plus souvent Kyle et Lou.

— Oui, peut-être.

— Vous êtes de bonne humeur, aujourd'hui.

— Je crois, oui.

Elle avait l'air surprise.

— Le scénario a commencé à bien se dessiner, ce matin. Je me sens toujours mieux quand un projet qui me tient à cœur prend enfin tournure.

— Comment va Lou, aujourd'hui ?

— Bien, semble-t-il. Elle était devant son chevalet ce matin.

Eden joua un instant avec le fermoir de son bracelet-montre, avant de tourner la tête vers Ben. Le timbre de sa voix changea, se fit plus grave.

– Quel genre de problèmes lui a posé sa jambe, durant toutes ces années ? Le savez-vous ?

Oui, il le savait. En Amérique du Sud, l'infirmité de Lou avait engendré difficultés sur difficultés. Mais, il le sentait, il fallait protéger Eden de cette sorte de révélation.

– Elle en a eu moins que vous ne pouvez l'imaginer. En général, elle se débrouille très bien avec ce fauteuil. De temps en temps, en Colombie, nous tombions sur un restaurant ou sur un hôtel qui n'était pas adapté pour les fauteuils roulants, mais nous le soulevions, Kyle et moi, et le problème était résolu.

– Mais Kyle ne pourrait plus faire ça, aujourd'hui.

– Ils ne voyagent plus, et la question ne se pose donc plus. A une certaine époque, elle a essayé de porter une prothèse, mais ça l'exaspérait tellement qu'elle y a renoncé.

– Je l'ignorais. Comme bien d'autres choses à son sujet, je suppose. Ou au sujet de Kyle.

– Une fois, il a fallu l'hospitaliser, continua Ben, sans être bien sûr qu'il aurait dû donner ces précisions. – Nous nous trouvions alors en Équateur, je crois. Elle avait des escarres, vous voyez, à force de rester trop longtemps assise, immobile. A mon avis, elle en a toujours souffert, mais, cette fois-là, elles s'étaient infectées.

Il jeta un coup d'œil à Eden. Elle avait détourné la tête, mais il vit une larme, pareille à un diamant, suspendue à ses cils. Il comprit qu'il en avait trop dit. Il tendit le bras, prit la main de la jeune femme dans la sienne.

– Je vous demande pardon. Vous étiez d'humeur joyeuse, et je vous ai déprimée.

Toujours sans le regarder, elle secoua la tête.

– C'est moi qui ai posé la question. Vous n'avez fait qu'y répondre.

Il aimait ce lien qui se tissait entre eux, il aimait retrouver en Eden les mêmes préoccupations que les siennes. Il en avait pris clairement conscience la veille au soir quand Lou était tombée. Il y avait bien longtemps qu'il ne s'était pas trouvé ainsi en communion avec quelqu'un. Et il aimait sentir, chez elle, ce désarroi inattendu qui lui faisait oublier le sien.

– Lou est fière, reprit-il. Ce qui la tourmente par-dessus tout, je crois, c'est son état de dépendance envers les autres, son incapacité à se débrouiller seule, à sa guise.

Eden soupira.

– Je voudrais que l'accident ne soit jamais arrivé. Je voudrais pouvoir changer le passé.

– Oh oui, fit-il. Je sais très précisément ce que vous voulez dire.

Ils arrivèrent à Belhurst avant midi, et Ben arrêta la camionnette devant le magasin qui vendait les maisons de poupée et leurs accessoires. A l'intérieur, l'humeur d'Eden s'allégea. Les salles regorgeaient de maisons de poupée, les unes terminées, peintes et meublées, d'autres en bois brut.

– Quel âge a votre filleule ? demanda la jeune femme.

– Bientôt huit ans. Je lui ai construit une maison toute pareille à celle-ci (il désignait une haute bâtisse de style victorien, couverte de bardeaux) quand elle avait trois ans. Depuis, chaque année, je lui offre quelque chose à mettre dedans.

Quelque chose de coûteux, habituellement. Cette année, il n'en était plus question.

– Comment êtes-vous devenu son parrain ?

– Alex, son père, est mon meilleur ami. Nous avons fait nos études ensemble. Il a suivi les cours de Kyle, comme moi. Nous nous sommes mariés à peu près à la même époque. J'étais son témoin, et il était le mien. Sa femme et Sharon sont très amies.

Il s'attristait, à évoquer une intimité qui n'existait plus.

– Je ne l'ai plus beaucoup vu depuis le divorce. Ce sont des choses qui arrivent, je suppose : les gens se croient obligés de prendre parti.

– Wayne et moi n'avions pas d'amis communs dès le début. C'était l'un des aspects de nos problèmes, je pense. Hormis Cassie, nous n'avions vraiment rien en commun.

Eden ouvrit la porte cintrée d'un petit ranch de style espagnol pour jeter un coup d'œil à l'intérieur.

– Avez-vous fait une maison de poupée pour Bliss ?

– Oui. Je l'ai construite sur le modèle de notre maison. Est-ce que Cassie en a une ?

– Oh, une toute petite. Rien d'aussi élaboré.

Il pourrait en faire une pour Cassie. *Doucement, Ben.* D'ailleurs, les kits coûtaient plusieurs centaines de dollars.

Il avait tout juste assez d'argent pour acheter les

meubles d'une chambre à coucher, s'il voulait inviter Eden à déjeuner. Il s'efforça d'extraire les billets de son portefeuille et de les compter discrètement, tout en faisant mentalement une soustraction décourageante. Le peu que lui payait Kyle suffisait pour un homme économe, mais ne couvrait pas les sorties avec une femme. Il pouvait, il le savait, demander à Kyle un prêt qui lui serait accordé sans difficulté. Mais il ne lui était guère possible de solliciter une aide pour poursuivre une relation que Kyle jugeait trompeuse.

Pendant le déjeuner, Eden lui expliqua comment elle aimerait faire débuter le film : vue de la vallée prise en hélicoptère, puis de la Shenandoah, avant d'approcher Ferry Creek et le champ voisin du site et de plonger finalement dans les bois pour se glisser dans l'entrée de la caverne, jusqu'au moment où l'écran deviendrait complètement obscur. Le titre et le générique apparaîtraient alors sur ce fond noir.

— L'effet sera très dramatique, dit-elle. Toute cette verdure. Et, ensuite, l'obscurité de la caverne.

— Quel est le titre ?

— *Une vie de solitude.*

Il approuva d'un signe de tête.

— Très bon. Mais Kyle ne vous laissera pas pénétrer dans la caverne.

— Oui, je sais.

Elle avala une bouchée de salade.

— Nous pourrons en faire une reproduction. Ensuite, plan sur la maison... mais pas telle qu'elle est maintenant, naturellement. Nous en construirons une, pareille à ce qu'elle était, du temps où Kate et Kyle y grandissaient. Kate est dans l'orme, elle rédige son journal, terrifiée à l'idée qu'elle va être battue parce que sa mère a découvert son dictionnaire.

— Ça s'est vraiment passé ainsi ?

— Oui. Mais Kyle a prétendu que le livre était à lui, et c'est lui qui a été battu.

Ben se mit à rire.

— Bon sang, ça ne m'étonne pas de lui. Il a commencé de bonne heure à jouer les sauveteurs, hein ?

La jeune femme porta sa serviette à ses lèvres.

— Ma mère m'a fait un merveilleux cadeau en laissant ce journal après elle. J'y trouve pratiquement séquence après séquence.

– Quand commencerez-vous le tournage ?

– L'été prochain, j'espère.

Il eut l'impression d'un coup terrible en pleine poitrine et posa sa fourchette sur la table. Il se rappelait tout à coup qu'il n'avait rien à attendre. La vie continuerait, avec ou sans lui, les saisons se succéderaient avec une affreuse régularité. L'été prochain ne contenait pas, pour lui, plus de promesses que celui-ci. Moins encore, peut-être. Qu'y avait-il de pire que de n'avoir aucun avenir ? Peut-être, en janvier, lui permettrait-on de se présenter au tribunal pour solliciter l'autorisation de voir Bliss. Peut-être, s'il s'humiliait suffisamment, si Sam pouvait dénicher les experts les plus persuasifs, si Bliss avait conservé le moindre souvenir de ce qu'il était pour elle, peut-être alors pourrait-il...

– Ben ? Vous vous sentez bien ?

Eden lui avait pris la main. Lorsqu'il releva les yeux, il lut l'inquiétude dans son regard.

– Tout va bien.

On aurait dit, à sa voix, qu'il parlait à travers une paille. Il toussa, but une gorgée d'eau.

– Quelque chose est passé du mauvais côté, prétexta-t-il.

Il se redressa sur son siège, posa ses mains sur ses genoux pour dissimuler leur tremblement.

– Parlez-moi encore du film.

# 22

*20 novembre 1945*

Aujourd'hui, nous avons eu, Kyle et moi, une longue conversation qui m'a plongée dans un trouble inconnu jusqu'à maintenant. Je l'ignorais, mais, depuis quelque temps, il s'est procuré des informations sur les études à Washington. Il m'a annoncé qu'il a l'intention de partir là-bas en janvier et il veut que je l'accompagne. Il pense que nous devrions étudier l'archéologie. Jamais je n'ai rien vu le passionner davantage que les pointes de flèches que nous continuons à découvrir. Il a travaillé à la bibliothèque de Winchester pour tenter de trouver leur origine : à son avis, elles ont été faites par des gens qui vivaient ici il y a deux mille ans ou peut-être plus ! Matt et moi, nous avons bien du mal à y croire. Kyle prétend que nous faisons nos fouilles au petit bonheur la chance. Il y a maintenant des trous un peu partout, devant l'entrée de la caverne. Il faut que nous allions apprendre ce que nous faisons. Il dit aussi que nous devrons trouver du travail, afin de pouvoir payer nos cours.

Au début, j'ai essayé de le faire changer d'idée, mais je me suis rendue compte qu'il y pensait depuis longtemps. Et Matt m'a annoncé qu'il partait, lui aussi, étudier le journalisme en Caroline du Nord. Kyle et lui ont dû comploter ensemble, j'en ai l'impression. Assise sur mon matelas, dans la caverne, je pleurais, je gémissais : cette fois, je me trouve dans une situation à laquelle je ne vois pas d'issue. Assis de chaque côté de moi, ils cherchent à me persuader. Finalement, j'ai accepté. Pourtant, je n'imagine pas comment je pourrai survivre, loin de Lynch Hollow. Mais, même si l'idée de partir d'ici m'effraie, j'ai encore plus peur à la perspective de me retrouver séparée de Kyle.

*15 janvier 1946*

Kyle et moi, nous occupons deux petites chambres voisines dans ce qu'on appelle une résidence, à Georgetown, un quartier de Washington. La ville m'épouvante, et la visiter en détail ne m'apporte pas le plaisir qu'éprouve Kyle. Toutes les fois que nous nous y aventurons, j'ai hâte de retrouver ma chambre minuscule qu'il appelle ma seconde caverne.

Rien n'est simple pour moi, et je n'ose pas parler à Kyle de mes difficultés. Les cours sont une épreuve, même si je me passionne pour ce que j'apprends. Dans ma chambre, je lis, je lis, je lis, je rédige les comptes rendus demandés, mais, en classe, je suis incapable de me concentrer, de respirer. Mon cœur s'emballe au point que je ne peux plus compter ses pulsations, et je dois me pincer pour ne pas m'évanouir. Mes ongles ont laissé sur la face interne de mon bras des tas de petites marques rouges.

Je suis des cours pour me perfectionner dans l'art d'écrire, et ce sont ceux que je préfère. Je me place près de la porte, ce qui m'aide généralement à respirer et à me concentrer. J'ai apporté ma machine à écrire à Washington. Mon professeur trouve que j'écris bien, que j'ai de l'imagination, mais elle prétend que je dois encore travailler mes phrases et ma ponctuation.

Je travaille comme serveuse dans un petit hôtel-restaurant, non loin de notre logement, et c'est un vrai cauchemar : je suis si nerveuse que ma maladresse est sans limites. Hier soir, j'ai renversé une assiette de ragoût sur un client, et il m'a dit que je l'avais brûlé. J'appréhende d'y retourner, mais nous avons besoin de cet argent.

Tout le monde se moque de mon accent, si bien que je parle encore moins que d'habitude.

*6 mars 1946*

Ce matin, j'ai abandonné le cours de maths : je suffoquais, j'avais absolument besoin de sortir. Mr Sims m'a suivie dans le couloir pour me demander ce que je faisais là. Je lui ai dit que je n'étais pas bien, que je reviendrais demain, mais je ne reviendrai pas. Ça n'ira pas mieux demain qu'aujourd'hui. Je ne peux pas en parler à Kyle.

J'ai commis l'erreur de laisser Kyle me persuader de l'accompagner hier à une soirée. Il sort souvent le soir, et moi, je reste généralement dans ma chambre, pour lire ou pour étudier. Mais, hier, j'ai fini par dire que j'irais avec lui. C'est sûrement la dernière fois que je le suivrai.

Ça se passait chez une de nos camarades de cours. Elle est très riche, et je n'avais jamais vu de demeure semblable à celle où elle vit.

Ici, c'est tout à fait comme à l'école : tout le monde adore Kyle. Quand Julia m'a invitée, elle m'a dit que Kyle était « tellement charmant ». Si elle m'a conviée, c'est parce que je suis la sœur de Kyle, j'en suis certaine. Je portais ma seule robe habillée : c'est Susanna qui m'a obligée à l'accepter quand j'ai quitté Lynch Hollow, et je la déteste. J'ai l'impression d'être un cochon de lait troussé pour la broche, quand je mets cet affreux porte-jarretelles ces bas et tout le reste. Kyle trouve les porte-jarretelles, « sexy » (c'est son terme favori, ces temps-ci). Pour lui, Julia est sexy, elle aussi, et il se faisait une joie de cette soirée.

Je n'avais pas compris, avant d'arriver là-bas, qu'il s'agissait d'un grand dîner. Si je l'avais su, jamais je n'aurais accepté d'y aller. Il y avait une table immense, chargée de porcelaines et de cristaux, avec des petites cartes qui portaient un nom près de chaque assiette. Une trentaine de personnes étaient là : certains élèves de notre classe d'anthropologie, d'autres étudiants que je ne connaissais pas et deux ou trois professeurs. Le Dr Latterly, le professeur préféré de Kyle, était présent. Le carton marqué au nom de Kyle était placé entre le Dr Latterly et Julia. Quand il a pris sa place, il avait l'air d'un homme qui, après être mort, découvre le paradis.

Moi, j'étais entre deux étudiants que je ne connaissais ni d'Ève ni d'Adam : une fille aux yeux globuleux et un garçon couvert de taches de rousseur, qui avait plaqué ses cheveux roux sur son crâne avec une mixture qui sentait le sirop contre la toux. A peine assise, j'ai commencé à mal respirer. Mes mains tremblaient, la sueur ruisselait le long de mon dos. Je la sentais tremper ma robe (celle-là, je l'ai mise aux ordures, bon débarras). Je restais là à transpirer, à trembler, pendant que tout le monde dégustait je ne sais quel consommé blanchâtre auquel je n'avais pas touché et une salade d'un quelconque légume jaune que je ne pouvais même pas regarder. Je me suis dit que j'allais sûrement m'évanouir et, par habitude, je me suis mise à me pincer le bras, sans même m'en rendre compte. Brusquement, la fille aux yeux globuleux s'est écriée : « Mais qu'est-ce que vous faites ? » Elle avait parlé si fort que tout le monde s'est tourné vers moi. La fille regardait mon bras. J'ai regardé, moi aussi, et j'ai vu sur ma peau blanche des tas de petites marques rouges. Par deux fois, je m'étais pincée au sang, et je n'avais rien senti.

L'assistance entière semblait plongée dans le silence, les yeux étaient fixés sur moi. J'ai abaissé mon bras.

— Je me suis frottée à du sumac vénéneux, ai-je dit, le plus calmement possible, en m'efforçant de prononcer les mots comme ils le faisaient tous.

Durant un terrible moment, personne n'a rien dit. Je me suis tournée vers Kyle. Il me regardait en fronçant les sourcils. J'ai essayé de lui faire comprendre des yeux à quel point j'avais envie de partir de là, mais il s'est retourné vers le Dr Latterly et il a repris sa conversation.

Tout le monde était occupé à discuter, sauf moi. Mes yeux se sont remplis de larmes, je me suis pincé le bras encore plus fort — je ne pouvais pas faire autrement — pour les empêcher de couler. A ce moment, la femme de chambre, ou je ne sais qui, a posé devant moi une assiette qui portait une énorme tranche de viande bien saignante. Ça m'a achevée. Mon souffle s'est précipité, mon cœur battait comme s'il était sur le point d'exploser. J'ai tendu la main pour prendre mon verre d'eau et je l'ai renversé. De nouveau, les regards se sont fixés sur moi. Cette fois, les larmes ont jailli, m'ont inondé la figure. Je me suis levée : je voulais quitter la table. Mais les chaises étaient si serrées les unes contre les autres que je ne pouvais pas bouger. Le garçon aux taches de rousseur a dû écarter sa propre chaise, la fille assise près de lui en a fait autant. Moi, j'étais au bord de la nausée. Tout le monde me dévisageait, bouche bée. Au moment où je sortais en courant de la pièce, j'ai entendu Kyle s'excuser de quitter la table. J'étais déjà à la porte d'entrée quand il m'a rattrapée. Il était furieux. Lorsqu'il m'adressa la parole, ce fut entre ses dents serrées, très lentement :

— Que... diable... as... tu... encore ?

— Je te demande pardon, Kyle.

Je sanglotais maintenant, si violemment que je pouvais à peine parler.

– Je me sens malade. Je ne peux pas rester. Je t'attendrai ici.

– Tu ne peux pas attendre ici.

– Je ne veux pas non plus rentrer dans la maison.

– J'aurais mieux fait de te laisser pourrir dans ta sacrée chambre.

Je le pris par le bras. S'il y a chaque chose qui me fait horreur, c'est bien de voir Kyle fâché contre moi.

– Je te demande pardon.

– Attends un instant.

Il avait toujours les dents serrées, comme si on lui avait versé du ciment dans la bouche.

Restée devant la porte d'entrée ouverte, je l'entendis parler à Julia : il était obligé de partir, il lui faisait toutes ses excuses, je me sentais vraiment très mal, etc. Au moment où il franchissait le seuil, je perçus la voix de Julia :

– Souhaite bon rétablissement à ta sœur de ma part.

– Ce n'est pas vraiment ma sœur. Ma cousine, c'est tout.

En écrivant ces mots, je recommence à pleurer.

Kyle a jailli de la porte à la manière d'un taureau qui cherche quelque chose à charger. Il ne m'a pas dit un mot. Il a marché devant moi sur les trois kilomètres qui nous séparaient de notre logement. J'étais presque obligée de courir pour le suivre. Au bout d'un moment, j'ai renoncé à lui répéter que j'étais désolée : manifestement, il ne voulait plus rien avoir à faire avec moi. Une fois, j'ai été forcée de m'arrêter pour vomir, et il n'a même pas ralenti le pas. Quand nous sommes arrivés, il est entré dans sa chambre et il a claqué la porte derrière lui. Je me suis réfugiée chez moi et j'ai songé à tout raconter dans mon journal, mais je n'en ai pas eu le courage.

Ce matin, il est sorti pour prendre son petit déjeuner avant d'aller aux cours, sans m'attendre. Je ne peux pas aller à l'université aujourd'hui. Même si je parvenais à respirer dans ces salles de cours, je serais incapable d'affronter les étudiants qui étaient au dîner, hier soir. Alors, je reste ici, dans ma seconde caverne, à regretter la première.

Il est minuit, et je ne peux pas dormir. Je vais donc écrire.

Après le dîner, ce soir, Kyle, finalement, est venu me retrouver dans ma chambre. Il m'apportait un sandwich au poulet qu'il avait fait avec une partie de son propre dîner. Assise sur mon lit, je lisais notre livre d'anthropologie.

— Tu vas mieux ? me demanda-t-il.

C'étaient ses premières paroles bienveillantes depuis la veille.

— A mon avis, ce sera bien la dernière soirée à laquelle tu m'emmèneras, répondis-je.

— Ce n'est pas drôle, Kate.

Il s'assit au bout de mon lit.

— Mr Sims me dit que tu n'assistes plus à ses cours. Je me suis renseigné un peu partout. Les cours de Latterly sont les seuls auxquels tu ailles encore, hein ?

Je hochai la tête. Oui, je ne suivais plus que ces cours parce que c'étaient les seuls que j'avais en commun avec Kyle, les seuls où je pouvais respirer.

— Je voudrais faire de toi quelqu'un que tu ne peux pas être, je pense. Ce n'est pas honnête de ma part. Je te demande pardon.

Il se rapprocha de moi, me prit la main, releva jusqu'au coude la manche de mon chemisier. Il retourna mon bras pour l'examiner. Je regardai, moi aussi. Il devait y avoir une vingtaine ou une trentaine de petites marques, pareilles à de minuscules croissants, faites par mes ongles. Certaines étaient roses, d'autres recouvertes de fines croûtes. J'avais l'impression de ne les avoir jamais vues ainsi, à la lumière. J'en éprouvai un choc et je voulus retirer mon bras, mais Kyle me tenait fermement la main. Il baissa la tête, posa ses lèvres sur ma peau. Il laissa s'écouler une minute ou deux avant de relever la tête.

— Il va falloir que tu retournes à Lynch Hollow, Kate. J'ai eu tort de vouloir te persuader de faire des études. Tu savais dès le début ce qui valait le mieux pour toi, et ce n'était pas ça.

— Mais j'aime étudier, lui dis-je. Je n'assiste pas au cours ; ça ne m'empêche pas de lire les livres.

— A mon retour à Lynch Hollow, je t'enseignerai ce que j'aurai appris.

– Je veux rester ici. Dans la chambre, je me sens bien. Et je suis encore capable de travailler.

(Ce n'est pas tout fait vrai : ces derniers temps, j'ai été obligée de partir plus tôt, mais ce n'était pas le moment de le lui dire.)

– J'ai peur pour toi, Kate. Je pensais que, si je pouvais te sortir de ton cadre habituel, t'amener à fréquenter d'autres gens, tout irait bien pour toi.

– Mais tout va bien pour moi, insistai-je.

Je ne voulais plus l'entendre parler si tristement, comme si j'étais morte.

– Tu as subi une véritable torture, ici.

– Dans ma chambre, je me sens très bien, répétai-je.

– Entendu, fit-il. Jusqu'à la fin du semestre.

J'ai l'impression que tout le poids du monde m'a été ôté des épaules. Je pourrai rester dans ma chambre autant qu'il me plaira, même si je dois continuer à travailler – je devrai m'y contraindre –, et, l'été prochain, nous pourrons, Kyle et moi, retourner tous les deux à Lynch Hollow. L'an prochain, il repartira, mais chaque chose en son temps.

### 10 mai 1946

Ce soir, Kyle a ramené Julia chez nous. La plupart du temps, le soir, nous étudions ensemble dans l'une de nos deux chambres : il me répète ce qu'il a appris ce jour-là. Mais, ce soir, il a passé la tête par l'entrebâillement de la porte pour me dire que Julia était là, et qu'il me verrait demain matin.

Il était grincheux, ces temps-ci. Hier, il m'a dit que c'était parce qu'il n'avait pas fait l'amour depuis longtemps. Espérons qu'il sera de meilleur humeur demain matin.

### 21 mai 1946

Je ne supporte pas les soirs où Julia est là. Elle est gentille, et ça ne m'ennuie pas tellement qu'elle accapare le temps que Kyle me consacrait : je suis très bien à étudier toute seule dans ma chambre. Mais, une fois couchée, je les entends. Le lit de Kyle se trouve juste de l'autre côté du mur mitoyen, si bien que je suis seulement à quelques dizaines de centimètres d'eux. Ils rient, ils parlent doucement. Il est rare que je distingue leurs paroles. Mais ce sont les moments de silence qui me troublent le plus, quand je les imagine en train de s'embrasser, de se caresser. Par instants, j'entends remuer le lit de Kyle. Je sais alors qu'il est en elle. Je me demande quel effet ça fait d'être envahie ainsi par un homme. Sans doute ne le saurai-je jamais.

La plupart du temps, je suis reconnaissante à mon imagination fertile. Les histoires en jaillissent comme d'une source, et j'en vois réellement tous les détails, clairs comme le jour. Mais, d'autres fois, c'est une malédiction. Comme en cet instant précis : Kyle est avec Julia, de l'autre côté du mur, et je vois dans ma tête ses lèvres sur les siennes, ses mains sur ses seins, entre ses jambes. Cette nuit, je le sais, sera de celles où je jette par terre mes couvertures et mon oreiller et où je dors là pour faire taire mes pensées.

### 25 mai 1946

Kyle ne voit plus Julia. Ils se sont querellés, et Kyle est redevenu grincheux. Hier soir, il s'est montré si difficile, pendant que nous travaillions ensemble, que j'ai piqué une colère. Je lui ai dit que j'étais de mauvaise humeur, moi aussi, qu'il n'était pas le seul à avoir besoin de sexe. Je suis en train de lire *L'Amant de Lady Chatterley*, et ça me rend folle. Kyle n'a pas bonne opinion de Constance Chatterley. « C'est une putain, dit-il. Elle a épousé ce malheureux en fauteuil roulant dans la santé comme dans la maladie. Elle devrait apprendre à tenir sa jupe baissée. » Je lui ai répondu que, si elle faisait ça, le livre manquerait d'intérêt.

Certains soirs, je suis obligée de le mettre à la porte de ma chambre de très bonne heure, afin de me mettre au lit et d'éteindre le feu par mes propres moyens. Il prétend que j'ai un « besoin urgent » d'un petit ami et il a offert de m'en trouver un. Ce ne serait pas difficile, a-t-il ajouté : je suis si belle. Il a vraiment dit ça !

— Je n'aurai jamais d'amant, ai-je déclaré d'un ton résigné.

— Tu n'as encore que dix-huit ans. Si tu en avais un maintenant, je ne serais pas d'accord.

— Julia n'avait que dix-huit ans. Et Sara Jane, dix-sept.

— Oui, a-t-il dit. Mais ni l'une ni l'autre n'était ma sœur.

*29 mai 1946*

Hier, nous avons eu une surprise extraordinaire. Quand je suis rentrée du restaurant, qui ai-je trouvé, assis sur le perron de notre résidence ? Matt ! J'étais ravie de le voir et j'en ai ressenti un choc : il m'a manqué, certes, mais je ne me languissais pas de lui. Je n'y pensais même pas très souvent. Mais, quand je l'ai vu là, qui me regardait avec un sourire épanoui, j'ai eu l'impression que mon cœur se gonflait de bonheur. Je l'ai serré dans mes bras comme si je voulais le casser en deux.

Ses vacances d'été ont déjà commencé, alors que nous avons encore une semaine de cours, Kyle et moi. Il est venu passer un jour ou deux à Washington, et il loge à l'hôtel même où je travaille ! Nous avons veillé tard, la nuit dernière, pour bavarder, nous remettre au courant de tout ce qui s'est passé. Matt a une mine superbe. Il a eu quelques petites amies, cette année, rien de sérieux. Kyle prétend qu'il s'intéresse toujours à moi. Sans doute vais-je devoir encore une fois lui expliquer clairement que je désire uniquement son amitié.

*30 mai 1946*

Matt vient de partir, et je tremble en écrivant ceci. Nous sommes allés dîner, ce soir : il y avait Kyle, une fille qui plaît bien à Kyle et s'appelle Sally, Matt et moi. Il est très rare que je sorte ainsi, mais je me sentais en sécurité avec Kyle ici. Kyle a emmené Sally dans sa chambre, et Matt est entré dans la mienne.

Assis sur mon lit, nous avons parlé de ses études. Quand il sera diplômé, il veut travailler dans un journal. Nous avons bavardé ainsi pendant une bonne heure. Subitement, il m'a dit :

— Kate, j'ai envie de t'embrasser, mais tu es la fille la plus difficile à embrasser que je connaisse.

— Que veux-tu dire ? lui ai-je demandé.

— La dernière fois que j'ai essayé, tu as pris tes jambes à ton cou.

J'ai répondu qu'il pouvait m'embrasser. Mais ça ne changerait rien : nous avions notre amitié, et je n'en désirais pas davantage. Ç'était une erreur de lui permettre de m'embrasser, je le vois bien maintenant. Mais, pour dire toute la vérité, j'en avais envie. Je voulais savoir quel effet ça faisait. Ce fut merveilleux. Plus que je ne l'aurais imaginé. J'avais toujours ignoré comment tout s'enclenchait dans mon corps. Quand il m'a embrassée sur les lèvres, j'ai ressenti son baiser dans mes seins, dans mon estomac. Il m'a étendue sur le lit, la tête sur l'oreiller, et je ne me lassais pas de ses lèvres, de sa langue. Je pourrais, je le savais, faire l'amour avec lui et en rester là, mais lui en serait incapable. Il ne pourrait pas, après ça, se contenter de notre amitié.

Il m'a demandé alors s'il pouvait me toucher la poitrine. J'ai dit non.

— Seulement à travers ton chemisier, a-t-il insisté. Laisse-moi seulement poser la main.

Mes seins réclamaient cette caresse.

— Alors, pose ta main ici, mais c'est tout, lui ai-je dit.

Au début, il s'en est contenté. Mais il s'est remis à m'embrasser, et sa main a commencé de jouer avec mon sein, de le pétrir en tous sens. C'est moi, oui, moi, qui lui ai dit de toucher l'autre aussi. Il gémissait, et j'en faisais peut-être autant. Jamais je ne m'étais sentie parcourue d'une telle flamme. Il a glissé sa main sous mon chemisier, l'a passée dans mon dos pour dégrafer mon soutien-gorge. Ma tête disait *non* et mon corps disait *oui*. J'avais envie qu'il me caressât tout entière, mais, s'il le faisait, que se produirait-il ? Ça n'aurait pas le même effet sur lui et sur moi, j'en étais convaincue.

Lorsqu'il toucha mes seins nus, j'éprouvai une folle envie de lui dire que je l'aimais. Je parvins à m'en empêcher, mais ce fut comme si je ne savais plus où j'étais, qui j'étais. Ce fut lui, alors, qui prononça les mots que j'avais retenus :

— Je t'aime, Kate.

Subitement, je repris mes sens. Je me redressai, rabaissai mon chemisier. Je me sentais tout à coup profondément gênée.

Matt respirait avec peine. Il essayait encore de m'embrasser, et je le repoussais.

— Oh, Kate, je t'en supplie...

Il en pleurait presque. Je vis la bosse dure que faisait son pantalon et j'en détournai les yeux.

— Matt, lui dis-je, après Kyle, tu es mon meilleur ami. Tu le sais, n'est-ce pas ?

Il acquiesça. Je lui expliquai alors que de très bons amis comme nous ne faisaient pas l'amour : cette sorte de relation transformait à jamais les liens qui avaient existé jusque-là. J'espérais, lui dis-je encore, que nous n'avions pas déjà causé des dommages irrémédiables.

Je discourus ainsi durant un bon moment. Finalement, il protesta.

— Oh, Kate, assez ! Tu m'as déjà dit tout ça.

Il a fait la tête pendant un temps, mais nous avons fini par nous remettre à parler, à rire, et je pense que tout ira bien, entre nous. Il est parti vers onze heures, en disant qu'il passerait demain, avant de reprendre la direction de Coolbrook.

Après son départ, je me suis mise à réfléchir à tout ce qui s'était passé et j'ai été réellement saisie de peur. Je ne peux pas faire confiance à mon corps. Il a une volonté bien à lui.

*4 juin 1946*

Je suis presque prête pour notre voyage de retour jusqu'à Lynch Hollow. J'entends Kyle, dans la chambre voisine, ouvrir et fermer des tiroirs. Je serai si heureuse de retrouver la maison. Je meurs d'envie de revoir ma caverne.

Ce soir, il y a entre Kyle et moi un silence tendu. J'espère qu'il se dissipera avec une bonne nuit de sommeil. J'en connais la cause. Je m'habillais pour dîner, cet après-midi, et j'étais en retard. J'avais déjà passé ma jupe, mais je n'avais rien en haut, et, debout devant la glace de ma commode, je me brossais les cheveux. Très franchement, je m'admirais. Mes cheveux sont abondants, tout brillants d'avoir été exposés à l'air humide. Mes seins sont ronds et blancs. Soudain, on a frappé à ma porte. Je savais que c'était Kyle : il venait me chercher pour aller dîner. J'ignore pourquoi mais je ne lui ai pas répondu. Je suis restée immobile, sachant bien qu'il allait ouvrir la porte. Il l'a poussée, en effet. Je suis restée figée devant la glace, le dos à la porte, ma brosse encore posée sur mes cheveux.

— Kate... a-t-il commencé.

Mais il a oublié le reste de ce qu'il voulait dire en s'apercevant que j'étais à demi dévêtue. Je l'observais dans la glace, et lui aussi m'y observait. Longtemps, nos regards demeurèrent accrochés. Ni l'un ni l'autre ne bougeait, ne parlait. Finalement, il recula, se retrouva dans le couloir et referma sans bruit la porte derrière lui.

Il était déjà à table quand je suis descendue. Il ne reste

plus qu'un ou deux pensionnaires, et c'est avec eux qu'il a parlé, pas avec moi. Après le repas, nous sommes remontés ensemble. Il m'a dit que, si je voulais, il me laisserait la plus grande valise et qu'il avait une caisse où nous pourrions mettre nos livres. Son ami Pete pourrait nous conduire à la gare demain, a-t-il ajouté. Il espérait qu'on nous servirait des crêpes pour notre dernier petit déjeuner. Il parlait de tout, sauf de ce moment dans ma chambre. Ses paroles décrivaient des cercles tout autour, sans jamais s'en approcher suffisamment pour le toucher. Je ne sais pas trop s'il s'en veut d'être entré chez moi à l'improviste, ou si c'est moi qui suis responsable parce que je ne l'ai pas averti. Je ne sais pas non plus si nous sommes gênés l'un ou l'autre. Tout ce dont je suis certaine, c'est que, si j'avais de nouveau le choix de dire ou non « Entrez », je ne changerais rien à ce qui s'est passé.

# 23

Eden passa la matinée dans sa chambre. Par deux fois, elle avait mis sa machine en marche pour relire ce qu'elle avait écrit au cours des derniers jours. Par deux fois, elle avait posé les doigts sur les touches et attendu une inspiration qui n'était pas venue. A trois ou quatre reprises, elle s'allongea sur son lit, contempla le plafond.

Elle s'était maintenant réinstallée dans le fauteuil à bascule et elle examinait le portrait de sa mère, Katherine Swift, la Katherine Swift que connaissait le public, avec sa grosse natte couleur miel, ses dents blanches parfaites, qui, du fond de la fosse, levait vers l'appareil un visage éclairé d'un large sourire. Elle avait toujours jugé cette photo sur les apparences, sans jamais se demander ce que pouvait cacher ce sourire. Il y avait tant de choses cachées. Bien trop. Elle se sentait dépassée à l'idée de faire passer tout cela à l'écran.

Sa mère avait décrit ses émotions avec une trop grande précision. En lisant son journal intime, aux premières heures de cette matinée, Eden s'était retrouvée dans la peau de Katherine. C'était au point qu'elle avait dû abandonner le manuscrit et regarder par la fenêtre, afin de se reprendre. Elle s'était pincé l'intérieur du bras, pour voir avec quelle violence elle devait presser pour faire venir le sang. Elle avait eu beau s'enfoncer les ongles dans la peau à en avoir les larmes aux yeux, c'était à peine si elle avait laissé une marque.

Elle sursauta : on frappait à la porte.

— Il est une heure et quart, Eden, dit la voix de Kyle. Tu ne veux donc pas déjeuner ?

Une heure et quart. Elle avait passé la moitié de la journée à ruminer dans sa chambre. Elle ouvrit la porte, se trouva devant le visage tourmenté de son oncle.

– Tu vas bien ? demanda-t-il.

– Oui. Je descends.

Il la précéda dans l'escalier.

– Lou est avec une amie, sur l'un des sites les plus spectaculaires des environs. Elle s'y rend à peu près une fois par semaine, pour peindre. Ce n'est pas vraiment le genre de sujet qu'elle préfère, mais elle apprécie la compagnie.

Ils étaient maintenant dans la cuisine. Kyle ouvrit le réfrigérateur.

– J'ai fait une salade au thon. Veux-tu que je te prépare un sandwich ?

– Je vais m'en occuper, Kyle. Tu as déjà déjeuné ?

– Oui, mais je vais m'asseoir avec toi.

Il se versa un verre de thé glacé, se mit à parler de la femme avec laquelle Lou était sortie. Elle était originaire de Georgie. Elle avait trois petits-enfants et elle était folle des saint-paulias. Tout ce bavardage ne lui ressemblait pas. Eden l'écoutait, tout en mangeant son sandwich à petites bouchées.

Au bout d'un moment, Kyle s'interrompit pour boire une longue gorgée de thé. Après quoi, il regarda la jeune femme assise en face de lui.

– Tu es bien silencieuse, dit-il.

– Elle aurait eu besoin d'un psychiatre, Kyle.

Son ton, elle l'espérait, n'était pas accusateur. Elle n'avait pas parlé dans cette intention.

Il passa un doigt le long du grand verre de thé glacé.

– Oui, sans aucun doute. Mais c'était en 1946. Les choses n'étaient pas ce qu'elles sont aujourd'hui, et...

– Je sais qu'à l'époque, consulter un psychiatre était plus ou moins suspect, mais, bon sang, Kyle, elle avait vraiment besoin d'aide.

– Ce n'étaient pas les suspicions qui m'inquiétaient. Kate l'ignorait, mais je parlais d'elle avec différentes personnes. Stan Latterly, par exemple. Je cherchais des conseils sur ce qu'il convenait de faire pour elle. Tout le monde était d'avis qu'il y avait de bonnes chances pour qu'on l'enfermât. Je ne pouvais laisser faire une chose pareille.

– Oh...

Elle n'avait pas songé à cela.

– Tu devais te sentir tellement impuissant.

Il se caressa pensivement la barbe, comme s'il n'avait encore jamais envisagé cette possibilité.

— Oui, sans doute, j'ai dû éprouver cela, entre autres.

Eden lui sourit.

— Tu as certainement eu ton lot de succès féminins. Je comprends pourquoi Lou te traitait de grand coureur de jupons.

Kyle, cette fois, se mit à rire.

— Gomme un peu mes débordements, dans le film, tu veux bien ?

Elle s'était sentie indiscrète en lisant ce qui s'était passé entre Kyle et Julia, Kyle et Sally, Kate et Matt. Kate n'avait rien laissé à l'imagination. Elle rédigeait un journal réservé à elle seule. Elle n'avait aucune raison de censurer.

— Elle écrivait avec une telle... précision, reprit Eden. Peut-être n'a-t-elle jamais eu le désir que quelqu'un d'autre lût ces cahiers.

Kyle secoua la tête.

— Jamais il ne serait venu à l'esprit de Kate de mâcher ses mots, même si quelqu'un d'autre devait un jour les lire. Et je sais avec certitude qu'elle te destinait son journal.

— Elle te l'a dit pour de bon ?

— Mmm...

— A quel moment ?

— Tu n'as qu'à continuer à le lire. A mon avis, il lui plaisait d'écrire ainsi. Avec une telle précision, comme tu dis.

Il dessina une autre bande sur la buée qui couvrait son verre.

— Après sa mort, j'ai pénétré dans la caverne pour prendre son journal. Je savais qu'elle le gardait sur la corniche rocheuse, au-dessus de sa table de travail. Tout au fond de cette corniche, j'ai découvert un paquet d'histoires qui n'étaient manifestement pas écrites à l'intention des enfants.

— De la pornographie ?

— Tout dépend de ce que tu entends par pornographie. Personnellement, je n'aurais pas employé ce mot-là. Elles ressemblaient au journal dans le sens où elles étaient écrites à la première personne, mais le style en était plus élégant, comme dans les nouvelles qu'elle publiait. Et elles étaient de pure imagination.

— Tu te trompes. Qui sait si elle n'avait pas un amant secret qui se faufilait dans sa caverne quand la voie était libre.

Déjà, Eden voyait défiler les images sur l'écran : une silhouette d'homme qui, tel un loup, se glissait au crépuscule dans la caverne pour se retrouver dans les bras accueillants de Katherine.

— J'aurais préféré ça, affirma Kyle. Elle méritait un peu plus de plaisir qu'elle n'en a tiré de l'existence.

— Tu les as toujours, ces histoires ? Elles vaudraient une fortune, aujourd'hui.

— Non. Je les ai toutes lues, avant de les détruire. Je les ai brûlées. Lou était consternée. A l'en croire, c'étaient des œuvres d'art, ce que Kate avait écrit de meilleur... Moi, je n'avais même pas prêté attention au style. Je craignais de les voir tomber entre de mauvaises mains.

Eden approuva d'un signe de tête. Kyle, se disait-elle, avait sans doute eu raison de les détruire. Les mauvaises mains étaient partout.

— A quel moment ma mère finit-elle par faire l'amour avec mon père ? questionna-t-elle.

Kyle se mit à rire.

— Tu n'as pas la moindre patience.

— Il est difficile de travailler au scénario sans savoir précisément où je vais.

— C'est un défi à relever, je suppose.

Il n'avait visiblement aucune intention de lui venir en aide.

— Ce qui me frappe, c'est l'énorme différence entre elle et moi au même âge. Tout ce qu'elle désirait, c'était pouvoir rester chez elle. Tout ce que je voulais, c'était partir.

— Oh, je ne sais pas trop. A mon avis, vous étiez plus semblables que différentes, dit Kyle. Vous cherchiez l'une et l'autre le moyen de vous sentir en sécurité.

Il la comprenait. Elle se sentit pardonnée. Mais il ignorait l'étendue de ce qu'il y avait à pardonner. Elle se leva, jeta dans la poubelle le reste de son sandwich.

— Je ferais bien de me remettre au travail.

Elle retourna à sa machine. Ses pensées étaient un peu plus en ordre, mais une insistante sensation de malaise lui pesait au creux de l'estomac.

Elle et Kyle n'avaient pas parlé des dernières lignes du cahier, du moment où il était entré à l'improviste dans la chambre de Kate. Elle avait eu envie d'aborder le sujet. Lui aussi, peut-être. Mais ni l'un ni l'autre n'avait su quelle question poser, comment y répondre. Elle n'arrivait pas à décider si leur silence donnait à ce moment une signification plus grande ou pas de signification du tout.

# 24

Le crépuscule tombait quand elle se blottit sur le canapé du salon pour appeler Cassie. Pour la première fois, ce fut Wayne qui répondit.

– C'est Eden, Wayne.

Elle entendait à l'arrière-plan des rires, des cris d'enfants. Trois petites filles. Elle imaginait les fous rires, les taquineries, les caresses qui emplissaient cette maison.

– Je voulais seulement parler à Cassie, reprit-elle.

– Ton scénario avance ? questionna Wayne.

– Lentement, mais je suis assez contente de ce que j'ai fait jusqu'à présent. Il me reste quand même des tonnes de recherches à faire. Comment va Cassie ?

– Elle s'amuse comme une petite folle. Ne quitte pas, je vais la chercher. Elle est dehors, dans la piscine.

Cassie était hors d'haleine quand elle prit le combiné.

– Maman, tu sais quoi ? demanda-t-elle.

– Quoi donc ?

Eden se représentait l'enfant, dans son petit maillot de bain rose à volants, toute ruisselante et formant une mare sur le sol irréprochable de la cuisine de Pam.

– Je peux rester sans respirer sous l'eau pendant vingt secondes tout entières ! Plus longtemps que tous les autres !

– Tu deviens un vrai poisson, cet été, hein ?

– Quel genre de poisson ?

– Ça, je ne sais pas trop.

D'ordinaire, elle se mettait facilement au niveau de Cassie. Cette fois, elle cherchait ses mots. Pourquoi ne pouvait-elle adopter le ton qu'il fallait ?

– Quelle sorte de poisson aimerais-tu être ? demanda-t-elle.

– Maman, tu dis des bêtises.

– Ne fait-il pas trop sombre pour nager ?

Elle regarda par la fenêtre. La forêt était noire.

– On a des *lumières,* même dans la *piscine,* Maman. Ça fait la peau toute blanche et toute lisse. Et l'eau est tiède, pour de vrai. Tu peux venir nager avec nous.

– Je suis trop loin, Cassie, tu le sais bien. (N'avait-elle pas encore compris ça ?) Tu vas bientôt venir ici, en Virginie, et nous passerons beaucoup de temps ensemble.

Il y eut un bref silence. Eden entendait Cassie claquer des dents.

– Mais April et Lindy ne seront pas avec moi.

– Non. Mais moi, j'y serai. Nous pourrons faire du canot ensemble et...

Quoi d'autre ?

– ... nous nous amuserons bien. Après ça, nous retournerons à Santa Monica, tu pourras aller à l'école et te faire des tas d'amis.

– Papa dit qu'il faut que j'y aille.

– Où ça, mon petit cœur ? A Santa Monica ?

– Non. Il dit qu'il faut que j'aille en Virginie.

Eden attendit que la cruelle petite flèche de souffrance ait quitté son cœur, avant de reprendre la parole.

– Tu ne veux donc pas venir ici, Cassie ?

– Je veux rester ici, à cause de la piscine et d'April et de Lindy.

Mon Dieu. Quand Cassie serait-elle assez grande pour faire au moins l'effort de la ménager ?

– Mais je m'ennuie vraiment de toi. Je veux passer un peu de temps avec toi cet été, moi aussi.

– Alors, viens ici.

La voix de Cassie annonçait l'approche des larmes, Eden ne le savait que trop.

– Ma douce, ce n'est pas possible.

– Mais j'ai un petit chat, ici. Maman m'a permis de le garder, et je ne peux pas...

– Maman ?

Eden ferma les yeux : la petite flèche l'avait atteinte de nouveau.

– Tu veux dire Pam ?

– Oui, Pam. Elle m'a permis...

– Tu appelles Pam « Maman » ?

– Quelquefois.

La voix de Cassie était encore un peu enrouée, mais la réponse était sans détours. Elle n'avait aucune idée des blessures qu'infligeaient ses paroles.

– Cassie, je t'entends claquer des dents. Tu ferais bien d'aller te réchauffer. Je te rappellerai demain. D'accord ?

– D'accord. Au revoir.

– Je t'ai...

Le téléphone cliqueta à l'oreille d'Eden. Elle resta un moment immobile, avant de prendre sur la table basse le petit répertoire relié de cuir et de l'ouvrir à *Alexander*. Sans prendre le temps de réfléchir, elle composa le numéro.

– Allô ? fit la voix de Ben, incisive, comme s'il attendait quelque chose.

– Puis-je venir ? lança-t-elle sans prendre même la peine d'annoncer son nom.

– Je ne demande que ça, dit-il.

Elle était vêtue d'un short et d'un tee-shirt et elle n'eut pas la patience de se changer, ni de rajuster sa coiffure qui glissait de la barrette. En montant la route en lacets qui menait à la cabane, elle jeta un coup d'œil dans le rétroviseur mal éclairé, fit la grimace.

Elle n'eut pas besoin de frapper : il ouvrait déjà la porte.

– Vous êtes bouleversée, dit-il.

– Je viens d'avoir Cassie au téléphone.

En pénétrant dans la cabane, elle regarda Ben, comprit aussitôt pourquoi elle était venue là : il la comprendrait.

– J'ai l'impression de l'avoir perdue.

D'un signe, il lui désigna le canapé. Elle s'y assit.

– Du vin ? demanda-t-il. De la bière ?

– Du vin. Et beaucoup. Je veux m'engourdir.

Il emplit deux verres, s'installa sur le bras du fauteuil. Il portait de nouveau son tee-shirt délavé.

– Pourquoi croyez-vous l'avoir perdue ? questionna-t-il.

Elle but quelques gorgées, posa le verre sur la table basse.

– Elle est si heureuse, là-bas, avec Wayne, Pam et ses deux filles. Elle n'a pas envie de venir ici. Elle me l'a même dit. Elle s'est adaptée facilement, comme si elle pouvait très bien se passer de moi, vous comprenez ? Je ne pense pas que je lui manque le moins du monde. Elle appelle Pam « Maman ».

Il grimaça. Oh oui, il comprenait.

Elle replia ses jambes sous elle.

— J'en viens donc à penser que, si elle est plus heureuse avec eux — ils peuvent lui donner un père *et* une mère, plus deux demi-sœurs et une vie normale et stable —, de quel droit l'obligerais-je à vivre avec moi ? Sans doute serait-elle mieux avec eux, je dois le reconnaître. Là où je vis...

Elle secoua la tête. Dans quelle mesure, se demandait-elle, Ben pourrait-il comprendre ce qu'était son existence.

— Wayne dit que c'est du toc. Du faux-semblant. Les gens, là-bas, sont truqués. Il a raison. Moi aussi, je suis truquée.

Ben fronça les sourcils.

— Foutaise.

— Non, il a raison. Vous ne pouvez pas vous en rendre compte. Ici, je ne suis pas la même. A Hollywood, je ne suis qu'une caricature de moi-même. Et j'élève Cassie dans ce monde irréel. La seule bonne raison que j'aie pour la faire vivre avec moi est purement égoïste. J'ai *besoin* d'elle.

Sa voix se fêla.

— Je ne peux pas renoncer à elle. Ce serait comme tout recommencer et...

Elle s'interrompit, devant la lueur de calme résolution qu'elle lisait dans les yeux de Ben.

— Je vous demande pardon, dit-elle. C'est ce que vous faites, n'est-ce pas ? Vous recommencez tout ?

— Oui. Et vous avez bien raison d'avoir peur. C'est infernal. Mais, à mon avis, vous vous tracassez pour rien. Vous avez oublié le rapport qui existe entre Cassie et vous. Elle vous aime toujours. Les jeunes enfants... ils disent ce qui leur passe par la tête. Ils ne cherchent pas à faire du mal. A l'heure qu'il est, elle croit peut-être qu'elle veut vivre avec son papa pour toujours, mais... Que faisait-elle, quand vous l'avez appelée ?

— Elle nageait. Wayne l'a fait sortir de la piscine pour venir me parler.

— Nous y voilà. Elle s'amuse bien, et vous vous mettez à parler de départ.

Elle but une autre gorgée de vin.

— C'est possible, convint-elle. En réalité, je suis contente qu'elle soit heureuse là-bas. Elle s'est si bien adaptée.

— Vous avez fait d'elle une enfant pleine de ressort.

Il fit tourner le vin dans son verre, se pencha en avant.

— Qu'est-ce qui vous fait croire que vous êtes truquée en Californie et pas ici ?

Eden soupira.

— Je suis une bonne comédienne, Ben. Je peux faire illusion. Je peux amener les gens à me croire forte, pleine d'assurance... insensible aux événements de ma vie personnelle. On apprend à porter un masque. Au bout d'un certain temps, on est incapable de l'enlever. Mais je ne peux pas faire illusion devant Lou et Kyle. On ne peut tromper les gens auprès de qui on a grandi, ceux qui vous connaissent vraiment, défauts compris.

Elle le regarda bien en face. Elle pouvait se permettre d'être sincère avec lui.

— Et je ne veux pas vous tromper, vous non plus. C'est un soulagement de se sentir réelle vis-à-vis de quelqu'un, pour changer un peu. Sans vouloir vous vexer, si je me sens si bien auprès de vous, c'est que vous êtes, je crois, aussi désaxé que moi.

Elle reprit longuement son souffle.

— Puis-je avoir encore un peu de vin, s'il vous plaît ?

Il faillit rire, se contenta de sourire. Il secoua la tête.

— Non, pas question. Je n'ai aucun intérêt à vous voir perdre conscience des réalités.

Il se leva, repoussa du genou la table basse, tendit la main à la jeune femme.

— Venez ici, dit-il.

Il la mena jusqu'au lit, la fit asseoir sur la courtepointe blanche et bleue. Elle sentait sous ses paumes les différents morceaux de tissu, les nœuds, les coutures. Il s'assit près d'elle, ouvrit la barrette au-dessus de sa nuque, et les cheveux d'Eden retombèrent en vagues souples sur ses épaules. Lentement, il les souleva pour poser les lèvres sur son cou. Elle sentit le sang courir au-devant de sa bouche.

— Vous avez un cou ravissant, lui dit-il. Mais, quand vous portez vos cheveux relevés, cela vous donne un air très vulnérable.

— Je pensais que ça me faisait paraître plus mûre.

— Rien ne pourrait vous faire paraître mûre.

Il glissa une main sous le mollet de la jeune femme, lui souleva la jambe pour la poser sur ses genoux, et se mit en devoir de délacer sa chaussure de tennis. En silence, elle regardait ses doigts manipuler habilement les lacets. Il lui fit signe de soulever l'autre jambe.

– Ça va ? demanda-t-il, en tirant sur une extrémité du lacet.

Elle comprit qu'il lui demandait s'il devait continuer.

– Très bien.

Appuyée sur les bras, elle se renversa en arrière. Elle se rappelait l'explication complexe que sa mère avait donnée à Matt pour l'empêcher de la serrer de plus près.

– Dans le journal, mon pauvre père est amoureux de ma mère. Il essaie de se rapprocher d'elle. Ce sont encore des gamins. Enfin, ils doivent avoir à peu près dix-huit ans. Ma mère prend peur. Elle veut et elle ne veut pas. Elle le tient donc en respect avec un long sermon pour lui expliquer que le sexe et l'amitié ne vont pas ensemble. Je la plains. De toute évidence, elle a envie de faire l'amour avec lui – elle est terriblement consciente de sa propre sexualité –, elle éprouve de la tendresse pour lui, mais elle a transformé ce qui aurait pu être un moment chaleureux, passionné en un exercice cérébral.

Ben posa sur le sol la chaussure de tennis.

– Comme vous le faites en ce moment, voulez-vous dire.

Elle le gratifia d'un regard défensif.

– Je fais simplement la conversation.

– Et vous n'allez pas prendre peur ?

Il tendit le bras pour éteindre la lampe et, ce faisant, lui effleura les seins. Délibérément, pensa-t-elle.

La pénombre envahit la pièce. Seule, la lumière de la lampe placée près du canapé éclairait le visage de Ben, et elle transformait ses traits, faisait de lui un inconnu.

– C'est bien possible, dit-elle.

Son cœur battait la charge. Brusquement, elle était saisie d'une crainte : s'ils faisaient l'amour, tout pourrait changer entre eux.

Il se pencha sur elle. Elle posa son poing fermé sur sa poitrine.

– Attendez.

Il s'écarta, mais elle lut une question dans ses yeux.

– Pourrions-nous parler encore un peu ? demanda-t-elle.

Il sourit.

– Encore un peu de gymnastique cérébrale, hein ?

Il s'étendit sur le lit, l'entraîna avec lui, de sorte qu'ils se retrouvèrent face à face, serrés l'un contre l'autre sur le matelas étroit, leurs deux têtes toutes proches sur l'unique oreiller.

— Vous n'êtes pas la seule à être tendue, dit-il.

Sa main était posée sur la hanche d'Eden, doigts écartés, et le pouce en suivait les contours.

— Après mon divorce, je me sentais sexuellement mort. J'avais l'impression que cette part de moi-même n'existait plus. Mais, le premier soir où nous nous sommes trouvés ensemble, vous et moi, à Sugar Hill, j'ai découvert qu'en fin de compte elle vivait encore.

Il lui adressa un large sourire.

— Voilà pourquoi je me suis si mal conduit, ce soir-là. Je me sentais comme un gamin de treize ans qui a sa première érection en public. Ça m'a pris complètement par surprise. Je ne savais plus quoi faire.

Jamais Wayne n'aurait partagé avec elle un souvenir aussi intime. Wayne ne partagerait même pas ce genre de pensée avec lui-même. Quant à Michael, il aurait trouvé un prétexte quelconque pour s'être conduit comme un imbécile, afin de protéger son ego soigneusement cultivé.

— J'admire votre franchise, lui dit-elle. Vous ne craignez pas de vous montrer tel que vous êtes.

— Merci, mais ce n'est pas tout à fait vrai.

— J'aimerais vous dire pourquoi je sors avec Michael.

— Tout de suite ? Je préférerais ne pas l'avoir dans ce lit avec nous.

— Pourtant, j'ai besoin de vous le dire : je ne veux pas que vous croyiez que je fais ça facilement.

Il repoussa une mèche de cheveux qui retombait sur le visage d'Eden, laissa ses doigts s'attarder un instant sur sa gorge, avant de les ramener sur la courbe de sa hanche.

— Très bien. Dites-moi.

— Après ma séparation avec Wayne, j'avais peur de fréquenter quelqu'un d'autre. J'ai fini par trouver le courage de sortir avec un homme. Nous nous sommes embrassés à la fin de la soirée, c'est tout, mais il a raconté partout que nous couchions ensemble. Je retenais mon souffle, dans l'attente de voir l'un des journaux populaires reprendre l'information. Je voyais déjà le gros titre, en travers de la une : « J'AI BAISÉ EDEN RILEY. »

Ben fronça les sourcils.

— Me croyez-vous capable de faire quelque chose de ce genre ?

— Non, non. Ce n'est pas ce que je voulais dire. J'essayais seulement de vous expliquer pourquoi je fréquente Michael. Voyez-vous, j'aurais tant à perdre, si ce genre de scandale se produisait, si mon image publique était détériorée. Si l'on associe mon nom à celui d'un homme, puis d'un autre, je perdrai le Fonds d'aide aux enfants handicapés. Peut-être même Cassie. Wayne m'assignerait devant le tribunal avant que j'aie le temps de savoir ce qui m'arrive. Il me ferait passer, mieux qu'il ne l'a déjà fait, pour une débauchée, une femme indigne d'élever Cassie. C'est là que Michael intervient. Il m'est attaché, pour autant que Michael puisse s'attacher à un autre être que lui-même, et c'est moi qui mène le jeu. Je n'ai pas à me soucier de rendez-vous, de commérages. Michael est pour moi une protection très sûre.

— Bon sang, vous ne pouvez vraiment pas vivre votre vie, hein ? Vous ne pouvez pas être vous-même.

— C'est difficile.

— Mais vous disiez que vous n'étiez pas amants, Michael et vous. N'avez-vous pas besoin de ça ? De relations sexuelles ?

— Durant l'année écoulée, non. Et, même avec Wayne, je n'irais pas jusqu'à dire que j'en éprouvais le *besoin*. Wayne prétendait que j'étais frigide.

Elle fit la grimace, baissa les yeux sur la courtepointe. N'y avait-il rien qu'elle ne pût lui avouer ?

Ben éclata de rire.

— Ça alors, c'est de la foutaise.

— Comment pouvez-vous le savoir ?

— Eh bien, je ne voudrais pas vous gêner...

Tout en parlant, il tirait sur le tee-shirt pour le faire sortir du short, passait doucement une main tiède dans son dos.

— Mais, de temps en temps, continua-t-il, je vous surprends à poser sur moi un regard qui dit clairement : « J'ai envie de ton corps, Ben Alexander. » Ce n'est pas un effet de mon imagination, hein ? Je ne prends pas mes désirs pour des réalités ?

— Non, ce n'est pas un effet de votre imagination.

Ses doigts hésitants se glissèrent vers la fermeture du jean, et elle entendit Ben reprendre brutalement son souffle.

— Je crois que je vais exploser si nous ne faisons pas l'amour tout de suite, dit-elle. Peut-on appeler ça du désir ?

Dans la lumière diffuse, elle distingua son sourire.

— Ça s'en rapproche assez, fit-il.

Il se souleva sur un coude pour l'embrasser, avant de poser la tête sur la poitrine de la jeune femme. Par la ceinture de son jean, elle l'attira plus près d'elle, et il lui mordilla les seins à travers le tee-shirt. Elle avait envie de se déshabiller, de sentir les lèvres de Ben sur sa peau nue. Ses doigts étaient déjà sur l'ourlet du vêtement, mais il lui prit les mains.

— Tu as une protection ? demanda-t-il.

— Oh...

Elle rougit. Elle n'y avait absolument pas songé. Elle s'en serait souvenue par la suite, sans aucun doute, mais il aurait été un peu tard.

— J'ai cessé de prendre la pilule après mon divorce. J'ai complètement oublié que je pourrais avoir à m'en soucier.

Avec un gémissement, il pressa son visage sur le ventre d'Eden, avant de lui reprendre les mains et de l'attirer hors du lit.

— Viens.

— Où allons-nous ?

Elle ramassait déjà ses chaussures.

— Chez un pharmacien.

— Mais, *Ben*...

La pharmacie la plus proche se trouvait à plus de quinze kilomètres sur une route en lacets.

— As-tu une meilleure idée ? Ça m'étonnerait qu'une grossesse puisse être bonne pour ton image.

Il attrapa ses clefs au passage, poussa la jeune femme vers la porte. Il n'était pas furieux, constata-t-elle, pas même contrarié. Il semblait plutôt s'amuser.

Je pourrais te laisser ici, pendant que j'irais là-bas, mais j'aurais peur que tu ne t'inspires de ta mère et que tu ne te fasses l'amour toute seule, comme tu l'as si joliment exprimé. Il ne me resterait plus rien quand je rentrerais avec le nécessaire.

En riant, elle se hissa sur le siège de la camionnette. Quelque chose, dans le subit accès de joie de Ben, dans la prudence qu'il manifestait à l'égard de son corps, alors qu'elle n'y avait pas songé elle-même, l'amenait à le désirer plus encore. Blottie contre lui, la tête sur son épaule, elle lui caressait lentement la poitrine à travers le fin coton de son tee-shirt. Elle sentait, sous la souplesse du tissu, l'élasticité d'une toison frisée, la rigidité des tétons, la ligne dure de la cage thoracique. Le seul bruit, dans la cabine de la camionnette, était la respiration de Ben. Il ne lâchait pas le volant, mais elle sentait la pression de son menton contre sa tempe.

— Quinze foutus kilomètres, dit-il, alors qu'ils étaient à peu près à mi-chemin. J'aurais dû trouver un logement plus proche de la ville : je savais bien qu'il y avait une bonne raison à ça.

Au moment où ils descendaient du véhicule, sur le petit parking du magasin, le tonnerre gronda au loin. La lumière, à l'intérieur, était agressivement violente, et il leur fallut un moment pour découvrir le présentoir des préservatifs.

Ben secoua la tête devant les rangées nombreuses.

— Regarde un peu ça. La dernière fois que j'ai utilisé un de ces trucs, on devait avoir le choix entre deux marques... Tu tiens à quelque chose qui sorte de l'ordinaire ?

— Utilitaire, sans plus, Ben.

Elle se cacha le visage au creux de son épaule, et il sourit de son embarras.

— Va m'attendre dans la camionnette, dit-il.

Juchée sur le siège, elle le voyait dans le magasin. Elle tenta de le détailler d'un regard objectif. Il était remarquablement séduisant. Pas à la manière de Michael, non : sa séduction était plus vigoureuse. La jeune personne à laquelle il s'adressait devait certainement être jalouse de la femme qui avait inspiré cet achat. Ben lui dit quelques mots, et tous deux partirent d'un grand rire. C'étaient des *préservatifs* qu'il achetait. Que pouvaient-ils bien se dire ? Eden se félicitait de n'être pas dans la boutique.

Des préservatifs. Grand Dieu. La dernière fois qu'elle en avait *vu* un, c'était à la fin de ses études secondaires. La troupe théâtrale. Les *acteurs*, comme disait Lou. Les *imposteurs*, ripostait Kyle, ce qui avait pour effet de mettre Eden en fureur. Elle se rappelait plusieurs occasions où elle avait attendu, dans une voiture garée devant un magasin, que l'un des garçons — Tex, Will ou Bo — achetât des cigarettes, des chocolats et des capotes. En ce temps-là, elle était assise dans une Volkswagen ou une Chevrolet. Quand ce n'était pas à l'arrière de la moto de Tex : à califourchon sur le siège de cuir, elle sentait la tension se propager le long de la face interne de ses cuisses, dans l'attente de ce qui allait venir ensuite. A présent, elle frissonnait au souvenir de cette époque et des mensonges sans nombre qu'elle racontait à Lou et à Kyle. Sans répit, elle mettait à l'épreuve leur amour pour elle, tandis qu'elle courait la campagne avec des gens dont l'abandon, trop prévisible, ne pourrait lui faire aucun mal.

Elle regarda Ben pousser les portes du magasin. De la main gauche, il lança le paquet en l'air, le rattrapa derrière son dos de la main droite. Elle sourit, laissa les souvenirs se dissiper.

Cette fois, quand elle posa la main sur la poitrine de Ben, il arrêta la camionnette au beau milieu de la route pour faire passer son tee-shirt par-dessus sa tête. Il le jeta derrière son siège et redémarra. Le volant maintenu par sa main gauche, il tendit la droite vers la jeune femme. Elle se tourna vers lui. Les doigts de Ben, avec la légèreté d'une plume, tracèrent le contour de ses seins.

Quelques gouttes de pluie s'éparpillèrent sur le pare-brise. Le tonnerre gronda de nouveau, plus près, cette fois, plus fort. La route faisait des virages si serrés que, de temps à autre, Ben devait abandonner sa compagne pour manier le volant. Il finit, une fois de plus, par arrêter la camionnette au milieu de la chaussée, glissa les deux mains sous le tee-shirt, à la recherche de l'agrafe du soutien-gorge.

— Par-devant, murmura-t-elle.

Elle la défit pour lui. Il l'embrassa, prit un sein dans chaque paume, doucement, avant de se remettre à conduire.

A l'intérieur de la camionnette, c'était une atmosphère de sauna. Sous les doigts d'Eden, le torse de Ben était moite. Quand, à son tour, il lui caressa la poitrine, il trouva la peau brûlante, comme le jour de leur première rencontre, quand il lui avait touché le genou.

— Les glaces sont couvertes de buée, constata-t-il.

La respiration d'Eden était devenue aussi haletante, aussi bruyante que la sienne. Il tira légèrement sur un mamelon. Aussitôt, elle porta la main à l'entrejambe de son compagnon, referma les doigts sur son érection.

Ben, subitement, engagea la camionnette dans le bois, l'immobilisa brutalement.

— Que fais-tu ?

Elle retira sa main, quand il se retourna pour prendre une couverture derrière le siège.

— Il reste encore plus de dix kilomètres pour arriver à la cabane. Je ne sais pas ce qu'il en est pour toi, mais moi, je ne tiendrai pas jusque-là.

Une pluie tiède tombait. Un éclair illumina le sous-bois, au moment où ils descendaient du véhicule. Ben étala la couverture sur le sol, sur un matelas de feuilles mortes. Il faisait vite, comme s'il s'agissait d'une urgence. Et peut-être en était-ce une, après tout. Elle fut saisie de cette frénésie contagieuse lorsqu'elle s'étendit sur la couverture. Elle ôta son tee-shirt, le soutien-gorge déjà dégrafé, pendant que Ben, d'une main, descendait le short jusqu'à ses genoux et, de l'autre, ouvrait la fermeture à glissière de son jean.

Elle en avait assez des baisers. Quand la main de Ben descendit de sa poitrine vers son ventre, elle s'en saisit, la guida plus bas encore. Il glissa les doigts en elle, reprit bruyamment son souffle.

— Tu es inondée, dit-il.

— Oui, je sais.

Elle sentait le sang battre follement, à l'endroit où il la touchait, et elle gémit lorsqu'il retira sa main.

— Attends un peu, fit-il.

Elle l'entendit défaire l'emballage du préservatif, mais, dans l'ombre, elle ne voyait rien. Elle sentit les mains de Ben se poser sur ses genoux. Doucement, sans hâte à présent, il lui écarta les cuisses, engagea la tête entre ses jambes. Avec bonheur, elle enfonça ses doigts dans la chevelure de son compagnon, souleva les hanches pour aller à sa rencontre.

La pluie lui lavait le visage, lui cinglait le ventre. Quand il la sentit prête, Ben se redressa sur les genoux, la pénétra. Pendant un moment, le rythme se perdit. Elle prit peur, se pressa contre lui, dans sa hâte de le retrouver.

— Doucement, dit-il.

Il la tenait par les hanches, lui imprimait de nouveau le rythme perdu. Elle se laissa entraîner, retrouva les mêmes sensations.

— Prête ? demanda-t-il.

— *Oui !*

Au moment précis où elle atteignait au plaisir total, un éclair frappa le sol dangereusement près d'eux, un coup de tonnerre ébranla la terre sous leur couverture. Les mains de Ben, sur les épaules de la jeune femme, la maintenaient, maîtrisaient le corps qui ne se contrôlait plus. Il pénétra une dernière fois en elle, plus profondément encore. Elle le sentit enfin tressaillir, s'immobiliser. La bouche ouverte, elle aspirait l'air humide et tiède. Elle passa ses mains tout au long du dos de Ben. Il lui dit à l'oreille :

— Tu devrais réellement remédier à cette frigidité, Eden.

Elle rit. Il se releva sur les coudes, se pencha sur elle pour l'embrasser et, dans l'ombre, trouva ses yeux au lieu de sa bouche.

— Tu m'as fait une démonstration plutôt dramatique, reprit-il. J'ai bien cru que tu avais été frappée par la foudre.

— C'est l'impression que j'ai eue.

Elle aurait aimé voir son visage. Elle leva la main, lui caressa les lèvres du bout des doigts. Il lui attrapa la main, la retourna pour en baiser la paume. Ce geste tout simple la rassura : ce qu'elle venait de faire n'avait pas été une erreur.


— Tu peux te servir de la douche la première, dit Ben en arrivant à la cabane. Je vais trouver quelque chose à te mettre sur le dos.

Le cabinet de toilette était minuscule. Il y avait tout juste assez de place pour se retourner. Ben frappa à la porte, lui tendit une serviette.

— Oh, surtout, ne dérange pas Charlotte.

— Charlotte ?

— Elle est dans la douche et elle y habitait déjà à mon arrivée. C'est ma compagne de chambre, en quelque sorte.

Il referma la porte. Eden ouvrit le rideau de la douche, découvrit une énorme araignée noire suspendue dans un angle, près du plafond. La jeune femme se doucha sans la quitter des yeux, pour le cas où Charlotte aurait été du genre jaloux.

Elle se nettoya les dents avec un peu du dentifrice de Ben étalé sur son doigt. Elle remarqua alors le flacon de Valium, au bord du lavabo. Elle le prit, lut le nom sur l'étiquette. *Ben Alexander.* La date inscrite remontait à six mois. Le médecin s'appelait lui aussi Alexander. Son frère, probablement. L'étiquette spécifiait le nombre de comprimés : vingt. Elle ouvrit le flacon, le vida au creux de sa main pour les compter. Vingt. Il n'en avait pas pris un seul. Mais ils étaient là, à portée de main. Elle regarda la porte du cabinet de toilette, comme si elle pouvait voir

Ben, de l'autre côté du battant. Le pauvre homme. Par quelle épreuve était-il donc passé ?

Elle sursauta au coup frappé à la porte, et quelques-uns des comprimés tombèrent.

– Tu veux de quoi t'habiller ? demanda Ben.

– Une minute.

Elle ramassa les comprimés, remit le flacon sur le lavabo, avant d'ouvrir la porte.

– Tu es superbe, déclara-t-il, quand elle émergea enfin de la salle de bains.

Le tee-shirt qu'il lui avait donné était noir ; il devait être, pensait-elle, passablement sexy sur elle. Le short bleu à ceinture élastique lui serrait la taille, mais, par ailleurs, il restait quand même trop grand.

– Si nous mangions un morceau ? demanda-t-il.

Elle consulta sa montre. Presque dix heures. Elle était affamée.

– D'accord.

– J'ai des hot-dogs et une boîte de haricots, mais c'est à peu près tout.

– Je vais préparer le dîner pendant que tu prendras ta douche.

– Tu passes la nuit avec moi ?

– Après le repas de haricots ?

Il lui sourit.

– Je t'en prie.

Elle en mourait d'envie.

– Il faut que je téléphone à Lou et Kyle.

Le sourire de Ben s'effaça.

– Peut-être vaudrait-il mieux que ce soit moi.

– Non, riposta-t-elle en le repoussant. Va prendre ta douche.

Jamais elle n'avait vu de cuisine aussi désolée. Une étagère, au-dessus du poêle, portait une ou deux boîtes de potage, un peu de riz, un paquet de flocons d'avoine. Le réfrigérateur ne valait guère mieux : il contenait une laitue, les hot-dogs, du lait, du vin, du jus d'orange. Eden mit trois hot-dogs dans une poêle à frire, vida dans une casserole la boîte de haricots et posa le tout sur le fourneau, sans cesser de regarder le téléphone vert posé sur la table de chevet. Que pourraient-ils dire de pire ? Ben n'était ni Tex, ni Will, ni Bo. Lou et Kyle avaient de l'*affection* pour Ben.

Ce fut Lou qui répondit.

– Salut, Lou, commença Eden. Il fait si mauvais temps, dehors. Je vais rester là-haut, cette nuit.

Elle fit la grimace. Lou prenait son temps pour répondre.

– Tu es chez Ben ? demanda-t-elle finalement.

– Oui.

– L'orage se calme, maintenant.

– Je *veux* rester ici, Lou.

Elle enroulait sur ses doigts le fil du téléphone.

Lou soupirait.

– Tu sais ce que c'est, ma chérie. On ne cesse jamais de se tracasser. Attends que Cassie soit devenue femme. Tu verras.

– Tout va très bien.

– Mais oui, naturellement.

# 25

Il faisait encore nuit lorsqu'il entendit Eden émettre un cri étouffé et se redresser dans le lit.

– Eden ?

– Je faisais un cauchemar.

Il la tira par l'épaule.

– Recouche-toi.

– Je ne peux pas. On pourrait allumer ?

Il pressa l'olive de la lampe posée sur la caisse. Eden remonta le drap sur sa poitrine, promena son regard sur la pièce, d'un objet à l'autre, comme pour s'assurer qu'elle était bien là, bien éveillée. A la voir ainsi, Ben se rappelait Bliss, quand elle s'éveillait d'un mauvais rêve et qu'elle avait besoin de retrouver la certitude qu'elle était dans sa propre chambre, dans ce décor sûr et familier.

Dans le cercle lumineux, il distinguait sur le visage de la jeune femme des ombres dures, de fines rides sur son front. Ces marques de l'âge, que bien peu de personnes étaient autorisées à voir, émurent Ben.

– Parle-moi de ce cauchemar.

Il lui posa une main sur le dos. Sa peau était moite de transpiration.

Je le fais presque chaque nuit depuis que je suis en Virginie.

– Vraiment ?

– Je rêve de Lou.

Elle secoua la tête, sourit, comme si elle se trouvait stupide. Il voyait que les fils du cauchemar la quittaient, la libéraient.

– Je ne peux pas en parler, ajouta-t-elle.

Qu'elle voulût garder un secret ne le dérangeait pas. Il

se sentait ainsi en droit de conserver le sien. Toutefois, il regrettait cette rapide intrusion de la réalité dans une nuit aussi parfaite.

Nous pouvons laisser la lampe allumée.

Il l'aida à remettre la tête sur l'oreiller. En dépit de la chaleur, elle frissonnait, et il resserra le drap sur ses épaules.

— Tu te sens mieux ?

— Je me suis donnée à toi.

— Oui, dit-il, sans bien comprendre.

— Je ne parlais pas du don physique.

Elle levait vers lui un regard candide, sans voile.

— Je parle de tout ce que je t'ai confié. Je t'ai livré mon « moi » réel. J'ai toujours eu très peur d'en arriver là. Mais j'ai bien fait, n'est-ce pas ? Je suis en sécurité ?

— Oui, répondit-il.

Mais sa gorge se serrait : elle n'était pas le moins du monde en sécurité avec lui, et il le savait.

Elle soupira, se pressa contre lui.

— Serre-moi dans tes bras, Ben, pria-t-elle, bien qu'elle fût déjà enfermée dans son étreinte.

Quand elle se réveilla pour la seconde fois, le soleil pénétrait à flots dans la cabane. La tête d'Eden reposait sur l'épaule de son compagnon, et Ben éprouvait un malaise, une sensation de pesanteur au creux de l'estomac. Kyle allait être furieux contre lui, et sa colère serait justifiée. Le seul moyen de remédier à cette situation, c'était de tout dire à Eden.

Il sentait entre ses bras le corps lourd et chaud de la jeune femme. Elle s'étira, d'un souple mouvement de félin, avant de se renverser en arrière pour regarder Ben. Elle lui adressa un sourire lumineux, un sourire qui lui montra qu'elle s'éveillait précisément là où elle avait envie d'être.

— Est-ce que tu envisagerais de venir t'installer en Californie ? questionna-t-elle.

Il éclata de rire.

— Bien sûr. Je pourrais devenir l'un de ces personnages en toc.

— Je ne plaisantais pas.

Il l'embrassa.

— J'ai à te parler.

Elle lui posa un doigt sur les lèvres.

— Je n'ai pas envie de t'écouter.

Ce n'était ni le moment ni le lieu, d'ailleurs, se dit-il, non sans un certain soulagement. Pas au lit, pour l'amour du ciel.

Elle se redressa, se tourna vers lui. Comme la veille au soir, elle retenait le drap sur ses seins.

Elle lui fit un autre sourire, un peu espiègle.

– Nous avons démoli ton lit.

– Pour ça, oui.

Les draps s'étaient dégagés du matelas et se tordaient comme des cordages autour de leurs jambes. Au beau milieu de la nuit, ils avaient entendu l'une des lames du sommier céder sous leurs mouvements désordonnés, mais ils n'avaient pas éprouvé le désir d'y remédier. Ben n'avait pas connu de nuit comme celle-là depuis des années.

S'il avait discerné des signes de fatigue ou de vieillissement sur le visage d'Eden, la nuit précédente, ils avaient maintenant disparu. Son teint était parfaitement uni, et le soleil jetait de l'or sur ses longs cils. Doucement, il desserra les doigts crispés sur le bord du drap, et celui-ci retomba sur les cuisses de la jeune femme. Il vit les mamelons se tendre sous son regard. Sur le point de lui dire qu'il désirait lui faire l'amour au grand soleil, il se reprit. Il n'en serait pas capable, il le savait. Le piège dans lequel il s'était laissé prendre lui apparaissait nettement, ce matin-là.

Elle s'étendit soudain sur lui de toute sa longueur, ses seins contre sa poitrine, ses lèvres sur les siennes. Il aurait dû lui parler la veille au soir. Il n'avait pas le droit de lui faire l'amour, aussi longtemps qu'il la laissait dans l'ignorance. Elle posa la tête sur sa poitrine, et ses longs doigts soyeux s'emparèrent de son pénis. Il se laissa caresser, mais il n'éprouvait rien. De quels mots pourrait-il bien se servir pour lui dire la vérité ? Sa main glissa sur le bras de la jeune femme jusqu'au moment où il atteignit la main d'Eden. Il la souleva, la porta à ses lèvres.

– Je crois que nous l'avons épuisé, dit-il. Je te demande pardon.

– Non, c'est moi qui te demande pardon. Je n'avais pas l'intention de me montrer si avide.

Il sortit du lit, se dirigea vers le cabinet de toilette sans la regarder : il avait l'horrible impression qu'il allait se mettre à pleurer. *Je me suis donnée à toi,* lui avait-elle dit. Seigneur ! Il n'avait eu aucun droit de prendre tout ce qu'elle lui offrait.

Quand il revint dans la pièce, elle était habillée. Assise au bord du lit, elle tenait dans sa main un verre vide qui avait contenu du jus d'orange. Elle leva vers lui un visage inquiet.

— Tu es fâché contre moi ?

— Grand Dieu, non.

Il se pencha pour l'embrasser.

— Je suis amoureux de toi.

Il la regarda ravaler sa salive, vit ses yeux s'emplir très vite de larmes.

— Oh, Ben, dit-elle.

— Mais il est absolument essentiel que nous parlions, toi et moi, de mon divorce.

— Très bien.

— Si je t'emmenais dîner quelque part, ce soir, de bonne heure ?

Sans doute l'idée ne valait-elle pas grand-chose. Pourrait-il lui parler dans un restaurant ?

— D'accord. Mais, cette fois, c'est moi qui t'invite. Tu m'as offert à déjeuner, et j'ai bu ton vin, mangé tes haricots.

Elle lui témoignait sa pitié, sa condescendance. Il pensa aux quatre dollars qui lui restaient dans son portefeuille, et son corps tressaillit violemment, comme au contact d'un fil sous tension. Une fureur impuissante et terrible montait en lui.

— Je ne veux plus vivre ainsi !

Il se saisit du verre qu'elle tenait encore, le lança à travers la pièce. Il heurta le mur de bois, retomba en morceaux sur le sol.

Calmement, Eden se leva, l'enferma dans son étreinte.

— Tout va bien, dit-elle.

Il tremblait entre ses bras, son souffle était dur, haletant.

— Pardon, Eden.

Il serrait les poings.

— Il m'arrive de me faire peur à moi-même. Je ne me reconnais plus.

Elle resserra son étreinte.

— L'argent est sans importance.

Il la lâcha, recula de quelques pas, les mains enfoncées dans ses poches.

— Eden, quoi qu'il puisse se passer désormais entre nous, merci pour cette nuit. Aussi loin que je me souvienne, je n'ai jamais été aussi complètement heureux.

– A t'entendre, on dirait que cela va déjà finir.

Il sentit son bonheur l'abandonner.

– Ce sera à toi d'en décider, je crois.

Il était près d'onze heures quand Kyle rejoignit Ben sur le site de fouilles. Par l'échelle, il descendit dans la fosse où Ben travaillait et retourna un seau pour s'en faire un siège. Ben sentit se contracter les muscles de sa poitrine. Kyle n'était pas venu pour travailler.

Il se leva pour lui faire face.

– Vous avez certaines choses à me dire, je suppose.

– Oui, à propos de janvier prochain. Voulez-vous que j'écrive à Carl Petrie ? Il a besoin d'aide, là-bas, en Floride.

Ben fronça les sourcils. Il s'était attendu à entendre Kyle lui parler d'Eden. Mais ça revenait au même, n'est-ce pas ?

– Que diriez-vous, si je vous annonçais que je vais essayer de trouver un emploi en Californie, afin de vivre près d'Eden ?

– Eh bien, je dirais que vous n'êtes peut-être pas très réaliste.

– Autrement dit, je ne suis pas assez bon pour elle ?

Kyle soupira, posa les mains sur ses genoux.

– Si la situation était différente, vous seriez ce qui pourrait lui arriver de mieux. Mais, Ben... je ne veux pas la voir souffrir.

– Moi non plus.

– Elle est rentrée, ce matin, toute lumière et sourires... et un peu lasse.

Il accorda un sourire à Ben.

– Je ne l'ai jamais vue ainsi. Elle ne donne pas facilement sa confiance. On l'a déçue un peu trop souvent. Plus haut elle montera avec vous, je le crains, plus brutale sera la chute.

– Peut-être n'y aura-t-il pas de chute.

– Et vous-même, Ben, vous vous exposez à beaucoup de souffrance. Même s'il vous était possible de venir à bout de l'obstacle majeur, je vous vois mal vous adapter à son style de vie. Vous la connaissez à peine. Et elle ne vous connaît certainement pas.

– Je vais tout lui dire aujourd'hui même, déclara calmement Ben.

– Bien joué. Vous lui dites tout après avoir couché avec elle.

Ben voulut ignorer la pointe. Il baissa les yeux sur Kyle.

— Je vais la perdre.

Kyle secoua la tête.

— Vous ne pouvez pas perdre ce que vous ne possédez pas. Le peu que vous avez, vous l'avez obtenu par de faux-semblants.

Ben sentit sa gorge se serrer. Lorsqu'il parla, ce fut d'une voix tremblante.

— Que se passe-t-il entre vous et moi ? demanda-t-il. Je ne veux pas me disputer avec vous, Kyle. Vous êtes à peu près tout ce qui me reste.

Kyle se leva. Il s'approcha de Ben, le prit dans ses bras, le serra contre lui.

— Moi non plus, je ne veux pas me disputer avec vous, dit-il.

Il s'écarta, tendit la main vers l'échelle, en évitant le regard de Ben. Son visage avait une expression qui ne lui était pas habituelle. Une sorte de découragement. Une impuissance si étrangère au comportement de Kyle qu'il eut un moment l'aspect d'un tout autre homme... Ben eut peur pour lui.

— Kyle ?

Une main sur l'échelle, Kyle se retourna vers lui.

— Bientôt, Ben, je vais moi-même être obligé de lui faire du mal.

Vraiment effrayé, cette fois, Ben alla vers lui.

— Que voulez-vous dire ? Vous n'êtes pas malade, au moins ?

Kyle secoua la tête.

— Non, rien de ce genre. Je ne peux pas vous en dire plus long pour le moment. Je vous informe seulement de ce qui va se passer. Je ne veux pas qu'elle se sente trahie par vous et par moi en même temps.

# 26

*3 août 1947*

Hier soir, le jour de mon vingtième anniversaire, Sara Jane a donné naissance à un bébé, une petite fille, qui n'a pas de bras. Susanna me l'a appris ce matin, et je pense qu'à Coolbrook tout le monde en parle. L'enfant a de petites mains qui pendent là où devraient être ses bras. Je ne m'entendais certes pas avec Sara Jane par le passé, mais ça ne m'empêchait pas de la prendre maintenant en pitié. Imaginez ce que ce doit être, de porter un enfant pendant tant de mois, d'être pleine d'espérance et de joie, pour, à la fin, poser sur lui un seul regard et savoir qu'il n'a aucune chance de bonheur. Cet après-midi, dans ma caverne, j'essayais de travailler sur une histoire, mais je ne pouvais écarter de mon esprit Sara Jane et son bébé. Je me suis dit que je devrais en parler dans mon journal.

Il y a très longtemps que je n'ai touché à ce journal. De temps en temps, je retrouve ces cahiers, et il me prend l'envie de les jeter. Le journal représente une telle part de mon enfance, et il n'y a pas grand-chose dans mon enfance dont je tienne à me souvenir. Mais, toutes les fois que je songe à m'en débarrasser, quelque chose m'en empêche. Ça me fait un drôle d'effet d'y écrire maintenant. C'est comme si je retrouvais un vieil ami après une trop longue absence et que je doive reconstruire entièrement notre amitié.

J'ai pourtant beaucoup écrit, cette année. Plus de vingt histoires pour enfants : j'avais besoin de mes jeunes personnages, en l'absence de Kyle et de Matt. Mais ils sont maintenant de retour pour l'été, et Matt abandonne ses études pour lancer un journal à Coolbrook. Il s'est mis à porter des costumes et à fumer la pipe ! Néanmoins, quand il a des loisirs, il passe une salopette et nous aide, Kyle et moi, dans nos fouilles. Nous avons creusé une fosse dans la terre, devant la caverne, et nous découvrons des pointes de flèches et des fragments de poterie. Kyle retourne à l'université le mois prochain, mais il sera de retour chaque week-end pour travailler dans la fosse. Son intérêt pour tout ce qui se cache sous terre le retiendra ici. Quant à moi, j'ai décidé de ne plus jamais quitter Lynch Hollow. Hors de ces lieux, il n'y a pour moi que désespérance.

Cet été, j'ai écrit d'autres histoires aussi, dont seraient jaloux Lady Chatterley et son amant. Celles-là, je les ai cachées. Elles n'appartiennent qu'à moi et elles ont été bien plus importantes que mes histoires pour enfants pour m'aider à survivre à cette dernière année sans Kyle et sans Matt.

### 5 août 1947

Aujourd'hui, j'ai fait la connaissance d'Ellie Miller, la petite fille de Sara Jane. Quand je me suis réveillée, ce matin, j'avais rêvé pour la quatrième fois de cette enfant. Dans ce rêve, elle n'avait pas de pieds ; dans le précédent, pas de visage. J'ai compris que je devais la voir.

J'ai demandé à Kyle s'il voulait m'emmener, et il m'a regardée comme si j'étais folle.

— Laisse-la tranquille, Kate, m'a-t-il dit. Laisse Sara Jane à son chagrin.

Mais quelque chose me poussait. Susanna m'a permis d'emprunter sa vieille bicyclette. Je n'en avais pas fait depuis plusieurs années, mais je n'ai pas eu de mal à m'y tenir. Dans le champ près de Ferry Creek, j'ai cueilli un bouquet de fleurs sauvages, je les ai mises dans le panier et je suis partie.

Je suis restée tellement confinée dans ma caverne, toute cette année, que j'avais oublié combien je me sens mal à l'aise dans le monde extérieur. En arrivant à l'endroit où la route est bordée des deux côtés par des champs de maïs, j'ai été prise de vertige, j'avais l'impression que j'allais tomber de bicyclette d'une minute à l'autre. J'ai pourtant fait tout le trajet jusqu'à Coolbrook et je me suis sentie très fière de moi. Cependant, j'étais encore nerveuse et, en parvenant devant la porte de Sara Jane, je tremblais comme une feuille.

Ce fut elle qui vint m'ouvrir. Elle est grosse comme une maison et elle avait les yeux tout gonflés. Sans doute avait-elle pleuré, me suis-je dit. J'en ai été triste pour elle.

– Bonjour, Sara Jane, ai-je dit. Je suis venue voir ta petite fille.

Je lui tendais les fleurs. Elle les a prises de mes bras, s'est écartée pour me laisser entrer. Tout ça, sans un mot.

Tommy Miller était assis à la table, dans le coin repas de leur salle de séjour. Il m'a saluée.

– Merci d'être venue, a-t-il ajouté.

Sara Jane a déclaré alors qu'il était trop tôt pour venir voir le bébé : elle n'avait que trois jours, et il y avait des microbes qu'elle pourrait attraper. Mais Tommy est intervenu.

– Oh, laisse-la lui voir. Prenez un siège, Miss.

Il m'appelait « Miss », et j'ai pensé qu'il ne se rappelait pas qui j'étais.

Je me suis assise sur le canapé. Sara Jane a disparu dans une autre pièce. Quand elle est revenue, elle tenait dans ses bras un bébé minuscule, tout enveloppé dans une couverture rose. Elle me l'a donné, et, aussitôt, j'ai appris quelque chose sur moi-même : je veux être mère. Je veux avoir un enfant tout à moi.

Ellie Miller est tout simplement adorable. Au début, elle dormait et elle avait l'air d'un ange, avec son joli minois et ce petit duvet couleur pêche sur la tête. Sara Jane me l'avait donnée tout enveloppée, afin que je ne la voie pas entièrement. Mais j'étais bien décidée : si je devais passer mes nuits à rêver de cette enfant, je voulais en avoir le cœur net. J'ai donc écarté la couverture. Sara Jane, penchée sur moi, respirait comme une machine à vapeur. Ellie, là où devraient être ses bras, a deux petites mains. Deux petites mains minuscules, précieuses. Je sais bien que ce bébé a été mal formé, mais, sur le moment, j'étais incapable de m'en rendre compte. Pour moi, elle était parfaite. Peut-être est-ce le reste d'entre nous qui sommes tous mal formés. J'ai eu de la peine à la rendre à Sara Jane, qui ne m'avait toujours à peu près rien dit. Je pensais ce qu'elle éprouverait lorsqu'il serait temps de sortir la petite Ellie, quand les gens ouvriraient de grands yeux, murmureraient derrière son dos. Mon cœur saignait pour elle. Pour Sara Jane ! Le moment venu de partir, je lui ai dit :

– Les gens peuvent se montrer malveillants, Sara Jane.

218

Ne les écoute pas, c'est tout. Ellie est ravissante, et nous le savons, toi et moi.

Là encore, elle ne m'a rien répondu. Sans doute s'est-elle évanouie après mon départ, dans sa surprise d'avoir entendu Katherine Swift lui parler si gentiment.

Quand je suis rentrée à la maison, Kyle était furieux. On ne devait pas se conduire comme ça, m'a-t-il déclaré : faire irruption dans une maison où il y a un nouveau-né, même s'il s'agit d'un bébé superbe, que tout le monde a envie d'exhiber. Jamais de ma vie, lui ai-je répondu, je ne me suis souciée de ce qui se faisait ou ne se faisait pas, et je n'allais pas commencer maintenant.

*5 octobre 1947*

Je suis retournée voir Ellie aujourd'hui. Pourquoi m'attire-t-elle ainsi ? Je continue à rêver d'elle. Le médecin a annoncé à Sara Jane qu'Ellie serait « retardée ». Elle mettra beaucoup de temps, veut-il dire, à parler, à marcher, à apprendre des choses. Sans doute ne pourra-t-elle jamais lire ni écrire, ce qui, selon moi, représente le coup le plus terrible.

— Mais elle pourra toujours imaginer, ai-je dit à Sara Jane.

Elle m'a répondu dans ce qui était presque un aboiement :

— Qu'est-ce que tu veux dire par là ?

Elle n'a toujours pas une grande sympathie pour moi. J'ai voulu lui expliquer que créer par le rêve est ce qu'il y a de plus important au monde, plus important que d'avoir des bras ou d'additionner deux et deux. Je me trouvais poétique, mais Sara Jane me regardait comme elle le faisait naguère à l'école : comme si j'étais tordue à n'y pas croire.

*25 octobre 1947*

Kyle est venu à la maison pour le week-end. Il pleut trop pour continuer les fouilles ou pour aller à bicyclette voir Ellie. J'ai donc supplié Kyle de me conduire en voiture chez Sara Jane, et, finalement, il a accepté. Je crois qu'il est curieux, lui aussi, de voir le bébé.

Sara Jane a paru tout agitée en découvrant Kyle sur le seuil de sa maison, et son comportement m'a fait rire intérieurement. Je me suis tout de suite approchée du moïse où dormait Ellie et je l'ai prise pour m'asseoir avec elle sur le canapé. Pendant ce temps, Sara Jane et Kyle s'étaient assis, eux aussi, et cherchaient ce qu'ils pourraient bien se dire. J'ai vu immédiatement qu'elle l'aimait encore. Je reconnais clairement ce sentiment chez elle : c'est la seule chose que nous ayons en commun. Je la regardais le regarder. Elle pensait qu'elle aurait connu une vie toute différente si elle lui était restée fidèle, si elle l'avait attendu. Elle se disait qu'elle aurait pu l'épouser, au lieu de se retrouver avec un boulanger qui la bourre de gâteaux au point qu'elle a du mal à s'extirper d'un fauteuil. Elle pensait que, si elle était restée avec Kyle, elle aurait peut-être maintenant un enfant bien conformé, un enfant dont les autres ne se moqueraient pas dans la rue. Elle regardait Kyle avec une telle nostalgie. Quand il se leva pour venir s'asseoir près de moi et voir Ellie, je compris qu'elle se rappelait les moments où elle avait fait l'amour avec lui, et je lus par-dessus tout le regret dans ses yeux.

Et que vois-je dans les yeux de Kyle, lorsqu'il la regarde ? Ce n'est pas de la pitié, et ça me surprend. C'est plutôt de la compassion. Je vois qu'il a encore un sentiment pour elle, pas en tant que petite amie, mais en tant qu'être humain. Elle a eu beau le faire souffrir, elle a beau, à vingt ans, se laisser déjà aller, il a gardé de l'affection pour elle. Ce qui montre assez le genre d'homme qu'est mon frère.

Pendant que Sara Jane et Kyle bavardaient, j'avais mon petit entretien personnel avec Ellie. Je peux la redresser sur mes genoux, et elle me regarde, même si, au bout d'une minute ou deux, ses yeux se détachent de moi. Je jouais avec elle, avec ses mains minuscules et parfaites, mais ce que je mourais d'envie de faire, c'était la bercer dans mes bras. Je voulais la serrer contre moi. Je suis tellement jalouse de Sara Jane qui peut lui donner le sein. Les larmes me venaient aux yeux à l'idée que, selon toute probabilité, je n'aurai jamais d'enfant à moi. Je ne peux pas imaginer que je puisse être un jour assez proche d'un homme pour permettre un tel miracle. Je cache assez bien ce désir : je plaisante avec Susanna et Papa, quand ils me parlent mariage, d'une famille. Mais Kyle sait, lui. J'aurais dû m'en douter. Apparemment, il sait tout ce qui se passe dans ma tête. Nous avions quitté Sara Jane et nous roulions vers Lynch Hollow sous une pluie battante quand il m'a dit :

— Tu as envie d'avoir un enfant.

Il a dit ça d'un ton parfaitement neutre, sans même détourner son regard de la route pour me jeter un coup d'œil.

— Je ne l'aurai jamais, ai-je répondu.

— Matt serait heureux comme un roi de te l'offrir.

— Je n'ai pas vu une pluie pareille depuis des années, ai-je dit.

Et nous en sommes restés là.

*10 septembre 1948*

J'ai une nouvelle extraordinaire, mais je dois d'abord remettre ce journal au courant. J'ai peine à le croire, je n'y ai rien écrit depuis presque un an ! Dans le temps, je le gardais sous mon oreiller et j'écrivais jour et nuit. Aujourd'hui, j'ai même eu du mal à retrouver ce cahier.

Ellie Miller a maintenant un an. C'est une enfant très tranquille. Elle ne marche pas encore, mais son sourire vous illumine le cœur. Je l'ai vue seulement de temps en temps, cette année, quand je vais à la boulangerie avec Susanna. J'ai cessé de lui rendre visite parce que Susanna avait appris de Priscilla Cates que mes visites rendaient Sara Jane nerveuse. Quand je suis là, Sara Jane est incapable de se détendre, a déclaré Priscilla. Je ne vois pas pourquoi je bouleverse Sara Jane. J'ai cependant cessé de venir voir Ellie et, d'une certaine façon, j'ai eu raison, je crois. Toutes les fois, le désir d'un bébé bien à moi me revenait et devenait de plus en plus douloureux. J'ai donc consacré toute mon énergie, cette année, à mes histoires pour enfants et à l'archéologie.

Nos fouilles se sont étendues tout autour de nous. Kyle, de retour de l'université, a séjourné ici tout l'été. Nous avons deux fosses devant la caverne. Nous avons découvert des pointes de flèches et des morceaux de poterie qui remontent à trois mille ans et nous sommes devenus très experts à les cataloguer. La plus grande partie de la journée, je suis déchirée entre la besogne minutieuse qui consiste à faire sauter des parcelles de terre avant de débarrasser les fragments de leur poussière séculaire et le désir d'écrire mes histoires. Je passe facilement d'une activité à l'autre, et je prends Kyle en pitié parce qu'un seul intérêt le consume. Mais il paraît très satisfait, lui aussi. Il a découvert sa vocation.

J'ai beaucoup pensé à Rosie, le petit squelette du labyrinthe. Nous ne sommes jamais retournés la voir et nous n'avons aucun moyen de savoir quand elle a vécu, quand elle est morte. Mais, à force de songer à elle, j'ai eu l'idée d'écrire une histoire à propos d'un enfant qui aurait vécu à l'époque que nous étudions d'après nos fouilles. J'ai obtenu un bon résultat. En juillet, Matt devait se rendre à une réunion à New York et il a emporté mon histoire pour la lire dans le train. Et voilà la grande nouvelle : à son retour, il m'a remis un chèque de cent dollars ! Il avait vendu l'histoire à un éditeur, Waverly Books, et, l'an prochain, elle paraîtra sous la forme d'un vrai livre, illustrée par quelqu'un de la maison d'édition. Et ils en veulent d'autres ! Matt, qui nourrissait ce projet depuis plusieurs mois, m'a dit qu'ils adoraient ce que je fais. Toutefois, ils veulent des histoires plus longues, plus détaillées. C'est donc là-dessus que je travaille maintenant, et c'est ce qui, la plupart du temps, absorbe toutes mes pensées.

*10 juillet 1949*

Kyle a obtenu sa licence le mois dernier et il parle déjà de retourner à l'université parce qu'il veut accéder au doctorat. Sans doute avais-je espéré qu'il s'installerait définitivement ici, qu'il en avait fini avec les études, mais je dois affronter la réalité : jamais il ne tiendra en place ici. Nos fouilles le passionnent, mais il aime trop voyager pour se fixer bien longtemps. Il me promet de revenir pour les week-ends, de sorte que je ne suis pas trop angoissée. J'ai vendu cinq autres romans cette année et j'écris de temps en temps un article pour le *Coolbrook Chronicle*, le journal de Matt. Personne ne pensait qu'un journal pût réussir à Coolbrook, tant la ville est petite, mais tout le monde, à présent, lit le *Chronicle*.

Hier, Matt me tenait compagnie dans la caverne. Il lisait, et je tapais à la machine. Finalement, il a levé la tête.

— Nous ferions aussi bien de nous marier, toi et moi. Nous passons ensemble le plus clair de notre temps.

J'ai ôté le coton de mes oreilles.

— Tu disais ?

En réalité, je l'avais très bien entendu.

Il m'a dit que nous ne serions pas obligés de faire l'amour si je ne le désirais pas. Il se contenterait de vivre avec moi.

– Et tous tes dîners mondains, tes réunions et le reste ?
Je ne pourrais jamais t'y accompagner, tu le sais bien.

Je tenais à lui démontrer à quel point son idée était ridicule.

– Je m'en moque. Tu pourrais rester ici. J'irais seul.
J'aimerais simplement pouvoir dormir près de toi, la nuit.

Ces paroles firent naître en moi une drôle de petite
émotion, comme si cette perspective me plaisait à moi
aussi. Je n'ai pas envie de l'épouser et je n'ai pas envie
non plus de faire l'amour avec lui : nos relations en
deviendraient trop compliquées. Mais j'aime l'idée de
dormir près de lui toute la nuit. Je pourrais le faire entrer
en cachette dans ma chambre, une fois Susanna et Papa
endormis, et sentir sa chaleur durant la nuit entière. A
mon avis, il serait sans doute capable de dormir avec moi
sans me toucher. Il n'a jamais rien essayé avec moi,
depuis ce jour à Georgetown. Il m'a seulement, quelquefois, embrassée sur la joue. Je crois que Matt est
encore vierge.


*12 juillet 1949*

J'ai répété à Kyle ce que Matt m'avait dit, sa proposition de dormir simplement avec moi. Je devrais accepter,
si j'en ai envie, m'a dit Kyle, mais je ne devrais pas
m'attendre à ce qu'il ne me touche pas. Matt, ai-je continué, me faisait l'impression d'être vierge. Kyle a éclaté de
rire.

– Sors la tête du sable, Kate.

Il m'a expliqué que Matt avait deux aspects différents.
Il y a la douceur, la gentillesse qu'il me témoigne, comme
à la plupart des filles avec lesquelles il sort. Et il y a son
« côté animal », comme l'appelle Kyle. Celui-ci, il le
montre à quelques filles spécialement choisies. Il y en a
une à Luray, une autre à Strasburg.

J'en ai éprouvé un choc.

– Matt ? Matt Riley ?

Kyle a déclaré :

– C'est toi qu'il veut, en réalité. Lorsqu'il est près de
toi, il finit par perdre tout son sang-froid, et il lui faut bien
un endroit où il puisse lâcher la vapeur.

Depuis, je n'arrive plus à considérer Matt de la même
façon. Il est là, en train de lire – en fait, c'est précisément
le cas, en ce moment même –, avec ses grands yeux bruns

innocents qui, en fin de compte, ne le sont pas tellement. Je ne suis pas près de dormir avec lui, mais je suis contente d'en savoir aussi long sur lui. Souvent, je me sentais coupable, comme si je le privais de quelque chose, et je découvre maintenant que, ce quelque chose, il n'en a jamais été privé.

### 29 octobre 1949

Depuis la reprise des cours à l'université, Kyle est venu passer chaque week-end à la maison. On l'amène en voiture. Il a éveillé l'intérêt du Dr Latterly – qu'il appelle maintenant « Stan » – pour ses « *fouilles d'arrière-cour* ». Il a réussi à faire venir Latterly jusqu'ici pour visiter Lynch Hollow. Jamais je n'avais été témoin d'une scène aussi comique. C'était un samedi, il y a deux semaines. Kyle et le professeur sont venus à la caverne. Le pauvre homme ne savait que penser, devant une jeune femme qui tapait à la machine avec du coton dans les oreilles tandis qu'un homme distingué (Matt), étendu sur le canapé, lisait en fumant la pipe. Kyle, Matt et moi, nous nous comportions d'une façon parfaitement normale. Le Dr Latterly a été quelque peu choqué, je crois, mais ce que nous avons fait ici, Kyle et moi, l'a favorablement impressionné. A présent, il adapte son travail avec Kyle à nos besoins particuliers.

### Dimanche de Pâques 1950

Matt a amené au déjeuner de Pâques la femme qu'il fréquente actuellement. Il en a fréquenté un certain nombre, ces temps derniers, sans en faire mystère avec moi. Il essaie de me rendre jalouse, je suppose, mais ça ne marche pas. Comme Kyle, Matt est considéré comme l'un des hommes les plus séduisants de la région. Mais Kyle, lui, n'est pas ici assez souvent pour tirer parti de cet avantage. Il prétend qu'à l'université il sort rarement avec des filles, ce que j'ai peine à croire. Il est vrai que, ces temps-ci, il est très absorbé par ses recherches professionnelles. Alors, peut-être est-ce possible.

L'amie de Matt, Dolores, est passionnément amoureuse de lui. Je l'ai observée, fascinée. Elle tentait d'aller au-devant de son moindre désir. C'était révoltant. Matt, je le sais, ne lui rend pas cet amour, cette adoration. Je me demande si elle connaît l'existence de la fille qu'il fréquente à Luray. Il y a quelques mois, je lui ai dit que j'étais au courant de ses sordides petites aventures. D'abord furieux contre Kyle, il a été ensuite content, je crois, de pouvoir me parler plus librement des femmes qui évoluent dans sa vie. Notre amitié est plus belle qu'elle ne l'a jamais été. Il aimerait, je le sais, obtenir de moi davantage. Je sais aussi que c'est son amour pour moi qui l'empêche de s'attacher sérieusement à une autre femme. Mais je lui ai dit que nous ne serions jamais autre chose que des amis, et je pense qu'il en est venu à accepter cette idée.

*10 novembre 1952*

Hier, mon dixième livre a été publié. Kyle, Matt et moi, nous avons bu du champagne dans la caverne au point d'en être ivres. Je me sentais envahie d'une douce chaleur, satisfaite, et je me suis mise à parler. Beaucoup trop. J'ai dit que j'avais bien de la chance d'avoir quatre amours dans ma vie, alors que bien des femmes doivent se contenter d'un seul, ou même moins.

Kyle et Matt ont posé leurs verres pour m'écouter, et j'ai entrepris de compter sur mes doigts mes quatre amours.

— Mes histoires. Les fouilles. Mon frère...

Kyle leva son verre en guise de salut.

— Et ma caverne.

J'étais assez contente de mon petit discours. Nous avons vidé la bouteille. Ce fut seulement quand le pétillement du champagne commença à se dissiper, quand nous sentîmes le froid imprégner l'atmosphère de la caverne, que je pris conscience d'une chose : Matt n'avait pas parlé. Je lisais de la souffrance dans ses yeux, et j'eus presque la nausée quand je compris pourquoi. Je ne l'avais pas nommé. Comment avais-je pu être aussi cruelle ? Ça ne m'aurait pas fait grand mal de dire que j'avais cinq amours et de le citer, lui aussi. Je l'aime vraiment, comme un ami très cher, mais, sincèrement, il ne m'est pas venu une seconde à l'esprit de l'inclure dans ma liste. Il était certainement trop tard pour l'y ajouter.

Finalement, il se leva.

— Il fait froid, ici. Je rentre.

— Pas tout de suite, dit Kyle.

J'ai vu à son expression qu'il savait, lui aussi, ce qui contrariait Matt.

– Nous pouvons aller tous passer un moment à la maison, a-t-il ajouté.

A ce moment, j'aurais dû parler, dire : « Mais oui, Matt, viens à la maison avec nous. » Mais je me suis mise à quatre pattes sur le sol glacé pour rassembler les feuillets épars de l'histoire à laquelle je travaillais.

Derrière moi, Matt a déclaré :

– Je dois être de bonne heure au journal, demain.

J'ai entendu ses pas sur le sol de la caverne. Puis ce fut le silence : il était entré dans la forêt.

J'étais incapable de bouger. Je contemplais les pages éparpillées, en songeant combien je pouvais faire de mal sans même le vouloir.

Kyle vint s'agenouiller près de moi.

– Viens, Katie, dit-il. Allons à la maison.

– Je ne voulais pas le blesser...

Je pleurais, je crois.

Kyle lissa mes cheveux derrière mon oreille.

– Je le sais. Il va s'en remettre.

– J'aurais dû réfléchir, avant de parler.

– Chut.

Il s'assit par terre, près de moi, me prit dans ses bras. Il me dit qu'il parlerait pour moi à Matt, dès le lendemain. Il lui expliquerait à quel point j'avais regretté mon omission. Ce n'était pas autre chose. Il parlait, parlait. Je sentais sur son souffle l'odeur du champagne. Au bout d'un moment, j'ai cessé d'écouter. Mon dos s'appuyait à sa poitrine, et le contact de sa joue était doux sur mes cheveux. Il faisait froid, mais j'aurais volontiers passé la nuit entière ainsi.

Aujourd'hui, Matt m'a informée qu'il était maintenant fiancé à Dolores Winthrop. Il me l'a annoncé par lettre parce que, comme moi, il s'exprime plus facilement sur le papier. Il m'écrivait :

*Très chère Kate,*

*Sottement, je me suis très longtemps refusé à regarder la vérité en face. Je me suis bercé de l'illusion que tu m'aimais ou, tout au moins, que tu pourrais en venir à m'aimer. J'ai souhaité si désespérément ce bonheur, tu ne peux pas savoir. J'ai tant d'admiration pour toi... pour ta beauté, ton courage, ton ambition. Je pourrais aisément supporter tes comportements « insolites ». Ils me charment.*

*Je ne peux éprouver aucune colère contre toi : tu n'as jamais cherché à me tromper sur tes sentiments. L'idée d'être aimé de toi est née de ma propre imagination, et je ne saurais te rendre responsable de ce qui se passe dans ma pauvre cervelle tourmentée. Hier au soir, quand tu as énuméré tes quatre amours, parmi lesquels je ne figurais pas, j'ai compris que je devais finalement renoncer à mon espoir de voir mon amour payé de retour.*

*J'ai donc demandé Dolores en mariage. Évidemment, elle n'est qu'un pis-aller, mais je compte sur toi pour ne jamais le lui dire.*

*J'ai bientôt vingt-six ans et je dois m'établir. J'espère sincèrement, Kate, que tu trouveras l'homme qui saura libérer la femme amoureuse que je pressens en toi. Je regrette d'avoir échoué dans cette tâche.*

*Très tendrement. Matt.*

J'ai pleuré en lisant sa lettre, mais je sais que, pour lui, c'est la meilleure solution. Sa compagnie me manquera beaucoup. Jamais, j'en suis certaine, il n'amènera Dolores à la caverne avec lui. J'imagine son air méprisant s'il le lui suggérait, mais elle sera pour lui une bonne épouse.

Le jour viendra où Kyle, à son tour, voudra se marier. Sa femme, j'espère, sera quelqu'un que je pourrai supporter, pas une sotte, comme Sara Jane, ni une sainte nitouche comme Julia de Georgetown. Je ne serai pas jalouse. Elle pourra partager sa maison et son lit, mais jamais elle ne pourra me dépouiller de la longue intimité que j'ai connue avec lui.

## 12 décembre 1951

Kyle doit être le témoin de Matt, et Vanessa, la sœur de Dolores, sera le témoin de la mariée. Matt se laisse emporter dans leurs projets, et, chaque soir, il vient nous en dire plus long. Apparemment, il n'a aucun contrôle sur ce qui lui arrive. Le mariage est prévu pour le 5 janvier. Mon enthousiasme à l'idée de le voir marié s'est un peu atténué : je vois bien que cette perspective ne le rend pas heureux. On dirait un homme qui se sent absorbé par des sables mouvants. J'ai envie de lui parler – ou peut-être de lui écrire. J'ai envie de lui dire de ne pas se laisser piéger ainsi. Mais, je le sais, ce n'est pas mon rôle et ce ne serait pas honnête de ma part.

Matt a rompu ses fiançailles avec Dolores. Hier soir, il est venu à la caverne et il nous parlé très franchement, à Kyle et à moi.

— Je ne l'aime pas comme je suis capable d'aimer une femme, nous a-t-il dit. Elle a refusé de devenir ma maîtresse : elle se réservait pour le mariage, comme si sa virginité était un vrai trésor. Je peux respecter cette attitude, je suppose. Je pourrais même y accorder un certain prix si j'avais pour elle une véritable attirance, mais l'idée de coucher avec elle ne m'excite même pas.

Nous l'écoutions, Kyle et moi, dans un silence total : jamais nous ne l'avions entendu parler avec une telle sincérité.

— Je redoute notre nuit de noces, parce que, en faisant l'amour avec Dolores, c'est à toi que je penserai, Kate.

Il rougit si violemment qu'il ne remarqua probablement pas que j'en faisais autant.

— Je n'ai pas été capable de me concentrer sur ce mariage, ni de travailler à quoi que ce soit, tant j'étais obsédé par toi. Si j'épousais Dolores, je te perdrais à jamais. Je ne supporte pas cette pensée. Je préfère avoir le peu que je possède de toi plutôt que rien.

Un long silence s'établit entre nous trois. J'aurais voulu voir Kyle le rompre, mais il me regardait, je le sentais. Je fus donc bien obligée de parler.

— Tu m'as mise sur un piédestal, Matt, lui dis-je. Je ne serai jamais une épouse, ni pour toi ni pour personne d'autre. Je ne crois pas que tu doives épouser Dolores, si la perspective te rend si malheureux. Mais ne renonce pas à ce mariage à cause de moi.

Pendant que je parlais ainsi, mon cœur battait la chamade. Je suis vraiment totalement égoïste. J'étais heureuse de sa décision. J'ai envie de garder Matt ici, dans ma caverne, mais à mes propres conditions. Il me l'avait dit, il y a déjà longtemps. Il avait raison.

# 27

Eden, pour leur pique-nique, prépara une salade au poulet. Elle prenait tout son temps, savourait la simplicité de la tâche. Elle plaça la salade dans le panier, avec une bouteille de vin, deux pêches, des petits pains croustillants de la boulangerie Miller et des petits gâteaux au chocolat et aux noisettes confectionnés par Lou le matin même. Tous ses mouvements étaient cmpreints d'une lenteur délibérée. Elle retardait, elle en avait conscience, le moment de voir Ben, de l'entendre lui dire ce qu'il tenait à lui faire entendre. Finalement, elle n'eut plus de raison de s'attarder plus longtemps. Elle passa une robe de bain de soleil bleue – celle que préférait Michael Carey – et se mit en route vers le chantier des fouilles.

Elle avait passé l'après-midi à travailler sur le scénario et avait fait de grands progrès. Elle imaginait très bien Michael dans le rôle de Matt, surtout maintenant qu'elle connaissait le côté don Juan de son père. Elle devrait demander à Kyle de lui en dire plus long sur les conquêtes de Matt à Luray et à Strasburg, sur la manière dont il avait étanché sa soif de Kate entre les bras d'autres femmes.

Quand elle arriva sur le site, elle était en nage. Ben était à genoux dans la troisième fosse, tel qu'il lui était apparu la première fois. Elle s'immobilisa un moment sous le soleil brûlant pour regarder jouer les muscles de son dos sous le tee-shirt bleu. Elle sentait en elle une accélération de son sang, une chaleur qui n'avait rien à voir avec le soleil.

Elle cria son nom en approchant de la fosse. Il la salua de la main, remonta l'échelle. Tout le devant de son tee-shirt était trempé de sueur, et il s'essuya le front sur son bras.

– Si nous allions jusqu'au pont ?

Il désignait d'un signe de tête la passerelle qui enjambait Ferry Creek.

– Peut-être y a-t-il un souffle de vent, là-haut.

Ils allèrent jusqu'au milieu du pont et s'assirent, les jambes pendantes au-dessus de la rivière. L'eau sombre coupait à travers la forêt pour s'enfoncer au loin au milieu des montagnes d'un vert embrumé. Eden s'accrocha aux câbles de suspension jusqu'au moment où s'apaisèrent les vibrations de la passerelle et son vertige.

– Je venais jouer ici quand j'étais gamine, dit-elle tout en déchargeant le panier.

Elle se rappelait comment elle traversait le pont en courant, comment elle s'arrêtait au milieu pour sauter à pieds joints et produire un balancement. Le pont, à cette époque, lui paraissait aussi long que la rivière elle-même.

– Tu sais à quel point les gosses adorent être pris de vertige.

Elle tendit à Ben la bouteille de vin et un tire-bouchon.

Il contemplait les montagnes lointaines, gardait la bouteille dans sa main comme s'il ignorait totalement pourquoi elle la lui avait donnée. Elle prit conscience qu'il n'avait pas prononcé un seul mot depuis qu'ils avaient quitté la fosse.

Elle lui posa la main sur l'épaule, sentit sous ses doigts le tissu humide du tee-shirt, la rigidité peu habituelle de son corps. Elle retira sa main.

– Ben ? Tu veux bien ouvrir la bouteille ?

Il passa la langue sur ses lèvres poussiéreuses, se tourna vers elle.

– Parlons d'abord, nous mangerons ensuite. D'accord ?

Elle n'avait pas envie de parler. Elle ne voulait pas savoir ce qui vidait son visage de toute expression. Et il faisait trop chaud, sur ce pont. Elle passa une serviette sur son visage et sur son cou.

– Je suis affamée, dit-elle. Je préférerais manger...

– Eden.

Il la regardait en secouant la tête. Elle comprit qu'elle lui rendait les choses plus difficiles.

Elle posa la serviette sur ses genoux.

– C'est donc si sérieux ? demanda-t-elle.

– C'est extrêmement sérieux.

Elle remit la jatte de salade dans le panier, rabaissa le couvercle.

— Très bien.

Ben reporta son regard sur la rivière.

— Je ne sais pas bien comment te dire ça. J'aimerais connaître un moyen d'enjoliver la vérité.

Il posa la bouteille de vin sur la passerelle, reprit longuement son souffle.

— Si je suis divorcé, si j'ai perdu mon poste, si je n'ai pas le droit de voir Bliss, il y a une raison : j'ai été condamné pour attentat à la pudeur sur ma fille.

Elle le regardait, les sourcils froncés.

— Tu as commis sur elle un attentat à la pudeur ?

— *Non !*

Il posa sur elle un regard furieux avant de baisser les yeux.

— Je n'avais pas l'intention de crier, mais... Non, je n'ai rien fait de tel. J'ai été condamné mais je suis innocent.

Elle s'écarta de lui, oh, très légèrement, mais il s'en rendit compte. Elle le vit faire un effort pour garder le contrôle de lui-même, vit les muscles de sa mâchoire se crisper, se détendre.

— Je ne l'ai pas fait, Eden.

— Comment a-t-on pu te juger coupable ?

Il soupira, s'accrocha des deux mains au bord de la passerelle. Ses jointures blanchissaient, tant la peau était tendue.

— Il y avait des indices... Suffisamment pour les convaincre de ma culpabilité... *Bon Dieu !*

Il se détourna, se passa dans les cheveux une main tremblante.

— Ça ne va pas marcher. Je ne sais pas ce que je peux te dire pour t'amener à me croire. Tous les mots que je trouverai ne feront qu'empirer la situation.

Elle tenait à rester calme, à apaiser les battements fous de son cœur.

Elle lui posa une main sur le bras.

— Dis-moi seulement la vérité, Ben. Qui désignes-tu par « les » ? Il y a eu un procès ?

— Oui.

— Avec un jury ?

— Oui.

Elle pressa ses doigts contre ses lèvres. La nuit précédente se désintégrait dans son souvenir. Avait-elle vraiment couché avec lui ?

– Douze personnes ont entendu les chefs d'accusation et ont décidé, au-delà de tout doute raisonnable, que tu étais coupable ?

Il se retourna vers elle.

– Je te le jure, Eden, je suis bien la dernière personne au monde qui pourrait faire du mal à Bliss.

– Mais tu as bien dû faire quelque chose pour les amener à te croire coupable.

Il s'était de nouveau tourné vers les montagnes. Quand il reprit la parole, il semblait infiniment las.

– Je n'ai rien fait. Mais c'est sans importance. Toutes les fois qu'on apprend qui je suis, on me tourne le dos. J'espérais qu'il en irait autrement avec toi.

Elle se rappelait sa course joyeuse à la pharmacie pour acheter des préservatifs, leur étreinte sous l'orage, dans la forêt. C'était l'homme qui sauvait des langoustes de la mort dans un restaurant, l'homme qui protégeait les araignées dans son cabinet de toilette. Il était impossible qu'il eût violenté sa propre petite fille.

– Je ne sais que penser, Ben, dit-elle doucement. Aucune révélation sur des actes que tu aurais pu commettre ne me répugnerait autant. Mon horreur serait moins grande, je crois, si tu me disais que tu as tué quelqu'un.

Il grinça des dents.

– *Je n'ai rien fait.*

– Que tu l'aies fait ou non, je regrette que tu ne m'en aies pas parlé plus tôt.

– Tu ne voulais rien savoir.

Elle pensa de nouveau à la nuit précédente. Elle s'était sentie écoutée. Sécurisée. Aimée. Ou bien cet homme dont personne ne voulait s'était-il tout bonnement servi d'elle ? S'il lui avait tout dit plus tôt, jamais elle n'aurait couché avec lui. *J'ai baisé Eden Riley.* Les muscles de ses bras se contractèrent, ses mains se crispèrent en poings.

– Je n'avais aucune idée qu'il s'agissait d'une chose aussi grave, dit-elle, d'une voix plus forte.

– Tu as raison, fit-il d'un ton las. J'aurais dû t'en parler plus tôt. J'aurais pu nous épargner à l'un comme à l'autre beaucoup de souffrance.

Elle regardait l'eau, au-dessous d'eux.

– La nuit dernière a été si délicieuse, reprit-elle. Je me sentais... *pleine d'espoir.* Je me sentais...

Elle se mordit la lèvre inférieure pour l'empêcher de trembler, avant de faire face à son compagnon.

– Si vous aviez été simplement accusé, Ben, je n'aurais peut-être pas la même impression. Mais une *condamnation...*

Elle revit la petite fille blonde, sur la photographie, et les larmes lui vinrent aux yeux.

– Que lui avez-vous fait, d'après eux ?

Il ne répondit pas. Il se détourna si brutalement qu'elle dut s'accrocher aux filins pour garder l'équilibre. Il remit la bouteille de vin dans le panier qu'il poussa vers elle.

– Allez-vous-en, dit-il.

Ses yeux étaient d'un gris froid, dur.

– Je vous en prie, allez-vous-en.

Lorsque Eden revint à la maison, Kyle et Lou mangeaient des sandwiches au poulet à la table de la cuisine. Elle posa le panier de pique-nique, avant de s'asseoir avec eux.

– J'aurais bien voulu que tu me dises ce qu'on reprochait à Ben, dit-elle à Kyle. Ce n'est pas comme si on l'avait surpris à voler un paquet de chewing-gum dans un magasin.

Kyle posa son sandwich.

– J'ai essayé de te mettre en garde contre lui, ma chérie, mais je ne pensais pas qu'il m'appartenait de te mettre au courant de toute l'histoire. Et, franchement, je ne m'attendais pas à vous voir attirés l'un par l'autre.

– Tu ne le crois pas ? demanda Lou.

– Je ne sais que croire. Bien sûr, il nie... qui n'en ferait autant, à sa place ? Mais il a été *condamné,* Lou.

Kyle secoua la tête.

– A mon avis, il a eu tort de ne pas te mettre au courant dès le début, mais je comprends sa façon de penser. Tous ceux qui savent ce qui s'est passé se sont enfuis dans la direction opposée aussi vite que leurs jambes pouvaient les porter. Avant son arrivée, j'avais ici deux étudiantes qui travaillaient avec moi. Le jour où elles ont découvert que j'avais engagé Ben Alexander pour nous aider, elles ont démissionné immédiatement. Tout le monde fait le même raisonnement que toi, Eden : puisqu'il a été condamné, il devait être coupable. Mais moi, je suis aussi sûr qu'on peut l'être que c'est faux.

– Comment peux-tu avoir une telle conviction ?

– Parce que je le connais depuis seize ans. J'ai vu un étudiant enthousiaste mais très jeune devenir peu à peu un archéologue respecté. Sais-tu qu'il n'a même pas eu besoin de solliciter ce poste de professeur ? Les universités se battaient pour l'avoir. Il n'avait que l'embarras du choix. Aujourd'hui, il a tout perdu. Au début, parmi ses collègues, c'était l'incrédulité qui dominait. Mais elle s'est changée en un profond dégoût, et il est devenu plus ou moins la cible de leurs plaisanteries.

– Kyle...

Eden secoua la tête devant la naïveté de son oncle.

– La profession n'a rien à voir dans tout cela. Pas plus que l'enthousiasme, le talent ou tout autre chose. Ce n'est pas là-dessus qu'on peut se fonder pour savoir qui est capable de violenter un enfant.

– Nous avons voyagé partout en sa compagnie. Nous avons partagé des chambres d'hôtel. Nous avons passé ensemble des semaines entières sans nous perdre un instant des yeux. Il y aurait bien eu un indice, quelque chose, pour nous faire soupçonner qu'il avait un problème.

– Il s'est perdu lui-même au procès, intervint Lou. On se disposait à appeler sa fille pour témoigner contre lui, et...

– Une gamine de *quatre* ans ? coupa Eden.

Elle essayait de s'imaginer Cassie convoquée devant un tribunal pour conter à une assemblée d'adultes les terribles sévices qu'elle avait endurés. Son cœur saignait pour cette fragile enfant blonde qu'elle avait vue dans le cadre de la glace de Ben.

– Oui, répondit Lou. Ben n'a pas supporté l'idée de la voir paraître à la barre des témoins. En pleine audience, il a plaidé coupable. Il a dit au juge qu'il n'était pas *réellement* coupable, mais qu'il voulait épargner à sa fille une torture supplémentaire.

– C'était une sottise, dit Kyle, mais, en de telles circonstances, on n'a pas les idées très claires, je suppose. Le juge a ordonné une suspension d'audience, et l'avocat de Ben l'a persuadé de tenir jusqu'au bout, mais le mal était fait : le jury avait entendu sa déclaration. A mon avis, ils auraient dû reprendre le procès avec un autre jury, mais je n'étais pas à la place du juge.

Eden soupira.

– Je ne sais pas trop, Kyle. Je vois mal pourquoi il aurait lâché tout à trac qu'il était coupable s'il n'y avait pas eu une part de vérité.

– Je l'ai observé avec Sharon, je l'ai observé avec sa

fille, reprit Kyle. Il aimait réellement sa famille. Il était aussi satisfait qu'il pouvait l'être de son mariage et de sa vie..

— En dehors de tout autre chose, c'est ce qui m'a convaincue de son innocence, affirma Lou. S'il avait avoué s'être livré à des sévices sur Bliss, on se serait contenté de lui adresser une semonce, on l'aurait soumis à une psychothérapie et il aurait pu retrouver sa famille. Mais il était incapable d'avouer une faute qu'il n'avait pas commise. Alors, on l'a enfermé pendant six mois et on lui a déclaré qu'il ne pourrait jamais revoir sa fille.

Malgré elle, en dépit de la répulsion qui lui chavirait encore l'estomac, Eden le prenait en pitié.

— Lorsqu'il est arrivé ici, poursuivit Lou, nous avons discuté de cela durant des heures et des heures, poursuivit Lou. Nous nous asseyions ici, à cette table, et nous parlions. Demande-lui de tout te raconter, Eden. Je ne crois pas qu'après avoir entendu sa version de l'histoire tu puisses encore le croire coupable. On déforme tout, dans un tribunal. Il a fait une grave faute de tactique, et le procureur était plus fort que son avocat. Il n'en faut souvent pas davantage.

Kyle se renversa sur le dossier de sa chaise, secoua la tête.

— Il était mal en point, à son arrivée ici. Je suis bien sûr qu'il lui est parfois venu à l'idée de se tuer. Il nous faisait peur, hein ?

Il regardait Lou. Elle acquiesça d'un signe.

— Il nous est arrivé de le garder chez nous pour la nuit tant tant nous le sentions bouleversé par l'évolution de l'affaire, et tant nous craignions de le laisser remonter à sa cabane. Jamais il n'a affiché ouvertement des idées suicidaires, mais il lui arrivait de dire qu'il préférerait être mort, que la vie n'avait plus grand intérêt. Il était difficile de discuter avec lui. Tout ce qu'il avait aimé, tout ce pour quoi il avait travaillé avait disparu.

Eden se rappela la photo qu'il lui avait montrée et qui représentait sa maison à Annapolis. Sa fierté. Sa perte irréparable. Elle pensait au ton dont il lui avait dit de le laisser, à la froideur de son regard. Au Valium, dans son cabinet de toilette.

— A cette époque, il m'est arrivé une fois ou deux de faire des cauchemars, dit Kyle. Je rêvais que je montais à la cabane. Je le trouvais assis dans un fauteuil à bascule —

il n'en a pourtant pas, là-haut –, une carabine entre les bras et des fragments de son crâne disséminés partout sur le mur, derrière lui.

— Je ne pense pas qu'il se servirait d'une carabine, fit doucement Eden. Il a du Valium.

Kyle plissa les paupières.

— Il était bouleversé, quand tu l'as quitté ?

— Oui, je crois.

— Je ferais peut-être bien de monter voir ce qu'il fait. Elle se leva.

— Non. C'est moi qui vais y aller.

Lou lui prit la main, la serra très fort.

— Tu as raison, Eden, dit-elle. Jusqu'à la fin de sa vie, il traînera cette condamnation avec lui. Tu es un personnage très connu et une mère, de surcroît, tu ne dois pas être mêlée à cela. Si tu veux rompre toute relation avec lui, fais-le sur ces bases-là, mais pas parce que tu le crois capable d'avoir violenté sa fille.

# 28

Ben voulait retrouver sa cabane, la bouteille de whisky, avant que les griffes de ses souvenirs n'aient fait leurs dégâts. Mais ils le rattrapèrent devant sa porte, et, quand il eut enfin dévissé le bouchon de la bouteille, quand il sentit enfin le liquide lui brûler la gorge, il était déjà leur proie.

Le moment qui avait à jamais changé sa vie était survenu par une froide journée de janvier, la première semaine du trimestre de printemps. Sur le chemin du retour de l'université, il s'était arrêté à la bibliothèque publique, comme il le faisait une fois au moins par semaine, afin de choisir quelques livres de contes qu'il lisait à Bliss à l'heure du coucher. En arrivant chez lui, il trouva Sharon assise à la table de la cuisine, les mains jointes sur ses genoux. Ses cheveux d'un blond ardent étaient relevés en queue de cheval, elle portait à son habitude un jean et un sweat-shirt, mais il y avait quelque chose d'étrange, dans sa posture, dans la façon dont elle regardait Ben. Il était six heures et demie, mais il n'y avait aucun signe des préparatifs du dîner. La maison était curieusement silencieuse, sans l'accueil déchaîné que lui réservait habituellement sa fille. Il posa les livres sur le comptoir, desserra sa cravate.

– Où est Bliss ? demanda-t-il.

– Chez Alex et Leslie.

Les sourcils froncés, il essayait de rappeler ses souvenirs. Devaient-ils sortir ce soir-là ? Avait-il oublié quelque chose ? Il s'approcha de Sharon, se pencha pour l'embrasser, mais elle détourna la tête.

– Que se passe-t-il ? questionna-t-il.

Elle leva les yeux vers lui, comme s'il était bien placé pour le savoir.

— Est-ce ton père ?

Le père de Sharon était malade depuis des mois.

Elle secoua la tête, se leva enfin.

— Pat Kelley et Joan Dove m'ont parlé, quand je suis passée reprendre Bliss à l'école, aujourd'hui.

— Parlé de quoi ?

Pat Kelley était la directrice de l'école maternelle de Bliss, et Joan Dove son institutrice.

— Elles prétendent avoir remarqué un changement dans le comportement de Bliss. Elle est irritable, elle pleure souvent et elle se montre plus craintive qu'elle ne l'était.

— Comme à la maison, dit-il.

Bliss s'était remise à sucer son pouce et elle pleurait le soir, quand il la couchait. A plusieurs reprises, récemment, elle avait mouillé son lit.

— Joan m'a raconté qu'hier, pendant la sieste, Bliss se masturbait et cherchait à se blottir contre Jason Peterson. Joan a trouvé ça un peu bizarre, mais elle n'a rien dit à la petite. Elle s'est contentée de l'éloigner de Jason.

Sharon observait Ben de très près. Elle attendait de le voir assembler le puzzle que formaient ses paroles. Mais il ne comprenait absolument pas où elle voulait en venir.

— Pendant cette même sieste, hier, Bliss a mouillé ses draps. Il y a quelques semaines, j'avais porté à Joan une culotte de rechange, pour le cas où Bliss aurait un petit accident durant la journée. Quand Joan l'a changée, elle a remarqué une sorte d'irritation.

Sharon porta la main à sa bouche. Ses yeux étaient pleins de larmes.

— Je l'ai remarquée, moi aussi, hier, en lui donnant son bain, mais j'ai pensé qu'elle avait été produite par le contact de l'urine. Je ne lui ai pas posé de questions.

Sharon paraissait si coupable qu'il voulut l'entourer de ses bras, mais elle se dégagea d'une violente secousse.

— Tu sais de quoi je parle, Ben, n'est-ce pas ?

Il plissa le front, secoua la tête.

— Je n'en ai pas la moindre idée.

— Joan a demandé à Bliss comment elle avait pu se faire mal à cet endroit-là, et Bliss a dit que c'était toi.

— *Quoi ?*

— Elle a dit que tu la pénétrais avec ton doigt.

Il s'était figé sur place, sentait battre son cœur.

— Pourquoi irait-elle raconter ça ?

— A toi de me le dire.

— Joan a dû mal comprendre.

Sharon secoua la tête.

— C'est ce que j'ai pensé, moi aussi. Mais, pendant le trajet de retour, dans la voiture, j'ai posé des questions à Bliss. Je lui ai dit : « Miss Dove m'a raconté que tu avais des rougeurs là où tu fais pipi. » Elle m'a répondu : « Elle a dit qu'elle ne pouvait pas me mettre un pansement. » J'ai repris : « A ton avis, comment as-tu attrapé ça ? » J'y allais prudemment, tu vois, Ben : je ne voulais pas l'influencer. Elle m'a dit : « Papa a mis son doigt dedans. » Comme ça, Ben, chaque mot aussi net qu'un son de cloche. Elle a ajouté : « Je voudrais bien qu'il arrête. Ça me fait mal, quelquefois. » Je me suis mise à pleurer et j'ai dû arrêter la voiture. Ça l'a effrayée, de me voir m'effondrer ainsi, mais je n'ai pas pu m'en empêcher.

Une vague de nausée monta en Ben. Il dut s'asseoir.

— Sharon, je ne l'ai jamais touchée. A aucun prix je ne voudrais lui faire du mal.

— Alors, pourquoi dirait-elle ça ?

— Je n'en sais rien. Se pourrait-il qu'elle l'ait rêvé ?

Sharon secoua la tête.

— D'après Joan, les preuves sont irréfutables : elle a été molestée. Il y a cette peur constante, cette incontinence, cette attitude avec Jason. On ne rêve pas d'une irritation de ce genre. Et elle s'est si souvent masturbée, ces derniers temps. Je pensais que c'était peut-être ça qui l'avait irritée.

Elle levait vers lui des yeux pleins d'espoir.

— Oui, ça doit être ça.

Il percevait l'incertitude, le manque de conviction dans sa propre voix.

— Mais pourquoi, alors, dirait-elle que c'est toi ?

— Je n'en sais rien. Écoute, allons la chercher, et nous lui parlerons. Si je lui parle, je suis sûr...

— Non ! Je ne veux pas que tu lui parles.

Il la dévisagea d'un air incrédule. De quel droit lui interdisait-elle de parler avec sa propre enfant ? Mais il dit calmement :

— Tu seras présente. Je suis sûr que si...

— C'est impossible, Ben. Elle doit rester ce soir chez Alex et Leslie. Je leur ai dit que nous sortions. Je ne pouvais pas leur révéler la vérité.

Sharon se rassit. Lorsqu'elle posa les mains sur la table, elle les vit trembler, les laissa retomber sur ses genoux.

Écoute, Pat et Joan voulaient appeler tout de suite les gens de la Protection de l'enfance. Je les ai persuadées d'attendre jusqu'à demain : je voulais parler moi-même à Bliss et te parler, à toi aussi. Je leur ai dit que tu étais le meilleur père qu'on pût imaginer. A ce moment-là, je ne pouvais pas croire ce qu'elles me disaient...

La voix de Sharon se brisa.

– Je t'ai *défendu*. Je n'arrêtais plus. Je leur ai donné des exemples : tu emmenais Bliss partout, tu lui faisais la lecture, tu sacrifiais pour elle tes propres activités. Elles hochaient la tête. Finalement, Pat a déclaré que, souvent, ce sont les pères apparemment les plus affectueux, ceux qui manifestent la plus grande sollicitude, qui maltraitent ainsi leurs enfants. J'avais envie de les frapper toutes les deux. Je me disais qu'elles se trompaient tellement sur ton compte.

– Et maintenant ?

Il scrutait le visage de la jeune femme. Dans le silence qui suivit, il entendit le battement régulier de l'horloge, derrière lui.

– Maintenant, je ne sais plus que penser, répondit enfin Sharon. En tout cas, j'ai dû promettre de te tenir ce soir à l'écart de Bliss. Je n'avais que cette solution pour les empêcher d'appeler tout de suite les services compétents.

– Mais c'est de la folie !

Il se leva, abattit son poing sur la table.

– C'est ma fille ! Personne ne peut venir me dire que je ne peux pas la voir.

Sharon se mordit la lèvre, détourna les yeux.

– Écoute, demain matin, j'irai voir Pat et Joan, reprit-il.

– Ce n'est pas si simple, Ben. Elles ont une responsabilité légale.

Il baissa les yeux sur sa femme.

– Sharon, depuis combien de temps me connais-tu ?

– Depuis neuf ans.

– M'as-tu jamais surpris à te mentir ?

– Non.

– Alors, je te demande de me croire maintenant.

Elle se remit à pleurer.

– C'est ma faute. Rien n'a plus été comme avant, entre nous, depuis l'opération.

Il se rassit, rapprocha sa chaise de la sienne, afin de pouvoir la prendre dans ses bras. Il savait ce qu'elle voulait dire. Un an plus tôt, elle avait subi une opération du dos, et, durant une longue période, ils n'avaient pu faire l'amour. Quand le chirurgien l'avait enfin autorisée à reprendre ces relations, elle en avait, semblait-il, perdu le désir. Mais Ben avait considéré ce manque d'intérêt comme une phase passagère. Le mariage évoluait par cycles. Un jour, tout reviendrait comme avant, sur ce plan. Il était bien vrai, néanmoins, que l'absence de relations sexuelles avait eu son effet sur le reste de leur vie commune. Vrai aussi que, le soir, il était impatient de revoir Bliss, plus qu'il n'avait envie de retrouver Sharon.

Il posa les lèvres sur la peau douce de son cou. Elle était tiède, son parfum était réconfortant.

— Je n'ai rien fait à Bliss.

Il releva la tête.

— Mais, même si j'étais coupable, tu n'y serais pour rien. Toute cette année, tu n'as pas été toi-même, je le sais.

Elle le regarda.

— J'ai si peur, Ben.

Lui-même ne ressentait pas cette peur. Plus tard, quand il se reporterait à ces moments, il comprendrait qu'il aurait dû être terrifié. Il était candide, c'était un véritable innocent, certain que tout allait s'arranger. Il embrassa Sharon, fut surpris par l'ardeur de sa réponse. Il la conduisit à leur chambre, et ils firent l'amour, avidement, comme du temps où ils en étaient encore à faire connaissance l'un de l'autre. Il était en elle, quand elle atteignit le plaisir, le corps tendu, arqué. Mais, aussitôt, elle se mit à sangloter, et ses muscles perdirent toute vigueur : ses bras s'abandonnaient sur le lit, ses jambes semblaient sans vie alors que, l'instant d'avant, elles avaient étreint le corps de Ben. Avec dégoût, elle détournait de lui son visage. Il ne put poursuivre. Doucement, il se retira, passa dans la salle de bains. Douché, rhabillé, il revint s'asseoir au bord du lit.

Elle avait remonté la courtepointe sur elle. Étendue sur le côté, elle pleurait dans un mouchoir en papier. Sa queue de cheval commençait à se défaire. Gentiment, il tira sur l'élastique, lissa ses cheveux sur son cou.

— Allons chercher Bliss, dit-il. Arrangeons toute cette histoire avant qu'elle n'aille plus loin.

Sharon se retourna sur le dos pour le regarder.

– Oh, mon Dieu, Ben, pourquoi irait-elle dire ça si tu ne lui avais rien fait ?

Il sentait la fureur monter en lui, comme un animal qui cherche à s'échapper, comme un projectile près d'exploser.

– Je ne lui ai *rien* fait !

Elle se leva, s'enveloppa de la courtepointe. Son menton tremblait, ses joues luisaient de larmes dans la lumière qui venait de la salle de bains.

– Je t'aime tant, Ben, mais je...

Elle secoua la tête.

– Je ne peux pas dormir ici, avec toi, ce soir. Je suis désolée mais je...

Elle pressa la main sur son visage, comme pour retenir ses larmes.

– Sharon...

Il fit un mouvement vers elle, mais elle se déroba.

– Je dormirai dans la chambre d'amis, dit-elle.

Il la regarda ramener sur ses épaules les pans de la courtepointe et lui tourner le dos.

Il fut tenté de prendre la voiture pour se rendre chez Alex et Leslie, pour parler lui-même à Bliss, mais il se ravisa. Par la suite, il s'en voudrait cruellement de sa décision. C'était l'unique chance qu'il avait eue, la dernière occasion où il aurait encore pu se sauver. Aurait-il pu parler à Bliss, comprendre ce qu'elle essayait de faire entendre ? Aurait-il pu, à cet instant, retourner le courant du cauchemar ? S'il avait été en mesure de prévoir l'avenir, il serait allé tout droit voir Bliss, ce soir-là. Mais il était incapable d'imaginer le désastre qui l'attendait.

Le lendemain, son cours de deux heures touchait à sa fin lorsqu'il vit un policier en uniforme devant la porte ouverte de sa classe. Il chercha à ralentir le cours des événements. La cloche sonna, mais il continua de parler à ses élèves. Les minutes passaient. Les jeunes gens s'agitaient sur leurs bancs, les livres étaient empilés sur les pupitres. Ils se regardaient les uns les autres, et leurs yeux demandaient : *Qu'est-ce qu'il lui prend, à Alexander ?* Finalement, il les laissa aller. Après leur départ, il s'assit à son bureau et attendit.

Le policier se présenta, dit à très haute voix :

– Vous êtes en état d'arrestation pour abus sexuels sur votre fille.

Il lut à Ben ses droits et, en dépit de ses protestations, lui passa les menottes. Il dut parcourir ainsi l'interminable couloir du bâtiment des sciences, passer devant des étudiants qui le regardaient bouche bée et dont beaucoup étaient les siens. Il aurait aimé leur adresser un sourire rassurant, faire une plaisanterie ou deux, mais il avait la gorge sèche. Il gardait les yeux fixés sur le flot lumineux qui se déversait par la porte, à l'extrémité du couloir. Avec un grognement de dégoût, le policier le poussa sur le siège arrière de la voiture. Tout le monde prenait l'affaire très au sérieux. Pour la première fois, il pensa qu'il était peut-être réellement arrivé quelque chose à Bliss. Si tel était le cas, il s'agissait forcément de quelqu'un d'autre que lui. Il fut pris de tremblements. Les poignets lui cuisaient sous les menottes. Il ne supportait pas l'idée que quelqu'un eût touché sa fille.

Il dressa mentalement la liste des personnes avec lesquelles Bliss passait une partie de son temps. Joan Dove. Sam et Jen. Alex et Leslie. De temps à autre, Mrs Blayton qui venait la garder à la maison. Aucun d'eux n'était soupçonnable. Les gamins du voisinage ? Certains, plus âgés, étaient assez brutaux avec les plus petits. Peut-être cela s'était-il produit quand Bliss allait jouer chez des camarades ? Le père d'un autre enfant ? Ou peut-être le garçon qui assurait l'entretien à l'école de Bliss, ce jeune type aux yeux de fouine dont Ben n'avait jamais apprécié la présence dans le voisinage des enfants. Il fallait tout envisager, n'est-ce pas ?

Il utilisa l'unique communication téléphonique autorisée pour appeler Sam à la clinique. Sam était en consultation, mais Ben dit à son service que c'était urgent, qu'il fallait l'interrompre. La secrétaire le sentit désespéré, lui passa son frère.

— J'ai été arrêté, lui dit Ben. J'ai besoin de toi pour verser une caution.

A l'autre bout du fil, Sam gardait le silence. A quoi pouvait-il bien penser ? Ben en prison ? Ben, qui n'avait même jamais eu de contravention pour stationnement interdit ?

— Pour quel motif es-tu là-bas, Ben ?

La voix de Sam était calme, douce. Ben imaginait le patient assis dans le fauteuil de cuir brun : il devait penser que Sam s'adressait à un autre de ses malades, un pauvre homme comme lui.

– Je ne tiens pas à tout te raconter au téléphone. Quand peux-tu être ici ?

– J'ai encore une consultation et je suis ensuite tout à toi.

Sam choisissait ses mots avec soin.

– Vers six heures et demie. Et, Ben...

Aucun euphémisme ne pouvait déguiser la question suivante.

– Combien dois-je apporter ?

– Mille dollars.

Ben ferma les yeux. Sam pouvait se permettre de verser une telle somme, cela ne rendait pas l'épreuve moins humiliante.

– Je te rembourserai demain, quand je serai passé à la banque.

– Aucun problème. A tout à l'heure.

Assis à l'avant, dans la Mercedes de Sam, il regardait fuir les lampadaires dont la lumière crue était brouillée par une pluie glacée. Il avait dit à son frère qu'il ne pouvait pas rentrer chez lui, qu'il préférait aller chez Sam et Jen. Mais il ne lui avait pas dit pourquoi. Il ne lui avait pas avoué qu'il lui était interdit de se trouver dans le même lieu que Bliss.

– Si vous tenez à rester chez vous, lui avait-on dit, votre fille devra être confiée à une famille.

Ce qui ne lui laissait pas le choix.

Pendant que la voiture roulait, il gardait le silence. Il redoutait le moment où il devrait dire la vérité à Sam. Il ne voulait pas lire sur son visage la répulsion qu'il avait vue sur tous les autres.

Sam s'arrêta à un feu rouge, jeta un coup d'œil vers son frère.

– Allons, Ben. Dis-moi tout.

Ben croisa son regard.

– On m'accuse d'avoir fait du mal à Bliss. De l'avoir molestée sexuellement.

La mâchoire de Sam tomba. Ben, vivement, se retourna vers la vitre.

– *Jésus...*, murmura Sam.

– Je ne lui ai rien fait.

– Mais non, naturellement.

Sam remit la voiture en marche.

– Je ne crois pas que quiconque puisse penser le contraire.

– Sharon elle-même me croit coupable.

Sam hocha la tête.

– Ça, c'est bon. C'est sain. Bliss est sa petite fille. Elle veut la protéger, quoi qu'il puisse lui en coûter. Pour l'instant, elle est incapable de penser clairement, en ce qui te concerne. Quels indices possède la police ?

– Une irritation locale. Mais il y a pire. C'est Bliss elle-même qui m'a accusé.

– *Quoi ?*

Sam le regardait. Ben crut voir dans ses yeux verts une lueur de doute.

– Je n'ai *rien* fait, Sam.

Il avait les mâchoires douloureuses. Les larmes menaçaient.

Son frère secoua la tête.

– Une petite fille si insouciante.

– Elle l'était. Mais elle a changé. Sharon et moi, nous l'avions remarqué, mais nous n'en avions pas compris la portée jusqu'à maintenant.

– Elle semblait très bien, quand nous l'avons vue, le week-end dernier. Le seul problème, c'est que Jen est bouleversée quand elle passe un peu trop de temps avec Bliss ; elle désire tellement avoir un enfant.

– Où en est la procédure d'adoption ?

Ben songeait à toutes les heures que Jen et Sam avaient dû consacrer à laisser examiner leur vie dans le moindre détail pour déterminer s'ils feraient des parents dignes de confiance. Il se demandait si cette affaire risquait de leur porter tort.

Sam soupira.

– Il va encore falloir attendre un an ou deux. J'aurais quarante ans quand nous aurons l'enfant. Quarante ans !

Il secoua de nouveau la tête.

– J'espère que cette histoire ne va pas tout gâcher pour vous, dit Ben. Tu comprends, si l'organisme d'adoption découvre que ton frère est...

– Ferme ça, Ben. Dès que nous aurons mis le pied dans la maison, nous allons appeler un avocat qui est un de mes amis. Tu sortiras de là frais comme une rose.

Jen elle-même semblait croire à son innocence. Jusqu'au moment, du moins, où elle se rendit chez lui pour y récupérer les vêtements préparés par Sharon. A son retour, elle ne disait mot et Ben surprit à plusieurs reprises son regard qui s'attardait sur lui. Juste avant d'aller se coucher, elle le serra dans ses bras.

— J'ai peine à croire que tu sois capable de ça, Ben. Mais, même si tu l'as fait, on ne te laissera pas tomber. Sam connaît des gens qui peuvent t'aider. Et nous te soutiendrons quoi qu'il arrive.

Déçu, il s'écarta d'elle.

— Je n'ai rien fait, Jen.

Il se détourna, pénétra dans la chambre d'amis pour y passer la première de nombreuses nuits solitaires.

# 29

Il faisait déjà sombre quand Eden arriva à la cabane. La nuit commençait d'envahir la forêt, se répandait dans la clairière. La silencieuse immobilité de l'air fit passer un frisson dans tout le corps de la jeune femme. Elle fit glisser de son bras le panier de pique-nique et frappa à la porte.

Près d'une minute s'écoula. Elle frappa de nouveau. La camionnette de Ben était garée dans la clairière. Il était donc là. Elle pensa au Valium, dans le cabinet de toilette, et posa la main sur le bouton de la porte. Il tourna sous ses doigts, et elle ouvrit le battant.

Ben la regarda d'un œil vague, comme s'il n'était ni surpris ni content de la voir. Il portait encore le tee-shirt mouillé de sueur qu'elle lui avait vu dans la fosse, et, dans la pénombre, elle distingua une traînée de poussière sur sa joue.

– Je peux entrer ?

Il s'écarta pour lui livrer passage. L'odeur de whisky, faible mais indéniable, l'agressa lorsqu'elle passa devant lui. Il n'y avait pas de lampe allumée dans la pièce, mais le triangle de lumière grisâtre formé par le battant entrouvert lui permit de voir le masque pétrifié du visage de Ben. Ce masque, elle le connaissait bien : elle l'avait vu d'innombrables fois dans son miroir.

– Je m'inquiétais pour vous, dit-elle.

– Je n'ai pas besoin de votre charité.

– Kyle et Lou sont convaincus de votre innocence.

Il soupira, et elle entendit de la colère dans ce soupir.

– Tant mieux.

– Ben...

Elle vit la bouteille de whisky ouverte sur la caisse qui servait de table de chevet. Elle n'acheva pas sa phrase mais reprit :

— J'aimerais utiliser votre cabinet de toilette.

Il haussa les épaules, referma la porte.

— Je vous en prie.

Le Valium se trouvait toujours sur le lavabo. Elle vida le flacon dans sa paume, compta les comprimés. Vingt. Elle les remit en place, sortit du cabinet de toilette.

— J'ai apporté de quoi manger.

D'un geste du menton, elle désignait le panier.

— Vous n'avez pas encore dîné, je suppose.

Il prit la bouteille, s'assit sur le lit, dos au mur.

— Pourquoi êtes-vous venue ? demanda-t-il.

Elle lui reprit la bouteille, vissa le bouchon, la reposa sur la caisse.

— Je veux entendre votre version de l'affaire.

Il se pencha en avant, et, dans la lumière déclinante, elle distingua la rougeur qui se répandait sur ses joues.

— De quel droit venez-vous ici m'interdire de boire et exiger de moi une confession ? Faites ci, Ben, faites ça. Sautez à travers le cerceau. Alors, peut-être, je vous croirai.

Eden conserva tout son calme.

— Je suis ici parce que j'ai *besoin* de vous croire. Je vous ai fait confiance. J'ai laissé parler mes sentiments pour vous, ce que je n'avais pas fait depuis très longtemps.

Il baissa les yeux sur la courtepointe blanche et bleue, y passa la main, comme pour la lisser.

— Je pensais que, par une sorte de miracle, vous alliez peut-être me dire : « Ben, je sais que vous seriez incapable de faire une chose pareille. »

Elle s'assit au bord du lit.

— Je vous en prie, Ben, dites-moi tout. Je vous en prie, persuadez-moi de votre innocence.

Il eut un rire amer.

— Je n'ai même pas réussi à en convaincre mon avocat.

— Peut-être votre innocence compte-t-elle davantage pour moi que pour votre avocat.

— Écoutez, Sharon aurait certainement préféré, elle aussi, me savoir innocent...

Il secoua la tête.

— Elle vous a cru coupable ?

Il fit la grimace.

– Je n'ai jamais très bien compris l'attitude de Sharon. Je sais qu'elle m'aimait et je pense que, tout au fond d'elle-même, elle croyait à mon innocence. Mais, toutes les fois qu'elle disait quelque chose qui m'était favorable, les prétendus experts le retournaient contre moi, et j'ai fini par passer pour le plus grand pervers que la terre eût jamais porté. Les preuves étaient très convaincantes. Elles m'auraient convaincu moi-même. Je ne peux donc pas en vouloir à Sharon d'en avoir conclu que j'étais coupable.

Son mariage avait dû être heureux naguère, se disait-elle. Il y avait encore de la tendresse dans sa voix quand il parlait de Sharon.

– Dites-moi tout.

Elle se rapprocha de lui. Elle distinguait tout juste l'arête de son nez, le blanc de ses yeux.

Et il se mit à parler.

D'un ton calme, il décrivit les changements de comportement chez Bliss, les soupçons de son institutrice. Il avait peine à articuler certains mots, et des silences s'interposaient entre les phrases, comme de muettes plages de souffrance.

– Le point qui me taraude le plus, c'est que son institutrice a distingué des signes qui nous avaient complètement échappé. La masturbation, par exemple. Que feriez-vous, si Cassie se mettait à se masturber à tout moment ?

– J'agirais comme vous, je suppose. Je n'en sais rien. Ça ne lui arrive jamais, pour autant que je sache.

– Quoi qu'il en soit, l'institutrice a fini par faire dire à Bliss que je la pénétrais avec mon doigt, et ça a suffi. J'ai été arrêté, libéré sous caution, et j'ai passé quelques mois chez mon frère et sa femme, dans l'attente du procès. On ne m'a pas permis de voir Bliss un seul instant. Au début, j'ai pensé qu'elle avait dû rêver toute l'histoire. Il m'arrivait parfois de me serrer contre elle, quand nous lisions ensemble une histoire, avant qu'elle s'endorme. Je pensais qu'elle avait peut-être tout imaginé.

– L'institutrice aurait-elle pu, d'une manière quelconque, lui mettre cette idée dans l'esprit ?

– J'aimerais pouvoir répondre oui à cette question, mais, à mon avis, elle s'est montrée très prudente. C'est une femme intelligente. Elle savait devant quelle situation elle se trouvait et elle savait aussi qu'elle devait agir avec précaution. Mais, dans cette école maternelle, on venait de faire une série de leçons sur les « bons contacts » et les « mauvais contacts ». Je me suis demandé si Bliss avait pu en être troublée et imaginer qu'il lui était arrivé quelque chose qui, en fait, n'existait pas. Je prie Dieu que ce soit bien le cas : je ne supporte pas l'idée que quelqu'un ait profité d'elle.

Il secoua la tête.

— Pourtant, elle était en mesure de tout raconter dans les moindres détails. Les assistantes sociales ont fini par obtenir de sa bouche toute l'histoire. En plusieurs occasions — les assistantes ont déduit que ça s'était produit plusieurs fois, mais sans doute pas plus de deux ou trois —, Bliss s'était réveillée en pleine nuit. Moi... son papa était couché derrière elle, il la serrait très fort et se frottait contre elle. Et il enfonçait le doigt dans son vagin. Il lui disait que c'était quelque chose de très bien, que Papa le faisait à Maman, et que Maman aimait ça. Il lui disait aussi que c'était un secret, qu'il ne fallait en parler à personne. Elle a confié aux assistantes sociales qu'elle avait peur, et que ça lui faisait mal.

Durant un long moment, le regard de Ben se perdit dans l'obscurité, de l'autre côté de la fenêtre. Eden sentait son cœur lui marteler les côtes. Elle était assise tout près de cet homme, épaule contre épaule. Elle pensait à la façon dont il lui avait fait l'amour, la nuit précédente, à ses doigts qui l'avaient caressée, qui s'étaient glissés en elle. Kyle et Lou lui faisaient confiance, se rappela-t-elle. Ils le connaissaient bien et ils croyaient totalement à son innocence.

— Ben, dit-elle, à mon avis, une petite fille de quatre ans est incapable d'inventer une histoire comme celle-là.

— Je suis de cet avis, moi aussi, je crois. C'est tellement inconcevable. Elle a dit qu'il faisait noir, qu'elle n'avait jamais vraiment vu l'homme, qu'il était derrière elle. Mais elle a dit aussi que c'était Papa, qu'elle le savait. Elle appelait l'homme Papa, et il lui répondait. Je me suis demandé si, peut-être, ça s'était passé ailleurs, et si elle confondait en pensant que ça s'était déroulé dans sa propre chambre. Ou peut-être, en faisant de cet homme son papa, dans son imagination, avait-elle moins peur. Nuit après nuit, je suis resté éveillé, à tenter de reconstituer ce qui avait pu se passer. Ça m'arrive encore, parfois.

— Qui d'autre aurait pu le faire ?

— Je n'en ai pas la moindre idée. A un moment ou à un

autre, j'ai soupçonné tout le monde. Même mon frère, Sam, et mon meilleur ami, Alex. Jusqu'au pauvre père cancéreux de Sharon. Mon candidat préféré, c'est l'homme qui assure l'entretien, à l'école de Bliss. Mais pourquoi Bliss aurait-elle dit que c'était moi ? Pourquoi aurait-elle dit que ça s'était passé dans sa chambre ? A moins qu'il ne lui ait dicté sa réponse.

Il soupira.

– C'est à devenir fou, Eden. Depuis un an et demi, j'essaie de trouver la clé de l'énigme. Mais, même si je la découvrais, personne ne m'écouterait.

Brutalement, il abattit son poing sur sa cuisse. Eden sursauta :

– On ne m'a jamais permis de lui parler. Je sais que, si on m'avait laissé quelques minutes avec elle, j'aurais éclairci l'affaire.

– Ben... seriez-vous sujet à des crises de somnambulisme, ou...

– Non, sacré bon Dieu. Je ne fais pas de crises de somnambulisme.

Sa voix demeurait calme, mais sa colère était bien réelle.

– Je vous demande pardon.

– Ce n'est rien. Moi-même, je dois l'admettre, je me suis posé la question. A mesure que se déroulait le procès, je sentais une telle haine monter contre moi. Dans le jury. Dans le public. Dans notre entourage. L'affaire faisait la une des journaux. J'étais coupable à tous les yeux. Et tout le monde attendait le témoignage de Bliss. Je ne pouvais imaginer qu'on la fît venir à la barre des témoins. Elle avait tout juste quatre ans. Mais on prétendait qu'elle savait faire la différence entre la vérité et le mensonge, qu'elle était intelligente, qu'elle s'exprimait avec facilité. L'enfant rêvée par un procureur, me disait mon avocat. Elle allait – elle, ma propre fille – me faire pendre. Je n'avais qu'une pensée : j'allais la voir devant tous ces gens, épouvantée, obligée de répondre à des questions qui auraient mis un adulte au supplice. Je savais ce que lui ferait subir Barbara – mon propre avocat –, quand viendrait son tour de la questionner. Elle ne cessait de me dire de ne pas me tourmenter, qu'elle allait démonter, pièce par pièce, l'histoire de Bliss. Qu'elle lui ferait perdre pied. Mais c'était ma petite fille qu'elle allait bousculer ainsi. Je ne supportais pas l'idée de laisser Bliss subir une telle épreuve.

– Kyle m'a dit que vous aviez plaidé coupable.

– Oui, c'est vrai.

Il se mit à rire.

– Temporairement. Une démence temporaire. Je n'avais pas, je pense, la moindre idée de la gravité de la situation. Tout le monde me répétait que j'étais dans la merde, mais je savais, moi, que j'étais innocent et je pensais que la vérité finirait par se faire jour, et que tout irait bien pour moi. Je ne me suis jamais vraiment inquiété pour moi-même. En revanche, pour Bliss, j'étais terrifié. Le jour où elle devait témoigner, je n'en pouvais plus. J'étais assis près de Barbara. Sharon était de l'autre côté de la salle. Bliss est entrée. Une femme, une assistante sociale, la tenait par la main. Elle avait dans les bras le singe en peluche qu'elle emportait partout avec elle. Elle était si petite. Comparée aux enfants de son âge, elle a toujours été grande, mais, dans cette salle, devant tous ces adultes, elle avait l'air incroyablement petite. J'ai senti mon cœur se briser, Eden. Je n'avais pas été en sa présence depuis des mois. Elle m'a vu, et son regard s'est illuminé. Elle m'a fait signe. Elle m'a désigné à l'assistante sociale, et j'ai pu lire sur ses lèvres : « C'est mon papa. »

Un long moment, Ben garda le silence.

– Puis-je avoir mon whisky, s'il vous plaît ? demanda-t-il enfin.

Elle lui tendit la bouteille. Il dévissa le bouchon mais le revissa sans avoir bu.

– Quoi qu'il en soit, j'avais l'impression que j'allais m'effondrer si je devais rester là pendant qu'on la questionnerait. Alors, tout de suite, j'ai plaidé coupable. Je n'étais pas vraiment coupable, ai-je précisé, mais je voulais épargner à Bliss toute cette horreur. J'ai fait sensation, mais je m'en moquais complètement. Je voulais seulement qu'elle sorte de là. Sur le moment, je n'ai pas pensé aux conséquences. Après avoir subi un sermon de Barbara, je me suis rétracté, mais je m'étais fait beaucoup de tort. Le juge a refusé la requête de Barbara pour vice de procédure. Il demanda au jury de ne pas tenir compte de mon « éclat », comme il disait, mais c'étaient douze êtres humains qui avaient tous des oreilles. Comment pouvaient-ils oublier qu'ils m'avaient entendu reconnaître ma culpabilité ?

Le procès a donc repris son cours, en présence de Bliss qui n'y comprenait rien. Elle a pourtant été merveilleuse.

Elle montrait autant de dignité que peut en avoir une enfant de quatre ans. Tout le monde était conquis. Et il était hors de doute qu'elle n'avait rien inventé. Il semblait évident que quelqu'un lui avait fait du mal, et, apparemment, j'étais le seul candidat possible. C'est justement ce qui me tue. Si tout cela est bien arrivé, il existe une seule autre personne absolument sûre de mon innocence, et cet homme-là ne va pas se dénoncer. Et il se pourrait très bien qu'il rôde toujours autour de Bliss. J'en deviens fou. Il n'y a personne pour la protéger, puisque tout le monde s'imagine que le coupable est neutralisé. J'en ai parlé aux services de protection ; j'ai demandé qu'on exerce une surveillance. On se contente de me dire de ne plus y penser : l'affaire est close.

— Vous n'avez jamais revu Bliss depuis le procès ?

— Pas une fois. J'ai vécu une longue, longue année, affreuse. Barbara m'avait dit que, si j'acceptais des entretiens avec une conseillère spécialisée dans les crimes sexuels, elle pourrait présenter une demande d'entrevues surveillées avec Bliss. J'ai donc essayé. Je suis allé trouver la conseillère, mais ça n'a rien donné. Je lui ai dit que j'étais innocent. « Bien sûr », m'a-t-elle répondu. Mais elle a poursuivi en me déclarant que, si je ne consentais pas à reconnaître devant elle et devant moi-même ce que j'avais fait, elle ne pouvait rien pour moi. Elle m'a accusé de ne pas me montrer coopératif. J'ai songé un moment à faire ce qu'elle me demandait, afin d'obtenir le droit de voir Bliss, mais je n'ai pas pu. On a donc décidé que je représentais un danger pour elle.

Il se mit à rire, secoua la tête.

— Je représentais un danger pour elle. On m'a donc enfermé et l'on m'a dit que je ne pourrais avoir aucun contact avec elle jusqu'à ce qu'elle ait atteint dix-huit ans.

— Mon Dieu, Ben.

Il se leva, posa la bouteille de whisky sur la table.

— Il m'arrive de rester éveillé, à m'interroger sur ce qu'elle pense de mon absence...

Sa voix se fêla.

— Je me demande si elle croit que je ne l'aime plus et que je suis parti à cause de ça.

— On a dû lui expliquer les choses.

— Ouais. On lui a dit : « Papa n'a plus le droit de te voir parce qu'il t'a fait du mal. »

Il était innocent. Il devait forcément l'être. Eden se

253

leva, l'entoura de ses bras. Mais il restait de bois sous son étreinte. Elle comprit qu'il n'était plus l'homme avec lequel elle avait couché la nuit précédente. Il était différent, mais il n'était pas dangereux.

Elle rejeta la tête en arrière pour le regarder.

– Ben, j'aimerais rester ici cette nuit.

Sur un haussement d'épaules, il s'écarta d'elle.

– Ce n'est probablement pas une bonne idée. Parler de tout ça me met au trente-sixième dessous.

Toutefois, il lui sourit :

– Ça n'aide pas non plus beaucoup ma libido. Ma vie sexuelle a été examinée au microscope, et, même si je suis innocent, j'en conserve l'impression que je suis anormal. Je ne sais pas comment j'ai pu m'en tirer la nuit dernière.

– Fort bien.

Il la regarda, tendit la main pour la poser légèrement sur son bras.

– J'aimerais que vous restiez. Mais je ne veux pas que vous ayez trop d'espoir.

– Je n'en ai aucun, dit-elle. Je désire simplement être avec vous.

Ben mangea en silence le repas apporté par Eden. Elle ne parut pas s'en formaliser. Elle lui coupa son pain, lui pela sa pêche, avant de remettre de l'ordre dans le coin cuisine pendant qu'il se douchait. Plus tard, ils parlèrent de Kyle et de Lou, du site de fouilles, du scénario, comme si le sujet de sa condamnation était épuisé. Ce fut seulement au moment où elle s'endormait, le bras jeté en travers de la poitrine de Ben, qu'il se contraignit à lui demander :

– Me crois-tu ?

Elle soupira, se releva sur un coude pour le regarder.

– Il le faut bien, répondit-elle. Sinon, je ne serais pas ici, avec toi. Mais il y a un élément que je rejette sans cesse au plus profond de mon esprit parce qu'il me tracasse trop.

– Lequel ?

– Le fait que tu aies plaidé coupable. J'aime Cassie, j'en suis sûre, autant que tu peux aimer Bliss. Pourtant, jamais je ne me serais reconnue coupable si je ne l'avais pas été.

Il hocha la tête, ramena la tête d'Eden sur son épaule.

– Je suis d'accord. Dans les moments où je suis rationnel, ça n'a plus aucun sens.

Il sentit le moment où elle s'endormit. Son souffle se ralentit, son bras se fit plus lourd sur sa poitrine. Il se sentait vidé de toute force. Le souvenir du procès l'avait épuisé, et, maintenant, l'image de l'entrée de Bliss dans la salle du tribunal se refusait à quitter son esprit. C'était la dernière fois qu'il l'avait vue.

On avait préparé pour elle une espèce de siège surhaussé, et elle y avait grimpé, sans lâcher son singe, un cadeau offert longtemps auparavant par Sam et Jen. On attacha un petit micro au col de sa robe, et le procureur lui demanda son nom.

— Bliss Azander.

Jamais elle n'avait pu prononcer le « lex ».

Pour la première fois depuis le début du procès, la salle était silencieuse. Quelqu'un toussa, et le son résonna d'un mur à l'autre. Le procureur continuait à interroger doucement l'enfant, et Bliss faisait de son mieux pour le satisfaire. On lui avait expliqué à quel point cet interrogatoire était important : elle devait dire la vérité. Une question — facile, pourtant — l'embarrassa. Ben, de sa place, lut la crainte dans ses yeux.

Il se pencha vers Barbara.

— Je ne peux pas supporter ça.

— Chut...

D'un geste protecteur, elle lui tapota la main de ses doigts froids.

— Non, je parle sérieusement.

Une goutte de sueur glissa de sa tempe à son menton. Il l'essuya avec son mouchoir.

Arrêtez ça, dit-il. Je vais reconnaître que je suis coupable. Rien que pour la faire sortir de là.

— Elle est parfaite, Ben. Elle...

Il se leva.

— Votre Honneur, je suis innocent de ce dont on m'accuse, mais je désire plaider coupable pour épargner à ma fille la poursuite de cette épreuve.

Le juge Stevens ouvrit de grands yeux. Barbara bondit sur ses pieds.

— J'aimerais solliciter une suspension d'audience, Votre Honneur, dit-elle.

— Excellente idée, répondit le juge.

C'était un homme de soixante ans, dont la propre fille avait été violée dans son adolescence. Sa vie, comme homme et comme magistrat, avait été marquée à jamais par ce drame.

– Et je vous prie de souligner à votre client la gravité de son comportement.

– Je n'ai pas besoin de suspension, déclara Ben à Barbara. C'est fini. Je veux que tout ça se termine.

Ses mains, posées devant lui sur la table, tremblaient. Parmi le jury, les petits rires nerveux montaient. Bliss semblait apeurée.

– Papa ? dit-elle dans le microphone.

La respiration de Ben était rapide, haletante. Il étouffait presque. Il regarda Sharon se frayer un passage dans l'assistance jusqu'à Bliss. Il la vit soulever l'enfant dans ses bras, sortir avec elle, et il éprouva un immense soulagement à la pensée que, pour Bliss, tout était terminé. *C'est fini, mon ange*, pensait-il. *Tu n'auras plus à subir cette torture...*

– Ben ?

Il reconnut le contact d'Eden, près de lui, dans l'obscurité.

– Tout va bien ?

Il l'enveloppa de ses bras. Elle portait un de ses tee-shirts, et le contact du tissu lui réchauffa les mains.

– Je veux que tu comprennes pourquoi j'ai plaidé coupable, dit-il.

Sans la lâcher, il se remit sur le dos, l'étreignit plus fort.

– Quand j'avais cinq ans, et mon frère sept, un garçon venait souvent nous garder, une fois au moins par semaine. Il nous emmenait dans la salle de bains, séparément, et il nous faisait faire... des choses que nous n'avions pas envie de faire. Il nous disait que, si nous en parlions à quelqu'un, même l'un à l'autre, il tuerait notre mère. Alors, je n'en ai jamais rien dit à Sam, même si j'étais sûr qu'il était dans le même cas que moi. Chaque fois que Randy venait nous garder, je passais une bonne heure, le soir, à vomir. Finalement, mes parents m'ont questionné.

Il se mit à rire.

– Ils m'ont demandé si Randy me faisait manger des sucreries ou autre chose. Finalement, j'ai dit qu'il me touchait. Je me rappelle avoir pensé que, si je disais seulement ça, il ne tuerait peut-être pas ma mère. Mais mes parents ne m'ont pas cru : Randy était un si gentil garçon, issu d'une famille tellement comme il faut. Ils en ont parlé à Sam. Mais Sam avait tellement peur qu'il a dit qu'il ne savait pas de quoi je voulais parler. Pourtant, je continuais à vomir, et mes parents m'ont conduit chez un psy. Puis à la police. Je suis incapable de me souvenir de ce que j'ai fait hier, mais je me rappelle nettement toute cette expérience. Toutes les questions. Je ne cessais de changer ma version des faits, je me prenais aux pièges de mes propres mensonges parce que je pensais que, si je disais la vérité, Randy ferait du mal à ma mère. Quand, finalement, je racontai toute l'histoire, personne ne voulut me croire. Lorsqu'il me croisait dans la rue, Randy se moquait de moi. Je me réveillais au beau milieu de la nuit pour aller dormir par terre dans le couloir, devant la porte de mes parents, dans l'idée de protéger ma mère si Randy venait l'attaquer.

Sans rien dire, Eden se blottit plus près de lui, la joue sur son épaule.

— Ils me désarçonnaient avec leurs questions, continua Ben. Quand ils y ont renoncé, je me sentais devenir fou, j'étais épouvanté. Je me rappelle nettement mon état d'esprit alors. Il n'était pas question que Bliss en passe par là. Elle avait déjà été suffisamment interrogée, pressée de questions. Ce qui me terrifiait réellement, je crois, c'était d'en être témoin, de revivre moi-même tout ça à travers elle. En fin de compte, je suppose que c'était moi que je protégeais, pas elle.

Il passa les doigts dans les cheveux d'Eden.

— Sharon est la seule autre personne à qui j'aie jamais parlé de Randy. Même entre Sam et moi, nous n'avons jamais abordé le sujet.

— Sharon était au courant et elle ne t'a quand même pas cru ?

— Il faut comprendre, vois-tu : au moment où j'ai plaidé coupable, il n'y avait déjà plus grand-chose entre Sharon et moi. Par ailleurs, elle avait lu quelque part que les hommes qui avaient été victimes d'abus sexuels étant enfants couraient les plus grands risques de s'en rendre eux-mêmes coupables. Mon expérience a eu sur moi l'effet exactement opposé. Jamais je ne pourrais faire souffrir un enfant comme on m'a fait souffrir. Jamais.

Eden se redressa, s'adossa au mur. Elle serrait entre les siennes la main de Ben.

— Tu n'as pas eu une vie très facile, dit-elle.

Il se mit à rire.

— Tu dois penser que je suis maintenant complètement

détruit. Mais, sincèrement, Eden, entre cinq ans et trente-sept ans, j'étais normal.

Elle lui sourit, attira sa main jusqu'à ses lèvres.

— Demain matin, déclara-t-elle, je vais appeler Michael. Il faut que je lui dise que je fréquente un autre homme.

Elle libéra la main de Ben, se pencha pour lui poser un baiser sur la joue.

— Il faut que je lui dise que je suis amoureuse d'un autre homme.

# 30

Une semaine plus tard, pour la première fois, Ben et Eden battirent Kyle et Lou au *tramposo*. Personne ne le dit à voix haute, mais Eden comprit que c'était là un événement important. Le *tramposo* marquait la qualité d'une relation, le degré d'intimité, la réalité d'un travail d'équipe. Aussi, quand Ben, dans la cuisine, saisit Eden dans ses bras pour l'embrasser et lui dit : « Nous les avons battus à plate couture », elle comprit qu'il ne parlait pas seulement d'un jeu de cartes; il lui signifiait qu'ils étaient maintenant liés solidement.

Sans heurts, ils avaient adopté des habitudes, si facilement qu'elle avait oublié les risques qu'elle prenait. Le matin, elle travaillait sur le site avec Ben. L'après-midi, elle se penchait sur de vieux journaux, à la bibliothèque de Winchester, ou bien interrogeait les quelques habitants d'un certain âge qui vivaient encore dans le voisinage. Ou alors, elle travaillait au scénario. Elle ne lisait plus le journal. « Tu as besoin de prendre une certaine distance », lui avait dit Kyle, sur le ton qui signifiait : « Je sais ce qui vaut le mieux pour toi ». Et elle n'avait pas discuté.

Elle et Ben passaient plusieurs soirées par semaine en compagnie de Kyle et de Lou, qu'Eden en était venue à considérer sous un jour nouveau. De temps en temps, ils préparaient à dîner pour le couple de leurs aînés et se livraient ensuite à des parties passionnées de *tramposo*. Un soir, Kyle projeta des diapositives de leurs campagnes en Amérique du Sud. Eden eut l'impression de regarder des étrangers, des gens qu'elle commençait tout juste à connaître et à aimer, une famille à laquelle elle avait envie de s'intégrer. Sur ces anciennes diapositives, Ben portait les cheveux plus longs, il était plutôt négligé, et barbu.

— Je me suis rasé la barbe après le procès, dit-il. J'étais trop reconnaissable.

Elle était totalement convaincue de son innocence. Il n'y avait rien de mystérieux en lui. Rien de suspect. Pas la moindre aberration sexuelle, bien qu'il se montrât beaucoup plus inventif que Wayne dans l'amour. A vrai dire, elle n'était plus elle-même la femme qu'elle avait été avec son mari.

— Tu m'inspires, lui dit Ben, une nuit.

Elle doutait fort d'avoir jamais inspiré Wayne.

A présent, lorsqu'elle se réveillait le matin, parfois dans l'ancienne chambre de sa mère, parfois dans la cabane de Ben, elle avait le sentiment d'une parfaite sécurité. Les cauchemars avaient disparu. L'unique pièce manquante, dans sa vie, c'était sa fille, mais au moins leurs conversations téléphoniques avaient-elles fait des progrès. Ben lui avait suggéré de parler à Cassie de tout ce qu'elles pourraient voir et faire quand elle viendrait à Lynch Hollow : le King's Dominion, les dinosaures, les grottes de Luray. Finalement, Cassie avait hâte de venir.

Ben construisait pour la fillette une maison de poupée. La première fois qu'Eden vit toutes les pièces étalées sur la table, il déclara :

— C'est de la part de Kyle et de la mienne. Kyle est le bailleur de fonds.

Elle le regardait monter la maison, une grande demeure de style victorien, avec des toits bordés d'une véritable dentelle de bois. Elle pensait à ce dont était privée la fille de Ben, à ce dont elle continuerait d'être privée.

— As-tu le droit de lui faire des cadeaux ? demandat-elle.

Il collait à sa place une minuscule fenêtre.

— Aucun contact, répondit-il. Des cadeaux constitueraient un contact.

— Mais, même si tu étais coupable, n'est-il pas plus néfaste encore de la priver totalement de son père ?

— Apparemment, nous sommes, toi et moi, les seuls à le penser. Avec Sam. Sam fait tout son possible pour m'obtenir des visites surveillées, mais je n'ai pas grand espoir. De telles visites créeraient de la confusion dans l'esprit de Bliss, prétend sa conseillère. Ce n'est pas dans l'intérêt de l'enfant.

Il recula d'un pas pour mieux examiner la maison qui prenait lentement forme sur sa table.

— A ton avis, de quelle couleur dois-je la peindre ?

Il avait beau se montrer très ouvert, il lui arrivait, par moments, d'être incapable de parler de Bliss. Elle avait appris à battre en retraite, alors. Lorsqu'il abordait le sujet, Eden sentait son impuissance, sa rage.

— Je ne supporte pas d'imaginer Jeff dans ma maison : il couche avec ma femme, il lit des histoires à Bliss, il la borde dans son lit, le soir. Un jour, j'avais une femme et un enfant, et, le lendemain, Jeff a surgi de nulle part pour prendre ma place. « Ce qui tombe dans le fossé est pour le soldat. »

— D'où Sharon connaissait-elle Jeff ?

— C'est un de ses collègues. Il est professeur d'histoire à l'école où elle enseignait.

— Sharon aurait-elle pu monter toute cette histoire ? questionna-t-elle avec précaution. Peut-être souhaitait-elle te voir sortir de sa vie.

— Non. A cette époque, Sharon avait peu de relations avec Jeff, et notre mariage marchait bien. D'ailleurs, même si elle en avait eu assez de moi, elle ne se serait pas servie de Bliss de cette façon.

L'entretien téléphonique avec Michael se révéla plus difficile que ne l'avait escompté Eden. Elle fut surprise de découvrir combien il lui était douloureux de le faire souffrir. Elle avait plus d'affection pour lui qu'elle n'avait voulu se l'avouer.

— S'agit-il seulement d'une amourette de vacances ? avait demandé Michael. C'est sérieux ?

— Je n'en sais trop rien, avait-elle répondu. Je vis au jour le jour.

Michael hésita.

— Avez-vous couché avec lui ?

— Oui.

Il eut un rire douloureux.

— Nous sortons ensemble depuis plus d'un an, et les soirs où j'ai de la chance, vous m'accordez un baiser. Vous connaissez ce type depuis une semaine ou deux, et... Oh, Dieu.

— Michael, je suis désolée, mais jamais je ne vous ai laissé espérer qu'il y aurait autre chose entre nous.

— Je le sais.

— Je tiens toujours à vous donner le rôle de Matthew Riley. Mieux je le connais, plus je suis convaincue que vous seriez parfait dans le personnage. Physiquement même, vous lui ressemblez.

Michael ne répondit pas.

— Michael ? Vous êtes toujours d'accord, n'est-ce pas ?

— A condition que vous soyez toujours décidée à jouer le rôle de votre mère, et que nous ayons ensemble quelques scènes gratinées.

Elle sourit.

— Je vous aime beaucoup, Michael. Je vous en prie, restons amis. Et ne faites pas de bêtises...

Elle l'imaginait prêt à s'enivrer, à se droguer, pour panser ses plaies. Elle songea à lui demander de ne pas ébruiter ses confidences, mais à quoi bon !

— Je voudrais vous voir, reprit-il. J'ai l'impression que vous changez, que vous devenez quelqu'un d'autre.

— C'est vrai, je change, mais pas pour devenir quelqu'un d'autre. Pour une fois, je me sens moi-même.

Lorsqu'elle raccrocha, la question de Michael résonnait encore à ses oreilles : *C'est sérieux ?* Son aventure avec Ben recelait une masse d'interdits, d'embûches auxquels elle n'était pas prête à faire face pour le moment.

Un après-midi, elle installa Ben dans l'ancienne chambre de sa mère pour qu'il tape une lettre de référence destinée à une ancienne étudiante. Elle s'assit sur le lit, le regarda se débrouiller avec les touches de sa machine à traitement de texte. Il portait une chemise rayée gris et blanc, ses cheveux étaient encore humides de la douche. Il était magnifique, et elle se sentit confortée dans ce qu'elle allait lui dire.

— Ben ?

Il se retourna vers elle.

— J'ai décidé de reprendre la pilule.

Elle observa son visage, tandis que ses paroles faisaient leur chemin dans son esprit.

— A quoi bon ? demanda-t-il. Elle ne fera pas d'effet avant une semaine ou deux, hein ? Et tu ne vas pas rester ici beaucoup plus longtemps.

— Peut-être ne partirai-je pas à la fin de l'été.

Il la dévisagea un instant sans paraître comprendre.

— Eden, tu dois vraiment réfléchir à ce que tu comptes faire. Tu m'as dit que tu te montrais avec Michael Carey pour empêcher le public de lier ton nom avec celui de quelqu'un d'autre. Tu m'as dit que tu devais protéger ton image. Avec moi tu prends des risques immenses... Tu le sais bien, n'est-ce pas ?

— Qui saura ce que je fais, aussi longtemps que je resterai ici, au fin fond de nulle part ?

Il se leva, s'approcha du lit, lui posa les mains sur les épaules.

— Je n'ai pas l'intention de discuter avec toi. Je n'ai pas une telle hâte d'être débarrassé de toi.

Il fouilla dans une poche de son jean, en sorti un préservatif dans son emballage.

— Autant se servir de ces trucs-là.

Elle éclata de rire.

— Tu les promènes toujours sur toi ?

— J'aime assez être prêt à toute éventualité.

Il se pencha pour l'embrasser, mais elle retint son mouvement.

— Nous ne pouvons pas faire l'amour ici. Kyle et Lou sont en bas.

Elle se rappelait avec une cruelle netteté toutes les fois où elle avait introduit en cachette un garçon dans sa chambre, à New York. Tex, en général. Bo, une seule fois. Ils faisaient l'amour à même le sol, pour éviter les grincements du sommier, qui auraient réveillé Kyle et Lou.

Ben alla jusqu'à la porte, la ferma sans bruit.

— Je ne saurais te dire combien de fois j'ai dû les entendre tous les deux. Ces hôtels colombiens ont des cloisons en papier mâché.

Il s'assit près d'elle, l'embrassa tendrement.

— Il faudra que nous soyons très silencieux, dit-elle.

— Comme des flocons de neige, murmura-t-il.

Il se leva pour déboucler sa ceinture.


Au petit déjeuner, elle demanda à Kyle un autre cahier du journal.

— Je t'en supplie, Kyle, donne-le moi. Je ne peux pas avancer dans le scénario parce que j'ignore comment Matt finit par amener Kate à capituler.

Kyle alla mettre son assiette dans l'évier et, au retour, resta debout derrière le fauteuil de Lou. Il posa doucement une main sur l'épaule de sa femme, et Lou leva le bras pour la couvrir de la sienne.

— Pourquoi es-tu si pressée ? demanda-t-il à Eden.

— Je suis curieuse. Permets-moi de lire un peu plus loin, je t'en prie.

Il secoua la tête.

— Désolé, ma chérie. Ce sera fini bien assez tôt. Ne précipite pas les choses.

Les mots furent un choc, pour Eden. Il ne s'agissait pas d'un jeu. C'était une vie réelle qu'elle tenait enfermée dans sa machine, une vie réelle qui ne finirait que trop tôt.

— Pardonne-moi, dit-elle. Mais, tu comprends, écrire un scénario ne me vient pas encore naturellement. Quand je ne sais pas trop où je vais, ça me rend nerveuse.

— Tu as toujours remarquablement écrit, remarqua Lou. Même étant enfant.

— Je n'ai jamais rien écrit quand j'étais enfant.

— Tu rédigeais des compositions, à l'école. Et tu obtenais toujours les meilleures notes.

Eden se mit à rire.

— Le recul du temps te fait idéaliser mes notes.

Lou regarda Kyle. Ses grands yeux bleus posaient une question. Il y répondit d'un signe de tête.

— Viens avec moi dans la chambre, ma chérie, dit Lou.

Elle suivit le couloir dans son fauteuil roulant, suivie d'Eden. Kyle fermait la marche.

Il disparut dans un grand placard, en émergea avec un carton poussiéreux.

— Ton oncle est comme un écureuil, déclara Lou. Il ramasse tout.

Elle passa de son fauteuil au lit. Eden s'assit près d'elle, et Kyle lui posa le carton sur les genoux. Elle souleva le couvercle. La première chose qui lui tomba sur les yeux était une liasse de papier machine jauni : « Les pour et les contre d'une légalisation de l'avortement », par Eden S. Riley. 7 janvier 1970.

Elle éclata de rire.

— Mon Dieu ! J'avais complètement oublié ça.

Elle feuilleta les autres papiers. Histoire, sciences, comptes rendus de bouquins... Kyle avait tout conservé. Et toutes les notes étaient excellentes, sauf la dernière année, où elles devenaient moyennes.

— Je n'arrive pas à croire que tu aies gardé tout ça, dit-elle.

Au fond du carton, elle trouva un paquet de carnets de notes retenu par une bande élastique desséchée qui se cassa quand elle voulut la faire glisser. Elle les parcourut.

Rien que des A et des B, jusqu'à la dernière année. Là, ses résultats avaient chuté, et les commentaires des professeurs s'en ressentaient. Eden en lut un à voix haute, plissa le nez :

« Eden doit prendre conscience que ses activités dans le club d'art dramatique cette année nuisent à sa réussite scolaire. »

— Ils peuvent bien se rétracter, maintenant, dit Lou.

— J'aimais lire tes compositions, déclara Kyle. C'était pour nous la seule façon de savoir ce qui se passait dans ta tête. Tu ne laissais jamais transparaître grand-chose devant nous.

— Je ne vous ai pas donné beaucoup de joies, avoua-t-elle doucement.

Elle avait l'impression de s'approcher d'eux à tout petits pas d'enfant.

— C'est le propre des adolescents, fit Kyle en riant.

— Je vous mettais à l'épreuve. Je voulais savoir jusqu'à quel point je pouvais me montrer odieuse, mauvaise, avant que vous vous débarrassiez de moi. J'ai toujours eu peur que vous ne me renvoyiez.

Lou la dévisageait.

— Qu'avons-nous bien pu faire pour te donner une pareille idée ?

— Rien. Mais tout le monde, autour de moi, mourait ou m'expédiait ailleurs. Je pensais qu'il s'agissait seulement d'une question de temps avant que ça m'arrive avec vous deux.

— Si seulement nous avions trouvé le moyen de te rassurer..., dit Lou.

— Vous avez fait tout votre possible. Vous avez accepté pour moi d'énormes sacrifices. A l'époque, je le sais, je pouvais paraître ingrate, mais, tout au fond de moi, j'étais heureuse de vous avoir tous les deux.

Elle remit les carnets de notes au fond du carton, regarda son oncle.

— J'ai l'impression de t'avoir volé toutes ces années et de t'avoir offert très peu en échange.

— Ne crois jamais ça, ma chérie, répondit-il.

Eden posa le carton sur le lit, se leva et sourit aux deux autres.

— En tout cas, j'espère bien que Cassie saura m'avouer qu'elle m'apprécie avant d'avoir atteint ses trente-six ans.

En juillet, tous quatre allèrent passer quelques jours à

New York. Avec toutes les peines du monde, Eden réussit à persuader Ben de lui laisser assumer les frais de train et d'hôtel. L'argent était, entre eux, un sujet très délicat, et elle devait l'aborder avec la plus grande prudence.

Ils s'installèrent dans des chambres communicantes au Sheraton Center. Ils admirèrent un feu d'artifice d'un banc qui dominait l'East River. Ils visitèrent le musée d'Art moderne, et virent deux spectacles à Broadway. Toutes les fois qu'ils devaient faire la queue, ils passaient le temps avec des jeux, ce qui, visiblement, constituait pour Ben, Kyle et Lou une vieille habitude. Tous trois faisaient preuve d'une rapidité d'esprit étonnante, qui laissait Eden pantelante.

Ils s'amusaient beaucoup, mais Eden ne pouvait se défaire d'un sentiment de terreur, à se retrouver à New York en compagnie de Lou et de Kyle. De chaque endroit de la ville, elle avait une conscience aiguë de la distance qui les séparait de l'intersection de Park Avenue et de la 23e Rue. L'endroit l'attirait depuis la fenêtre de l'hôtel au dix-septième étage. La vue était bloquée par plus d'un kilomètre et demi de gratte-ciel, mais, en esprit, elle voyait nettement ce croisement. Elle se demandait si le lieu avait changé, si les lampadaires formaient encore au centre un îlot de lumière. Elle se demandait aussi combien d'autres accidents s'étaient produits au même endroit.

Pour leur dernière soirée new-yorkaise, ils allèrent dîner dans un petit restaurant italien de Greenwich Village, non loin de l'immeuble où, adolescente, elle avait vécu avec Lou et Kyle. Ils avaient passé la journée à faire des achats, et quand ils s'assirent à la table couverte d'une nappe à carreaux blanc et rouge, ils avaient chaud, ils avaient faim. Eden et Lou dirent aux hommes ce qu'elles voulaient manger et les quittèrent pour aller aux toilettes.

La pièce était petite, d'une propreté douteuse, et il n'y avait qu'une seule cabine étroite.

— Je ne peux pas y accéder en fauteuil roulant, constata Lou. Je vais avoir besoin de ton aide, Eden.

La jeune femme soutint Lou pendant qu'elle sautillait sur sa jambe unique de son fauteuil à la cuvette. Là, non sans peine, elle releva sa jupe, descendit son slip. Quand Eden l'aida à s'asseoir sur le siège, l'effort faisait trembler ses bras. Elle sortit de la cabine, s'adossa à la porte.

— Comment fais-tu dans un endroit comme celui-ci si tu n'as pas de femme pour t'aider ? demanda-t-elle.

– Kyle m'accompagne. Nous signalons d'abord notre arrivée, pour permettre aux femmes de sortir. Nous faisons des excuses, si quelqu'un survient. Mais la plupart des gens se montrent très compréhensifs.

Eden ferma les yeux, s'appuya au mur. Elle se représentait l'angle de la 23e Rue et de Park Avenue. Arrivait-il à Lou de traverser ce carrefour sans se rappeler ce qui s'était passé ?

– Je suis prête, ma chérie.

Elle aida Lou à se réinstaller dans son fauteuil. Elle la poussait vers le lavabo quand une femme pénétra dans les toilettes. Eden lui adressa un rapide sourire, en attendant que Lou eût fini de se laver les mains. La femme restait devant la porte, sans un mouvement pour accéder à la cabine. Eden en conclut qu'elle souhaitait utiliser le lavabo. Du coin de l'œil, elle observait l'inconnue. Les cheveux blonds graisseux étaient coupés à la diable à hauteur du menton. Le tricot naguère blanc était devenu grisâtre, et une longue traînée couleur moutarde salissait une manche. La femme portait, sur des cuisses épaisses, un pantalon en polyester doré. Son immobilité silencieuse avait quelque chose d'étrange. Quelque chose qui accéléra le rythme cardiaque d'Eden.

Elle saisit les poignées du fauteuil de Lou.

– Excusez-nous, dit-elle.

– Vous allez nulle part avant d'm'avoir donné vos sacs, fit la femme.

Elle avait de grands yeux bruns, dont le regard fixe, bizarre, vous rivait sur place.

– Nous devons regagner notre table, intervint Lou. Nos maris, j'en suis sûre, doivent commencer à se demander où nous sommes.

Calmement, la femme fouilla dans son sac, en tira un couteau, un simple couteau à steak, au manche de plastique, à la lame dentée.

Avec une brève exclamation de dégoût, Lou ouvrit son sac à main.

– Combien vous faut-il ?

– Je veux le sac.

Les dents de la femme étaient brunies, irrégulières.

– Donnez-le moi.

Eden pensait au contenu de son propre sac. Ses cartes de crédit, son permis de conduire, ses chèques de voyage, ses clés. Tous ces objets qu'on avait tant de mal à remplacer, et qui l'identifiaient comme Eden Riley. Cette femme allait se dire qu'elle avait découvert un trésor. Il y avait aussi les photos de Cassie, dont la première avait été prise à l'hôpital juste après sa naissance.

La lame du couteau capta la lumière jaunâtre de la lampe accrochée au-dessus du lavabo. Eden tendit son sac.

— De l'argent, déclara Lou. C'est tout ce que vous aurez de moi.

Elle parlait d'une voix forte, mais, au moment où elle ouvrait son sac, Eden vit trembler ses mains. Il lui fallut quelques secondes pour saisir les trois billets et les tendre à la femme qui s'en empara sans protester.

— Et maintenant, ma chère, pourquoi ne pas rendre son sac à cette jeune femme ? reprit Lou. Prenez l'argent, mais laissez-lui le reste. Je suis sûre qu'il y a là des photos de famille qui sont irremplaçables.

Eden lui posa la main sur l'épaule.

— Ça ne fait rien, Lou. Allons-nous-en, c'est tout.

— Reculez !

La femme, dans une attitude menaçante, pointait le couteau droit devant elle, et Eden ramena vers elle, aussi près qu'elle le put, le fauteuil de Lou.

La femme fit brusquement volte-face, ouvrit la porte d'une violente poussée et s'engagea dans le couloir en courant.

Soudain plus furieuse qu'apeurée, Eden se précipita hors de la petite pièce. Elle vit la femme qui fonçait sur le linoléum sale et usé, vers la porte de derrière du restaurant.

— Cette femme m'a volé mon sac ! hurla-t-elle.

Deux employés jaillirent de la cuisine, se lancèrent à la poursuite de la voleuse. Eden les entendit rire, vit leurs visages hilares. La soirée avait dû être bien morne pour eux.

Elle revint aux toilettes, y retrouva Lou qui tremblait presque convulsivement.

— Je suis un peu groggy, dit Lou.

Eden trempa d'eau froide une serviette en papier. Elle venait de l'appliquer sur la nuque de Lou quand Ben entra en trombe.

Eden expliqua ce qui s'était passé, et Ben repartit pour aller appeler la police. Elle s'agenouilla devant le fauteuil de Lou. Sa tante avait le teint grisâtre, les mains moites, glacées.

— Baisse la tête, Lou, lui conseilla Eden.

La jeune femme entoura sa tante de son bras, pressa sa joue contre son front.

— Tu es si courageuse, murmura-t-elle.

Lou émit un rire étouffé, releva la tête.

— Je suis une vieille folle, voilà tout. Sortons d'ici. Il n'y a pas un souffle d'air.

Deux policiers les attendaient à l'extérieur, et les employés remirent à Eden son sac intact. Elle prit appui sur le dos de Ben pour rédiger au nom de chacun un chèque de cent dollars. Kyle attira une chaise et s'assit près de Lou.

— C'est cette sacrée Eden Riley ! s'écria l'un des deux hommes.

Son regard allait du chèque au visage de la jeune femme.

Eden posa un doigt sur ses lèvres.

— Chut ! Ce sera notre petit secret, hein ?

Les employés s'éloignèrent, en secouant la tête et en s'envoyant de grandes claques dans le dos. Eden reporta son attention sur Lou. Elle entendit au loin le bruit d'une sirène, qui se rapprochait, se faisait de plus en plus fort. Elle comprit que quelqu'un avait appelé une ambulance. Non ! Son cœur se serrait.

Lou l'entendit aussi, s'accrocha au bras de Kyle. On lisait l'affolement dans son regard.

— Je vais bien, souffla-t-elle. Dis à tout le monde de me laisser en paix.

Le hurlement de la sirène s'éteignit dans un gémissement : l'ambulance venait de s'arrêter devant le restaurant. Eden elle-même se sentait prise de vertige. La nausée montait en elle. La faible lumière dans le couloir crasseux, le tapage qui venait de la cuisine, les questions de la police et l'agitation causée par sa présence lui faisaient tourner la tête.

Deux auxiliaires médicaux en uniforme, un homme jeune et une femme plus jeune encore, les rejoignirent dans le couloir.

— Je n'ai pas besoin de vous, leur dit Lou, avec un geste pour les écarter. Fausse alerte.

La jeune femme n'en tint aucun compte. Elle fixa la bande du tensiomètre autour du bras de Lou, lui posa les doigts sur le poignet. Elle dit alors à son collègue d'aller chercher une civière.

— Il faut l'emmener à l'hôpital pour la mettre en observation, déclara-t-elle à Kyle.

– *Je me sens très bien,* affirma Lou.

Elle avait pourtant encore le visage d'une pâleur crayeuse, le regard vitreux, un peu fou.

– Je t'accompagne, Lou, dit Kyle.

Lou attrapa à pleine main le tissu de sa chemise.

– Non, Ky, je t'en prie. Je ne veux pas aller à l'hôpital. *Je t'en prie,* pas d'ambulance.

– C'est bon, ma chérie.

Les mains de Kyle pressaient celles de sa femme. Il leva les yeux vers la jeune auxiliaire médicale.

– Pas d'ambulance. Je vais la ramener en taxi à notre hôtel. Tout ira bien.

– Vous en prenez la responsabilité ? demanda la jeune femme.

– Oui.

– Nous allons vous conduire, proposa l'un des policiers.

Eden s'adossa au mur, regarda Kyle pousser le fauteuil de Lou vers l'air brûlant de la soirée. Ben l'entoura de son bras.

– Viens, dit-il, nous sommes servis.

– Je ne pourrais pas manger. Pouvons-nous rentrer tout de suite à l'hôtel, s'il te plaît ?

– Tu as été rudement secouée.

– Je te demande pardon. Mais je voudrais vraiment rentrer.

Une fois dehors, Ben prit Eden par la taille.

– Lou n'a rien, j'en suis sûr. A la voir, elle avait simplement besoin d'une bonne nuit...

– *Eden Riley !*

Elle leva vivement la tête. Un homme, surgi de nulle part, bondit sur le trottoir, leur déclencha son flash en plein visage.

En courant, il s'éloigna ensuite dans la direction opposée, non sans leur crier de loin :

– Merci !

Elle n'avait même pas vu sa figure.

– Flûte ! fit-elle, en grimaçant.

– A quoi rimait tout ça ? demanda Ben.

– Je n'en sais rien. Nous le découvrirons, je suppose, le jour où cette photo verra la lumière du jour, si elle la voit jamais.

Le bruit des hurlements, des crissements de métal la réveilla. Elle se redressa en sursaut. Son propre cri lui restait dans la gorge.

Ben s'assit, la prit dans ses bras.

— Tout va bien. Tu es ici, avec moi.

Elle pressait les doigts sur ses paupières.

— Ça a l'air tellement réel.

— Le même rêve que tu avais déjà fait dans ma cabane ? Elle hocha la tête.

— Mes cauchemars avaient cessé. Mais sans doute est-ce le fait d'être ici, à New York, avec Kyle et Lou, qui me remet tout en mémoire.

Elle tourna son regard vers la fenêtre, sentit de nouveau cette force étrange qui l'attirait vers l'intersection de la 23e Rue et de Park Avenue.

— C'est l'accident de Lou. Je le vois se dérouler devant moi, au ralenti. Et je me sens si impuissante.

— Pourquoi l'appelles-tu « l'accident de Lou », comme si tu n'avais pas été avec elle ?

Elle éprouvait le besoin de lui dire la vérité.

— *Je n'étais pas* avec elle. Mais j'ai tout vu. C'était horrible.

— Ils m'ont dit que tu étais dans la voiture avec elle. Elle secoua la tête.

Ben se tut un moment. Il glissa ses doigts entre ceux d'Eden pour joindre leurs deux mains.

— Ça t'aiderait peut-être de tout me raconter.

— Je ne peux pas.

— Mais pense un peu à ce que tu sais de moi. Tout.

— Oui, mais tu es innocent. Moi, je suis coupable.

— Coupable de quoi ?

Elle ne répondit pas.

— Quoi que ce soit, c'est arrivé il y a longtemps.

— Quand tu sauras, tu ne pourras plus me regarder de la même façon.

— Rien de ce que tu pourrais m'avouer avoir fait à dix-huit ans ne pourrait changer ce que j'éprouve aujourd'hui pour toi.

— J'avais dix-neuf ans.

Il rit.

— Oh, mais ça change tout.

Elle n'avait jamais dit à âme qui vive ce qui s'était passé ce jour-là, mais elle allait, elle le savait, tout raconter à Ben. Il allait falloir se reporter loin en arrière, tout expliquer. Sinon, il ne verrait que la laideur, dans ce qu'elle allait lui dire.

Elle s'étendit de nouveau contre lui, entre ses bras.

– Quand j'étais petite fille, je vivais dans l'attente des visites de Kyle et Lou, commença-t-elle. A la maison, ils passaient pour des héros. Plus grands que nature. Ils s'habillaient autrement que tous les gens que je connaissais, ils parlaient, se comportaient différemment. Ils ne venaient à Lynch Hollow qu'une ou deux fois l'an, leurs visites étaient des événements exceptionnels. Entre-temps, ils m'envoyaient des cadeaux merveilleux.

Elle décrivit l'énorme cheval à bascule qu'ils lui avaient expédié d'Amérique du Sud, peint de couleurs éclatantes, comme s'il était descendu d'un carrousel, avec une crinière et une queue en crins véritables.

– Les seuls moments où je me sentais aimée, après la mort de ma mère, c'était lorsqu'ils étaient là.

Le plus beau souvenir de mon enfance remonte à l'époque où j'avais huit ans. Kyle et Lou sont revenus aux États-Unis et m'ont emmenée passer un week-end à Washington. Nous sommes allés au zoo, au Muséum d'histoire naturelle, nous avons assisté à un spectacle de marionnettes. J'imaginais qu'ils allaient peut-être me garder avec eux : je n'aurais pas à retourner à Lynch Hollow, chez Susanna et mon grand-père. Nous avions une chambre d'hôtel avec un grand lit pour eux deux et un lit d'une personne pour moi. La dernière nuit que nous devions passer là-bas, ils me croyaient endormie, et ils se sont mis à parler de moi. Ils disaient que j'avais l'air très malheureuse, et j'ai pensé : Oh, mon Dieu, ils me *détestent !* Le lendemain, j'ai essayé de me montrer heureuse, guillerette... Je voulais me faire aimer d'eux, assez pour qu'ils m'emmènent, mais, naturellement, ils n'en ont rien fait.

Elle s'interrompit, se mordit la lèvre.

– J'ai l'air de vouloir me faire plaindre.

Ben, du dos de la main, lui caressa le bras du poignet à l'épaule.

– Tu as souffert...

– Une fois à l'orphelinat, j'ai complètement renoncé. Mais, quand Kyle et Lou ont découvert où j'étais, ils m'ont prise avec eux, en fin de compte.

– Tu as dû être très heureuse.

– J'avais peur d'être heureuse. Je pensais que ça ne durerait pas, qu'ils me renverraient un jour. Je sais maintenant qu'ils n'en ont jamais eu l'intention, mais, alors, je ne parvenais pas à me rassurer. J'ai été très sage, jusqu'à ma dernière année d'études où j'ai finalement trouvé le courage de m'inscrire au club d'art dramatique. Dès lors, j'étais dans mon élément et j'ai cessé de me soucier de tout le reste. Je rencontrais des tas de gens, j'avais tout à coup des amis, je sortais. Il y avait au club quelques types plutôt chahuteurs. Ils fumaient de l'herbe en grande quantité, expérimentaient d'autres drogues. Et ils s'intéressaient à moi. A cette époque, il n'en fallait pas beaucoup pour me séduire : je mourais d'envie d'être cajolée, aimée et...

Elle soupira.

— Bref, je me suis mise à coucher avec les uns et les autres. Kyle était au courant de ce qui se passait. Ces types venaient me chercher à la maison, se montraient avec lui d'une politesse à toute épreuve, mais il voyait clair au travers.

Elle rit.

— Après avoir lu le journal, j'ai compris pourquoi. Il n'était pas tellement différent lui-même. Mes notes à l'école ont commencé à dégringoler. Finalement, Kyle a déclaré que, du moment où je vivais sous son toit, il n'était pas question pour moi de sortir avec ces types-là. Je me suis mise à agir en cachette. Je mentais constamment. C'est alors que je me suis trouvée enceinte...

— Non..., fit Ben.

— Je ne savais même pas qui était le père de l'enfant, mais je l'ai dit au garçon qui me paraissait le candidat le plus probable – il s'appelait Tex. Il m'a dit que je devais me faire avorter. Je ne voulais pas me débarrasser de cet enfant...

D'instinct, la main d'Eden alla se poser sur son ventre.

— ... mais je ne voyais pas ce que je pourrais faire d'autre. J'avais l'impression d'abandonner mon bébé, tout comme j'avais peur d'être abandonnée moi-même.

Ses yeux s'emplirent de larmes.

— Kyle et Lou ne savent rien de cette histoire.

— Ils auraient compris. A mon avis, ils ne t'auraient pas marchandé leur appui.

— Oh, bon sang, nous ne nous entendions plus du tout, à ce moment-là. Je me conduisais comme une garce. Je les injuriais, je leur disais que je les détestais. J'étais bien décidée à leur faire tout le mal possible avant qu'ils ne me fassent souffrir. Après avoir obtenu mon diplôme, je me suis inscrite à l'université de New York, je vivais encore à la maison, mais je voyais toujours Tex. C'était un psychopathe extrêmement séduisant.

Elle se raidit au souvenir de la facilité avec laquelle il l'avait attirée.

— Il avait de longs cheveux blonds, il s'habillait tout en blanc, et il possédait une grosse Harley noire.

— Bizarre.

— Un jour, il m'a demandé si j'aimerais partir avec lui pour la Californie. C'était mon rêve, la Californie. Je voulais devenir vedette de cinéma, et, pour y parvenir, il fallait que j'aille là-bas, je le savais. J'ai donc dit oui. Kyle et Lou pensaient que Tex était hors circuit depuis des mois, mais, en réalité, nous nous voyions tous les jours, et, par-dessus le marché, j'avais subi un avortement. Kyle, à ce moment-là, n'était pas à New York...

Elle frissonna. Ben attira la courtepointe pliée au pied du lit, la remonta sur leurs épaules.

— J'ai mis dans un sac ma brosse à dents et quelques vêtements, j'ai attendu que Lou soit endormie, et j'ai téléphoné à Tex qu'il pouvait passer me chercher. J'ai laissé un petit mot pour Lou. J'écrivais que je partais avec Tex pour la Californie et que je leur donnerais des nouvelles quand je serais là-bas. J'ai laissé le billet sur la table. Lou a dû m'entendre partir. Elle a trouvé mon petit mot et, en chemise de nuit et robe de chambre, elle est montée dans sa voiture pour nous suivre.

— Oh, Jésus, murmura Ben.

Il savait maintenant où menait toute cette histoire.

Eden se retourna sur le dos, fixa son regard sur le plafond obscur.

— Elle nous a rattrapés au premier feu rouge. Après avoir donné un coup d'avertisseur, elle a fait un mouvement pour sortir de sa voiture, mais Tex a redémarré, et elle a repris la poursuite. Je pensais qu'elle était folle de se conduire comme ça. Je me disais qu'elle était furieuse contre moi, qu'elle ne reculerait devant rien pour me rattraper et me tuer. Il ne m'est jamais venu à l'esprit, alors, qu'elle avait peur pour moi, qu'elle voulait m'empêcher de commettre une énorme erreur, de ruiner ma vie. Tex riait, il allait de plus en plus vite, il prenait les virages à la corde, et Lou roulait à la même allure. Au début, je voulais surtout lui échapper, mais, peu à peu, la peur m'a prise. J'ai commencé de m'inquiéter pour elle. Nous roulions beaucoup trop vite.

Tout à coup, derrière nous, il y a eu un grand fracas. Tex a arrêté sa machine, et j'ai sauté de la selle. Le fracas, le bruit de métal écrasé, ne cessait pas. Du moins, dans ma mémoire, se poursuit-il durant de longues minutes, tandis que la voiture de Lou et un gros break noir s'encastrent l'un dans l'autre au centre du carrefour. A ce moment, Lou a commencé de hurler. Tex m'a dit : « Tirons-nous d'ici. » J'ai refusé, et il est parti sans moi. J'ai couru vers la voiture. Le conducteur du break était mort, mais je ne l'ai su que plus tard. Sur le moment, je ne l'ai même pas remarqué. Je n'avais qu'un désir : m'occuper de Lou. J'ai ouvert la portière, j'ai voulu la sortir du véhicule, mais ses jambes étaient prises. L'une d'elles était transpercée par un morceau de métal. Il y avait du sang partout, sur sa robe de chambre, par terre. Elle me criait de l'aider.

Eden s'interrompit. La nausée l'envahissait, comme dans le restaurant italien, au début de la soirée. Elle avala convulsivement sa salive. Près d'elle, Ben était d'une immobilité totale, au point qu'elle ne percevait même pas le mouvement de sa respiration.

— La police a été très vite sur place, suivie d'une ambulance. Il y avait des sirènes partout. A l'instant même où la voiture des policiers s'arrêtait, le break a pris feu. Ils ont été obligés de sortir Lou avec ce morceau de métal enfoncé dans sa jambe, et ils ont bien failli du coup la lui trancher.

Eden se couvrit les oreilles de ses mains.

— Jamais je n'oublierai ses hurlements. Je me suis mise à vomir, et la police a cru que j'étais dans la voiture avec elle. C'est la version que nous leur avons donnée. Tout comme à Kyle.

— Pourquoi raconter à Kyle que tu étais avec elle ?

— Je suis partie dans l'ambulance avec Lou. Je ne pouvais penser à rien, sinon à ce qu'allait dire Kyle lorsqu'il découvrirait que j'avais causé cette horreur en m'enfuyant avec Tex. Je tenais la main de Lou et je lui répétais sans cesse : « Je t'en prie, ne dis rien à Kyle. » C'est l'action la plus lâche de toute ma vie. Et elle a gardé mon secret. Elle lui a fait croire que nous étions toutes les deux dans la voiture, pour faire quelques courses. Elle était en chemise de nuit, et je devais, moi, entrer dans le magasin pour acheter rapidement ce qu'il nous fallait. Nous devions constamment répéter que c'était miracle si je n'avais pas été blessée. Quand Lou est sortie de l'hôpital, je me suis installée à l'université. Je ne supportais pas de voir ses efforts pour se déplacer, en sachant que c'était ma faute. Mais l'université, ce n'était pas encore assez loin. A la première occasion, je suis partie pour la Californie. Cette fois, je n'ai pas pris la peine de laisser un petit mot.

Elle ferma les yeux.

— Je n'ai même pas dit au revoir.

Loin au-dessous d'eux, Eden entendait le bruit de la circulation. Les avertisseurs. Les hurlements de freins. Elle voulait entendre Ben lui dire quelque chose. Elle lui posa une main sur la poitrine.

— Ben ?

Il lui pressa la main, la reposa sur sa hanche.

— J'ai besoin de me lever.

Il se mit debout. Un bref instant, avant que la courtepointe se rabattît sur elle, elle sentit l'air froid lui frapper l'épiderme. Il était tellement silencieux. Il enfila son jean, remonta la fermeture à glissière, ferma le bouton-pression. Il alla s'asseoir ensuite dans le fauteuil placé près de la fenêtre. Le clair de lune d'un blanc froid souligna la ligne de sa mâchoire, se répandit sur son torse nu.

Eden s'assit, entoura ses genoux de ses bras.

— A quoi penses-tu ? demanda-t-elle.

— Je n'en reviens pas.

— C'est une histoire horrible.

— Lou t'aimait profondément.

— Et je lui ai rendu son amour en évitant sa présence. En les évitant tous les deux. J'ai épousé Wayne pratiquement le lendemain du jour où j'ai fait sa connaissance : je m'imaginais trouver ainsi la sécurité, comme si, ayant désormais un foyer, je n'avais plus besoin de revenir chez Lou et Kyle. Il y avait aussi, je pense, une autre raison à ce mariage : si j'avais à rendre visite à Lou et à Kyle, je m'assurais de n'être plus jamais seule face à eux. Cette fois-ci... c'est la première depuis toutes ces années où je me retrouve seule en leur présence.

Ben, les bras croisés sur la poitrine, considérait fixement l'angle du lit. Les minutes s'écoulèrent. Ni l'un ni l'autre ne parlait. Eden comprit qu'elle en avait trop dit.

Elle resserra l'étreinte de ses mains sur ses genoux.

— Tu ne reviens pas te coucher ?

Il tourna la tête vers elle. Elle souhaita qu'il fît assez clair pour qu'elle pût déchiffrer l'expression de son visage.

— Je ne parviens pas à imaginer l'épreuve qu'a dû subir Lou, pendant tout ce temps, pour ne pas révéler la vérité à Kyle. Ce qui a toujours été le point le plus fort, dans leur relation, c'est leur sincérité, leur franchise.

— Oui, je le sais.

— Tu pourrais lui faire un merveilleux cadeau. En disant la vérité à Kyle.

— Ben, je ne peux pas. Ça s'est passé il y a si longtemps. J'essaie à présent de réparer. J'essaie vraiment. Mais je dois laisser le passé en paix.

Il se tourna de nouveau vers la fenêtre. Au bout d'un moment, elle s'allongea, remonta la courtepointe jusqu'à son menton, ferma les yeux. Elle se demandait s'il allait passer la nuit entière dans ce fauteuil, la laissant avec son sentiment de culpabilité comme seul compagnon de lit.

Lorsqu'elle se réveilla, le lit était inondé de soleil. Elle tourna la tête. Ben, le front creusé d'un pli profond, dormait près d'elle. A la grande lumière du jour, elle se sentit exposée. La pièce était emplie des secrets que lui avait arrachés la sécurité de la nuit. Elle aurait dû les garder pour elle, comme Lou. C'était le fardeau qu'elles partageaient. Et voilà qu'elle l'avait fait peser sur Ben aussi. En ce matin ensoleillé, elle avait l'impression que ce seul acte de sa vie la définissait tout entière. Elle était égoïste, ingrate, lâche.

Elle éprouva soudain le désir de se retrouver à Santa Monica, dans sa maison toute simple ouverte sur l'océan, d'avoir de nouveau la possibilité d'enfiler un rôle quand elle se levait le matin. Si elle avait eu l'un des scénarios que lui avait envoyés Nina, elle en aurait commencé la lecture sur-le-champ. Elle aurait donné n'importe quoi pour pouvoir « faire semblant ».

Elle sortit du lit, alla se réfugier dans le cabinet de toilette. Quand Ben y pénétra à son tour, elle avait la tête couverte de mousse de shampooing. Il la prit dans ses bras.

— J'ai ouvert les yeux, et tu n'étais plus là, lui dit-il.

Il attira la tête de la jeune femme sur son épaule.

Elle fut heureuse qu'il ne pût voir son visage : elle n'avait pas ainsi à retenir ses larmes.

— Tu m'avais promis que, si je te disais la vérité, elle ne changerait rien à tes sentiments pour moi, dit-elle. Mais ils ont changé, n'est-ce pas ?

— Oui, tu as raison. Je t'aime encore davantage. Je sais maintenant que tu as besoin de moi tout autant que j'ai besoin de toi.

# 31

*3 octobre 1952*

Quand je suis rentrée à la maison, ce soir, Susanna m'a annoncé que j'avais un visiteur au salon. J'y suis allée. Kyle s'entretenait avec un garçon que je n'avais encore jamais vu. Tous deux se sont levés à mon entrée.

– La voici, a dit Kyle. Seth, je vous présente ma sœur, Katherine Swift. Kate, voici Seth Gallagher. Waverly Books l'a envoyé pour qu'il prenne quelques photos de toi, pour la publicité.

Lorsque j'ai regardé Seth Gallagher, il s'est passé quelque chose en moi. On aurait dit qu'à sa seule vue, mes genoux tremblaient, mon estomac faisait le saut périlleux. Je compris soudain pourquoi nous n'avions jamais été amants, Matt et moi. Il faut d'abord éprouver cette émotion, et, malgré toute mon affection pour Matt, je ne ressens que de l'amitié quand je le regarde.

Seth Gallagher est à peu près de la taille de Kyle. Même carrure. Pour tout dire, il me rappelle Kyle. Son sourire s'ouvre aussi sur de belles dents, et ses sourcils obliques lui donnent le même air inquisiteur. Mais ses cheveux sont un peu plus foncés que ceux de Kyle, et ses yeux sont d'un vert étincelant.

Je portais une chemise de flanelle sous ma salopette et j'avais relevé mes cheveux sous le vieux Stetson de Papa. Je tendis la main au visiteur qui la serra.

– C'est *vous*, Katherine Swift ? demanda-t-il.

– En personne, répondis-je.

Il éclata d'un grand rire sonore qui nous fit sourire, Kyle et moi.

– Je m'attendais à quelqu'un... je m'attendais... Je ne sais pas trop.

Seth Gallagher balbutiait.

– Je m'attendais à voir une *dame*. Vous comprenez, *Katherine Swift*... c'est un nom qui évoque une *vraie femme*.

A son tour, Kyle éclata de rire. Il me suivit vers la cuisine.

– C'est bien une vraie femme, dit-il.

D'un geste rapide, il fit tomber mon chapeau dans ses mains. Mes cheveux se répandirent sur mes épaules. Je me sentis agacée contre lui : il m'exhibait comme un cheval qu'on prépare pour une vente aux enchères. Mais Seth en restait bouche bée, et j'éprouvai le pouvoir de ma féminité.

Il contemplait ma chevelure avec de grands yeux.

– Tout le reste de votre personne est-il aussi beau ? demanda-t-il carrément.

– Mais oui, répondis-je avec la même franchise.

Je sus dès cet instant que je voulais voir cet homme devenir celui qui mettrait fin à mes longues et tristes années de virginité. J'en ai par-dessus la tête d'être vierge.

Kyle, appuyé au chambranle de la porte, les bras croisés sur la poitrine, semblait tout à la fois amusé et stupéfait.

– Seth est descendu au Coolbrook Hotel, dit-il. Ce soir, il ne fait que passer pour te voir, mais il sera de retour demain, pour prendre les photos.

– Pourquoi ne pas rester à dîner ? proposai-je.

Et Seth accepta sans la moindre hésitation.

A table, je me sentais comme une chienne en chaleur, et il en alla de même après le repas, quand nous jouâmes au Monopoly, Seth, Kyle et moi. Seth est vraiment très séduisant et il parle d'une voix animée, même s'il s'exprime en véritable Yankee. Kyle et moi, nous ne pouvions nous empêcher de le taquiner sur son accent. Il a bon caractère et il se contentait de nous rendre plaisanterie pour plaisanterie. Surtout avec moi. Je désirais retenir son attention plus que je n'avais jamais rien désiré dans ma vie, et il me l'accordait généreusement. Ses yeux ne me quittaient pas un instant, suivaient chacun de mes mouvements. Je commençais à souhaiter avoir sur moi autre chose que cette vieille salopette.

Seth a vingt-six ans. Il est originaire de Philadelphie,

mais il vit à New York depuis quatre ans et il adore cette ville. Ça, je ne parviendrai jamais à le comprendre, mais, pour le moment, ça m'est bien égal. Cette soirée a été la plus passionnante de ma vie. Je ne cesse de penser à lui.

Avant de regagner le salon pour y coucher, Kyle est passé dans ma chambre.

— Tu vas peupler la nuit de ce garçon de rêves lubriques, Kate, tu peux en être sûre.

Je lui ai rétorqué que je pourrais bien en faire quelques-uns, moi aussi, et je l'ai mis à la porte de ma chambre. Demain, je vais donc revoir Seth. Je suis si contente que Matt ait choisi ce week-end pour se rendre à New York. Sinon, il serait là, à broyer du noir en faisant des yeux de veau, et je ne tiens pas à étaler mes sentiments pour Seth sous son regard. Seth Gallagher. J'adore son nom. J'adore ses yeux verts. Je me conduis comme une idiote en mal d'amour.

*4 octobre 1952*

Ce matin, je me suis faite en une longue natte qui pend au milieu de mon dos. Comme il faisait beau, j'ai enfilé un short kaki et un chemisier blanc. Quand Seth est arrivé avec ses appareils et son trépied, il m'a offert un carton de roses rouge sang. Je tremblais en les prenant et je les ai mises dans un vase. Elles étaient si belles, si *rouges*.

— A mon sens, il n'y a pas de couleur qui vous convienne mieux, m'a-t-il dit.

Il voulait me photographier là où je travaille générale-ment. C'est ou dans la caverne ou dans ma chambre. J'avais beau être tentée de l'introduire dans ma chambre, je ne pouvais guère le faire quand Susanna était dans la maison, et je n'avais pas envie de lui faire voir la caverne. J'ai donc proposé le site des fouilles.

J'ai eu plaisir à me faire prendre en photo. Seth est très sûr de lui, et je me sentais à l'aise. En revenant par la forêt, il m'a pris le bras.

— Kate, m'a-t-il demandé, vous voulez bien sortir avec moi ce soir ?

J'avais grande envie d'accepter, mais sortir ? Je savais ce qui se passerait : je serais prise de l'une de mes crises de terreur et je me rendrais ridicule.

— Peut-être pourrions-nous rester ici et jouer de nou-veau au Monopoly ?

— Non, je veux vous emmener dîner et danser ensuite. Il y a un orchestre, ce soir, au Coolbrook Hotel.

J'ai donc accepté, à condition que Kyle nous accompagne, avec sa petite amie du moment. Kyle est tout heureux de me voir m'intéresser vraiment à un homme. Il a du mal à y croire, et moi aussi.

— Je veux avoir l'air sexy, ce soir, lui ai-je confié.

— Tu es la seule femme, dans toute la vallée de la Shenandoah, qui puisse avoir l'air sexy en salopette, Kate, m'a-t-il répondu.

Nous étions dans ma chambre. Il a ouvert mon placard, a secoué la tête.

— Tu ne possèdes pas une seule robe.

Brusquement, porter une robe me faisait par-dessus tout envie. Je voulais me raser les jambes et porter des bas Nylon.

Susanna a passé l'après-midi à raccourcir pour moi l'une de ses robes. Susanna est en général une femme très calme, qui garde ses distances à mon égard, mais, cet après-midi, elle ne m'a pas quittée d'une minute, afin de m'aider à me préparer pour ce soir. Je lui ai même emprunté des bas, un porte-jarretelles et un soutien-gorge sans bretelles qui me serre les côtes et me coupe la respiration. J'avais bien besoin de ça, quand j'ai déjà tant de mal à respirer.

La robe est superbe. Elle est noire, elle me colle au corps. Les manches longues et l'empiècement sont en dentelle. Le décolleté est en V, de sorte qu'on découvre le haut de mes seins.

— Cette robe te va mieux qu'à moi, a déclaré Susanna. Tes seins sont plus beaux que les miens.

Une fois habillée, j'ai contemplé l'inconnue qui me faisait face dans la glace. Je n'en revenais pas de me voir aussi voluptueuse. Mes jambes étaient lisses, magnifiques. Susanna m'avait fait une raie sur le côté, et ma chevelure retombait en cascade d'or. Elle m'a maquillé les yeux, mis du rose aux joues et, en dépit de mes protestations, du rouge sur les lèvres.

Kyle entra dans la chambre. Il était très beau, lui aussi, dans son costume gris. Devant l'expression qui se peignit sur son visage lorsqu'il me vit, je fus heureuse de m'être donné tant de mal, même si, au lieu de sortir, j'allais simplement me coucher.

— Sainte Mère de Dieu ! s'exclama-t-il. Même moi, je n'imaginais pas que tu puisses être aussi belle.

Il me prit par la main, me fit tourner sur place, afin de pouvoir me contempler sous tous les angles. Il glissa ensuite le bout des doigts dans l'encolure de ma robe pour la remonter de quelques centimètres.

— Kyle ! protestai-je. Je viens de passer une heure à l'ajuster comme il fallait.

Mais il secoua la tête.

— Veux-tu voir toute la soirée les yeux de Seth fixés sur ton décolleté et savoir sa cervelle en ébullition ? Ne sois pas cruelle, Kate.

— J'ai peur, dis-je. Je sais ce qui va se passer, dès que je serai là-bas. J'aurai des vertiges, je ne pourrai plus respirer et...

— Chut. Si tu y penses constamment, c'est ce qui t'arrivera certainement. Je serai là, près de toi. Tout ira bien.

Il consulta sa montre.

— Je ferais bien d'aller chercher Bess.

Il me serra dans ses bras.

— Je serai à l'hôtel quand vous y arriverez, belle dame.

Seth passa me chercher à sept heures. Il resta muet d'admiration devant ma transformation. Ce fut seulement dans sa voiture, alors que nous roulions déjà, qu'il retrouva l'usage de la parole. Il déclara que j'avais l'allure d'une « vedette de cinéma » et qu'il était « honoré » d'être en ma compagnie.

Durant le trajet, je ne me suis pas sentie nerveuse le moins du monde. C'est, je le sais, parce qu'il me rappelle tellement Kyle. Même en arrivant à l'hôtel, j'étais très bien. Kyle nous attendait avec Bess Donner, une très jolie fille. Au restaurant, il a pris soin de s'asseoir à côté de moi. La serveuse a pris nos commandes, et c'est alors que j'ai ressenti la première crise d'étouffements. Rester assise me coûte énormément. Ma cage thoracique se contractait comme elle fait toujours dans ces cas-là. J'ai regardé Kyle. Il s'est penché vers moi, m'a murmuré à l'oreille :

— Tout ira bien, Kate.

Bess déclara alors :

— Ce n'est pas poli de chuchoter.

Mais je voyais bien que c'était par taquinerie. Bess est le genre de fille qui adore cela. Elle est sûre de sa séduction. Je n'avais jamais entendu Kyle mentionner son nom et je me demandais d'où il la connaissait. Elle a les cheveux châtain clair, très lisses, coupés à hauteur du menton, et de grands yeux bruns. Elle est mince et elle portait une robe bleue à manches de dentelle, comme les miennes. Je me suis dit que je devais être à la mode.

Bess me posait des questions sur mes histoires, et avoir un sujet de conversation m'a redonné confiance. J'étais, a déclaré Seth, l'un des auteurs pour enfants les plus appréciés chez Waverly Books. Là-bas, a-t-il dit, on répète constamment qu'on souhaite ma venue à New York pour me convier à dîner, mais je refuse toutes les invitations. Je passe pour un véritable mystère, a-t-il ajouté.

— Eh bien, vous avez fait sa connaissance, maintenant, a dit Bess. Le mystère doit être dissipé.

Seth m'a souri.

— Pas du tout. Ma rencontre avec Kate n'a fait qu'ajouter au mystère. C'est une énigme. J'ai l'impression que je l'ai fait naître de mon imagination. Je m'attends, quand je développerai ma pellicule, à n'y trouver personne.

A ce moment, on vint nous servir, et mes ennuis commencèrent. Dès que ma nervosité prend le dessus, je suis incapable de manger. La vue et l'odeur des plats me donnent la nausée.

— Ce n'est pas bon, ce que vous avez commandé ? questionna Seth. Vous y avez à peine touché.

Je m'étais contentée de pousser d'un bord à l'autre de mon assiette la viande, les pommes de terre et les haricots verts, en espérant que personne ne remarquerait que je ne portais rien à ma bouche.

— Ça, c'est tout Kate, intervint Kyle. Un effet de l'esprit créatif. Si une idée lui vient en tête, quand elle travaille sur une histoire, cette idée l'absorbe tout entière, et elle en oublie complètement ce qu'elle fait. Et ça se produit toujours à table, n'est-ce pas ?

Il me regardait. J'entrai dans son jeu, approuvai d'un signe de tête.

— C'est miracle qu'elle ait encore un peu de chair sur les os.

Seth reporta son regard sur ce qu'il voyait de cette chair. Je remerciai Kyle des yeux.

— Sur quelle histoire travaillez-vous actuellement, Kate ? demanda Bess.

Je me mis à parler de *L'Enfant de sable*. A cause de ma nervosité, mes paroles, plutôt haletantes, se bousculaient un peu. Qu'est-ce que cela fait ? pensai-je. Je suis une femme de mystère et je ne mange pas comme tout le monde. Je peux faire à peu près tout ce qui me plaît.

La musique commença. Seth m'invita à danser.

– Je ne sais pas danser, avouai-je.

Il m'était impossible d'aller jusqu'à cette piste de danse. Ma peur, je le savais, se réveillerait dès que j'aurais quitté Kyle. Seth insistait, et la terreur m'avait déjà presque baignée de sueur lorsqu'il renonça enfin et entraîna Bess sur la piste. Je le regardai l'attirer entre ses bras et me sentis un peu jalouse. Je commençai à trembler. Quand ce symptôme se manifeste, il m'est très difficile ensuite de me remettre.

– Kyle, dis-je, je vais être obligée de partir.

Je le regardais d'un air suppliant. Il devait trouver le moyen de me sauver de moi-même, de la pauvre malheureuse que j'étais.

Il prit ma main, sous la table, la pressa.

– Détends-toi, Kate. Pense à autre chose.

Son regard parcourut la salle, autour de nous.

– Tu es certainement la plus jolie femme, ici, le sais-tu ?

– Bess est ravissante. Comment l'as-tu connue ?

Kyle se tourna vers la piste de danse, où Seth faisait tournoyer Bess sans relâche. Je crus un instant qu'il n'allait pas me répondre. Mais il dit :

– Bess est la fille que Matt fréquente à Luray.

– Cette fille ?

– Chut, fit Ben en riant. Elle est très gentille, Kate.

– Mais tu l'as eue, toi aussi.

Je m'en doutais, à la façon dont il prenait sa défense, et la rougeur qui lui monta au visage me confirma dans mon opinion.

– Ça, mon petit, ça ne te regarde pas.

J'étais maintenant jalouse de Bess sur trois plans. Elle était dans les bras de l'homme que je désirais, elle s'offrait épisodiquement à mon très cher ami Matt et elle avait aussi couché avec Kyle.

En revenant à la table, Seth déclara :

– La prochaine danse est à moi. Et je n'accepterai pas de refus.

Sur la piste, je me sentis près de l'évanouissement : ce n'était pas tant le fait de me trouver entre ses bras que la crainte de perdre connaissance ou d'être prise de nausées d'un instant à l'autre, au grand détriment de sa chemise blanche.

– Vous pouvez bien me marcher sur les pieds, ça m'est

égal, dit-il joyeusement. Je tenais simplement à vous séparer de Kyle et de Bess pour vous avoir un moment tout à moi.

C'était à peine si j'entendais un seul mot : il m'entraînait par cercles successifs plus loin de la porte, plus loin de Kyle.

– Kate, reprit-il, vous tremblez. Vous avez froid ?

Il m'attira plus près de lui. Il m'étouffait, et je luttai comme un animal pour me libérer de ses bras. D'une poussée, je m'écartai de lui.

– Pardonnez-moi, lui dis-je.

Je courus presque pour regagner la table, en me frayant un chemin parmi la foule des danseurs.

– Il faut que je parte, dis-je à Kyle.

Bess se leva, me posa une main sur l'épaule. Elle observait Seth qui essayait de nous rejoindre, plus poliment que je ne l'avais fait.

– A-t-il pris des libertés avec vous ? questionna-t-elle.

– Non.

Je me mis à pleurer. Mes yeux suppliants ne quittaient pas mon frère.

Il prit mon manteau sur le dossier de ma chaise, le jeta sur mes épaules.

– Qu'ai-je donc fait ? demanda Seth, qui nous avait rejoints.

– Emmenez-la dehors, lui conseilla Kyle. Elle se sentira mieux à l'air libre. Je m'occupe de l'addition.

Les gens, aux autres tables, commençaient à nous regarder.

– Dis-lui la vérité, Kate, me lança Kyle.

Dehors, comme l'avait prévu Kyle, je me sentis mieux. Je m'adossai à la voiture de Seth qui voulut savoir ce qui n'allait pas.

– Pourquoi votre frère vous a-t-il conseillé de me dire la vérité ?

– Pouvons-nous nous asseoir dans votre voiture ? demandai-je.

Il ouvrit la portière, et je montai dans le véhicule. Je le prenais en pitié. Je ne voulais pas lui laisser croire que, sans le savoir, il était à l'origine de cette crise.

– Je souffre d'une sorte de maladie, lui dis-je.

Je tremblais encore. Il me prit les mains.

– Je suis ainsi depuis longtemps. Depuis mon enfance. Dès que je sors de chez moi, mes nerfs n'y résistent pas.

J'étais folle de joie à l'idée de cette soirée et j'espérais que, avec un effort, tout se passerait pour le mieux. En fait, j'ai résisté plus longtemps que d'ordinaire. Je vous demande pardon, Seth.

– C'est pour cela que vous n'avez rien mangé ?

– Oui.

Il me sourit, mais son sourire était mélancolique.

– Je m'étais imaginé que vous viendriez me voir à New York, que je vous ferais visiter la ville.

– Je pourrais toujours essayer.

Pourtant, je sentais se creuser en moi un puits de désespoir.

– Je n'ai encore jamais rencontré quelqu'un qui m'ait donné envie d'essayer, ajoutai-je.

– Est-ce que ça vous rend malade d'être embrassée ? demanda-t-il.

– Non, répondis-je.

Il se pencha, m'embrassa doucement, une seule fois.

– Je ne suis pas de verre, insistai-je. Vous pouvez m'embrasser pour de bon.

Il s'exécuta, longuement, avec force. Il baissa ensuite la tête jusqu'à mes seins, y enfouit son visage. Jamais je ne m'étais sentie aussi heureuse d'être une femme.

On tambourina soudain sur la vitre. Je me retournai, reconnus le visage de Kyle à travers la glace.

– Tout va bien ? questionna-t-il.

Il tenait la main de Bess derrière son dos, et elle riait.

– Mais oui, Kyle, répondis-je.

Un instant plus tôt, j'avais compté sur lui pour me sauver. A présent, je voulais qu'il me laissât en paix.

– Je vais la reconduire, grand frère.

Seth sourit. Il est vraiment séduisant en diable.

Pendant que nous roulions vers Lynch Hollow, Seth déclara :

– Je vais rester encore une journée ici, Kate. Nous pourrons nous revoir ?

– J'en serais ravie.

J'étais soulagée à l'idée que je n'avais pas tout gâché entre nous. Il arrêta la voiture devant la maison, et m'embrassa encore une fois, avant de passer le bout de ses doigts tout autour de l'encolure de la robe de Susanna.

– Nous pourrions passer la soirée, demain, dans ma chambre d'hôtel, si cela vous semble possible, proposa-t-il.

Je sentis son inquiétude : il ne savait trop comment

j'allais accueillir son audace. Sans doute lui paraissais-je quelque peu imprévisible.

— Je suis vierge, Seth, lui dis-je. J'aimerais que ce soit vous qui me tiriez de cette situation.

Il me dévisagea un instant, avant de me sourire.

— Vous êtes la fille la plus étrange que j'aie jamais connue.

Il m'embrassa de nouveau.

— Je serais très honoré de vous aider à sortir de ce dilemme.

Au lieu de me coucher, j'attendis le retour de Kyle. Lorsqu'il entra finalement dans ma chambre pour me souhaiter une bonne nuit, je le mis au courant de notre projet.

— Demain soir, nous allons faire l'amour, Seth et moi, dans sa chambre d'hôtel.

Kyle fronça les sourcils.

— Je ne suis pas sûr que ce soit indiqué, Kate. Tu ne le connais pas très bien, et...

— Kyle, tu ne vas pas avoir l'audace de me dire que je ne dois pas le faire. Tu ne vas pas tout gâcher pour moi. Tu t'envoies en l'air avec toutes les filles que tu rencontres.

— Ce n'est pas vrai !

— J'ai vingt-cinq ans et je n'ai jamais fait l'amour.

Je me prenais si bien en pitié que j'étais au bord des larmes.

— Je croyais que ça ne m'arriverait jamais. Et voici que me tombe du ciel cet homme magnifique, avec son appareil photo, ses yeux verts et ce sourire qui ressemble tellement au tien. Pour la première fois, j'ai vraiment envie d'un homme, et il n'est fichtrement pas question que j'attende de tout savoir de lui. Je me moque de le connaître davantage. Je le veux *tout de suite*.

— Très bien, dit-il.

Après ma petite sortie, il me parlait très doucement.

— Mais Matt en mourra.

— Matt n'a pas besoin d'être au courant de tout ce que je fais, déclarai-je. Je le connais depuis un bon nombre d'années, et il ne m'a jamais attirée comme je le suis après une seule minute passée avec Seth.

— Très bien, Kate, répéta Kyle. Dors bien.

Il sortit de ma chambre. Dès qu'il eut refermé la porte, je lançai mon cahier dans cette direction. Je voulais le voir heureux pour moi. Il va dépouiller cette aventure de toute joie.

*5 octobre 1952*

Je ne me tiens plus d'impatience. Cet après-midi, j'ai pris un long bain, avec des sels qui appartiennent à Susanna. Je m'attends à chaque instant à me sentir terrifiée, toutes les fois que je m'imagine dans une chambre d'hôtel, si loin de Lynch Hollow. Mais, jusqu'à présent, je suis tout à fait calme.

Kyle regrette son comportement. Il vient de me rendre visite dans ma chambre. Il s'est assis sur son ancien lit et m'a dit qu'il était désolé d'avoir voulu, hier au soir, crever ma bulle de savon. Après quoi, il m'a tendu un préservatif !

— Prends ça, pour le cas où Seth serait assez idiot pour ne pas en avoir.

Il a plongé la main dans sa poche arrière, m'en a donné un autre.

— Autant en prendre deux, m'a-t-il dit.

Je l'ai remercié et j'ai rangé les préservatifs au fond de mon sac.

— Écoute-moi, Kate, a-t-il repris. Certains hommes, quand ils font l'amour, ignorent tout de la façon de s'assurer qu'une femme... comprends-moi... trouve le plaisir. Je ne sais pas si Seth a une grande expérience. C'est toi qui m'as tout appris, tu t'en souviens ?

Je hochai la tête. Je me rappelais à quel point il était ivre, le soir où j'avais dessiné pour lui les organes d'un corps féminin.

— J'ignore combien de temps il m'aurait fallu pour apprendre tout ça par moi-même, poursuivit-il. Alors, si Seth n'a pas eu la chance d'avoir une sœur qui... Je ne veux pas que tu places trop haut tes espérances pour être ensuite déçue.

— Tout ira bien, affirmai-je.

Je commençais à me sentir gênée.

— Et ça peut être douloureux, la première fois.

— Je le sais très bien, Kyle. Il m'arrive de lire, vois-tu.

— Je t'énerve, fit-il en souriant.

— Tu m'irrites, comme du sel sur une plaie.

Mais je lui rendis son sourire. S'il ne s'inquiétait pas pour moi, sa sollicitude me manquerait. Il m'a dit qu'il passerait la soirée dans le hall de l'hôtel, prêt à venir à mon ordre, mais je suis sûre que tout ira bien. Il a un livre. Il pourra tout aussi bien le lire à l'hôtel qu'ici.

Je suis assise dans ma chambre. C'est le milieu de l'après-midi, et Kyle est endormi sur l'autre lit où il ne couche plus jamais.

Il n'a pas pris de repos depuis deux jours, et je suis tellement soulagée de lire une sorte de paix sur son visage que, pour un peu, j'en pleurerais.

Mon pauvre frère. Sa vie a changé d'un jour à l'autre, et la mienne n'a pas changé du tout. Je suis aussi vierge aujourd'hui que je l'étais hier.

Seth est passé me chercher à sept heures, et nous nous sommes rendus directement à son hôtel. J'avais remis ma salopette, avec un pull de laine.

— J'ai réfléchi à ce qui s'est passé hier soir, m'a dit Seth. A la façon dont vous êtes sortie du restaurant en courant et à tout ce que vous m'avez dit de vous.

— Si je vous ai mis dans l'embarras, j'en suis désolée.

— Non, il ne s'agit pas de ça. Mais ça m'a ouvert les yeux sur la différence qui existe entre vous et moi.

J'eus l'impression de sentir mon cœur dégringoler jusqu'à mes semelles.

— J'adore la ville, continua-t-il. J'adore voyager. Et vous, vous aimez par-dessus tout rester chez vous.

— Je n'ai que vingt-cinq ans, Seth. Je ne suis pas un livre achevé. Je peux encore changer.

Il sourit, tendit une main pour prendre la mienne.

— N'en parlons pas pour l'instant. Nous avons devant nous une nuit merveilleuse, et, même en pantalon, vous êtes la femme la plus belle que j'aie jamais vue.

A notre arrivée à l'hôtel, le hall était désert. Je savais que Kyle avait quelques courses à faire avant d'arriver, et, au fond, je ne tenais pas à sa présence. Elle n'était pas nécessaire. Je me sentais parfaitement bien.

La chambre de Seth était superbe, l'une des plus coûteuses de l'hôtel, sans aucun doute. Le vaste lit à colonnes se complétait d'une armoire et d'une commode de même style. Il n'y avait qu'un seul fauteuil. Nous nous assîmes sur le lit pour déguster le champagne et le caviar sur canapés. Je n'avais encore jamais goûté de caviar : c'était à la fois répugnant et merveilleux. Il semblait tout à fait indiqué de manger quelque chose de nouveau le soir où j'allais être déflorée. J'exprimai cette pensée à voix haute, et Seth éclata de son grand rire. J'avais déjà avalé pas mal de canapés quand je me rendis compte que j'étais tout à fait à mon aise. A la réflexion, je pense que c'était l'effet du champagne. Je devrai m'en souvenir à l'avenir. Je peux sans doute aller n'importe où si je commence par m'enivrer suffisamment.

Je n'ai pas envie de décrire ici dans le détail ce qui s'est passé entre nous. Nous avons échangé quelques baisers. Il m'a demandé si je préférais que la lampe fût allumée ou éteinte. Quand j'ai répondu « Allumée », il m'a dit que je n'étais pas comme les autres : souvent, les femmes préfèrent que la lumière soit éteinte.

— La plupart des filles sont pudiques, a-t-il ajouté.

Sur un haussement d'épaules, j'ai répété ce que je n'ai cessé de dire toute ma vie :

— Je ne suis pas comme la plupart des filles.

Tout aurait dû se passer pour le mieux. Je me sentais si détendue, si vivante. Il m'avait ôté mon pull-over et mon soutien-gorge et il couvrait mes seins de baisers quand on frappa à la porte.

Seth eut un mouvement de recul, me regarda.

— Quel sens de l'opportunité ! Si c'est votre mère poule de frère, je vais...

On frappa de nouveau. C'était Warren Davidson, l'un des adjoints du shérif, que nous connaissons depuis toujours. Il venait m'apporter un message de Kyle. Apparemment, Kyle remontait Main Street en direction de l'hôtel quand un petit garçon s'était jeté devant sa voiture. Kyle l'avait heurté, et l'enfant était gravement blessé.

— De nombreuses fractures, mais le pire, c'est sa tête, expliqua Warren.

Il était rouge comme une pivoine : je me tenais devant lui, les mains crispées sur mon pull-over que je tenais contre ma poitrine.

— Kyle m'a chargé de vous dire qu'il n'avait rien. Mais il a tenu à accompagner le petit à l'hôpital et il ne pourra pas être ici, à l'hôtel, comme prévu.

Après le départ de Warren, Seth me demanda :

— Kyle devait venir à l'hôtel ? Qu'est-ce que ça veut dire ?

— Rien.

Il me dévisagea un moment, avant de hausser les épaules et de se remettre à m'embrasser. Mais j'étais maintenant incapable de me concentrer. Je ne cessais d'imaginer l'état dans lequel devait se trouver Kyle, et les mains de Seth commençaient à me faire l'effet de papier de verre sur ma peau. Je finis par m'écarter de lui.

— Je ne peux pas continuer, Seth. Je pense sans cesse à Kyle.

Il remit sa chemise. Tout homme, à sa place, aurait été furieux, et peut-être l'était-il un peu. Il ne dit pas grand-chose en se rhabillant, mais il offrit ensuite de me conduire à l'hôpital.

Je refusai. A l'hôpital, je le savais, je ne pourrais pas tenir plus de deux minutes.

— Ramenez-moi seulement chez moi, voulez-vous ?

Pendant le trajet, nous gardâmes le silence. J'étais désolée pour moi-même, pour Kyle et pour le petit garçon. J'aurais dû insister pour que Kyle ne vînt pas à l'hôtel. Sa présence n'était pas le moins du monde nécessaire.

— Je regrette, Seth, dis-je, quand il arrêta sa voiture devant la maison.

— Ce n'est rien, répondit-il. A votre place, je serais dans le même état, je suppose.

— Je pourrais revenir demain, proposai-je.

— Demain, je repars pour New York, dit-il.

J'eus envie de le prendre dans mes bras, de le serrer contre moi, de le supplier de rester.

— Vous reverrai-je ? demandai-je.

Il acquiesça d'un signe, se pencha vers moi pour me poser un baiser sur la joue.

— Je vous écrirai bientôt.

Aux environs de minuit, le shérif ramena Kyle à la maison. Kyle alla tout droit aux lieux d'aisance. Je me forçai à l'y rejoindre pour lui tenir la tête, pendant qu'il vomissait sans relâche, jusqu'au moment où il n'eut plus rien dans l'estomac. Quand il fut enfin capable de parler, il me dit que l'enfant survivrait, mais qu'il serait définitivement aveugle et qu'il garderait longtemps les deux jambes plâtrées.

Je lui fis chauffer un peu de lait, l'aidai à se coucher dans son ancien lit, dans ma chambre. Mais il était incapable de dormir. Il avait peur, me confia-t-il, de céder au sommeil. Il redoutait les cauchemars.

— Il a surgi de nulle part, dit-il, et il a rebondi sur le capot de ma voiture. J'ai entendu ses os se briser.

— Il ne serait rien arrivé si tu n'avais pas eu l'intention de venir à l'hôtel à cause de moi.

Kyle se redressa. Il me regarda bien en face, comme s'il

remarquait ma présence pour la première fois cette nuit-là.

— Comment ça s'est passé ? questionna-t-il. Entre Seth et toi ?

— Après avoir entendu Warren nous raconter ce qui s'était passé, je n'ai pas pu aller plus loin. J'ai demandé à Seth de me ramener ici.

Kyle, avec un soupir, se recoucha.

— J'ai donc gâché cette nuit exceptionnelle, Kate.

— Ne t'inquiète pas pour si peu. Je pourrai toujours perdre ma virginité une autre fois.

*13 octobre 1952*

Chaque jour, Kyle rend visite au petit garçon, Freddy Jenkins. Il emporte un de mes livres pour lui faire la lecture. Kyle est plus silencieux qu'à l'ordinaire, ces temps-ci. Je m'attends constamment à le voir pleurer, mais il n'a pas versé une larme. On dirait qu'en lui quelque chose s'est durci. Il est épouvanté, mal assuré, malade, mais il ne pleure pas.

J'ai tout dit à Matt, à propos de Seth. Après être resté un long moment sans rien dire, il m'a demandé si j'avais l'intention de le revoir. Je lui ai dit que je n'avais aucun projet, ce qui, malheureusement, est vrai. J'ai tellement envie de revoir Seth. Il a dit qu'il m'écrirait, mais il prend certainement tout son temps. J'ai songé à appeler Waverly Books, pour essayer d'avoir son numéro de téléphone. Jamais je n'aurais pensé que je me transformerais ainsi, en vraie femelle en mal d'homme.

*20 octobre 1952*

Aujourd'hui, j'ai reçu de Waverly Books une grande enveloppe. Elle contenait la photo qu'ils vont utiliser pour les jaquettes de mes livres. C'est l'une de celles qu'a prises Seth dans les fosses, où j'ai une natte qui retombe par-dessus l'épaule. Je parais jolie, heureuse. J'ai l'air d'être en train de tomber amoureuse de mon photographe.

Il y avait aussi une lettre de Seth : un seul côté d'un feuillet. Il me disait que j'étais une personne à part. Il *chérira* toujours les moments que nous avons passés ensemble, mais il est tout aussi bien que nous n'ayons pas *achevé ce que nous avions commencé*, écrivait-il. J'aurais pu, alors, prendre nos relations trop au sérieux. « Nos différences sont insurmontables », disait-il encore. Il avait souri en développant les photos et il penserait toujours à moi avec tendresse. Il espérait que Kyle allait bien, et que la petite victime de l'accident était en voie de rétablissement. C'était là le bilan de ce que Seth Gallagher avait à me dire.

Je ne vais pas en pleurer, même si les larmes ne demandent qu'à couler. Je pense encore à l'appeler, à le supplier de me donner une chance de lui prouver que je peux être différente. Mais, à la vérité, j'en doute moi-même.

Kyle m'a demandé ce que contenait la lettre de Seth, et j'ai fini par la lui dire. Kyle est si fragile, en ce moment, si plein de souffrance et de remords. Il m'a écoutée, m'a prise dans ses bras et il a pleuré à ma place.

# 32

– Qu'est-il advenu de ce petit garçon que tu avais renversé, Kyle ? demanda Eden à son oncle, le lendemain.

Lou était sortie, une fois encore, avec son amie peintre de Georgie. Eden commençait à soupçonner sa tante de s'absenter tout exprès pour lui laisser un peu de temps à passer seule à seul avec Kyle.

Celui-ci étala dans son assiette une cuillerée de salade de pommes de terre.

– Tu l'as rencontré, dit-il.

– Vraiment ?

– C'est Fred Jenkins. Il dirige le Fonds d'aide aux enfants handicapés, à Richmond.

Eden en resta bouche bée. Elle n'avait pas fait le rapport entre la victime de l'accident de Kyle et le dynamique directeur aveugle avec qui elle avait déjeuné à Richmond. La découverte de l'inflexion que Kyle avait donnée au destin de cet homme lui fit passer un frisson dans le dos.

– Seigneur, quelle ironie du sort. Il ne m'en a jamais parlé.

– Non, ça ne m'étonne pas.

Elle se leva pour déposer son assiette dans l'évier. Au retour, elle s'arrêta derrière Kyle, pour passer un bras autour de ses épaules et appuyer la joue contre sa tempe, ce qui, elle le sentit, le surprit.

– Tu as connu de terribles épreuves, Kyle, lui dit-elle.

Il leva la main pour presser la sienne.

– Je n'ai pas trop à me plaindre.

Elle se redressa, lui fit face.

– Je suis prête à lire le prochain cahier, annonça-t-elle, avec un bel optimisme.

Mais les yeux de son oncle exprimaient la même hésitation qu'elle y avait lue le soir de son arrivée.

— Bientôt dit-il. Tu l'auras bientôt.

— Très bien. Mais, après avoir lu celui que j'ai actuellement, j'ai quelque chose à te demander dès maintenant. Ma mère a-t-elle jamais eu un amant, avant mon père ?

Kyle, d'abord surpris, sourit.

— Non, ma chérie. Ton père a été le premier et le seul amant de Kate.

Ben se rendit à Coolbrook afin d'acheter le nécessaire pour le dîner. Ce soir-là, il allait confectionner une pizza pour Eden et lui, parce que ça ne coûterait pas cher. Le voyage à New York avait épuisé presque tout son argent, mais il en valait la peine. Hormis l'incident du restaurant, le dernier soir, le séjour avait été parfait. Et, en fin de compte, l'incident avait eu pour heureuse conséquence d'amener Eden à lui confier le secret qu'elle gardait pour elle depuis si longtemps. Elle était plus gaie, à présent. Délivrée. Le lien entre eux s'était renforcé, à cause de tout ce qu'ils connaissaient l'un de l'autre.

Dans la petite boutique de Main Street, il acheta des poivrons verts, des champignons. Au dernier moment, il choisit un poivron rouge : c'était une fantaisie, mais elle s'accordait à son humeur. Il se demandait s'il réussirait la pizza dans son vieux four. Peu importait : Eden mangerait sans se plaindre tout ce qu'il aurait préparé.

Il s'arrêta au bureau de poste pour récupérer son courrier. Seul un avis lui annonçait la présence d'un colis. Il remit le papier à l'employée assise derrière le comptoir et attendit. Qui pouvait bien lui avoir envoyé quelque chose ? A la vue du paquet, le cœur lui manqua. C'était le carton qu'il avait expédié à Kim Parrish, les meubles de poupée. Il n'avait pas été ouvert : le cachet était intact. L'adresse d'Alex et de Leslie avait été raturée, et une flèche à l'encre rouge indiquait l'adresse de l'expéditeur, avec la mention « Retour à l'envoyeur ». Bon Dieu !

Une BMW était parquée dans la clairière poussiéreuse, devant la cabane. Ben rangea sa camionnette tout à côté, au moment précis où un homme descendait de la voiture. Des cheveux blonds, des lunettes cerclées d'acier. Sam.

Souriant, Ben sauta à terre.

— Sam !

Il attira son frère contre lui, sentit sa joue moite contre la sienne.

— J'allais te laisser un mot, dit Sam. J'avais bien peur de t'avoir manqué.

Ben le gratifia d'un large sourire.

— Une voiture neuve, fit-il en désignant la BMW.

— Oui.

Sam posa sur le capot une main négligente, comme si le véhicule n'avait aucune importance.

— Elle roule bien, ajouta-t-il.

Ben ne pouvait cesser de sourire.

— C'est formidable de te voir. Que viens-tu faire ici ?

— Je me rends à Charlottesville, pour une conférence. Je me suis dit que j'allais faire une halte, histoire de voir ce que tu devenais.

Sam passa le bras par la portière ouverte, sortit son porte-documents et une boîte de fer qu'il tendit à son frère.

— Des macarons de Jen. Tes préférés. Elle les a confectionnés pour toi hier au soir. Qu'y a-t-il dans ce paquet ?

Ben envisagea de répondre n'importe quoi. Il n'avait pas envie que Sam sache à quel point sa situation était désastreuse. Mais il haussa les épaules.

— Un cadeau que j'avais envoyé à Kim Parrish. Le paquet m'est revenu intact.

— Les services postaux sont très au point, en ce moment, hein ? Je pourrais l'emporter...

Sam s'interrompit au beau milieu de sa phrase, dévisagea Ben.

— Veux-tu dire qu'Alex et Leslie te l'ont réexpédié ?

— Oui, j'en ai peur.

Ben ouvrit la porte de la cabane. L'air chaud confiné à l'intérieur les frappa au visage.

— Peu importe. Bon. Tu as eu du mal à trouver l'endroit ?

— Ça n'a pas été facile.

Sam faisait du regard le tour de la petite pièce, et son frère se sentit rougir. A partir de ce jour, il ne pourrait plus faire croire à Sam qu'il vivait confortablement. Il ôta du canapé quelques pièces de la maison de poupée pour les poser sur la table basse.

— Assieds-toi. Je te sers un verre de thé glacé ? Une bière ?

— Une bière, dit Sam. Il fait chaud, dehors.

— Ici aussi. Désolé.

– Tu fabriques une autre maison de poupée ?

– Oui, dit Ben, depuis le coin cuisine. Pour la petite fille d'Eden.

– J'espère que notre bébé sera une fille : on te passera commande d'une maison de poupée.

– Comment évolue le projet d'adoption ?

– Superbement. C'est pour janvier ou février. Nous avons collé le papier mural dans la chambre d'enfant et nous irons, le week-end prochain, choisir un berceau.

Ben tendit la bière à son frère, s'assit de l'autre côté de la table basse. Il avait retrouvé son sourire.

– Tu as bonne mine, constata-t-il.

Sam était de ces hommes dont l'apparence ne fait que s'améliorer avec les années. Il avait les cheveux blonds, les yeux verts de leur mère, tandis que Ben ressemblait à leur père. Sa moustache était taillée avec soin, son front commençait tout juste à se dégarnir. Ses lunettes donnaient plus d'éclat à ses yeux et prêtaient plus de crédibilité à son titre de psychiatre.

Lorsqu'ils étaient enfants, on ne les séparait guère. C'étaient les petits Alexander. Sam, au collège, était un excellent élève, mais il ne s'était jamais targué de sa réussite devant Ben. Celui-ci, un peu plus jeune, était presque aussi intelligent, presque aussi séduisant que lui, mais pas tout à fait. La rivalité entre eux était sans grande importance, mais elle existait. Quand Sam annonça qu'il allait entamer des études de médecine, Ben sut que, pour sa part, il pouvait renoncer d'emblée à une telle ambition.

Le seul domaine dans lequel il avait à jamais battu son frère, c'était celui de la paternité. Les tests avaient révélé que la faible teneur en spermatozoïdes du sperme de Sam était l'obstacle à toute grossesse chez Jen. Devant Ben, il n'avait pas fait mystère du fait qu'il aurait volontiers échangé son succès professionnel contre l'espoir de devenir père. Ben ne tirait aucun plaisir de cette supériorité sur son frère. Dès le début, il avait encouragé cette idée d'adoption.

– As-tu vu ça ? demanda Sam.

Il ouvrit son porte-documents, en tira un journal, de ceux qu'on trouve en passant à la caisse d'un supermarché. A la une s'étalait une photo de Ben et d'Eden, sous un titre : EDEN RILEY ET UN MYSTÉRIEUX INCONNU FONT LA NOCE A NEW YORK.

– Oh, merde.

– Ben posa le journal sur ses genoux, leva les yeux sur Sam.

– Nous sommes allés à New York avec Kyle et Lou. Au moment où nous quittions un restaurant, un type a surgi et a pris cette photo.

– Je ne t'aurais sûrement pas reconnu si je n'avais pas su que tu la fréquentais : du coup, j'ai regardé ça de plus près. Sans ta barbe, personne ne saura qu'il s'agit de toi. Et l'article ne donne pas beaucoup de détails. Ils ignorent totalement qui tu es.

Certes, la photo ne lui ressemblait pas. L'angle de l'appareil déformait ses traits, amincissait son visage, alourdissait ses paupières. Il secoua la tête.

– Elle n'avait quand même pas besoin de ça. Elle a des craintes pour sa réputation.

Sam se mit à rire.

– Et elle s'affiche avec toi ? Elle ne me paraît pas bien maligne.

– Elle est intelligente. Et belle. Et ambitieuse. Un peu tordue, peut-être, mais de quel droit puis-je la critiquer ?

– Elle est au courant ?

– De tout. Et elle me croit. Elle me croit vraiment, Sam.

Son frère sourit.

– Tu m'as l'air bien accroché.

– Ça me fait du bien, Sam.

Son frère secoua la tête.

– Et que se passera-t-il quand le moment sera venu pour elle de regagner Hollywood ?

– Nous ne voyons pas aussi loin.

– Tu pourras lui dire de ma part que, si elle te joue un sale tour, je boycotterai son prochain film.

– Du calme, du calme, Sam.

Ben souriait, amusé et touché tout à la fois par la sollicitude de son frère.

Celui-ci plongea de nouveau la main dans son porte-documents.

– Voici un autre article de journal pour toi. Et Winston témoignera en ta faveur, si nous parvenons à obtenir une date d'audience. J'aimerais avoir l'assistance de quelques gars du Groupement des Accusés.

– Pas question, dit Ben.

Le Groupement des Accusés était une association d'hommes qui se jugeaient injustement soupçonnés d'avoir molesté leurs fils ou leurs filles. Ils travaillaient ensemble pour trouver les moyens de démonter les accusations de leurs enfants et s'encourager les uns les autres. Sur l'insistance de Sam, Ben s'était rendu à l'une de ces réunions, en était revenu dégoûté. Il avait dit à Sam :

— Tout ce qui les intéresse, c'est ce que leur histoire leur a fait, à eux. Aucun n'a fait même allusion à ce qu'enduraient les enfants.

Il avait quitté la salle avec la conviction d'être le seul innocent de toute l'assemblée.

— Je crois vraiment qu'ils pourraient nous aider, Ben, reprit Sam. Ils ont des contacts.

— N'y pense plus.

Sam sortit de la poche de sa chemise quelques photos, les tendit à Ben.

— Je t'ai apporté quelques instantanés de Bliss.

Bliss, sous un parasol, regardait un pêcheur peser un petit poisson.

— Où est-ce pris ? demanda Ben.

— A Saint Michael. Tu te rappelles ? Je t'avais dit que nous l'avions emmenée là-bas, Jen et moi, il y a quelques semaines.

Bliss avait beaucoup grandi. Son corps s'allongeait, ses cheveux lisses lui descendaient aux épaules. Elle avait l'air d'une gamine des rues : jolie mais maigre, comme sous-alimentée.

— Je n'arrive pas à croire qu'elle ait grandi autant, dit Ben.

Il regarda les autres photos. Toutes avaient été prises au bord de l'eau. L'enfant avait le visage sombre, elle ne souriait pas. Dans les souvenirs de Ben, elle souriait tout le temps. Sur le dernier cliché, elle agitait la main vers l'appareil, mais il n'y avait toujours pas de sourire.

— Elle ne sourit donc plus ? demanda-t-il.

— Oh si, bien sûr. Elle était un peu grognon, ce jour-là.

Ben se renversa sur le dossier de sa chaise en soupirant.

— Je suppose que nous allons faire ça jusqu'à ce qu'elle atteigne dix-huit ans, hein ? Ces photos que tu me passes en douce ?

— Je continuerai aussi longtemps que tu le voudras.

— Je sais que ça te met dans une position gênante avec Jen.

— La voix du sang est plus forte que celle du mariage.

Sam s'étira, regarda de nouveau autour de lui.

— A propos de Jen, elle m'a chargé de te demander de

venir nous voir. Tu pourrais amener Eden, si tu veux. Tu nous manques. Nous passions presque tous les week-ends ensemble, souviens-toi. Nous avions toujours un projet en train et nous nous aidions l'un l'autre.

— Je ne suis pas prêt à revenir à Annapolis. Si près de Bliss, je n'aurais qu'une hâte : essayer de l'apercevoir.

— Mmm...

Sam hocha la tête.

— Au fait, le père de Sharon est mort. Tu le savais ?

— Non.

Ben se sentait blessé, oublié.

— Je pensais qu'il allait mieux.

Sharon aurait dû l'appeler. En dépit de ce qui s'était passé, elle aurait dû le mettre au courant.

— Je ne peux même pas appeler Sharon pour... Tu as son nouveau numéro ?

— Oui, mais je ne peux vraiment pas...

— Je veux simplement lui dire que je suis désolé, à propos de son père. Allons, donne.

Sam ne se fit pas prier. Il tira son portefeuille, en sortit un bout de papier, lut à haute voix le numéro de Sharon.

— Ne lui dis pas que c'est moi qui te l'ai donné. Cela dit... j'ai trouvé un ou deux noms de « psy », par ici. Pourquoi ne pas me laisser...

— Je n'ai pas les moyens de les consulter.

— Je paierai les honoraires.

— Non, Sam. Ce n'est pas comme ça que je fonctionne, tu le sais.

— As-tu besoin de Valium ?

— Je n'en ai pas pris un seul comprimé.

— Bravo. Je souhaite que tu n'en prennes pas. Tu as perdu un peu de poids, on dirait. Tu manges ? Comment dors-tu ?

Ben aimait cet aspect de Sam : ce côté tendre, cette sollicitude presque paternelle qui étaient à l'origine de son succès comme psychiatre. Il ferait un père merveilleux.

— Je vais bien. Mes meilleures nuits, toutefois, sont celles où je ne dors pas parce que j'ai Eden avec moi. J'ai connu quelques nuits sans sommeil, ces derniers temps.

Sam éclata de rire.

— Mon petit frère qui couche avec Eden Riley. Miséricorde !

Il avala le reste de sa bière, posa la boîte vide sur la table basse.

– J'ai encore une chose à te dire. Après cela, je reprends la route.

– De quoi s'agit-il ?

– Eh bien...

Sam ôta ses lunettes, se frotta les yeux.

– J'hésite à t'en parler, d'abord parce que cela ne nous avancera à rien, ensuite parce que tu te sens sans doute suffisamment désemparé.

Ben se pencha en avant.

– Parle, dit-il.

Son frère le regarda bien en face.

– Je crois que Sharon voyait Jeff du temps où vous étiez encore mariés.

Ben secoua la tête.

– Elle le connaissait à peine... pas du tout, peut-être. Sharon ne lui semblait pas du genre à avoir une liaison.

– Qu'est-ce qui te fait croire ça ?

– C'est Jeff : sa langue a fourché, le jour où nous sommes passés, Jen et moi, prendre Bliss pour l'emmener à Saint Michael. Il a dit que Sharon et lui avaient emmené la petite à Wide World pendant l'été, il y a deux ans. Sharon a rectifié la date, et il a discuté avec elle avant de se rendre compte qu'il se mouillait. Là-dessus, il s'est tu.

– Un peu léger, comme preuve, Sam.

– J'ai questionné Bliss : elle pensait bien qu'il y avait, en effet, deux étés de ça.

– On ne peut guère se fier à la mémoire de Bliss.

– Elle l'appelle « Papa », Ben.

Au début, Ben ne comprit pas ce que voulait suggérer Sam. Il éprouva seulement la pointe douloureuse du mot, se rappela la réaction d'Eden quand Cassie avait parlé de sa belle-mère en l'appelant « Maman ». Mais, tout à coup, il comprit.

– Tu penses que...

– Je n'en sais rien. Je sais que ce n'est pas toi, le coupable, et, si Jeff était déjà dans les parages à l'époque...

– Mais Bliss a déclaré que ça se passait quand elle était couchée, dans sa propre chambre.

– Peut-être quand tu étais en voyage.

– Bon sang, Sam, pourquoi ne pas me flanquer un direct à l'estomac et en finir tout de suite ? Sharon ne... Tu la connais, voyons.

Sam haussa les épaules.

– Toute cette année-là, elle a souffert du dos. Elle ne s'intéressait même plus à l'amour.

– A l'amour avec toi, peut-être. Ou même avec Jeff. Peut-être amenait-elle Jeff pour voir Bliss, et...

– C'est de la folie, affirma Ben.

Mais il se remémorait la fois où, du Colorado, il avait appelé chez lui. C'était une voix d'homme qui avait répondu. Quelqu'un de l'école, lui avait dit Sharon : elle avait réuni quelques collègues.

– A supposer que ce soit vrai... que pouvons-nous y faire ?

– Justement.

Sam remit ses lunettes.

– Il n'y a rien que nous puissions faire. J'en ai parlé avec Barbara Mckay et avec l'assistante sociale qui a procédé à l'enquête préliminaire. Elles disent que nous n'avons rien de concret pour reprendre l'affaire.

– Je ne peux pas croire que Sharon me laisserait aller en prison pour un crime que Jeff aurait pu commettre.

– Tu t'es reconnu coupable, n'oublie pas.

Sam avait été furieux quand il s'était livré à son éclat en plein tribunal.

– Je n'avais pas l'impression d'avoir le choix. Ils allaient mettre Bliss à la torture.

– Elle est moins fragile que tu ne le crois.

Ben posa sa boîte de bière pour mieux regarder son frère.

– Tu te souviens de Randy ?

Sam fronça les sourcils.

– Pourquoi ramener ça sur le tapis ?

– Je me suis toujours demandé si tu avais compris pourquoi je ne voulais pas laisser Bliss témoigner. Je me rappelle encore ce que j'éprouvais devant toutes les questions qu'on me lançait.

– Tu as vraiment besoin d'aide, Ben. Tu aurais dû oublier tout ça depuis longtemps.

– Je l'ai oublié. Ou, plutôt, je l'avais oublié jusqu'au moment où j'ai vu cette expression apeurée sur le visage de Bliss.

Sam se leva.

– J'aurais peut-être mieux fait de ne rien te dire. Préférerais-tu que je garde pour moi ce genre d'information ?

– Non.

Ben dut avoir recours à toutes ses forces pour se lever à son tour. Il n'avait pas envie de voir partir Sam.

– Je t'en prie, ne commence pas à me cacher certaines choses.

– Entendu.

Sam passa un bras autour des épaules de son frère et se dirigea vers la porte.

– Tu remercieras Jen pour ses macarons.

– Tu peux y compter.

Sur le seuil, Sam se tourna vers Ben.

– Je ne sais pas comment te dire le reste. Je vais te le dire, c'est tout.

De la poche de sa chemise, il sortit un chèque, le glissa dans la main de Ben.

– Utilise ça pour ce qui te plaira. Un endroit un peu plus confortable pour y vivre, peut-être. Ou bien un petit voyage pour toi et Eden. Tu devrais sortir un peu d'ici. Te détendre...

– Pas question.

Ben avait les joues brûlantes. Il remit le chèque dans la poche de Sam, mais son frère le sortit de nouveau.

– Je t'en prie, Ben, prends-le.

Il y avait des larmes dans ses yeux, toutes prêtes à déborder. Ben détourna le regard, ouvrit la porte plus grande.

Son frère referma la main sur le bouton.

– Je ne supporte pas de voir ce qui t'est arrivé. Ce n'est pas bien. Ce n'est pas juste. Je t'en prie, laisse-moi te venir en aide avec un peu d'argent. C'est tout ce que je peux faire pour toi.

– Non.

Ben fixait son regard sur la BMW stationnée près de sa camionnette. Il était incapable de regarder le visage de Sam, il n'avait pas envie de voir si les larmes roulaient au long de ses joues.

– Tu sais à quel point nous t'aimons ?

Ben hocha la tête.

– Sois prudent sur la route, compris ?

Il contempla longuement le numéro avant de le composer sur le cadran. En entendant la sonnerie, il retint son souffle, fit la grimace quand Jeff répondit.

– Ben à l'appareil, dit-il. Je voudrais parler à Sharon.

Il y eut un instant d'hésitation, à l'autre bout du fil.

– Comment avez-vous eu ce numéro ?

– Peu importe. Est-ce que Sharon est là ?

– Elle ne veut pas vous parler.

– Qu'elle me le dise elle-même, d'accord ?

Il entendit la voix de Sharon à l'arrière-plan, puis le grognement de Jeff :

— Tu n'es pas forcée de lui parler.

— Ben ?

C'était Sharon. Il sentit lui revenir une bouffée de l'ancien amour.

— Sam vient de m'annoncer la mort de Papy, dit-il. Je suis vraiment désolé, Sharon.

Elle ne répondit pas, et une douleur transperça le cœur de Ben.

— J'aurais aimé que tu m'en fasses part, reprit-il. Il faisait partie de ma vie, lui aussi.

— Oui, je sais.

La voix de Sharon était assourdie.

— Je ne savais pas ce que je devais...

Il entendit Jeff aboyer quelque chose.

— Pourrais-tu, s'il te plaît, demander à Jeff de t'accorder quelques minutes d'intimité ?

A la grande surprise de Ben, elle parla à Jeff, et il entendit une porte claquer. Pauvre Sharon.

— Je regrette, dit-il. Je ne veux pas créer de problèmes entre vous.

— Ce n'est rien.

— Comment Bliss a-t-elle pris la mort de Papy ?

— Je ne pense pas que nous devions parler de Bliss.

Ben ferma les yeux, laissa la douleur se répandre, l'envahir tout entier.

— C'est mon enfant, Sharon.

Il y eut encore un silence prolongé. Sharon reprit enfin la parole.

— Elle ne comprend pas vraiment. Elle s'attend toujours à le voir s'encadrer dans la porte.

— S'attend-elle à me voir, moi aussi ?

Les mots à peine sortis de sa bouche, il comprit qu'il avait commis une erreur. Mais il était trop tard.

— Pourquoi ça ? lui lança Sharon. Tu nous as bien montré, à elle et à moi, que ton orgueil passait avant ta famille, quand tu as refusé les entretiens avec un conseiller.

— Sharon, j'étais innocent. Je ne pouvais pas...

— Je vais raccrocher.

— Attends ! Écoute, dis-moi seulement comment elle va. Comment s'entend-elle avec Jeff ? Il m'a l'air un peu brusque.

— Au moins, ce n'est pas un loup déguisé en mouton.

— Sharon, je voudrais que tu fasses quelque chose pour moi. Essaie de conserver l'idée que je suis peut-être innocent.

– Il n'en est pas question.

– *Il le faut.* Si tu crois vraiment qu'il est arrivé quelque chose à Bliss, et que je suis innocent, alors, quelqu'un d'autre est coupable, et... Sharon ?

Les doigts de Ben se crispaient sur la courtepointe.

– Voyais-tu Jeff pendant notre mariage ?

Elle reprit bruyamment son souffle.

– Je ne comprends pas que tu me poses une telle question.

– Je te demande pardon. Mais...

– Ben, ne rappelle plus, d'accord ? C'est inutile. Ça me bouleverse et ça bouleverse Jeff. Quant à Bliss, elle ne saura jamais que tu as appelé, ne te fais pas d'illusions. Elle va tellement mieux, maintenant. Elle commence tout juste à t'oublier. Ce n'est vraiment pas le moment de recommencer à nous harceler.

Elle raccrocha sans plus attendre. Lentement, il reprit le téléphone sur le lit, le remit sur la caisse. *Elle commence tout juste à t'oublier.* Peut-être valait-il mieux pour Bliss qu'elle l'oubliât, qu'il devînt dans son esprit une simple silhouette. Le méchant papa. Ça simplifiait les choses. Penser à un droit de visite était une idée malheureuse, désastreuse. La conseillère de Bliss avait raison. Ça n'amènerait que confusion chez la petite.

Il avait oublié de demander à Sharon s'il arrivait encore à Bliss de sourire.


Il lui avait promis une pizza, et, en montant en voiture vers la cabane, elle s'attendait à être accueillie par l'arôme de l'origan et de la sauce tomate. Au lieu de quoi, lorsqu'elle approcha de la porte ouverte, elle respira seulement l'odeur de l'air surchauffé.

Ben, au milieu de la pièce, était assis devant la table. Il lui tournait le dos, et elle crut d'abord qu'il travaillait à la maison de poupée.

– Ben ?

Il se retourna, visiblement surpris.

– Je n'ai pas entendu ta voiture.

Elle s'approcha de lui.

– Tu devais être plongé dans tes pensées.

Elle lui posa les mains sur les épaules, se pencha pour lui embrasser le sommet du crâne. Ce faisant, elle vit les photos alignées sur la table, devant lui.

– De nouvelles photos de Bliss ?

– Sam me les a apportées.

Il parlait d'une voix neutre.

– Sam est venu ?

Il hocha la tête.

– Je regrette de l'avoir manqué.

Ben regardait fixement les photos. Elle sentait sous ses paumes la rigidité de ses épaules.

– Elle te ressemble, dit-elle.

Une fois de plus, elle était frappée par la délicatesse de l'enfant. On avait l'impression qu'un coup de vent suffirait à l'emporter.

Ben, d'une brutale secousse, leva les bras pour se dégager de ses mains. Il se leva.

– Sam pense que Jeff pourrait être le coupable.

Il lui jeta un bref coup d'œil, détourna les yeux.

– Mais je ne pensais pas qu'il connaissait...

Il leva les bras au ciel.

– Qui diable peut savoir qui connaissait qui, et quand ? Et quelle importance ? Je suis emprisonné ici, pendant que ma fille vit avec un salaud qui l'a peut-être...

Il secoua la tête.

– Je ne peux pas en parler pour le moment.

Eden s'assit tout au bord d'une chaise.

– Ben...

– Réalises-tu combien ma vie est dénuée de sens ? demanda-t-il. Les gens qui ne me méprisent pas me prennent en pitié. Que trouverai-je à faire, quand je partirai d'ici ? Quoi que ce soit, il s'agira de charité. Peut-être gagnerai-je tout juste assez pour me nourrir. La belle vie, non ? Et le seul être auquel je tienne, ma fille, pourrait bien être encore en danger, pendant que moi, je suis aussi impuissant à y remédier que si j'étais mort.

– Tu oublies les gens comme moi, comme Kyle et Lou, comme Sam. Si nous ne t'abandonnons pas, c'est parce que nous t'aimons, pas parce que tu nous fais pitié.

Il prit un journal sur la table, le lui mit sous les yeux.

– Que penses-tu de ça ? Magnifique, hein ? Ils ne savent pas qui je suis, mais ce n'est qu'une question de temps, hein ?

Elle vit à la une la photo qui les représentait, elle et Ben. Son cœur fit une embardée.

– Alors, dans combien de temps vas-tu m'abandonner, maintenant ?

Ce fut à peine si elle entendit sa question.

– Que dit l'article ?

– Rien.

Il entama le tour de la table, s'arrêta à mi-chemin, revint.

– Ils n'ont pas un seul foutu détail. Ils possédaient seulement la photo prise par ce type dans Greenwich Village, et ils devaient bien en faire quelque chose. Détruire une vie ou deux.

La photo la terrifiait. Elle dit pourtant :

– Ce n'est pas si terrible, Ben. On oublie des trucs de ce genre. Ce sera un feu de paille.

Il s'arrêta devant elle, enfonça ses mains dans les poches de son pantalon.

– Écoute, Eden. Pour l'instant, j'ai besoin d'être seul. Je regrette. J'ai trop de choses en tête.

Elle lui posa la main sur le bras.

– Ben, laisse-moi t'aider.

Il secoua la tête, la guida vers la porte.

– Donne-moi un peu de temps, tu veux bien ?

Elle remarqua alors sur le lit le colis destiné à Kim Parrish. Elle pensait qu'il l'avait posté depuis longtemps.

– Veux-tu que je porte ce paquet à la poste ?

– Il y a déjà été. On me l'a réexpédié. Sans même l'avoir ouvert. Peut-être Cassie aimerait-elle avoir ces meubles pour sa maison de poupée.

– Je suis désolée.

– Pars.

Elle redescendit la route en lacets vers Lynch Hollow. Ses mains se crispaient sur le volant. Cette feuille de chou. Wayne l'avait-il vue ? Quel prix devrait-elle payer pour ce week-end à New York ? Quel prix devrait-elle payer pour cette liaison ?

Ben lui fermait la porte. Pis encore, il semblait inconstant, agité. Sa vie était dénuée de sens, avait-il dit. Autant être mort. Elle se rappela le flacon de Valium, au bord du lavabo, arrêta la voiture. Elle attendit qu'un camion l'eût doublée pour faire un demi-tour difficile sur la route étroite. Après quoi, elle enfonça l'accélérateur. *Je t'en prie, Ben, pas ça.* Son cœur battait à tout rompre quand elle fit halte devant la cabane. La porte était restée ouverte, mais, à l'intérieur, il n'y avait personne. Elle remarqua alors le rai de lumière sous la porte close du cabinet de toilette.

Elle frappa au battant.

– Ben ?

Il y eut un instant de silence.

– Je te croyais partie.

– Que fais-tu là-dedans ?

– Je me prépare à prendre une douche.

– Laisse-moi entrer, je t'en prie.

– Eden, je te l'ai déjà dit. J'ai vraiment envie d'être seul quelque temps.

Elle tourna la poignée, poussa la porte. Il se dressait devant elle, en caleçon blanc, les mains sur les hanches, le visage renfrogné.

– Que diable viens-tu faire ici ?

Le regard d'Eden alla vers le lavabo. Le flacon de Valium était toujours là. Elle distinguait à l'intérieur l'ombre des comprimés.

– J'avais peur que tu ne tentes de te faire du mal.

Il regarda les comprimés, si rapidement qu'elle comprit : même s'il n'avait pas eu l'intention de s'en servir à ce moment, l'envie lui en était déjà venue. Le visage de Ben se rasséréna. Quand il parla, ce fut d'une voix douce.

– Je ne vais pas me faire de mal.

Elle reprit son souffle.

– Je te demande pardon. J'ai pensé...

Il lui tendit les bras, l'attira contre lui.

– Eden...

– J'ai eu si peur.

– Tout va bien. J'ai simplement vécu un après-midi difficile.

Il la lâcha.

– As-tu remarqué que Bliss ne sourit sur aucune de ces photos ? A-t-elle l'air à tes yeux d'une gamine heureuse ? Je voudrais tant pouvoir la voir moi-même. Je voudrais être une mouche sur le mur de sa classe, à l'école, je voudrais l'observer en compagnie des autres gosses, la voir rire un peu. Elle a l'air si grave.

Eden, subitement, eut une idée.

– Moi, je pourrais la voir.

– Que veux-tu dire ?

– Il m'arrive d'avoir accès à des écoles. D'ordinaire, on me confie des enfants qui commencent l'apprentissage de la lecture, mais une maternelle ferait l'affaire. Je lis aux enfants des chapitres des livres de ma mère. C'est une sorte de publicité, et j'ai laissé tomber depuis un certain temps. Je peux m'y remettre. Je verrai comment va ta fille et je te ferai mon rapport.

— Je ne peux pas te demander ça.

Elle revint dans la pièce principale. Il la suivit.

— Donne-moi le nom de l'école, dit-elle.

— Les Pignons verts. A Annapolis.

Elle s'assit sur le lit, prit sur ses genoux l'appareil téléphonique. Comme elle s'y attendait, elle obtint Nina sans difficulté. Nina était plus que désireuse de lui parler. Elle appelait Eden depuis une semaine déjà, et Eden n'avait répondu à aucun de ses coups de fil.

— Qu'est-ce qui vous prend, Eden ? demanda-t-elle. Qui est ce type que vous fréquentez ? Michael broie du noir. Il ne mange plus. Il a l'air d'un épouvantail. J'ai bien peur qu'il ne recommence à se droguer, et...

— Nina, taisez-vous une seconde.

— Avez-vous lu les scripts ?

— Non.

— Avez-vous oublié que vous aviez une carrière ?

— Écoutez, Nina : j'ai besoin que vous organisiez pour moi la visite d'une école.

— *Quoi ?* Ce n'est pas le moment, Eden. Nous devons d'abord vous remettre au travail, avant de...

— Nina. Je vous en prie. Il s'agit de la maternelle des Pignons verts, à Annapolis, dans le Maryland.

Elle leva les yeux vers Ben.

— Le nom de l'institutrice ?

— Je crois que c'est encore Joan Dove, cette année.

Elle transmit le nom à Nina qui, tout en grognant, n'en notait pas moins tous les détails.

— Merci infiniment, Nina. Maintenant, écoutez-moi, et je vais vous dire ce qui m'arrive. Je suis heureuse. Je suis amoureuse. Je ne vous ai pas oubliés. Je travaille comme une dingue sur mon scénario. J'appellerai Michael pour savoir comment il va, mais, s'il recommence à se droguer, la décision lui appartient. Toutefois, je lui dirai qu'il n'aura pas de rôle, dans ce cas, dans *Une vie solitaire*.

Elle raccrocha, leva les yeux vers Ben qui s'appuyait à la table.

— Je vais voir Bliss, lui dit-elle. Aucun doute là-dessus.

# 33

Eden reconnut Bliss dès l'instant où elle pénétra dans la salle de classe, aux Pignons verts. Elle lisait maintenant à haute voix *L'Enfant des fontaines,* et les autres enfants n'étaient pour elle qu'une masse indistincte. Il en serait allé de même, que Bliss fût ou non la fille de Ben. Bliss se distinguait des autres. Elle était beaucoup plus grande qu'eux, et son abondante chevelure d'un blond cendré était extraordinaire. Eden était installée dans un fauteuil gonflable, tout près du sol. Les enfants, assis à même la moquette, l'entouraient, et leur institutrice, Joan Dove, était dans un fauteuil tout proche. Bliss se trouvait immédiatement à la gauche d'Eden, comme si elle avait su qu'elle devait se rapprocher le plus possible de cette inconnue. Eden percevait sa fragilité comme un élément tangible de l'atmosphère. De temps à autre, elle levait les yeux de son livre pour rencontrer le regard des immenses yeux gris, si éveillé, si attentif. A l'un des moments de l'histoire, Bliss posa une question – une question sérieuse, inquiète, à propos du sort de la jeune héroïne. Eden, en y répondant, tendit la main pour la toucher. Ses doigts ne rencontrèrent que des os. Une colonne vertébrale tout en saillies, des côtes qui auraient pu couper du papier. L'enfant était tout en os et en beauté.

La jeune femme avait choisi *L'Enfant des fontaines* parce que c'était la plus simple des histoires de sa mère. Elle s'était souvent émerveillée de la manière dont les livres de Katherine Swift captivaient les enfants même très jeunes et retenaient leur attention. Les histoires se caractérisaient par le climat sain des aventures et le message moral subtilement exprimé. C'étaient là des qualités qu'Eden considérait avec un certain scepticisme depuis qu'elle commençait à mieux connaître la véritable Katherine Swift. Depuis des années, elle l'avait imaginée comme une sorte de personnage négatif. Elle avait vu, dans l'existence cloîtrée de Katherine, la confirmation du fait qu'elle avait peu de besoins, comme adulte et comme femme. Mais la vérité était beaucoup plus compliquée, et il appartenait à Eden de transcrire à l'écran la vie de sa mère sans lui faire perdre la sympathie et l'admiration des gens qui avaient placé en elle toute leur confiance : ces parents qui choisissaient pour leurs enfants les livres de Katherine Swift avec la certitude qu'ils y trouveraient une distraction au sens le plus pur.

Lorsqu'elle referma le livre, les enfants la prirent d'assaut. Elle était accoutumée à ce genre de démonstrations. Les gamins, elle le savait, la voyaient avant tout sous les traits de la ravissante sorcière, dans *L'Enfant de l'étoile du Nord*.

— Comment as-tu fait pour changer la petite fille laide en une autre qui était jolie ? demanda l'un de ses jeunes admirateurs.

— Es-tu une sorcière pour de vrai ? questionna un autre.

— Où est ta grande cape de fourrure ?

Elle leur répondit à tous. Alors, comme à l'ordinaire, commencèrent les questions plus personnelles.

— Tu as des petits garçons ? demanda un gamin au visage couvert de taches de rousseur.

— Non, mais j'ai une petite fille.

— Comment elle s'appelle ?

— Cassie.

— Tu aurais dû l'amener.

— Pour le moment, elle est chez son père.

— Moi, j'ai été voir mon papa vendredi, à Charleston, expliqua le petit garçon.

— Mon papa à moi, il est revenu habiter avec nous, déclara une petite fille.

Ce fut alors que Bliss parla.

— Mon papa est parti, dit-elle d'une voix basse. Mais quelquefois, il vient me voir la nuit.

— C'est vrai ? dit Eden.

Joan Dove posa les mains sur les épaules de Bliss.

— Son papa est très loin d'ici. Alors, il lui arrive de *rêver* qu'il vient la voir, et ça la rend heureuse. N'est-ce pas, Bliss ?

— Mmm, fit vaguement l'enfant.

Elle ne quittait pas Eden des yeux.

La jeune femme se demanda si quelque chose, dans son propre visage, avait amené Bliss à lui faire confiance, à se pencher vers elle pour murmurer :

— C'est vrai qu'il vient quelquefois.

Eden se sentit parcourue d'un frisson.

Elle avait envie de voir les enfants jouer, elle avait envie de pouvoir, au retour, dire à Ben qu'elle avait vu Bliss s'amuser. Elle assista donc à la récréation, bruyante, désorganisée, sur le terrain de jeu des Pignons verts. Elle s'assit sur le perron en compagnie de Joan Dove.

— Par quel hasard avez-vous choisi les Pignons verts ? demande Joan.

Eden haussa les épaules.

— C'est mon agent qui organise ce genre de choses. Moi, je n'ai plus qu'à me manifester.

— J'en suis si heureuse. Les enfants ont été enchantés.

Bliss jouait sur le portique des balançoires. Elle grimpa jusqu'à la barre horizontale, s'y pendit par les genoux, se redressa pour s'y asseoir, sauta sur le sol et s'assit sur l'une des balançoires, tout cela sans dire un seul mot aux deux autres petites filles qui partageaient le portique avec elle.

— La plus grande des trois, dit Eden à Joan. Elle est d'une beauté frappante.

— Oui. Mais elle a des tas de problèmes.

— Vraiment ?

— Ce qu'elle raconte à propos des visites de son père... Il a abusé d'elle. Il s'est rendu coupable d'attentats à la pudeur. Elle a déjà connu plus de souffrance et de traumatismes que personne ne devrait en subir au cours d'une vie entière.

Eden fronça les sourcils.

— C'est horrible. Comment va-t-elle, maintenant ?

Joan soupira.

— Plutôt bien, je pense. Elle parle encore beaucoup de son père. Son *vrai* papa, comme elle l'appelle. Elle a maintenant un beau-père, qui a l'air gentil, mais je ne crois pas qu'elle ait encore établi un lien véritable avec lui. Elle n'a pas le droit de revoir son père, mais, apparemment, elle ne parvient pas à l'éloigner de son esprit. C'était l'un de ces hommes qui sont capables de vous tenir sous leur charme. Vous connaissez le genre.

— Hollywood en est plein, dit Eden.

Elle eut une grimace de dégoût – contre elle-même.

– Moi-même, je voyais en lui le plus charmant des hommes... jusqu'à ce que toute l'affaire éclate.

– On ne peut jamais rien dire, fit Eden.

– Non, c'est bien vrai. Du coup, Bliss, cette petite fille, a perdu beaucoup de poids et ne l'a jamais repris. Elle voit régulièrement une conseillère, mais elle dort toujours mal. On voit bien qu'elle traîne sans cesse derrière elle un lourd fardeau. Même ici, à l'école, elle fait des cauchemars qui la réveillent au beau milieu de sa sieste.

– Pauvre petit chat, dit Eden.

Joan se mit à parler de quelques-uns des autres enfants. Eden l'écoutait d'une oreille, afin de faire les commentaires appropriés. Mais son regard demeurait fixé sur Bliss, qui était maintenant en compétition avec sa voisine sur les balançoires. Elle cherchait sans cesse à aller plus haut en pliant et dépliant ses longues jambes minces, la tête rejetée en arrière, la bouche largement ouverte. Riait-elle ? De loin, son expression aurait pu exprimer indifféremment la peur ou la joie, mais Eden détourna les yeux avant d'avoir acquis une certitude. Elle dirait à Ben qu'elle avait vu sa fille rire.

En quittant les Pignons verts, elle suivit l'itinéraire dessiné par Ben pour se rendre chez Jen et Sam. Elle lui avait fait part de son désir de faire leur connaissance. A présent, après avoir entendu la description que Joan avait faite de Ben, elle était particulièrement désireuse de se retrouver avec ses amis, plutôt qu'avec ses ennemis.

Jen Alexander vint ouvrir la porte de la belle demeure en brique rouge, de style colonial. C'était une jolie jeune femme, et Eden lui trouva une certaine ressemblance avec Nina : elles avaient les mêmes cheveux noirs et brillants, le même visage mutin.

Jen, en souriant, tendit la main à la visiteuse.

– Eden, c'est moi, Jen. Entrez, je vous en prie.

Eden pénétra dans une vaste entrée. Le sol était dallé de marbre vert, et un énorme lustre de cristal était suspendu au-dessus de leurs têtes. Elle songea à la cabane de Ben. Un abîme séparait les modes de vie des frères Alexander.

– Sam va rentrer d'un instant à l'autre pour déjeuner, dit Jen en guidant Eden vers le fond de la maison. Nous étions si désireux de vous connaître.

Dans la salle de séjour, qui prolongeait l'immense cuisine, Eden s'assit sur le canapé. L'éclat des casseroles de cuivre accrochées aux murs était presque aveuglant.

– Moi aussi, j'avais envie de vous rencontrer, dit-elle. Ben vous est si reconnaissant de votre confiance en lui.

– Je dois avouer que moi-même, au début, j'ai eu quelques moments de doute, mais, en fin de compte, c'est parfaitement inimaginable de la part de Ben.

A l'arrivée de Sam, Eden s'approcha de la table. Il portait un costume gris pâle et il ôta sa veste pour la suspendre, avant de serrer la main de la visiteuse. Une fois assis, il enleva ses lunettes, les glissa dans un étui qu'il posa sur la table. Il était diablement séduisant, et aurait pu rivaliser avec les hommes les plus attirants de Hollywood ou ailleurs, mais jamais elle n'aurait deviné qu'il était le frère de Ben. Elle s'efforçait de découvrir une ressemblance entre eux. Sam avait les yeux verts, les cheveux blonds, une moustache et il était impeccablement soigné. Chaque cheveu était à sa place, sans aucun doute maintenu à l'aide de laque. Ce type s'était trouvé un coiffeur du tonnerre. Eden se demandait si c'était là la différence qui avait toujours existé entre les deux frères, si Ben avait toujours été le moins soucieux de son apparence, le moins conformiste, le frère qui avait choisi de passer sa vie à fouiller la terre avec ses mains. Elle n'imaginait pas Sam à genoux au fond d'une fosse.

– Avez-vous pu voir Bliss ? demanda-t-il.

Jen posa les assiettes devant chacun. Elle avait préparé une salade de poulet garnie de raisins et de nouilles froides à l'orientale, le tout superbement disposé sur des assiettes carrées en porcelaine noire.

– Oui. Elle est adorable.

Eden avait peine à soutenir longuement le regard de Sam. Elle était convaincue qu'il pensait : *J'ai envie de toi, et nous le savons tous les deux.* Elle se demandait comment ses patientes parvenaient à s'asseoir, semaine après semaine, en face de lui sans baver de désir.

– Elle paraît assez heureuse, vous ne croyez pas ? poursuivit-il.

– A la vérité, je n'ai pas eu l'occasion de l'observer très longtemps. Elle m'a semblé bien sérieuse, pour une enfant.

– Rien d'étonnant, dit Sam en souriant. Je l'étais également.

Eden croqua un grain de raisin. Peut-être devait-elle peser ses paroles, ici. Après tout, elle était une inconnue pour Sam et Jen, et elle arrivait chez eux pour leur déclarer qu'à son avis leur nièce n'était pas parfaite.

– Elle a dit quelque chose que j'ai trouvé étrange, reprit-elle.

Elle leur répéta la déclaration de Bliss, selon laquelle son papa lui rendait encore visite, quelquefois.

Jen frissonna.

– C'est bizarre.

Sam fronça les sourcils.

– Je suis en contact permanent avec sa conseillère, et elle ne m'a jamais signalé de telles affirmations de la part de Bliss.

– Peut-être devrait-on les répéter à la conseillère, suggéra Eden.

Sam haussa les épaules.

– Je lui en parlerai, mais, selon moi, Joan Dove a probablement raison pour la première fois de sa vie. A mon avis, Bliss rêve – ou peut-être imagine tout bonnement – les visites de son père. C'est sa manière à elle de compenser la perte qu'elle a subie. Je la trouve en bonne forme, après tout ce qu'elle a enduré.

Manifestement, il mettait un point final à la discussion.

Le couple parla un moment de Ben : il leur manquait énormément, ils avaient fait tant de choses ensemble. Eden se sentait de moins en moins à l'aise avec Sam. Il se montrait aimable, certes, mais il y avait une subtile pointe d'acidité quand il s'adressait à elle. Finalement, elle comprit : il ne lui faisait pas confiance. Le repas achevé, il la regarda droit dans les yeux.

– Eden, j'aimerais vous parler franchement, dit-il. Je vois bien que vous aimez Ben. Je vois bien que vous êtes sincère. J'en suis heureux : je craignais que vous ne vous serviez de lui d'une façon ou d'une autre.

– Comment pourrais-je me servir de lui ?

– Eh bien, vous êtes une actrice, accoutumée à l'agitation de Hollywood, et vous êtes coincée pour l'été au fin fond de la campagne.

Sam haussa les épaules.

– Ben se trouve là pour vous tenir compagnie, pour vous aider à passer le temps.

– Je ne me sers pas de lui. Je suis amoureuse de lui.

Il sourit.

– Oui, ça, je le vois bien. Mais ça ne m'empêche pas de m'inquiéter de ce qui va se passer ensuite. Vous vous souciez beaucoup de votre image, m'a dit Ben.

Dans sa bouche, le mot « image » semblait avoir une saveur aigre.

– Il viendra bien un moment où la bombe va exploser, Eden. Que ferez-vous alors ?

Cela ne le regardait pas, eut-elle envie de lui répondre, mais elle se ravisa.

– Je ne vois pas l'utilité de se tracasser à propos de ce qui pourrait arriver dans l'avenir, dit-elle.

Sam se pencha vers elle.

– Je ne cherche pas à vous mettre dans une position délicate. J'ai peur, simplement, que Ben ne soit amené à souffrir. Vous êtes charmante, et je vous souhaite tout le bonheur du monde, mais Ben est ma préoccupation essentielle. Que ferez-vous quand les médias découvriront que l'homme avec qui l'on vous voit a fait de la prison pour avoir molesté sexuellement sa fille ?

– Sam...

Jen posa la main sur le bras de son mari, adressa à Eden un regard qui s'excusait.

– J'espère que ça n'arrivera jamais, répondit celle-ci. Mais, si ça se produit, je m'en occuperai le moment venu. *J'aime Ben.* Je suis plus heureuse avec lui que je ne l'ai été depuis longtemps et je ne renoncerai pas à ce bonheur sans me battre.

Sam soupira, se renversa sur le dossier de sa chaise.

– C'est mon petit frère, voyez-vous.

Il sourit de nouveau, et Eden, tout à coup, retrouva Ben dans son sourire.

– Il le sera toujours. Durant toute notre vie, j'ai essayé de le protéger, mais, cette fois, je me retrouve le dos au mur. Je n'ai pas été capable de trouver le moindre truc à faire pour le défendre. Je vous fais toutes mes excuses. J'ai dépassé les limites. Ben me descendrait s'il savait comment je vous ai harcelée.

Il se leva, remit sa veste, avant de se retourner vers Eden.

– Je vous en prie, ne lui faites pas de mal, dit-il doucement.

Elle le prit en pitié, en lisant dans ses yeux toute son impuissance.

– Il a supporté à peu près tout ce qu'il pouvait endurer.

Elle avait prévu de regagner directement la cabane de Ben, après les trois heures de route qui la ramenaient d'Annapolis, mais elle se surprit à prendre le chemin de Lynch Hollow. Elle éprouvait le besoin de parler d'abord à Kyle et à Lou.

Il était près de six heures, et elle les trouva dans le salon. Lou était installée devant son chevalet. Kyle, assis sur le canapé, un gros livre ouvert sur ses genoux, buvait du café.

— J'ai besoin de vos conseils, annonça Eden.

Lou posa son pinceau. Kyle referma son livre. Eden sourit, devant la rapidité de leur réaction. Ce devait être la première fois de sa vie qu'elle leur demandait conseil.

Elle leur raconta sa visite aux Pignons verts, leur décrivit l'inquiétante maigreur de Bliss, l'expression grave, trop adulte de son visage, les cauchemars dont elle avait appris l'existence, comme celle des visites nocturnes imaginaires que lui rendait son père.

— Je ne sais pas ce que je vais dire à Ben, conclut-elle. Mon idée, en allant voir Bliss, était de pouvoir lui affirmer, à mon retour, qu'elle avait l'air d'une gamine normale, heureuse. Mais ce n'est pas le cas. Même si j'avais ignoré son existence, si je n'avais pas été à l'affût d'un problème, elle m'aurait frappée comme étant différente des autres, perturbée de quelque manière.

Lou secoua la tête.

— Ce que tu dis m'attriste profondément. Je me la rappelle comme une petite fille joyeuse, très vivante. Elle avait toujours le sourire.

— Que dois-je dire à Ben ? Sur la route du retour, je pensais que j'allais devoir lui mentir. A quoi bon lui dire la vérité, quand il ne peut rien y changer ?

— Si tu étais à sa place, si l'une de tes amies était allée voir Cassie pour découvrir ce que tu as découvert, voudrais-tu qu'elle te protège de ce qu'elle aurait appris ? questionna Kyle.

Eden sourit. La question était très claire.

— Non. Mais il va être bouleversé, parce qu'il ne peut rien faire pour l'aider.

— Mais il peut faire part à son frère de tes observations, et peut-être Sam veillera-t-il à ce qu'elle reçoive une assistance plus vigilante.

— Cet homme, gémit Eden, se refuse à admettre qu'il puisse y avoir quelque chose d'inquiétant.

Elle leur conta sa visite chez Sam et Jen.

— Il se trouve, lui aussi, dans une satanée position, déclara Kyle. Il essaie d'aider Ben, il s'efforce de veiller sur Bliss et il doit sans doute se montrer prudent avec Sharon et son nouveau mari. A ses yeux, tu dois faire figure de complication majeure.

— Naguère encore, dit Lou, je redoutais pour Ben d'autres mauvaises nouvelles. Mais je ne suis plus inquiète, à présent : tu es là. Tu es un réconfort, pour lui, Eden. Tout ira bien.

Ben vint à sa rencontre à la porte.

— Bon sang, dit-il, tu rentres bien tard. Comment ça s'est passé ?

Elle le fit asseoir sur le canapé, lui prit la main, pour lui raconter minute par minute, mot pour mot, la matinée passée aux Pignons verts. Elle présenta les faits, sans chercher à les colorer de son interprétation personnelle, parce qu'elle pouvait se tromper. Peut-être Ben ne verrait-il rien d'inquiétant dans le fait que, sous les doigts d'Eden, les côtes de Bliss lui avaient fait l'effet de couteaux à découper. Peut-être Bliss s'était-elle toujours réveillée de sa sieste aux limites d'un cauchemar, et cela non plus n'avait-il rien de nouveau, rien qui constituât un symptôme troublant.

Ben l'écouta sans faire de commentaires, sans changer d'expression. Quand elle se tut, il se mit à pleurer. Elle le prit dans ses bras, lui caressa le dos, lui embrassa les cheveux.

— Tout va bien, Ben, répétait-elle. Tout va bien.

Au beau milieu de la nuit, il la réveilla. Son corps, auprès du sien, était moite et brûlant. Il avait rejeté le drap, qui s'enroulait autour des jambes et des hanches de la jeune femme.

— Tu ne m'as pas dit comment s'était passée ta visite chez Sam et Jen, dit-il.

Sa voix était parfaitement claire. Elle comprit qu'il n'avait pas dormi.

Elle lui jeta un bras en travers de la poitrine, posa la tête sur son épaule. Elle entendait battre son cœur, sentait sous sa joue la douceur soyeuse de sa toison.

— Ça s'est très bien passé, répondit-elle. J'ai trouvé Jen vraiment charmante. Et, de l'avis de Sam, Bliss est en bonne voie. Peut-être est-ce un progrès sur son comportement passé.

— Non, fit-il. Ce que tu m'as décrit n'a rien d'un foutu progrès. As-tu dit à Sam ce que tu avais vu ?

— Sam pense, je crois, que j'ai vu Bliss dans un de ses mauvais jours.

— Ouais. Et il m'a dit que ces photos d'elle, à Saint

Michael, avaient été prises, elles aussi, dans un de ses mauvais jours. Il va falloir que je lui parle et...

– Ben...

Elle se redressa sur les coudes pour le regarder.

– Je t'en prie, ne dis rien à Sam qui puisse lui donner à croire que je me mêle de tout ou... Le mieux serait peut-être de ne pas du tout lui parler de moi.

– Que viens-tu me raconter là ?

– Il a peur que je ne te fasse souffrir.

Elle le vit sourire dans le mince rayon de lumière qui filtrait par la fenêtre. Il leva la main pour lui caresser les cheveux.

– Je lui dirai que, dans ma vie, tu es la seule chose qui ne me fasse pas souffrir.

Le lendemain matin, elle repartit de bonne heure pour Lynch Hollow. Elle venait de se verser une tasse de café dans la cuisine et se disposait à la monter dans sa chambre quand elle entendit, venant de la sienne, la voix de Kyle.

– Je viens de relire le cahier, disait-il, et je ne vois vraiment pas comment je pourrais le lui donner.

Eden se figea au bas de l'escalier. Elle se demandait si elle devait appeler, les informer de son retour. Mais, avant qu'elle eût pris une décision, Kyle reprit :

– Peut-être devrais-je lui parler de ce qui est arrivé, au lieu de la laisser le lire.

Il n'y eut pas de réponse de Lou. Eden se demanda un instant si Kyle parlait au téléphone. Ou à lui-même. Mais Lou prit à son tour la parole.

– Tu l'as amenée jusque-là avec le journal, Ky. Et, tu le savais, c'était la volonté de Kate.

Eden eut peur d'en entendre plus long. Elle monta les marches sans bruit et, dans sa chambre, s'assit devant sa machine. Cette anxiété, dans la voix de Kyle, lui faisait horreur. Elle détestait l'idée de lui causer une inquiétude quelconque. Elle songea à lui dire qu'elle avait surpris sa conversation avec Lou. S'il préférait lui raconter ce qui se passait dans le cahier suivant, elle n'y voyait pas d'inconvénient. Il avait déjà partagé tant de lui-même avec elle. Elle ne pouvait demander davantage. Mais il lui était impossible de lui avouer qu'elle avait écouté ce qu'il disait. Elle devrait lui laisser prendre sa propre décision.

Toute la journée, elle travailla au scénario, mis à part une brève coupure pour déjeuner et une longue et satisfaisante conversation téléphonique avec Cassie. Lorsqu'elle descendit pour le dîner, elle repéra aussitôt, sur le comptoir de la cuisine, le cahier noirci par l'âge. Elle comprit que Kyle avait pris sa décision.

— C'est pour moi ? demanda-t-elle en s'asseyant.

— Qu'as-tu l'intention de faire, ce soir ? demanda Kyle.

— Ben a besoin d'une bonne nuit de sommeil, après les émotions d'hier. Je vais rester à la maison, travailler encore un peu.

D'un petit geste du menton, elle désigna le cahier.

— Je pourrais lire ça ce soir, si tu n'y vois pas d'inconvénient.

— Pourquoi ne sortirions-nous pas tous les trois ? suggéra Lou.

— Bonne idée, approuva Kyle. Qu'est-ce qu'on donne en ville, au cinéma ?

— Je crois que je vais...

— Viens donc avec nous, ma chérie, dit Kyle.

Plutôt qu'une invitation, c'était un ordre.

Elle se rendit donc à Coolbrook pour voir une reprise de *Vertigo* dans la salle de cinéma récemment rénovée. Le film était si vieux qu'il était rayé et crépitait sur l'écran. Un de ces films qui lui rappelaient le temps où elle désirait par-dessus tout devenir actrice, où elle pensait que rien d'autre, dans sa vie, ne pourrait la satisfaire.

Elle était assise près de Kyle. Il avait passé un cardigan beige pour se défendre de l'air conditionné et il sentait l'Old Spice. Elle avait conscience de sa présence comme celle d'une vieille courtepointe, d'un édredon.

Après la séance, Kyle insista pour emmener les deux femmes manger des glaces. Après cela, Lou proposa d'aller faire un tour dans la rue principale déserte de Coolbrook. A les voir, on aurait pu croire qu'ils voulaient à tout prix éviter de retourner à Lynch Hollow. Lorsqu'ils y arrivèrent enfin, il était onze heures et demie passées. Ben avait laissé un message pour Eden sur le répondeur de Kyle. Eden, assise sur le canapé du salon, l'écouta lui dire qu'il se sentait mieux et qu'il l'aimait.

Elle appuyait sur le bouton d'arrêt au moment précis où Kyle entra dans la pièce avec le cahier. Elle se leva pour le prendre. Il l'enveloppa dans ses bras, la serra contre lui très, très longuement.

# 34

*2 août 1954*

Aujourd'hui, c'est mon vingt-septième anniversaire. Après le dîner, Papa, Susanna, Kyle et moi, nous avons mangé un gâteau de Savoie aux framboises. Kyle, ensuite, a déclaré qu'il voulait m'emmener faire un tour en voiture. Il avait à me parler, a-t-il dit, et j'ai compris tout de suite de quoi il s'agissait. Le Dr Latterly est maintenant à l'université de New York et il presse Kyle de revenir achever ses études. Après quoi, il désire l'emmener dans une expédition en Amérique du Sud. Le Dr Latterly juge que Kyle possède un énorme potentiel (je suis de son avis) et il tient à le voir le mettre à profit ailleurs qu'à Lynch Hollow. Jusqu'à présent, nous nous sommes contentés, Kyle et moi, d'envisager les réalités pratiques de cette proposition : les « où », les « quand », les « comment ». Mais, nous le savons bien l'un et l'autre, s'il accepte de s'engager sur cette route, il quittera Lynch Hollow pour tout de bon.

Ce soir, donc, nous sommes allés jusqu'au parc de Coolbrook. Il faisait chaud. Nous avons quitté la voiture pour nous asseoir sur la berge de la rivière. Kyle m'a avoué qu'il désirait par-dessus tout retourner à l'université. Il regrettait, m'a-t-il dit, d'éprouver un tel sentiment. Je lui ai répondu qu'il n'avait pas à avoir de regrets : à mon avis, il serait ridicule de refuser une telle offre, et je n'ai pas l'intention d'exprimer autre chose que des encouragements. Mais, tandis que j'égrenais ce petit discours – assorti de l'assurance que je ne verrais aucune différence, qu'il fût à Lynch Hollow ou à New York –, je sentais mon cœur s'engourdir.

– Tout ceci me manquera, déclara Kyle. En ce qui me concerne, c'est l'endroit au monde le plus merveilleux, mais je ne peux pas me limiter ainsi.

Je me dirigeai vers la voiture.

– Allons informer Matt de ta décision, dis-je.

Je voulais prendre mes distances avec lui. Pas question que je pleure devant lui. J'ai vingt-sept ans ! J'ai publié dix-sept livres, bon sang ! Je suis capable de me tenir debout toute seule.

## 5 septembre 1954

Kyle est parti. Matt est passé le prendre, il y a tout juste une heure, pour le conduire à la gare. Je ne pouvais pas les accompagner, et Kyle, je le sais, ne le désirait pas. Avant son départ, il a serré Susanna dans ses bras, il a tapé sur l'épaule de Papa, mais il ne m'a même pas touchée. Il m'a dit « Au revoir, Kate », et il est monté dans la voiture. J'ai eu du mal à arriver à la caverne avant de laisser couler mes larmes.

*Oh, Kyle.*

Hier au soir, il est arrivé à la caverne pendant que je classais des papiers sur le matelas. J'avais presque fini. Soigneusement, il a empilé les feuillets, il les a posés sur la table et il s'est assis sur le matelas à côté de moi. Il paraissait troublé. Je lui ai demandé ce qui n'allait pas.

– Ça me fait mal de te laisser ici, m'a-t-il dit.

– Tout ira bien.

– C'est possible. Mais je ne suis pas bien sûr que tout aille bien pour *moi* sans *toi*.

J'en suis restée stupéfaite.

– Tu n'as jamais eu besoin de moi.

Il secoua la tête.

– Si tu savais comme tu te trompes, Kate.

Les bras tendus en arrière, il s'appuya sur ses mains, leva les yeux vers le plafond de la vaste salle, très haut au-dessus de nous.

– Dieu, comme je voudrais que tout soit différent, soupira-t-il.

– « Tout », quoi ?

Il me déroutait, bien que je croie comprendre à présent ce qu'il voulait dire.

– Bien des choses.

Il se tourna vers moi.

– Tu as tant de qualités pour lesquelles je t'admire,

mais je suis inquiet de te voir manquer tant de choses dans la vie.

— Tu veux parler d'un homme, dis-je.

— Eh bien, oui, en partie. Je parle de relations étroites avec d'autres êtres. Tu te cantonnes dans un tel isolement.

— Il y a Matt.

— C'est vrai. Il y a Matt. Et tu le négliges depuis longtemps, comme si tu attendais la venue de quelqu'un de mieux.

Il me prit la main, la retint sur son genou.

— Matt, je le sais, ne répond pas à l'idée de l'homme qui te conviendrait vraiment, mais personne d'autre ne va apparaître un jour, subitement, à l'entrée de ta caverne.

— Je n'attends personne.

— Mais tu veux des enfants, Kate. Je le sais. Épouse Matt. Même s'il n'est pas pour toi l'image de la perfection, il pourra te donner des enfants.

Ce ton presque désespéré me laissait interdite, mais je me mis à rire : je ne pourrais jamais épouser Matt, lui dis-je, parce qu'il s'attendrait à me voir élever ses enfants dans une maison et pas dans une caverne. Je m'efforçais de plaisanter, devant la terrible gravité de Kyle, mais il ne sourit même pas. Bien au contraire, il se mit à pleurer, et cette vue secoua tout mon corps d'un horrible frisson. Je le serrai dans mes bras. Il murmura :

— Kate, je m'inquiète tellement pour toi. J'ai peur de te voir finir comme Maman.

Vivement, je m'écartai de lui.

— Ne dis pas ça ! Ne dis jamais ça !

Ses joues étaient mouillées de larmes. Je voulus les essuyer, d'abord du bout des doigts, puis avec mes lèvres. Je ne réfléchissais pas. L'instinct seul, je le jure, me poussait à effacer par des baisers la tristesse de son visage. Je lui baisai les joues, les paupières, tout en sentant grandir en moi un violent désir. Kyle restait parfaitement immobile. Il respirait à peine. Ses yeux grands ouverts m'observaient. Je m'agenouillai, attirai sa tête contre ma poitrine pour lui embrasser les cheveux, le front. Je sentais émaner de lui un flot d'ardente chaleur. Je savais ce qu'il désirait, même si lui-même l'ignorait.

Il me saisit les deux mains.

— Non, Kate, *assez*.

Il détourna la tête, mais je lui baisai le cou, la mâchoire, l'oreille.

– Oh, Dieu, Kate, gémit-il. *Assez !*

Je voulus alors m'arrêter, m'écarter de lui. J'en fus parfaitement incapable. Même ainsi, je le jure, ce fut Kyle qui posa le premier sa bouche sur la mienne, dont la langue joua la première avec la mienne. Il me renversa sur le matelas, me couvrit de baisers qui me coupèrent le souffle. Il m'embrassait avec rage, comme s'il avait été furieux contre moi, mais, bientôt, ses lèvres se firent douces et tendres sur les miennes. Au bout d'un moment, il se redressa sur ses genoux, et je craignis de le voir se lever, me planter là. Mais je vis alors, à son expression, qu'il avait pris sa décision, qu'il s'était résolu à achever ce qu'il avait commencé. Je me détendis.

Très, très lentement, il entreprit de me dévêtir : il défaisait les boutons de mon chemisier comme s'il craignait de les voir se briser s'il se hâtait.

Il fit glisser le long de mes jambes ma salopette et mon slip. Je me redressai pour ôter mon soutien-gorge. Ma chevelure s'était dénouée sur mes épaules. Il la souleva lentement, baissa la tête jusqu'à ma poitrine. Sa langue fit le tour du mamelon d'un sein, avant de l'attirer dans sa bouche. A ce moment, je crois, je criai son nom, mais je n'en suis pas sûre parce qu'au même instant je perdis toute faculté de raisonnement. Jusque-là, très franchement, je m'étais sentie maîtresse de la situation, mais, subitement, tout bascula, et je me retrouvai tout entière entre ses mains.

De nouveau, il me repoussa sur le matelas. Il me contemplait sans réserve, et je me plaisais à regarder son visage, à la lumière jaune et vacillante de la lanterne, tandis que son regard parcourait tout mon corps.

– Tu es la femme la plus belle que j'aie jamais vue, Kate.

Il parlait d'une voix rauque, et son expression trahissait un tel amour, un tel désir que je me mis à pleurer. Je compris dès lors qu'il était le seul homme que j'avais jamais désiré, que l'unique raison qui m'avait attirée vers Seth Gallagher, c'était qu'il me rappelait Kyle. Ma respiration était profonde, bruyante. Je formulais en moi-même une prière d'action de grâces de ne m'être jamais laissée aller ainsi avec Seth, Matt ni personne d'autre, d'être encore vierge à vingt-sept ans, d'avoir Kyle pour premier amant.

Il me laissa alors le dévêtir, sans pour autant cesser de

me caresser. Il dut m'aider à défaire les boutons, à faire glisser la fermeture de son pantalon, tant mes mains tremblaient. Jamais encore je n'avais vu un homme nu, jamais vu non plus le pénis d'un homme et j'avais presque peur de regarder celui de Kyle, mais c'était une appréhension superflue. Il était aussi tentant que tout le reste de son corps. Contre ma paume, c'était de l'acier, du satin sous mes lèvres.

Kyle était un amant très doux, mais cela, je m'en étais douté. Je pensais à la leçon d'anatomie que je lui avais donnée, si longtemps auparavant, quand nous étions encore adolescents. Il avait beaucoup appris, depuis ce temps-là, et moi, presque rien. Il embrassa l'endroit que je lui avais indiqué alors, et je fus heureuse qu'il visitât ainsi les lieux les plus secrets de mon corps. Sa langue était tendre mais aussi ardente qu'une flamme, et la caverne retentissait de mes cris. Lorsqu'il me pénétra, il me demanda s'il me faisait mal. Non, je ne souffrais pas, mais, même dans le cas contraire, je ne m'en serais pas souciée. Je désirais seulement le garder contre moi, en moi. Je voulais qu'il restât ainsi à jamais.

Je n'épouserai pas Matt. Jamais je ne laisserai un autre homme que Kyle pénétrer en cet endroit qu'il a réchauffé. Jamais.

Kyle s'endormit rapidement. J'avais une couverture dans mon coffre et je l'étendis sur lui. Je vis alors, souvenirs des coups de courroie qu'il avait reçus, les longues traces sombres qui sillonnaient ses fesses et le dos de ses cuisses. Il conservera toujours ces cicatrices, et j'éprouvai alors un sentiment que je croyais avoir oublié depuis longtemps : ma haine pour Maman. Je couvris vivement Kyle, m'allongeai près de lui pour le tenir entre mes bras.

— Je ne suis pas comme Maman, Kyle, murmurai-je. Je ne serai jamais comme elle.

Je restai éveillée la plus grande partie de la nuit. J'imaginais mon départ, aujourd'hui, avec lui. Je me croyais capable de quitter Lynch Hollow, à condition de rester avec lui. Quand nous rencontrerions des gens qui ne nous connaîtraient pas, nous pourrions leur dire que nous étions mari et femme. Mieux encore, nous pourrions nous marier. Pour la toute première fois de ma vie, j'étais heureuse que nous fussions seulement cousins. En Virginie, le mariage entre cousins est autorisé, même si j'ai cru comprendre qu'il n'en était pas partout ainsi. Nous pourrions alors nous serrer l'un contre l'autre, nuit après nuit. Mon cœur était si plein de joie, à cette seule idée. Tandis que Kyle dormait, je me persuadais qu'il ne pourrait pas plus supporter la pensée d'être séparé de moi que je ne pouvais imaginer être séparée de lui.

J'avais l'intention de le réveiller de bonne heure, le lendemain matin, pour lui annoncer que je partais avec lui. J'ai dû m'endormir. Quand je repris conscience, il faisait encore nuit dehors, mais il était déjà debout et s'habillait.

– Ne t'en va pas tout de suite, dis-je.

– Kate, je te demande pardon. C'était une folie. Nous avons commis une faute terrible.

Il entreprit de boutonner sa chemise. Il avait froid. A la lueur de la lanterne, je le voyais trembler de la tête aux pieds.

Je me redressai.

– Je veux partir avec toi, déclarai-je. *Il faut* que je reste avec toi.

– Il n'en est pas question. Ce que tu *dois* faire, c'est effacer cette nuit de ton esprit. Et couvre-toi.

J'avais laissé la couverture glisser jusqu'à ma taille, à dessein, je suppose. Je voulais retrouver sur son visage cette expression d'amour et de désir, mais je pense maintenant que je ne la reverrai jamais. Je ramenai la couverture autour de mes épaules.

– Nous pourrons nous marier, repris-je. En Virginie, c'est légal pour des cousins.

Il se pencha pour nouer un lacet de chaussure.

– Tu ne m'as jamais appelé ton cousin de toute ta vie, dit-il.

Je me levai, alors, en retenant d'une main la couverture autour de moi. Je tendis la main vers lui, mais il la repoussa.

– Il n'est rien arrivé, Kate, comprends-tu ?

Il partit sur ces mots, se fondit dans l'obscurité qui ceignait ma caverne.

Je lui en veux à mort, pas pour la nuit dernière mais pour son attitude de ce matin. Je ne parviens pas à accepter la froideur qu'il m'a témoignée avant de partir, la manière dont il refusait de me regarder. Jamais plus je ne pourrai me caresser moi-même sans imaginer que mes mains sont les siennes. Jamais plus je ne pourrai m'étendre sur mon matelas dans la caverne sans l'entendre murmurer : « Je t'aime, Kate », comme il l'a fait lorsqu'il était en moi. Jamais je ne pourrai chasser de mon esprit les mots qu'il a prononcés : « Tu finiras comme Maman. »

Eden posa sur ses genoux le cahier ouvert et retourné. De l'autre côté de la fenêtre de sa chambre, la nuit était sombre, immobile. Elle n'entendait pas d'autre bruit que les battements sourds de son cœur. Elle se souvenait des mots de Kyle : « Ton père a été le premier et l'unique amant de ta mère. » Elle leva les mains, compta sur ses doigts. *Octobre, novembre, décembre, janvier, février, mars, avril, mai, juin.* Ses mains tremblaient quand elle reprit le cahier et tourna la page.

### 2 novembre 1954

Je suis enceinte. Voilà, c'est écrit. Je ne me suis pas étonnée quand je n'ai pas vu paraître mes règles. Quelques jours seulement après le départ de Kyle, je savais déjà qu'une vie nouvelle avait fait son nid dans mon corps.

J'ai écrit huit lettres à Kyle et je n'en ai reçu que trois en retour. Ses lettres sont détachées, comme si j'étais une simple relation. Il y parle du temps qu'il fait, de son logement, de ses cours. Je lis entre les lignes et je découvre un sentiment de culpabilité, ce que je comprends, mais aussi du regret, ce qui me fait horreur. Il apprend des quantités de choses, m'écrit-il. Latterly et lui ont l'intention de partir en juin pour l'Amérique du Sud. Il a fait la connaissance d'une femme qui vit dans ce quartier de New York qu'on appelle Greenwich Village. Elle se nomme Louise. « C'est une artiste peintre, elle est assez exceptionnelle, très différente des autres. » Sait-il à quel point ces mots me font mal ? S'il le savait, les écrirait-il malgré tout ? Pour la première fois de ma vie, je ne suis plus sûre de l'amour de Kyle. J'ai peine à regretter cette nuit dans la caverne, mais, si elle m'a coûté son amour, je la regretterai amèrement jusqu'à la fin de mes jours.

Je redoute de lui apprendre l'existence de l'enfant, il dira que je dois m'en débarrasser. Il dira qu'étant donné notre étroit lien de parenté, l'enfant risque de naître déformé ou attardé, comme Ellie Miller. Mais ce bébé est parfaitement sain, j'en ai la *conviction*. Je songe à la petite Ellie qui a maintenant sept ans. Elle marche lentement, en traînant un peu les pieds. Elle sourit constamment parce qu'elle est incapable d'apprendre que, pour certains, la vie apporte plus de souffrance que de joie. Elle a ses petites mains, là où devraient être ses bras. Pour dire toute la vérité, j'aimerais ce bébé, même s'il naissait avec deux têtes et cinq pieds. Il n'en serait pas moins mon enfant. Le mien et celui de Kyle.

Je ne pourrai pas lui cacher ma grossesse, je le sais bien, mais je ne peux pas la lui apprendre par lettre. Il faudra que j'aille à New York, bien que cette seule idée m'accable. De toute manière, je ne peux pas m'y rendre avant un certain temps. J'ai entendu dire qu'on ne devait pas voyager par le train, au cours des trois premiers mois, et je n'ai pas l'intention de prendre le moindre risque avec cette petite vie.

*4 janvier 1955*

Peut-être ai-je commis une erreur en n'annonçant pas ma visite à Kyle. Il n'était pas préparé à me voir, et c'est ce qui l'a amené à se comporter comme il l'a fait. Ou bien me ferais-je des illusions ?

Dans le train, j'ai été prise de nausées. J'ai toujours cru que les femmes enceintes souffraient de malaises durant les tout premiers mois. Les premiers mois de ma grossesse ont été merveilleux, mais, depuis une semaine ou deux, je me sens mal presque tout le temps.

New York n'était vraiment pas ce qu'il me fallait. Dès le moment où je suis sortie de la gare, j'ai été prise de vertiges et j'ai eu du mal à respirer. Je suis parvenue à trouver un taxi et j'ai donné au chauffeur l'adresse de Kyle.

— Ça, c'est dans Greenwich Village, m'a-t-il dit. Votre frère est peintre, ou musicien, quelque chose de ce genre ?

Je n'ai pas compris l'enchaînement. Il a fait quelques commentaires sur mon accent. Il se montrait aimable, mais je me sentais trop mal pour lui répondre.

L'immeuble était surchauffé, et le logement de Kyle se trouvait au sixième étage. Quand j'eus fini de nous traîner, moi-même et ma valise, jusqu'en haut, j'étais couverte de sueur, à bout de souffle, et les nausées me reprenaient. Je frappai à la porte, et ce fut une femme qui l'ouvrit. Elle était grande, elle avait les cheveux noirs, portait un tricot noir collant, un pantalon noir et des bottes noires. Elle tenait une cigarette fichée dans un fume-cigarette en ivoire sculpté.

— J'ai dû me tromper d'appartement, dis-je.

Elle me sourit.

– Non. Si j'en juge par votre accent, vous êtes bien là où vous vouliez aller. Vous devez être une amie de Kyle.

Je sus aussitôt que cette femme était Louise. J'en éprouvai un choc. Elle avait l'air bien trop vieille pour Kyle. Je n'avais jamais vu personne qui lui ressemblât.

– Je suis sa sœur.

– Kate ?

Elle me sourit, s'effaça pour me laisser pénétrer dans la pièce.

– Entrez donc. Kyle a fait seulement un saut au magasin. Il va être si heureux de vous voir.

Le logement de Kyle se compose d'une pièce unique flanquée d'une petite cuisine. Dans la pièce principale, il y a l'un de ces canapés qui se déplient pour former un lit. Il était ouvert, garni de draps jaunes. Je vis les deux oreillers creusés et je compris que cette femme maigre, toute vêtue de noir, avait passé là, avec mon frère, la nuit précédente.

Louise me fit une tasse de café bien fort, et nous nous installâmes dans la minuscule cuisine. Je dois reconnaître qu'elle se montrait très gentille avec moi. Elle me parlait du voyage par le train, mais j'étais incapable de trouver quelque chose à lui dire. J'aurais voulu la détester. Je regardais son corps efflanqué, dans tout ce noir qui ne laissait absolument rien à l'imagination, et j'imaginais Kyle la touchant comme il m'avait touchée, posant ses lèvres là où il les avait posées avec moi. Je passai dans le cabinet de toilette pour y vomir.

Quand j'en sortis, Kyle, dans la cuisine, parlait à Louise. Il m'embrassa rapidement.

– Tu aurais dû me dire que tu venais, me dit-il d'un ton grondeur.

Il n'y avait pas l'ombre d'un sourire sur son visage.

– J'ai besoin de te parler, répondis-je. Seule à seul.

Louise bondit sur ses pieds.

– A plus tard, chez moi, Ky.

Elle lui posa un baiser sur la joue.

Après son départ, je lus dans les yeux de Kyle qu'il était mal à l'aise de se retrouver seul avec moi. Il versa du café dans nos deux tasses.

– Je ne parviens pas à croire que tu sois venue jusqu'ici.

– Cette femme n'est pas ce qu'il te faut.

Il se mit à rire.

– Tu ne la connais même pas.

– Elle est trop vieille pour toi.

– Elle n'a que trente-deux ans.

– A mon avis, si tu es avec elle, c'est uniquement pour m'oublier.

Kyle secoua la tête.

– Je suis avec elle parce que je l'aime.

Je ne pouvais plus respirer. La nuit passée dans ma caverne n'avait donc aucun sens pour lui ?

– Lui fais-tu l'amour comme tu l'as fait avec moi ? questionnai-je.

Il parut inquiet à la pensée que quelqu'un pourrait m'entendre. Il se pencha vers moi pour me dire, presque dans un murmure :

– Tu dois oublier totalement cette nuit-là, Kate. J'ai commis une faute très grave en cédant à ce genre de sentiment.

– Es-tu vraiment capable d'oublier comme nous avons été heureux ?

Il se leva brutalement.

– Je m'interdis de m'en souvenir. Quand j'y pense, j'en ai la nausée.

Je compris que je devais partir. Je n'étais pas la bienvenue en ces lieux. Kyle avait une vie nouvelle, une nouvelle femme. Il ne m'était pas possible de lui révéler que je portais son enfant.

Je pensai à New York qui m'attendait pour me dévorer dès que j'aurais franchi le seuil. Il allait me falloir trouver un taxi, retourner à la gare, faire la queue. A cette seule pensée, mon cœur battait à tout rompre, mais je fis l'effort de me mettre debout.

– Je n'aurais pas dû venir, dis-je.

Je tendis la main vers ma valise.

Kyle, apparemment, ne savait plus que faire.

– Kate, tu peux rester. Lou a de la place chez elle. Mais je ne crois pas que tu puisses rester ici avec moi.

Je partis, refermai la porte sur ses paroles insultantes. Je descendis lentement les six étages. J'espérais qu'il allait me suivre, me ramener, mais, naturellement, il n'en fit rien. Il en a fini avec moi, avec Lynch Hollow, avec son ancienne vie.

Sans trop savoir comment, je trouvai un taxi, je retournai à la gare. J'avais envie de mourir, là, tout de suite. Le seul être sur lequel j'avais toujours pu compter ne voulait plus faire partie de ma vie. Je comprenais pourquoi ma vraie mère avait voulu se suicider. Il serait bien facile, me disais-je, de me jeter sous un train. Ce serait vite fini. Mais je songeai alors à la force dont ma mère avait fait preuve : elle avait attendu que je fusse née pour se supprimer. Je devais au moins cela à mon enfant.

Quand mon train fut entré en gare de Winchester, je téléphonai à Matt, et il vint me chercher. Cette fois, je pleurais sans pouvoir m'arrêter, et il m'emmena chez lui. Là, il me prit dans ses bras pour me réconforter. Finalement, il me fit raconter toute l'histoire. Je lui dis que nous avions fait l'amour, Kyle et moi, avant son départ pour New York.

Jamais je n'avais vu Matt ne fût-ce qu'au bord de la colère. Aussi éprouvai-je un véritable choc quand il se mit à arpenter le salon, à lancer des coups de pied dans les meubles, à frapper les murs de son poing crispé.

– Comment a-t-il pu te faire ça ?

J'expliquai que j'étais autant à blâmer que Kyle, mais Matt secoua la tête.

– Non, Kyle était plus à même d'en juger. Tu ne possèdes pas un sens normal du bien et du mal.

Sans doute aurais-je dû me sentir insultée, mais j'étais incapable de discuter avec lui. Je ne voyais rien de mal dans ce que nous avions fait, Kyle et moi, même s'il était maintenant évident à mes yeux que c'était une erreur.

Finalement, Matt s'assit sur le canapé. Après sa crise de fureur, son visage restait empourpré.

– Jamais je ne le lui pardonnerai, déclara-t-il. Jamais.

– Je suis enceinte, avouai-je tout à trac.

J'étais heureuse de pouvoir, pour la première fois, prononcer ces mots-là à haute voix.

Matt garda le silence une minute entière, avant d'éclater de rire.

– On dirait que tu n'as plus le choix, Kate : il faut m'épouser.

Naturellement, je répondis que je n'avais pas l'intention de l'épouser, mais qu'il était l'homme le plus gentil, le plus généreux que je connaisse. Il me dit qu'il m'aiderait de toutes les manières possibles. Il offrit de se rendre à New York pour « semoncer » Kyle, mais je lui fis promettre de ne rien lui révéler. Je ne veux pas que Kyle se montre bon pour moi parce qu'il se sentirait coupable ou responsable. Je désire seulement qu'il m'aime, comme il m'aimait dans le temps, avant New York, avant Louise, avant le 5 septembre 1954.

*20 janvier 1955*

J'ai reçu aujourd'hui une lettre de Kyle. Il me priait de l'excuser pour sa « confusion » lors de ma visite. Il avait été « surpris » de me voir, il n'avait « trop su qu'en penser ». « La prochaine fois, écris d'abord. » Il espère que je suis bien rentrée, que je suis heureuse. Après avoir terminé par « Écris vite », il a signé « Tendrement. Kyle. » J'ai longtemps regardé le mot « Tendrement », j'ai tenté de voir dans son écriture s'il pouvait vouloir en dire davantage.

Je n'ai pas l'intention de lui écrire. Il veut seulement être informé du temps qu'il fait, de la voiture neuve de papa, des attaques de bronchite de Susanna. Il ne veut pas savoir que je souffre, que j'ai mal intérieurement. Je ne lui écrirai plus jamais.

## 35

Eden ne dormit pas. De toute la nuit, ce fut à peine si elle ferma les yeux. Vers trois ou quatre heures, elle se leva, se regarda dans la glace. Elle ne pouvait se débarrasser de l'impression qu'elle n'était plus physiquement normale, qu'elle représentait une anomalie génétique, que, si elle s'étudiait assez longtemps, elle s'en apercevrait certainement au contour de son visage, aux lignes inscrites dans ses paumes. Ses traits étaient ceux de Kyle : les yeux bleus, le nez droit, les dents parfaites. Des traits qu'elle avait toujours attribués à sa mère.

Elle ne pouvait pas davantage échapper à un sentiment de dégoût. Elle en était consumée, et aucun effort de logique ne pouvait l'en libérer. Ses parents, se répétait-elle, étaient des gens de bien. Des gens de bien qui, l'espace d'un moment, avaient perdu le contrôle d'eux-mêmes. Mais, du fond de ses entrailles, elle était écœurée par ce qu'elle savait maintenant de sa mère, de Kyle, d'elle-même.

Kyle, au cours de toutes ces années, l'avait trompée. Par lâcheté, par désir de l'épargner ou pour tout autre motif. Peu importait. Elle était furieuse à la pensée qu'il lui avait ainsi caché la vérité. Si elle n'avait pas décidé de faire des recherches sur la vie de sa mère, lui aurait-il jamais révélé ce qu'il en était ? Manifestement, Lou était au courant, elle aussi. Jour après jour, tous deux l'observaient, ils programmaient sa découverte, non seulement de sa mère, mais d'elle-même, et, en même temps, ils faisaient tous leurs efforts pour gagner son amour. Kyle avait manipulé toute cette charade de main de maître.

Elle allait se rendre chez Ben, passer quelques jours

avec lui, afin de se donner le temps de réfléchir. Elle devrait quitter Lynch Hollow avant le lever du soleil pour ne courir aucun risque de voir ni Lou ni Kyle. Elle se sentait incapable, pour le moment, de se trouver face à face avec eux.

A cinq heures moins le quart, elle prit une douche, s'habilla. Après avoir jeté quelques vêtements dans sa plus petite valise, elle allait remettre sa machine dans le coffret pour l'emporter, mais elle se ravisa. A quoi bon ? Elle ne pourrait absolument pas inclure dans le scénario ce qu'elle savait maintenant de sa mère.

Elle glissa le cahier dans son sac, descendit sans bruit l'escalier. Au fort arôme de café qui montait vers elle, elle comprit qu'il était déjà trop tard pour s'échapper. Lou était dans la cuisine. Assise dans son fauteuil roulant, devant la table, elle lisait le journal de la veille. Elle portait une robe de chambre rose et elle semblait avoir rassemblé hâtivement ses cheveux sur la nuque. A l'entrée d'Eden, elle leva les yeux.

— Tu as lu le cahier, dit-elle.

Eden ne lui répondit pas. Elle tendit la main vers les clés de sa voiture, accrochées au tableau près de la porte.

— Où vas-tu ? questionna Lou.

— Je vais passer quelques jours chez Ben.

— Bois une tasse de café avec moi, avant de partir.

— Non.

— La fuite aurait pu être valable quand tu avais dix-neuf ans, Eden. Elle ne l'est plus à présent. Kyle veut te parler. *Il a besoin* de te parler.

Eden ouvrit la porte, se retourna vers Lou.

— Il a eu toute ma vie pour me parler de cette histoire. Et toi aussi.

Elle referma la porte derrière elle et traversa la cour encore plongée dans la nuit pour rejoindre sa voiture.

Elle frappa à plusieurs reprises avant de voir la lampe de la véranda s'allumer et Ben ouvrir la porte de la cabane. Il avait enroulé le drap autour de sa taille et il avait les paupières lourdes de sommeil. Il regarda sa montre.

— Il est cinq heures et demie du matin, constata-t-il.

— Retourne te coucher, répondit-elle. Laisse-moi seulement me mettre au lit avec toi.

Elle s'endormit très vite. A son réveil, l'arôme du café

la salua pour la seconde fois de la journée. Ben avait dû se lever pour le préparer, mais il était encore au lit avec elle, derrière elle, en elle. Son bras étreignait Eden au-dessous des seins, ses lèvres étaient posées sur sa nuque. Il se mouvait lentement, doucement. Des images aussi impalpables que des toiles d'araignées passaient dans l'esprit de la jeune femme. La fille de Ben s'était réveillée pour découvrir que Papa se trouvait derrière elle, se frottait contre elle. Elle chassa cette image, s'unit au rythme de son compagnon. Il atteignit rapidement la jouissance, et elle se demanda depuis combien de temps il était en elle, tandis qu'elle dormait. Un moment, ils demeurèrent immobiles. Elle sentait le sang battre à sa tempe, à sa gorge, au bas de son ventre. Ben se retira, se pencha sur elle, lui écarta les jambes des deux mains. Sa joue rugueuse de barbe lui écorcha doucement l'intérieur de la cuisse lorsqu'il approcha sa bouche. Elle songea à sa mère avec Kyle, secoua Ben par l'épaule.

— Non, je ne peux pas.

Il ramena le drap sur elle, bien qu'elle fût trempée de sueur, et se recoucha, la tête près de celle d'Eden, sur l'oreiller.

— Qu'y a-t-il ?

Elle sortit du lit, lui tendit le cahier. Après s'être habillée, s'être servi une tasse de café, elle sortit, s'assit sur le banc de bois de la véranda et attendit.

Ben prit beaucoup plus de temps qu'il n'en fallait pour lire le cahier. Elle finit son café, posa la tasse sur le bois écaillé du plancher.

Il vint finalement la rejoindre. Il lui rendit le cahier, lui posa un baiser sur le front, maintint sa joue, durant quelques secondes, contre la tempe d'Eden, avant de se séparer d'elle.

— Pfff..., lâcha-t-il.

— Je me sens trahie. Toutes ces années, il a su la vérité sans jamais m'en parler.

Ben s'assit près d'elle.

— Ce devait être difficile à dire.

Elle le regarda.

— Es-tu complètement dégoûté ?

— Choqué, oui. Dégoûté, non. Kyle me fait pitié.

— De la pitié, pour lui ?

— Tu as été son unique enfant. Je le suppose, du moins. Il aurait aimé, j'en suis sûr, avoir avec toi une relation normale de père à fille, et c'était impossible.

— Mon cœur saigne pour lui.

— Aurais-tu préféré qu'il ne t'ait jamais rien révélé ? Ou souhaites-tu qu'il t'ait parlé des années plus tôt ?

— J'aurais surtout souhaité qu'il sache se maîtriser en ce temps-là.

— Dans ce cas, tu ne serais pas ici pour souhaiter quoi que ce soit.

— Il aurait dû tout me dire quand j'ai atteint dix-huit ans.

Elle se rappela ce qu'elle était à dix-huit ans, alors qu'elle échappait déjà à l'autorité de Lou et de Kyle. Si Kyle lui avait tout révélé en ce temps-là, elle aurait fui plus vite encore qu'elle ne l'avait fait. Il le savait, sans doute.

— Il aurait dû tout me dire quand je me suis mariée. Des conséquences étaient à craindre pour ma descendance, tu ne crois pas ? Comment a-t-il pu s'arroger le droit de me cacher la vérité ?

Le regard de Ben était lointain. Elle comprit que la révélation n'avait pas la même signification pour elle et pour lui.

— Ainsi, fit-il, Kyle Swift n'est pas parfait, après tout. Il se laisse aller comme tout le reste d'entre nous.

Eden baissait les yeux sur ses mains.

— Il m'a abandonnée, dit-elle. Il m'a laissée avec Susanna et mon grand-père. Il a permis qu'on me mette à l'orphelinat.

Elle se mit à pleurer, comme un enfant qui en a trop fait d'un coup et qui a besoin d'un somme.

Ben lui prit la main.

— As-tu un peu dormi, la nuit dernière ?

Elle secoua la tête.

— Pourquoi ne pas retourner te coucher ?

L'idée de dormir était attirante. Ben la ramena dans la cabane, la regarda se glisser dans son lit. Il se pencha pour l'embrasser.

— Reste avec moi, dit-il. Je connais tous les trucs pour esquiver les émotions trop fortes.

Durant la matinée, elle se réveilla, se rendormit à plusieurs reprises. Chaque fois qu'elle ouvrait les yeux, Ben abandonnait la maison de poupée pour venir s'asseoir près d'elle. Il ne disait pas grand-chose. Il se contentait de lui tenir la main jusqu'au moment où elle s'abandonnait de nouveau au sommeil.

A midi, malgré la chaleur qui régnait dans la cabane, il lui prépara un bol de soupe à la tomate et un sandwich au fromage grillé. Pour manger, elle se redressa, appuya contre le mur l'unique oreiller.

— Je vais appeler Nina et lui dire de ne plus penser au scénario, annonça-t-elle. Je ne peux pas l'écrire. On ne prépare pas une biographie filmée en laissant de côté un fait comme celui-là, qui a modelé toute la vie de l'héroïne. Mais je ne peux pas non plus l'y inclure.

Il était assis au bord du lit, son propre sandwich posé en équilibre sur sa cuisse.

— A mon avis, tu ne devrais pas agir sur une impulsion.

— Il m'est *impossible* d'écrire ça, Ben.

— Attends encore, avant d'appeler Nina. Attends quelques jours, afin d'avoir les idées claires quand tu lui parleras.

A ce moment, le téléphone sonna. Ben se pencha sur la caisse pour décrocher.

— Oui, elle est ici.

Il tendit le combiné à Eden.

— C'est Kyle.

Elle secoua la tête. Il hésita un instant, ramena l'écouteur à son oreille.

— Elle n'est pas encore prête à vous parler, Kyle.

Tout en parlant, il ne quittait pas Eden du regard.

— Je n'en sais rien, vraiment, dit-il encore dans le combiné. Oui, c'est entendu.

Il raccrocha, reposa l'appareil sur la caisse.

— Il désire vraiment te parler.

Elle lui tendit sa tasse vide, se laissa glisser sous le drap.

— Et moi, je désire seulement dormir.

Ce soir-là, pour dîner, Ben l'obligea à l'accompagner au Dairy Queen. Ils s'assirent à une table poisseuse. De tous côtés, ils étaient entourés par des adolescents de Coolbrook. Eden s'était montrée maussade, morose durant une grande partie de la journée. A présent, elle écoutait les jeunes gens flirter et se donner des airs, et son irritation croissait.

Quand Ben eut terminé son repas, elle n'avait pas encore touché au sandwich garni de miettes de crabe posé sur son assiette en plastique.

— Je tiens à te dire quelque chose, déclara Ben. Ne le prends pas mal, je t'en prie. Je ne prétends pas que tu ne doives pas te sentir blessée, trahie, furieuse. Mais j'aimerais te voir reconnaître que tu n'as rien perdu. Tu as toujours Kyle èt Lou. Tu peux les accepter ou les refuser, comme il te plaira. Tu m'as toujours, moi, pour ce que je vaux. Tu as ta vie, ta carrière. Et tu as ta fille.

Ses yeux étaient cernés de fines rides. Des muscles se tendaient sur ses mâchoires tandis qu'il parlait. Les yeux d'Eden s'emplirent de larmes à la pensée de ce qu'il avait enduré au cours de l'année écoulée, de ce qu'il endurait encore chaque jour en imaginant la souffrance et la tristesse de sa fille, en sachant qu'il était impuissant à lui venir en aide.

Elle lui pressa la main.

— Je te demande pardon. Je suis désolée.

La nuit commençait à tomber quand la camionnette s'immobilisa dans la clairière, devant la cabane. Eden laissa échapper un gémissement à la vue de la Jeep de Kyle, arrêtée à l'orée de la forêt. Kyle lui-même était assis sur la véranda de Ben.

— Il a apporté le cahier suivant, remarqua celui-ci.

— Je ne veux pas lui parler.

— Allons, viens.

Ben fit le tour de la camionnette pour lui ouvrir la portière.

En les voyant approcher, Kyle se leva. Ben guida Eden vers le banc.

— Restez là, vous deux, dit-il. Je serai à l'intérieur.

Eden s'assit à l'extrémité du banc, le plus loin possible de Kyle.

— Je n'ai rien à te dire, déclara-t-elle.

Kyle reprit sa place.

— Je regrette, Eden. Je n'ai jamais désiré te voir blessée par cette histoire.

Elle le regarda, crut presque voir un mouvement de recul devant son expression furieuse.

— As-tu jamais eu l'intention de tout me révéler ?

Kyle soupira.

— Je n'en sais rien. Nous en avons souvent parlé, Lou et moi. Je pensais tout te dire quand nous t'avons accueillie chez nous... mais le moment me semblait toujours mal choisi. Par la suite... j'ai remis sans cesse. J'espérais toujours trouver un jour l'instant propice. Quand tu as téléphoné pour nous parler du film, des recherches que tu devrais faire, de tout ça, j'ai compris que le moment était venu. J'ai songé à ne pas te remettre les cahiers du journal, mais ce n'était pas bien, je le savais. Et ce n'était pas ce que ta mère avait souhaité.

Eden se pencha en avant.

— T'est-il jamais venu à l'esprit que j'aurais dû avoir cette information pour le bien de mes enfants ? Que se serait-il passé si Cassie n'avait pas été normale ? Tu m'as laissée prendre ce risque-là avec ta petite-nièce.

— Ma petite-fille.

— Ne l'appelle pas ainsi ! Pour moi, elle n'est rien de plus que ta petite-nièce. Ou ta cousine au énième degré.

Kyle baissa les yeux sur ses mains.

— Après avoir reçu la lettre qui nous annonçait ton mariage, je suis allé voir à New York un spécialiste de la génétique. Je lui ai conté toute l'histoire parce que je m'inquiétais des conséquences pour tes enfants. Il m'a dit que la probabilité d'une quelconque anomalie chez eux serait minuscule, de même qu'avait été minuscule la probabilité d'une quelconque anomalie chez toi. Ce n'est pas un problème important chez les cousins au premier degré.

— Tu aurais dû me le dire.

— C'est vrai, et je te demande pardon.

Il se leva.

— Je t'ai apporté le cahier suivant.

— La seule idée d'en lire davantage me rend malade. J'ai décidé de ne pas faire le film. Depuis le début, je me suis efforcée de retracer sa vie avec honnêteté, avec sympathie. Si je continue à me montrer honnête, je nous incriminerai tous.

— Quoi qu'il en soit, je te le laisse ici.

Kyle posa le cahier sur le banc. Un instant, le regard d'Eden fut retenu par des yeux qui, par leur forme, leur couleur, la tristesse qu'ils contenaient, étaient identiques aux siens.

— J'ai toujours été fier d'être ton père, Eden.

Il descendait les marches de la véranda. Elle le regarda s'éloigner vers sa Jeep. Il boitait légèrement, et il lui fallut quelques minutes pour s'installer au volant. Il dut actionner par deux fois le démarreur, avant que le moteur partît. Elle le vit effectuer un virage à droite dans la clairière et rejoindre la route. Elle éprouva alors au cœur une pointe d'angoisse, une émotion rapide, brûlante, qui lui coupa le souffle comme si un poing s'était refermé sur son cœur. Kyle était bouleversé, la nuit tombait, il n'était plus aussi alerte. Elle savait ce que représentait la descente vers Lynch Hollow par cette route en lacets, à la pente rapide, elle savait la manière dont la force de gravitation attirait une voiture. Il serait si facile à Kyle de manquer l'un de ces virages en épingle à cheveux, si facile pour la Jeep de quitter la chaussée pour s'envoler par-dessus bord.

Assise dans l'obscurité, insensible aux moustiques, elle attendit que trente minutes se fussent écoulées. Elle sut alors, au fond de son cœur, qu'il était rentré chez lui sain et sauf.

# 36

A la plus grande joie de Ben, Eden prit en charge les travaux du matin dans la cabane. Dès le réveil, elle s'activait dans le coin cuisine : elle coupait des fruits frais, préparait du café et, par un matin particulièrement aromatique, elle confectionna des petits pains au gingembre qui sortirent du vieux four un peu pâteux mais néanmoins savoureux. Ben, pour observer la jeune femme, calait l'oreiller derrière son dos. Elle portait simplement ses sous-vêtements, parfois ceux de son compagnon. Ses cheveux défaits lui tombaient sur les épaules, captaient la lumière du soleil qui entrait par la petite fenêtre. Une fois ou deux, où les rayons tombaient selon l'angle voulu, il vit même le bleu de ses yeux.

Ils faisaient l'amour toutes les nuits, un exploit dont il ne se croyait plus capable. Les toutes premières fois, ils s'étaient aimés avec une tendresse avide qui laissait Eden en larmes. A mesure que passaient les jours, ils retrouvèrent un enjouement nouveau. Elle lui lisait des passages provocants de certains de ses livres favoris, et il songeait, avec une vive satisfaction, à tout ce dont Michael Carey avait été privé.

Il n'y avait pas de chamailleries entre eux. Ben était facile à vivre, et Eden se montrait étonnamment simple dans ses besoins, ses exigences. Apparemment, elle avait oublié qu'elle était une actrice, qu'elle possédait une maison au bord de l'océan, un visage que chacun pouvait reconnaître dans la rue. Elle faisait les courses, lavait le linge à la main et le faisait sécher sur le fil que Ben avait tendu entre deux arbres. Elle ne se plaignait ni du minuscule cabinet de toilette ni de l'absence de climatisation.

Elle confectionnait, pour la maison de poupée, des rideaux, des tapis tout petits. Il observait son expression concentrée, le très léger strabisme de ses yeux quand elle tirait l'aiguille, la façon dont le bout de sa langue se montrait délicatement entre ses lèvres. Tout en elle le charmait, et surtout sa joie de vivre entre ses quatre murs.

Elle ne travaillait plus au scénario, mais elle n'avait pas encore appelé Nina. Il ne la pressait pas : elle devait prendre seule sa décision. Le cahier que lui avait laissé Kyle, une semaine plus tôt, était demeuré fermé sur la table basse. Le soir, parfois, il la surprenait à regarder ce cahier. Ils étaient assis sur le canapé, pour lire ou pour jouer au jacquet, et le regard d'Eden s'évadait. Une seule fois, un soir où elle ne parvenait pas à se concentrer et perdait régulièrement, il lui dit :

– Pourquoi ne le lis-tu pas ?

Elle secoua vivement la tête, revint au jeu.

Ils ne parlaient jamais du fait qu'elle ne travaillait plus sur le site des fouilles. Ben tentait de la persuader de voir Kyle. Il lui déplaisait de se sentir pris entre eux deux. Kyle appela plusieurs fois, pour signaler que Nina ou Michael avaient téléphoné, mais elle refusa de lui parler, ne rappela pas la côte Ouest.

Kyle passait plus de temps sur les fouilles qu'il ne l'avait fait jusqu'alors. Il y eut un moment de gêne le lendemain du jour où Eden s'installa à la cabane. Kyle arriva vers neuf heures du matin à la fosse où travaillait Ben. Celui-ci observa les joues empourprées de son visiteur qui descendait lentement par la petite échelle.

– Eden ne vient pas, ce matin ? demanda Kyle.

Son regard parcourait les parois de la fosse afin d'éviter celui de Ben, qui le prit en pitié. Il se demandait ce qu'il pourrait bien dire pour mettre son vieil ami à l'aise.

– Non. Elle avait des courses à faire. Et elle n'est pas encore prête à vous revoir. Laissez-lui un peu de temps, Kyle.

– J'espérais qu'elle comprendrait. Mais sans doute est-ce difficile.

Il prit le diagramme posé dans un coin de la fosse.

– Alors, qu'avons-nous là ?

Ben lui montra ses trouvailles de la veille, leur emplacement sur le diagramme, mais Kyle ne l'écoutait pas vraiment.

– Je n'aurais pas dû lui révéler la vérité, dit-il enfin.

– Il le fallait bien.

– Elle est furieuse contre moi.

– Pour le moment, oui.

Il parlait comme si la colère d'Eden devait finir par s'apaiser, mais il n'en était pas très sûr.

Kyle le regarda.

– Vous l'êtes, vous aussi ?

– Je ne cherche pas à la séparer de vous. J'aimerais qu'elle accepte de vous parler.

Kyle fouilla dans la poche de sa chemise.

– J'ai là deux billets pour le Wolf Trap, dimanche soir. *L'Opéra de quat' sous.* Je ne crois pas que nous soyons d'humeur à y aller, Lou et moi. Alors, pourquoi ne pas en profiter avec Eden ?

Ben referma les doigts sur les billets. Il menait une vie normale. Il pouvait emmener une femme au spectacle côtoyer d'autres personnes. Peut-être le scandale était-il assez éloigné des esprits pour lui permettre de revivre.

Eden, ce dimanche matin, était étrangement silencieuse. Assise sur le canapé, un livre fermé sur les genoux, elle regardait dans le vide.

Ben, penché sur la maison de poupée, leva les yeux.

– A quoi penses-tu ? demanda-t-il.

Elle se tourna vers lui.

– Je dois prendre une décision.

– A quel propos ?

Il ne savait trop si elle parlait du scénario ou de Kyle.

– Cassie arrive dans une semaine. Je ne peux pas rester avec toi quand elle sera là. Autrement dit, je dois ou bien retourner chez Kyle et Lou ou bien m'installer à l'hôtel. Mais, si je ne travaille plus sur le scénario, ma présence ici ne se justifie plus. Je dois vraiment me ressaisir, rentrer chez moi. J'ai besoin de trouver un nouveau projet pour m'y plonger.

Le cœur de Ben se contracta avec une telle violence qu'il pensa que cela devait se voir sur son visage. Elle fixait maintenant son regard sur lui, elle l'observait.

– Est-ce là ce que tu veux ? questionna-t-il.

– Non.

– Alors, que veux-tu vraiment ?

– Toi. Je suis si heureuse quand je suis avec toi, Ben. C'est toi que je veux, à n'importe quelles conditions.

Il se félicita de se trouver assis à la table, tandis qu'elle était sur le canapé. Il ne pouvait pas la toucher, son esprit ne pouvait être troublé par le contact de la peau d'Eden sous ses doigts.

– Le prix à payer pourrait être très élevé, remarqua-t-il.

– Ça m'est égal.

– Je ne sais pas où je trouverai du travail, quand je partirai d'ici. Et je refuse de me laisser entretenir par toi.

– Il doit bien exister en Californie des sites de recherches archéologiques. J'ai certaines relations, Ben. Je pourrais t'aider, j'en suis sûre, à trouver quelque chose. Mais il faut d'abord te faire innocenter de l'accusation portée contre toi. Mon avocat...

– Un instant.

Il posa le petit morceau de bois sur lequel il travaillait.

– Cesse de rêver, Eden. Tu ne réussiras pas à me faire innocenter. Il faut te faire une raison, d'accord ? Parce que tu dois tenir compte de ça pour prendre ta décision.

Elle baissa les paupières, et il la vit avaler péniblement sa salive. Il poursuivit, sachant qu'il la mettait à l'épreuve, la poussait dans ses derniers retranchements :

– Ce que je vais te dire n'a pas grand sens, je le sais, puisque je n'ai pas le droit de voir Bliss, mais l'idée de mettre tout le continent entre elle et moi ne me plaît pas. Et Los Angeles me fait peur. J'ai peur de voir des inconnus sortir de partout pour me prendre en photo et afficher mon visage dans tous les coins.

Elle leva les yeux vers lui.

– Tu m'aimes ?

Il perçut dans sa voix la menace des larmes.

– Oui. Tu le sais. Terriblement.

– Alors, nous irons, Cassie et moi, là où tu pourras trouver du travail. Peu importe où je vivrai, en réalité. Je devrai voyager un peu, pour le Fonds d'aide aux enfants handicapés, et quand j'aurai la possibilité de tourner un autre film. Mais je tâcherai de limiter mes déplacements.

Il lui dit qu'il n'était pas nécessaire de prendre une décision dans l'instant : ni l'un ni l'autre, à son avis, n'avait encore les idées assez claires. Mais elle avait allumé pour lui une grande espérance. Ils avaient joué à vivre en ménage dans un milieu isolé, idyllique, mais, pour la première fois, depuis plus d'un an, il envisageait la certitude d'un avenir.

Durant les deux heures de route jusqu'au Wolf Trap, ils

344

parlèrent de Cassie. La toute proche visite de la petite fille d'Eden inquiétait Ben. Il redoutait de s'attacher exagérément à elle, tant lui manquait la présence d'un enfant dans sa vie. Par ailleurs, il craignait de se sentir mal à l'aise en sa présence. Après tout, il avait été condamné pour violences sexuelles sur une enfant.

Il avait atteint avec Eden le stade satisfaisant où il pouvait tout lui dire à haute voix. Aucune de ses craintes ne semblait effrayer la jeune femme. Elle désirait, lui dit-elle, les voir, Cassie et lui, devenir de grands amis. Il n'avait pas à redouter de la toucher : elle le savait innocent.

Au Wolf Trap, le plateau était installé au cœur d'un théâtre en plein air. Eden et lui avaient des billets pour l'amphithéâtre de gazon qui s'élevait autour du parterre de sièges. Ils étendirent leur couverture sur l'herbe. Eden déballa le panier de pique-nique, pendant que Ben leur servait à chacun un verre de vin.

– Maman, Ben est là.

Au son d'une voix d'enfant, Ben se retourna. A une ou deux couvertures plus loin, Alex et Leslie Parrish retiraient des provisions de leur propre panier, et leur fille, Kim, arrivait en courant vers lui. Kim. Sa filleule, qui n'avait jamais reçu son cadeau d'anniversaire.

Au moment où l'enfant arrivait près de lui, il vit Alex et Leslie relever la tête. La petite fille se pencha pour lui passer les bras autour du cou. Il lui rendit gauchement son étreinte. Il savait qu'il était blême.

– Kimmie, reviens ! lança Leslie.

Kim regarda Eden, ramena son regard sur Ben.

– Où est Bliss ? questionna-t-elle.

– Elle n'est pas avec moi. Kim, voici Eden. Kim est ma filleule. Elle a un talent incroyable pour le football. C'est le meilleur milieu de terrain de huit ans à Annapolis.

– Cette année, j'étais goal, déclara l'enfant avec un large sourire.

– Ah oui ? Et comment a marché ton équipe ?

Ben agita la main en direction d'Alex et de Leslie. Ils discutaient ensemble : sans doute essayaient-ils de décider lequel des deux irait récupérer Kim.

Alex se leva finalement, se mit en marche dans leur direction. Il avait apparemment grossi, depuis la dernière fois où Ben l'avait vu. Ses cheveux sombres se mêlaient de gris.

– Salut, Alex, lui dit Ben, quand son ancien ami se trouva tout près de leur couverture.

– Ben...

Alex tendit une main vers Kim.

– Viens, Kimmie.

– Assieds-toi une minute, insista Ben. Eden, je te présente Alex Parrish. Alex, Eden Riley.

Avec un sourire, Eden tendit la main à Alex qui la serra rapidement. Ben vit le choc qui s'inscrivait sur son visage en le trouvant là avec Eden.

– Je n'ai pas le temps de m'asseoir.

Alex jeta un coup d'œil vers Leslie.

– Leslie a envie de changer de place, je crois. Elle veut voir si nous pouvons nous rapprocher un peu de la scène.

*Et vous éloigner un peu de moi,* pensa Ben, en regardant s'en aller Alex et Kim.

Eden lui posa une main sur le dos, appuya le menton contre son épaule.

– C'était ton meilleur ami ?

– Oui.

– Comment peut-il te traiter avec une telle froideur ?

Ben haussa les épaules.

– Il me croit coupable.

Il regardait les Parrish ramasser leur panier de pique-nique, se frayer un chemin entre les couvertures serrées les unes contre les autres et se réinstaller finalement à bonne distance de lui.

Eden et lui mangèrent en silence. Ben ne pouvait détacher son regard d'Alex et de Leslie. Combien de douzaines de pique-niques Sharon et lui avaient-ils partagés avec les Parrish, au cours des années ? Il savait même ce qu'il devait y avoir dans leur panier : poulet rôti, salade aux trois haricots avec des olives noires et du flan comme dessert.

Leslie et Kim se levèrent subitement pour se diriger vers les petites boutiques. Ben, lui aussi, se mit debout.

– Je reviens tout de suite, dit-il à Eden.

A travers la foule des spectateurs, il se dirigea vers la couverture d'Alex, s'assit sans attendre une invitation.

Alex leva la tête d'un air surpris.

– Ben, je ne crois pas...

Ben l'interrompit.

– As-tu la moindre idée de ce qu'on ressent quand votre meilleur ami vous exclut totalement de sa vie ?

– Ouais, moi aussi, j'ai perdu mon meilleur ami dans cette sale histoire.

Alex avait une mine affreuse. Il vieillissait rapidement, et mal, comme si l'année écoulée avait eu, sur lui aussi, un effet désastreux. Son visage était bouffi, ou peut-être Ben n'avait-il pas simplement l'habitude de le voir dépouillé de son sourire.

Tu n'étais pas obligé de me perdre, dit Ben.

Alex secoua la tête, considéra Ben avec un rictus d'une acidité sarcastique.

– Eden Riley, hein ? Kyle te donne un emploi et y ajoute sa nièce en guise de prime ? Bon sang. Je devrais peut-être baiser ma fille pour voir ce que je peux y gagner.

Ben eut envie de le frapper.

– *Va te faire voir.*

Il parlait entre ses dents serrées, mais il était douloureusement conscient de la futilité de sa réplique.

Alex fit tourner le vin dans son verre, dirigea son regard vers les boutiques.

– Écoute, nous n'avons rien à nous dire. Tu ferais mieux d'aller retrouver ta couverture et ta vedette de cinéma.

Ben ne bougea pas. Il arracha un morceau de rotin au panier de pique-nique resté ouvert. A l'intérieur, il voyait le flan, encore intact.

– As-tu vu Bliss, récemment ?

Alex hésita un instant, répondit :

– Hier. Nous avons passé l'après-midi chez eux, autour de la piscine.

Ben imaginait la scène. Sa maison, sa piscine, sa femme et sa fille, son meilleur ami et l'étranger survenu pour prendre sa place.

– A-t-elle l'air heureuse ? questionna-t-il.

– Que veux-tu que je te dise, Ben ? Qu'elle est désespérée d'avoir perdu le père qui abusait d'elle ? Oui, elle est heureuse. Elle va très bien.

– Comment est Jeff ?

Alex haussa les épaules.

– C'est un brave type.

– Peux-tu te mettre à ma place une seule seconde ?

Alex se mit à rire.

– Non, Ben, je ne peux pas. Je suis incapable d'imaginer ce que ça me ferait si j'éprouvais un besoin irrésistible d'importuner ma propre fille.

— *Je suis innocent,* Alex. Ce qui me tourmente le plus, c'est que tu n'as jamais accepté de parler de tout ça avec moi, d'entendre ma version de l'histoire. Tout ce que tu en sais, c'est ce que tu as lu dans les journaux, ce que tu en as entendu par la rumeur publique.

— J'ai assisté au procès, Ben.

— Vraiment ?

— Chaque jour. Je voulais juger par moi-même. J'étais au fond de la salle. J'ai entendu les témoignages. Je t'ai vu te dégonfler au moment où Bliss allait témoigner contre toi. Que pouvais-je croire ? Alors, ne viens pas me dire que je n'ai pas essayé de connaître ta version de l'affaire. Je voulais entendre proclamer ton innocence.

Son regard alla de nouveau vers les boutiques.

— Tu ferais bien de retourner là-bas. Leslie ne veut même pas entendre prononcer ton nom à la maison.

Ben se leva.

— Encore une chose, Ben.

Alex levait la tête vers lui.

— Je dois te poser la question. Ne t'en fais pas, je ne porterai pas plainte ni rien de ce genre, mais il faut que je sache. Te rappelles-tu, il y a environ deux ans, quand Kimmie a séjourné chez toi et Sharon, pendant que Leslie était chez sa mère ?

Ben répondit d'un signe de tête.

— Eh bien, après ça, elle s'est mise à faire des cauchemars horribles. Il faut que je sache. Lui avais-tu fait quelque chose, en ce temps-là ?

Ben ravala la bile qui lui montait à la gorge. Il tourna le dos à Alex, traversa la pelouse en direction d'Eden, aussi rapidement, aussi fièrement qu'il lui fut possible.

Il ne vit rien du spectacle. Après avoir retracé pour Eden sa conversation avec Alex, il garda le silence tout le reste de la soirée, pendant qu'elle lui tenait la main, lui caressait le dos. Durant le long trajet de retour, il parla peu. Lorsqu'ils arrivèrent dans la clairière, il se tourna vers Eden.

— Je suis content d'avoir vécu cette soirée, déclara-t-il. C'est ça, la réalité. Il fallait que tu la voies en face. Et moi aussi. Nous devons cesser de nous monter la tête. Tous ces discours à propos de la vie normale que nous pourrions avoir ensemble, c'est pure fantaisie, Eden. Tu dois réfléchir longuement, profondément à la route sur laquelle tu veux t'engager, et Cassie avec toi. J'ai une faveur à te demander. Si tu ne crois pas pouvoir te lancer dans cette aventure, dis-le moi tout de suite, veux-tu ? N'attends pas que je sois si plein d'espoir pour nous deux que je...

— Tais-toi.

Elle se tourna vers lui sur la banquette, l'entoura de ses bras.

— Je t'aime. Et je me suis engagée trop avant pour reculer maintenant, même si j'en avais envie.

Une fois dans la moite obscurité de la cabane, elle le fit asseoir sur le lit et le déshabilla. Ses doigts, sur sa peau, étaient frais et soyeux. Il se croyait incapable de lui faire l'amour, mais elle se montra patiente, persévérante. Il s'était cru incapable de dormir, mais les rêves lui vinrent rapidement, et ce furent des rêves paisibles. Il se réveilla une seule fois, au milieu de la nuit. Il vit la lampe allumée près du canapé, Eden blottie sur les coussins. Elle portait un short et un tee-shirt à lui, et le cahier était ouvert sur ses genoux.

Il l'entendit renifler des larmes, vit le mouchoir chiffonné dans sa main et la laissa en paix.

# 37

*10 mars 1955*

Tout le monde pense que le bébé que je porte est de Matt. Lui et moi sommes les seuls à connaître la vérité. Curieux comme les gens se contentent de tenir les choses pour établies en ce qui me concerne. Jamais je n'ai annoncé ma grossesse, et jamais personne ne m'a même demandé : « Tu es enceinte ? » Toutefois, Susanna et Papa ont peu à peu remarqué chez moi des changements physiques. Susanna m'a acheté deux robes de maternité, sans dire un mot de ce qui a pu se passer pour me mettre dans cet état. Je porte donc maintenant des robes. Elles ne sont pas aussi inconfortables que je l'aurais craint, mais peut-être est-ce parce que ma taille est plus à l'aise sans contrainte.

Papa dit que je dois épouser Matt. Matt me supplie de le faire. A mon avis, il commence à se persuader que l'enfant est de lui. Je n'ai pas envie de l'épouser, mais, hier au soir, Susanna m'a fait un long sermon sur le thème : « Tout enfant a droit à deux parents. » « Pense au bébé », m'a-t-elle dit. Elle a raison. Je ne veux pas que mon bébé grandisse en bâtard et se sente différent des autres. Je sais ce que c'est que d'être tenu à l'écart, et je ne veux pas de ça pour mon enfant. Je nourris de telles espérances pour ce petit être. J'ai donc décidé de dire « oui » à Matt, à condition que nous habitions ici, près de la caverne. Je ne pourrais jamais aller m'installer chez lui, si loin de Lynch Hollow.

Je pense de nouveau à ma propre mère, ma véritable mère. Je ne me sens pas déshonorée, comme elle. Si seulement elle avait eu un homme tel que Matt, pour lui épargner cette honte.

*22 mars 1955*

Le 19 de ce mois, nous avons été mariés rapidement par un juge, ami de Matt. J'ai eu raison, je crois, de m'y résoudre. Nous n'avons pas eu de lune de miel, rien de ce genre. Nous avons passé notre nuit de noces chez Matt, à parler des détails de ce mariage. Passer la nuit loin de Lynch Hollow me rendait nerveuse, et Matt s'est contenté de me tenir dans ses bras jusqu'au matin. Il est si gentil. Il comprend si bien mes sentiments. Il va vendre sa maison, m'a-t-il dit : il s'est entendu avec Papa pour construire un étage supplémentaire à la maison familiale ; c'est là que nous vivrons. Il m'a demandé ce que je voulais faire sur le plan sexuel. Brusquement, je me suis sentie tout intimidée. Pourtant, je lui ai répondu que j'aimerais attendre que l'enfant soit né avant de faire l'amour. J'ai prétexté que mon ventre, sans cesse plus gros, me mettait mal à l'aise. En réalité, je ne suis pas encore prête à laisser Matt effacer de mon corps la marque de Kyle. Il a accepté sans la moindre hésitation, tout en affirmant aussitôt que ma grossesse ne le détourne pas de moi : si je changeais d'avis avant la naissance, je devrais le lui faire savoir.

J'ai bien l'intention de permettre à Matt de me faire l'amour, quand le bébé sera là. Je ne pourrais pas, après l'avoir épousé, le repousser aussi cruellement. Et, si je peux ainsi avoir d'autres enfants, le jeu en vaudra la chandelle.

J'ai écrit à Kyle pour lui annoncer le mariage, mais je ne lui ai encore rien dit du bébé.

*1ᵉʳ mai 1955*

Je suis ici, dans la caverne, depuis une heure, les yeux fixés sur cette page blanche, à tenter de trouver des mots pour décrire ma terrible tristesse.

Matt est mort hier. Il travaillait au second étage de la maison quand il a fait une chute et s'est brisé les vertèbres cervicales. J'étais ici, dans la caverne, quand Papa est venu me le dire, et je me suis rendue malade à force de pleurer. Pourquoi est-ce arrivé à un homme de cœur comme lui ? Pourquoi pas plutôt à moi ? Je suis égoïste, exigeante, obstinée. Matt aurait dû épouser Dolores Winthrop. Il aurait eu la vie paisible et agréable qu'il lui fallait. Il aurait dû me dire, comme tout homme l'aurait déclaré à son épouse : « Je possède une maison parfaitement habitable, et tu vas y vivre avec moi. » Au lieu de cela, il construisait un second étage. Pour moi et pour l'enfant de Kyle. Si, en supprimant ma propre vie, je pouvais lui rendre la sienne, je le ferais sur l'instant. Pour le moment, je me fais horreur. Je voudrais que nous ayons fait l'amour ensemble, je voudrais lui avoir donné au moins ça. Je voudrais qu'il n'ait pas été aussi disposé à me supporter, qu'il ait exigé davantage de moi. Je ne l'en aurais pas moins aimé.

Papa a écrit à Kyle.

### 4 mai 1955

Hier, à l'heure où les obsèques ont commencé, nous n'avions encore aucune nouvelle de Kyle. La grande salle des pompes funèbres Naylor était pleine à craquer, avec le personnel du journal de Matt et les gens de la région qui en étaient venus à le connaître et à le respecter. J'étais assise au premier rang, avec Papa et Susanna. Susanna était parvenue à me trouver une robe de maternité noire. Je restais assise avec difficulté, je pouvais à peine respirer. Mon ventre est si gros qu'il ne laisse pas de place à l'air nécessaire à mes poumons. Je sentais la sueur ruisseler au long de mon dos et entre mes seins. Et je savais que, derrière moi, tout le monde me regardait, murmurait.

Quand le pasteur a pris la parole, j'ai vu Kyle à la porte de côté. Il est venu rapidement vers nous, d'un pas qui faisait sonner trop bruyamment ses talons, et il s'est glissé sur le banc entre Papa et moi. Il m'a posé un baiser sur la joue, m'a pris la main. Je respirais par la bouche pour m'empêcher de fondre en larmes.

Le pasteur parlait toujours. Il disait beaucoup de bien de Matt, mais son discours n'en finissait plus, et je sentais le regard de Kyle sur mon ventre. Je compris qu'il se livrait à un calcul mental. Sa main a pressé très fort la mienne. Il a dit, dans un murmure que je fus seule à entendre : « Oh, mon Dieu, Kate... » Nous regardions fixement le pasteur, sans entendre un traître mot de ce qu'il disait.

Au cimetière, Kyle fut presque obligé de me porter. Quand tout fut fini, que Matt fut en terre, Kyle dit à Papa qu'il me ramènerait à la maison. Nous attendîmes le départ de toute l'assistance, avant de nous asseoir à côté de la tombe fraîche.

— Pourquoi ne m'as-tu rien dit ? questionna-t-il. Je connais des gens, à New York, qui auraient pu tout arranger.

— C'est bien pour ça que je ne t'ai rien dit.

— Le bébé pourrait avoir de terribles problèmes à cause de notre proche parenté.

— Je m'en moque.

— Matt croyait-il en être le père ?

— Nous n'avons jamais fait l'amour, Matt et moi. Il savait que l'enfant était de toi.

Kyle mit sa tête entre ses mains. Il demeura ainsi un long moment. Finalement, il se redressa. Il allait quitter l'université, déclara-t-il, et revenir à Lynch Hollow. Il pourrait travailler sur nos fouilles et prendre soin de moi et de l'enfant.

Je lui dis que je m'y refusais. Un homme avait déjà sacrifié sa vie pour moi. Je n'allais pas laisser un autre en faire autant.

— Alors, je vais trouver du travail et je t'enverrai de l'argent.

Je secouai la tête. Matt avait tout l'argent nécessaire, et mes livres m'en rapportent aussi. Je n'ai pas besoin de celui de Kyle.

— Si tu tiens vraiment à faire quelque chose pour moi, promets de ne plus jamais m'écrire des lettres d'une horrible froideur qui m'amènent à croire que tu ne m'aimes plus.

Il parut sincèrement surpris.

— Je t'aime plus que je n'aimerai jamais personne, affirma-t-il. Mais je ne peux pas écrire ça dans une lettre. Si quelqu'un allait la trouver ?

Je haussai les épaules.

— J'écris sans cesse bien pire dans mon journal.

Kyle pâlit.

— Tu as parlé du bébé dans ton journal ? Et de nous ?

— Ne t'inquiète pas : les cahiers sont bien cachés.

Je lui confiai où ils étaient. Il sembla rassuré.

Il est reparti ce matin. Il a promis d'écrire plus souvent et d'essayer de nous rendre visite le plus fréquemment possible. C'est tout ce que je désire. Je ne lui en demanderai jamais davantage.

*22 mai 1955*

Matt me manque. Je ne peux même plus écrire, tant mes pensées à son sujet m'occupent l'esprit. Des amis de Papa ont achevé le second étage, et je vais installer le lit qui appartenait aux parents de Matt dans la grande chambre qui était prévue pour nous deux.

*12 juin 1955*

La nuit dernière, Eden Swift Riley a fait son entrée dans le monde. Le travail a été très long, mais il ne vaut pas la peine qu'on en parle, à présent qu'elle est là. Elle est ravissante et parfaite, comme j'en ai toujours eu la certitude. Son crâne est couvert d'un duvet argenté, et elle a de grands yeux bleus. Elle est délicate, précieuse : elle ne pèse pas tout à fait sept livres, et sa peau est aussi blanche que le sucre. Sa tête est presque parfaitement ronde. Un miracle, dit la sage-femme, après un travail aussi prolongé. J'ai hâte de la faire voir à Kyle. Nous avons fait installer le téléphone la semaine dernière, et Papa a appelé. Il a laissé le message au gardien de l'immeuble où habite Kyle.

*18 juin 1955*

Kyle et Louise sont arrivés hier. Ils vont passer ici plusieurs semaines, avant de rejoindre en Colombie le docteur Latterly.

A leur arrivée, je dormais. C'est Kyle qui m'a réveillée. Il s'est assis près de moi, sur le grand lit. Il a pris Eden sur ses genoux et il a longuement détaillé le petit visage.

— Je n'arrive pas à y croire, répétait-il sans cesse.

Il souriait. Nous souriions *tous les deux,* et je me disais qu'il n'y avait pas eu depuis longtemps autant de joie partagée entre Kyle et moi. Il montrait toute la fierté d'un père légitime, et Eden jouait son rôle à merveille : elle bâillait, gloussait, le regardait avec de grands yeux, comme si, quoi qu'on pût lui raconter par la suite, elle savait que cet homme était son père.

Nous parlâmes longuement, comme dans le temps. Il me dit qu'il allait épouser Lou : il avait découvert, il le savait, la femme qu'il lui fallait, et, s'il en était si sûr, c'était parce qu'elle me ressemblait ! Je revis la femme maigre, cigarette aux lèvres, que j'avais rencontrée à New York, et je lui demandai ce qu'il entendait par là.

– Elle ne te ressemble pas physiquement, me dit-il. Mais elle est de ces gens qui ne prêtent aucune attention aux règles de la société si elle n'est pas d'accord avec elles. Peu lui importent les opinions d'autrui. Elle est créative, comme toi, bien qu'elle soit plus douée pour la peinture et la danse que pour l'écriture. Elle ne vit pas en recluse, mais, par bien des côtés, elle te ressemble. Elle sait qu'Eden est ma fille, ajouta-t-il. Après l'enterrement de Matt, je lui ai tout raconté.

– Qu'a-t-elle dit ?

Kyle haussa les épaules.

– Elle n'a pas été choquée le moins du monde. Elle a pleuré un peu. Elle m'a dit que je devrais être le meilleur oncle possible.

Au début, je regrettais qu'il eût amené Louise. Je n'avais pas envie de le partager, durant ces deux semaines. Mais, ce matin, j'étais assise dans le fauteuil à bascule, sur le porche, quand Louise est venue s'asseoir près de moi. Elle me paraît maintenant complètement différente, bien qu'en réalité elle soit toujours la même. Elle portait une salopette sur une chemise noire sans manches et, pendant que nous parlions, elle a fumé cigarette sur cigarette. Son visage est charmant : aigu, avec ses pommettes saillantes et des yeux bleus arrondis. Lorsqu'elle parle, c'est avec un accent dur, mais sa voix est douce.

– J'aime votre frère, et il m'aime, a-t-elle commencé, mais personne au monde, pas même moi, ne prendra jamais votre place dans son cœur. Si vous n'aviez pas été élevés comme frère et sœur, je suis absolument convaincue qu'il vous aurait choisie, de préférence à moi ou à n'importe quelle autre femme.

Je la remerciai : c'était généreux de sa part de me dire ça, et je comprends maintenant pourquoi Kyle l'aime. Je lui ai répondu, toutefois, que je n'étais pas sûre qu'elle eût raison. Kyle, lui ai-je dit, avait toujours désapprouvé le fait que je fusse plus heureuse seule que parmi d'autres gens. Ma plus grande crainte, lui ai-je confié, était de faire d'Eden une ermite, comme moi.

Lou me suggéra d'apprendre à conduire : je pourrais acheter une voiture, avec une partie de l'argent laissé par Matt, et sortir davantage. Ha ! La bonne plaisanterie ! Kyle a eu beau lui faire de moi une description détaillée, j'ai l'impression qu'elle en a gardé une image qui n'est pas tout à fait la bonne.

Cet après-midi, Kyle, Lou et moi, avec Eden dans son landau, nous sommes allés jusqu'à la caverne. Lou, fascinée, m'a demandé une description géologique de la formation des « tites » et des « mites ». Pendant ce temps, Kyle, assis au soleil devant l'entrée de la caverne, tenait sa fille dans ses bras et la couvait d'un regard admiratif. Il ne peut en détacher les yeux, et je le comprends.

### 23 juin 1955

Papa et Susanna n'aiment pas Lou et ne s'en cachent pas. Elle parle de la triste condition des pauvres (elle pense aux pauvres des villes, pas à ceux auxquels nous avons longtemps ressemblé) et des gens de couleur. Elle parle de Mozart et de Picasso. Elle est beaucoup trop cultivée pour des gens comme Papa et Susanna. Moi, j'aime l'écouter. Elle n'a jamais peur de dire ce qu'elle pense.

### 24 juin 1955

Papa a dit à Kyle qu'il désirait voir Lou quitter la maison : sa présence dérange Susanna. A mon avis, c'est plutôt Papa qu'elle dérange. Il est devenu irritable, depuis l'an dernier, et il passe trop de temps en compagnie d'une bouteille. Kyle et Lou, j'en ai peur, vont s'en aller avant la date prévue, et j'ai supplié Papa de ne pas faire d'histoires.

### 27 juin 1955

Lou m'a demandé hier au soir si elle pouvait prendre Eden dans ses bras. Alors, seulement, j'ai pris conscience qu'elle ne l'avait pas encore tenue. Je pensais que, peut-être, elle n'avait pas la fibre maternelle, mais, après les avoir vus, Kyle et elle, se pencher sur Eden avec des gloussements, des roucoulements, j'ai compris que, tout simplement, elle n'avait pas voulu intervenir trop tôt. Elle et Kyle m'ont dit qu'ils n'avaient pas l'intention d'avoir d'enfants parce qu'ils seront trop souvent en déplacement. En les observant avec Eden, je mesure à quel point cela leur manquera. Eden a d'autant plus d'importance pour Kyle. Pour tous les deux, je suppose. Je suis plus que disposée à partager ma petite fille. Après tout, lui est son père.

Je ne suis pas jalouse de Lou, sauf parfois, quand je

vois Kyle la toucher. Je sens alors, avant d'avoir eu le temps de le réprimer, l'ancien désir surgir en moi. Kyle, je crois, fait très attention à ne pas la toucher devant moi. Ils prennent garde, l'un et l'autre, de ne pas me blesser.

*28 juin 1955*

Avec une partie de l'argent qu'à rapporté la vente de la maison de Matt, nous faisons installer l'eau courante. Le grand luxe ! Kyle place le reste sur un compte bancaire spécial : Eden pourra l'utiliser plus tard pour ses études. Grâce à Matt, dit-il, elle ne sera pas, comme nous, à la charge de la société. Kyle et Lou partent samedi pour New York et se mettront en route dimanche pour la Colombie. La Colombie est bien loin de Lynch Hollow.

*6 juillet 1955*

Je me retrouve capable d'écrire ! Pour la première fois depuis la mort de Matt, j'ai envie de reprendre le livre auquel je travaillais. Eden est dans son petit moïse, avec du coton dans ses minuscules oreilles afin que le bruit de la machine ne la gêne pas. Dehors, il fait très chaud, mais ici, la température est fraîche. Je suis si heureuse d'avoir Eden. Sans elle, je serais bien solitaire. Je veux être une bonne mère. Kyle m'a offert un appareil photo, avant de partir pour la Colombie. Il ne veut pas être privé de la joie de voir grandir Eden, et je prends photo sur photo. Papa prétend que je m'en occupe trop, que je la prends trop souvent dans mes bras, que je vais la gâter. C'est bien mon intention, lui ai-je répondu : je veux la gâter outrageusement.

*15 août 1955*

Kyle et Lou se sont mariés le jour de mon anniversaire. C'était un mardi, et les gens ont trouvé bizarre ce mariage en pleine semaine, mais ils tenaient à cette date-là. Je remercie le ciel que Kyle ait rencontré une femme comme Lou. Comme tout serait différent si elle était le genre de femme (comme la plupart) à laquelle il ne pourrait parler d'Eden. Au lieu de cela, il m'écrit des lettres chaleureuses, affectueuses, sans jamais faire allusion à notre secret, bien entendu, mais tout ce que je lis entre les lignes, maintenant, me fait du bien.

# 38

Quand Eden se réveilla, elle était recroquevillée sur le canapé, le cahier serré contre sa poitrine, et Ben la secouait doucement par l'épaule. Dehors, il faisait encore nuit. La seule lumière qui éclairait la cabane était celle de la lune. Elle avait l'esprit confus, mais le journal lui revint à la mémoire, à la manière des lambeaux d'un rêve, quand Ben la guida jusqu'au lit. Elle se glissa entre les draps, s'installa dans les bras de son compagnon.

— Je ne veux pas qu'elle meure, dit-elle.

— Qui ça?

— Ma mère. Je veux changer la fin de l'histoire. Je ne veux pas qu'elle me quitte.

Elle sentit Ben resserrer sur elle l'étreinte de ses bras, l'attirer encore plus près de lui.

— La fin est si proche, reprit-elle. Je vais la perdre pour la seconde fois.

Lorsqu'elle se réveilla de nouveau, elle était seule dans le lit, et l'odeur du bacon flottait dans l'atmosphère. Ben, du coin cuisine, lui jeta un coup d'œil.

— Habille-toi, lui dit-il. Je suis en train de préparer notre dose de cholestérol pour la semaine.

Elle avait l'esprit tout à fait clair. Elle prit une douche, enfila son short blanc, un tee-shirt blanc aussi, et rejoignit Ben à table.

— Charlotte a rendu son tablier, annonça-t-elle.

Il acquiesça d'un signe de tête.

— Je l'ai remarqué hier. Elle a dû se dire que tu étais ici jusqu'à la saint-glinglin, et que je n'avais plus besoin d'elle.

Sous la table, elle posa son pied nu sur le genou de Ben.

— Il faut que j'aille voir Kyle et Lou. Je dois leur demander si nous pourrons habiter chez eux, Cassie et moi, jusqu'à ce que tu n'aies plus rien à faire ici et que tu aies trouvé ailleurs un autre emploi. J'appellerai ensuite Nina, pour lui dire que je renonce définitivement au film. Je lirai les scripts qu'elle m'a envoyés. Histoire de me remettre dans le bain.

Pendant qu'elle parlait, il la dévisageait, un morceau d'omelette en suspens au bout des dents de sa fourchette. Quand elle se tut, il sourit.

— Je ferais bien, je pense, de me mettre à chercher sérieusement ce nouvel emploi.

— Si tu tiens absolument à travailler, oui, ça vaudrait mieux.

— Où aimerais-tu que j'entreprenne mes recherches ? Géographiquement, veux-je dire. En Floride ? En Nouvelle-Angleterre ?

— Ça m'est égal, Ben.

Elle se demandait s'il lui faudrait encore longtemps pour comprendre que cela lui était bel et bien égal.

— Vous devez vous moquer de moi, dit lentement Nina, en détachant soigneusement chaque mot.

Eden l'imaginait à l'autre bout du fil ; elle grinçait des dents, se tirait les cheveux.

— Vous étiez tout feu tout flamme sur ce truc, et voilà que vous laissez tomber ?

— Exactement. Alors, lequel des scripts est le meilleur ? Lequel voulez-vous que je lise en premier ?

— Écoutez, mon petit, il faut que nous ayons une longue conversation. Avez-vous vos réservations pour le vol de retour ? Je viendrai vous chercher et nous pourrons...

— Je ne reviens pas, Nina. Je reste ici jusqu'à ce que Ben ait trouvé un emploi et je partirai alors avec lui, où il voudra.

Du côté de Nina, il y eut un silence.

— Nina ?

— Ce type vous tient sous l'influence de la drogue, ou quoi ?

— Dites-moi seulement par quel script je dois commencer.

Nina soupira.

— Lisez *La Maison au trésor*. Il a été écrit pour vous.

Littéralement. John Packwood m'a dit qu'il vous avait gardée à l'esprit depuis le début. Je ne crois pas qu'il fera le film sans vous.

— Je vous ferai connaître mon opinion.

Cet après-midi-là, elle descendit en voiture à Lynch Hollow. Ce n'était pas la première fois qu'elle allait voir Kyle et Lou, depuis le jour où elle s'était installée chez Ben, mais, pour la première fois, elle comptait avoir une conversation avec eux. Elle les trouva sur le porche de derrière.

Elle s'assit sur l'une des chaises longues en séquoia.

— Je voulais simplement mettre mes projets au point avec vous, déclara-t-elle.

Elle avait peine à regarder Kyle en face.

— J'ai pris certaines décisions. Je ne rentre pas en Californie. Je devrai bien y faire un saut pour vendre ma maison, m'occuper du Fonds d'aide aux enfants handicapés et, peut-être, pour tourner un film de temps à autre. Mais je vivrai là où Ben pourra trouver du travail.

Elle chassa de son short une coccinelle, avant d'ajouter négligemment :

— Et je ne ferai pas le film à propos de ma mère.

Lou lança un coup d'œil vers Kyle, mais ni l'un ni l'autre ne dit mot. Eden poursuivit :

— Cassie arrive la semaine prochaine. J'aimerais passer quelque temps ici avec elle, mais, si vous préférez, elle et moi pourrons trouver où nous loger à Coolbrook.

Elle aurait certainement préféré Coolbrook, mais elle s'était déjà adressée à un agent immobilier : il serait difficile, lui avait-il appris, de trouver une location pour quelques mois seulement.

— Vous resterez ici, naturellement, dit Lou.

Eden se tourna vers Kyle.

— Kyle ?

— Nous désirons ta présence, Eden. J'espère bien que tu le sais, maintenant.

— Il y a un lit pliant que tu pourras dresser pour Cassie dans la petite chambre d'en haut, reprit Lou.

— Ce sera parfait, dit Eden. Elle a un petit chat. Ben le gardera chez lui si vous préférez...

— Un petit chat, c'est très mignon, fit Lou en souriant.

Eden se leva.

— Alors, c'est très bien. Merci.

– Je t'accompagne, déclara Kyle.

Il se leva, suivit Eden à l'intérieur de la maison. Sur le seuil de la porte d'entrée, il lui posa une main sur le coude. Elle se tourna vers lui.

– Certaines choses me tracassent, ma chérie. Permets à un vieil homme de te dire ce qu'il a sur le cœur, tu veux bien ?

Elle se croisa les bras sur la poitrine, comme pour se protéger.

– Je m'inquiète de te voir précipiter dans une liaison durable avec Ben, alors que tu es bouleversée.

– Je ne suis pas bouleversée. Et je ne me précipite pas.

– Peut-être ne décrochera-t-il jamais un autre emploi, et ça, c'est la stricte vérité. J'ai appelé certaines personnes, j'ai essayé de lui trouver du travail, mais personne ne veut avoir à faire avec lui. Dès que je prononce son nom, on me rit au nez.

Elle fit la grimace.

– As-tu réfléchi à ce que tu feras de Cassie quand tu devras te rendre en Californie ou ailleurs ? Tu pourrais la laisser avec Wayne sans aucun problème, mais avec Ben ?

– Que veux-tu insinuer, Kyle ? Il est innocent. Tu l'as dit toi-même.

– Moi, je le sais. Toi, tu le sais. Mais le reste du monde est plutôt convaincu du contraire, et tu te mettrais dans une situation très délicate. Les gens chercheront sans cesse sur Cassie un signe prouvant qu'il lui a fait du mal.

– Essaierais-tu de nous séparer ?

– Non. Tout bonnement, je ne suis pas sûr que tu saches à quoi tu t'engages.

– Tout va très bien, Kyle. Je ne me suis pas jetée dans cette aventure à l'aveuglette.

Elle poussa la porte grillagée, passa sur le porche.

– En ce qui concerne le film, je suis très déçu, Eden, dit Kyle, resté de l'autre côté du battant. A mon avis, tu aurais fait un excellent travail.

Au cours des jours suivants, elle acheta des vêtements et des jouets pour Cassie, de la litière et des boîtes d'aliments pour le petit chat, un jean et des tennis pour Ben.

– Ne prends pas ça pour de la charité, lui dit-elle en les lui donnant. Je m'amuse beaucoup.

Elle prépara le lit pliant dans la petite pièce voisine de l'ancienne chambre de sa mère, rangea les vêtements qu'elle avait achetés dans les tiroirs de la petite commode en bois de pin. Elle prit quelques repas en compagnie de Lou et de Kyle, passa une nuit ou deux à Lynch Hollow : elle cherchait à soulager la tension qu'elle éprouvait lorsqu'elle était avec eux, afin de ne pas en accabler Cassie à son arrivée. Séjourner de nouveau dans cette maison ne serait pas difficile. Pendant des années, elle avait pu entretenir avec Kyle et Lou des relations purement superficielles. Elle savait comment garder ses distances avec eux.

Les nuits où elle couchait à Lynch Hollow, Ben lui manquait. Au beau milieu de l'une d'elles, particulièrement brûlante, elle enfila sa robe de chambre, suivit en voiture l'obscure route en lacets jusqu'à la cabane et sauta dans le lit de Ben. Ils firent l'amour dans l'atmosphère étouffante de la petite pièce, sur le drap humide qui s'enroulait autour de leurs jambes. Il lui déclara ensuite qu'elle était folle d'abandonner une maison climatisée, par une nuit où la température atteignait plus de trente-cinq degrés, pour le seul plaisir de coucher avec un homme aux trois quarts mort de chaleur. Bientôt, répliqua-t-elle, Cassie serait là. Bientôt, elle ne pourrait plus du tout coucher avec lui. Du coup, ils se trouvèrent l'un et l'autre réduits au silence. Quand Cassie serait là, tout en serait changé.

Un soir, elle se trouvait à Lynch Hollow, et Michael téléphona. Au début, elle le crut ivre ou drogué. Il parlait d'une voix si lasse, si douce, si lente. Mais, après s'être entretenue quelques minutes avec lui, elle comprit : c'était de la résignation qu'elle percevait dans cette voix. Il ne s'efforçait plus de gagner son affection. Il lui posa des questions sur Ben, des questions susceptibles de l'aider à comprendre ce qui, chez lui, attirait Eden. Elle eut soin de lui faire des réponses sincères, sans révéler le passé de Ben. Il était content, lui dit-il, de la savoir heureuse, et, avec une pointe de culpabilité, elle comprit qu'il l'aimait assez pour éprouver un tel sentiment.

— Nina est furieuse, déclara-t-il. Mais il s'agit de ta vie, lui ai-je dit, et elle n'a pas à intervenir. Pourtant, ô Dieu, quand je pense que tu ne vas plus vivre tout près de chez moi... Tu me manques, Eden. Je me sens terriblement seul sans toi. Pourrai-je encore t'appeler de temps en temps ?

– J'en serais heureuse.

– Ben ne sera pas jaloux ?

– Il n'est pas du genre jaloux, affirma-t-elle.

Toutefois, pensa-t-elle, elle n'avait aucun moyen d'en avoir la certitude. Elle avait vécu dans un cocon, avec Ben, pas dans le monde réel.

Après avoir raccroché, elle resta immobile un long moment. C'était la première conversation sérieuse qu'elle eût jamais eue avec Michael. La première au cours de laquelle elle avait eu l'impression qu'ils étaient deux êtres humains qui échangeaient des propos, plutôt que deux personnages qui répétaient leurs rôles. Ses fanfaronnades, son image virile n'étaient pas plus réelles que le personnage qu'il avait incarné dans *Au cœur de l'hiver*. Elle ressentait à son égard une tendresse toute nouvelle. La prochaine fois qu'elle aurait l'occasion de lui parler, elle lui conseillerait d'entretenir cet aspect de douceur, de sincérité, de laisser les femmes qu'il rencontrerait en prendre conscience. Il ne resterait pas seul bien longtemps.

Wayne arriva avec Cassie le vendredi soir. Toute la journée, Eden avait été la proie d'une inquiétude qu'elle ne parvenait pas à définir. Elle avait déjeuner avec Ben sur la passerelle qui enjambait Ferry Creek, mais elle avait été à peine capable de manger.

– Tu n'es pas en compétition avec Wayne, lui avait dit Ben. Il ne s'agit pas d'un concours de popularité.

Elle hocha la tête. Ben, elle le savait, avait mis le doigt sur la source de son anxiété.

– Je ne compte pas te voir pendant un jour ou deux, déclara-t-il.

– Pourquoi ?

– Cassie et toi, vous allez avoir besoin d'un peu de temps pour refaire connaissance, hors de la présence d'un étranger.

Elle n'y avait pas songé, mais, les mots à peine sortis de la bouche de Ben, elle comprit qu'il avait raison. Elle voulait avoir Cassie pour elle seule pendant quelques jours.

Cassie, à son arrivée, était mal en point. Wayne la sortit de la voiture au moment où la nuit tombait. Les cheveux de l'enfant avaient poussé et faisaient sur l'épaule de son père une tache de soie sombre. Elle paraissait, entre ses bras, toute molle et abandonnée.

– Salut, Maman, dit-elle, de sa voix de petite fille malade.

– Salut, mon bébé, répondit Eden, qui lui embrassa la joue, la trouva brûlante.

– Elle n'était pas très bien depuis un jour ou deux, expliqua Wayne en la portant jusqu'à la maison.

Eden trottait à ses côtés. Elle portait le chaton dans son petit panier de voyage et tentait, dans la pénombre, de distinguer les traits de Cassie.

– April et Lindy ont fait une indigestion, et sans doute a-t-elle été atteinte, elle aussi. Les routes de montagnes n'ont rien arrangé.

Wayne porta la petite fille à l'étage, où un koala en peluche trônait sur l'oreiller du lit pliant. Kyle avait dû le poser là avant de s'absenter avec Lou pour la soirée. Eden alla le mettre sur la commode et rabattit la couverture.

– Son pyjama est sur le dessus, dans sa valise, indiqua Wayne.

Mais, déjà, Cassie avait tiré la couverture jusqu'à son menton et fermé les yeux. Eden ressentit une pointe d'inquiétude, suivie de déception : il n'y aurait pas, ce soir, de longue conversation pleine d'amour avec Cassie.

– Navré de t'amener une gamine malade, dit Wayne. Elle a été en parfaite santé tout l'été.

Elle se sentit visée : Cassie allait bien aussi longtemps qu'elle était avec lui. Mais, quand Wayne se pencha pour embrasser sa petite fille endormie, quand il lui caressa les cheveux en murmurant « Je t'aime, mon cœur, tu vas me manquer », elle eut vers lui un bref élan de tendresse.

Il se redressa, regarda autour de lui.

– C'est ici que tu as grandi ?

– Oui. Enfin... au rez-de-chaussée. Tout était différent, en ce temps-là. Beaucoup moins confortable.

Elle le ramena en bas, lui fit faire le tour de la maison. Une fois dans la cuisine, elle lui servit un verre de thé glacé, et ils s'assirent à la table.

Wayne avait bonne mine. Elle vit la marque d'un coup de soleil sur son nez, un peu plus de gris aux tempes.

– Alors, fit-il en souriant, qui est ce type avec qui tu as fait la noce à New York ?

Il avait donc vu le journal.

– Un ami de Kyle.

– Es-tu... Y a-t-il quelque chose entre vous ?

Elle hocha la tête, ne put s'empêcher de sourire. Il en fit autant.

– C'est un archéologue ?

– Oui.

– Comment est-il ? Il est divorcé, ou quoi ?

– Tu commences à te montrer indiscret.

– Je crois avoir le droit d'en savoir un peu plus sur lui, s'il doit se trouver dans l'entourage de Cassie.

– Si je me rappelle bien, tu ne m'as pas demandé ma permission, avant de te mettre à coucher avec Pamela.

Elle regretta aussitôt ses paroles, baissa les yeux.

– Je te demande pardon.

– Non, c'est moi.

Wayne posa son verre.

– Je ne suis pas très fier de la façon dont je me suis comporté à cette époque. Et je ne voulais pas être indiscret. S'il s'agit d'un ami de Kyle, ça me suffit. Je ne me suis jamais senti très tranquille du temps où Cassie voyait trop souvent Michael Carey.

Il se leva.

– Quand retournes-tu à Santa Monica ?

– Je ne penses pas y retourner. Ben doit rester sur la côte Est. Je vais donc y séjourner, moi aussi, quelque temps.

Wayne en resta bouche bée, avant de retrouver son sourire.

– Ce type-là me plaît de plus en plus. Si tu vis ici, je verrai peut-être Cassie plus souvent, non ?

– Nous pourrons sans doute arranger ça.

– Et ta carrière ?

– Je me débrouillerai.

Elle l'accompagna jusqu'à sa voiture. Avant de se mettre au volant, il leva la tête vers la fenêtre obscure de la chambre.

– Elle a peur du noir, depuis quelque temps. Tu pourrais peut-être lui laisser une veilleuse ? Elle avait hâte de te revoir. Le plus important, en ce qui nous concerne, c'est de lui répéter que nous l'aimons tous les deux, que nous serons toujours là pour l'aimer.

– Bien sûr.

Eden souffrait pour lui. Laisser Cassie quelque part et reprendre sa voiture, elle savait ce que c'était.

– Elle va peut-être se trouver un peu dépaysée pendant quelques jours, reprit Wayne. Laisse-la m'appeler, si elle en a envie. Tu peux utiliser le numéro de mon bureau, pendant la journée.

– Je la laisserai téléphoner toutes les fois qu'elle voudra. Et... Wayne ?

Au moment où il se mettait au volant, elle lui posa la main sur le bras. Il leva les yeux vers elle.

– Cassie, à mon avis, a bien de la chance de t'avoir pour père.

Il la dévisagea un instant, avant de lui sourire.

– Tu as changé, dit-il.

– Oui, je sais.

Elle était allongée dans l'ancien lit de sa mère, le lit où elle était née. Elle était inquiète : Cassie pourrait se réveiller en pleine nuit et se trouver seule dans une chambre inconnue. Finalement, elle se leva, alla chercher Cassie et le koala en peluche, les coucha dans son propre lit, avant de s'y glisser à son tour. Le front de l'enfant était frais, maintenant. Dans un demi-sommeil, elle se laissa déshabiller, mettre en pyjama, avant d'enfouir sa tête dans l'oreiller. Elle serrait le koala contre elle, comme s'il lui appartenait depuis longtemps. Eden ramena les couvertures sur elle et sur sa fille. Elle fut aussitôt enveloppée par l'odeur de Cassie, subtile mais facilement reconnaissable, et elle attira l'enfant plus près d'elle, afin de la respirer.

# 39

Le matin venu, Eden s'installa dans le fauteuil à bascule en rotin pour mieux détailler sa fille. Cassie dormait profondément. Elle creusait l'oreiller, le matelas, comme si elle pesait cent kilos au lieu d'une vingtaine. Ce n'était pas une beauté classique et ne le serait sans doute jamais, à la différence de Bliss qui, dès les premières secondes, vous coupait le souffle. Mais Cassie avait un charme irrépressible. Même endormi, son visage exprimait l'espièglerie, avec son petit nez retroussé, ses joues rondes, l'ébauche d'un sourire aux coins des lèvres. Sa frange de cheveux sombres était courte, hérissée. Wayne, se rappela Eden, lui avait appris que, la semaine précédente, Cassie s'était mis en tête de se couper elle-même les cheveux. Pour la première fois, la jeune femme était heureuse que l'enfant ressemblât à Wayne plutôt qu'à elle. Elle n'avait pas à se demander de qui Cassie tenait son nez, ses yeux. Elle ne voulait trouver en elle aucune réminiscence de son ascendance.

Eden alla jusqu'à sa garde-robe, en tira un short. Elle avait, un court instant, tourné le dos à sa fille, et elle sursauta quand Cassie demanda :

– Qui c'est, celui-là ?

Elle fit volte-face. La petite fille était assise dans le lit. Avec un large sourire, elle levait le koala à bout de bras pour mieux l'examiner. Sa chevelure était une masse de mèches brunes en désordre, hormis la frange qui se dressait toute droite au-dessus des grands yeux. Elle était vraiment très mignonne. Eden grimpa sur le lit pour la serrer dans ses bras.

– C'est un cadeau de l'oncle Kyle.

Elle voulut remettre en place, avec ses doigts, la frange de Cassie, mais c'était peine perdue.

— Papa est encore là ?

— Non, ma chérie. Il était obligé de repartir hier soir.

L'enfant sauta hors du lit, courut à la fenêtre pour regarder au-dehors. Ses petites incisives mordaient sa lèvre inférieure.

— Je croyais que j'avais entendu sa voiture.

Un éclair d'incertitude jaillit du cœur d'Eden, comme si elle n'était plus du tout sûre de savoir s'occuper seule d'un enfant.

— Pure imagination, ma chérie ! Il m'a chargée de te dire qu'il t'aime, que tu vas lui manquer, et qu'il a hâte de te revoir. Nous pourrons l'appeler un peu plus tard, si tu veux.

Elle alla rejoindre Cassie, posa la main sur le petit front. Il était frais.

— Tu te sens mieux, ce matin ? Tu as envie d'un petit déjeuner ?

— Ça, oui !

Cassie, dans son pyjama jaune à culotte courte, entreprit d'arpenter la chambre pour tout examiner. Elle effleura d'un doigt le peigne et la brosse d'Eden, ces objets familiers posés sur la commode, prit quelques secondes pour regarder sa propre photo sur la table de chevet. De tout temps, elle s'était réveillée de cette manière, immédiatement lucide, prête à explorer son petit monde. Eden en fut rassurée. Elle connaissait bien cette enfant.

— Où est Stuart ?

— Stuart ?

— *Mon petit chat.*

— Je vois. Je l'ai laissé dans la cuisine pour la nuit. Mais nous pourrons monter son plat ici aujourd'hui. Comment vas-tu appeler ton koala ?

Cassie se tourna vers l'animal en peluche resté sur le lit.

— April, dit-elle. C'est l'oncle Kyle qui me l'a donné ?

— Oui. Tu te rappelles l'oncle Kyle et la tante Lou ?

— Bien sûr. Tante Lou se promène dans un fauteuil roulant.

— Bravo, c'est exact. Tu as une bonne mémoire.

Eden dirigea Cassie vers la salle de bains.

— Allons nous habiller, avant de descendre prendre le petit déjeuner.

Dans la cuisine, le couvert était mis pour quatre personnes. La table était chargée de crêpes et de myrtilles, de jus d'orange tout frais, de tranches de melon. Cassie n'avait vu que trois fois dans sa vie Kyle et Lou : le temps de deux brèves visites à New York et une fois, l'année précédente, en Californie. Cette dernière visite, se disait Eden, devait être la seule qui restât distincte dans la mémoire de la petite fille. Cassie avait paru affligée par la mutilation de Lou : elle avait cherché partout la jambe absente, sous les meubles, dans les placards. Eden s'était sentie extrêmement mal à l'aise, mais Lou elle-même avait semblé très amusée.

Après la naissance de Cassie, les retrouvailles obligatoires avec Lou et Kyle étaient devenues plus supportables. L'enfant les distrayait, concentrait leur attention sur autre chose que la tension qui planait entre eux. A la table du petit déjeuner, Eden comprit que ce serait le cas, cette fois encore. Le malaise qui s'était répandu dans toute la maison, depuis le jour où elle avait appris que Kyle était son père, flottait très haut au-dessus de leurs têtes, trop haut pour constituer une menace. Avec la présence de Cassie, il perdait sa charge maléfique. Eden le percevait encore, mais à bonne distance d'elle.

Cassie, apparemment, s'était adaptée sans peine à ce nouveau et brusque changement dans son existence. Elle se montrait, à son ordinaire, dépourvue de timidité, pleinement consciente de son don pour charmer. Elle aimait être le centre d'intérêt, et Lou et Kyle constituaient une audience toute acquise.

Lou se pencha vers Eden pour murmurer :

— Elle deviendra comédienne, c'est sûr.

L'idée rebutait la jeune femme. Porter un masque n'était pas le genre de vie qu'elle aurait choisi pour sa fille.

Cassie leva les yeux vers l'étagère au-dessus de l'évier.

— C'est quoi, ça ?

Elle ouvrait si grand les yeux qu'on en voyait le blanc tout autour de l'iris presque noir.

Eden regarda à son tour, vit un plat de céramique en forme de carrelet.

— C'est un plat pour servir le poisson.

— Oh, c'est exquis, fit Cassie.

Tous éclatèrent de rire. Elle était décidément bien remontée, ce matin-là.

— J'espérais qu'un de ces jours nous pourrions aller à la pêche, toi et moi, pendant que tu es ici, proposa Kyle.

Brutalement, Eden retrouva le souvenir de Kyle, lorsqu'il l'emmenait à la pêche. Elle ne devait pas être plus âgée que Cassie, à l'époque, et elle se revoyait assise à côté de lui, sur la berge de la Shenandoah, elle sentait de nouveau la ligne mouillée, tendue entre ses doigts.

– Aujourd'hui ? demanda Cassie.

– C'est à ta maman de décider.

Kyle regardait Eden.

Elle avait eu envie de garder la petite fille pour elle seule, ce jour-là, mais elles auraient tout le temps d'être ensemble, au cours des semaines à venir.

– C'est une bonne idée, approuva-t-elle.

– Hourra !

Cassie se redressa sur les genoux pour plonger sa cuiller plus avant dans sa tranche de melon.

– Comment trouves-tu les vers ? questionna Kyle.

– Oh, les vers, miam-miam, je les adore, répondit-elle avec un petit gloussement comique.

– Tant mieux, fit Kyle. Si nous ne prenons pas de poissons, nous pourrons toujours manger les vers.

Cassie roula les yeux au ciel.

– Tu me racontes des blagues.

Kyle l'emmena à la réserve, pour lui choisir une gaule. Après le départ de sa fille, Eden sentit la tension retomber pesamment du plafond sur ses épaules.

– Il t'emmenait à la pêche, dit Lou. Tu t'en souviens ?

La jeune femme se leva, entreprit de débarrasser la table.

– Non, pas vraiment.

Lou posa sa serviette.

– Combien de temps vas-tu mijoter ta colère contre nous ?

Eden, debout devant l'évier, se retourna pour regarder sa tante.

– Tu me poses la question comme si je pouvais contrôler mes émotions, comme si je pouvais les choisir.

– Cette colère ronge Kyle, dit doucement Lou.

– Moi, je le trouve en forme.

Eden se retourna vers l'évier, tourna à fond le robinet. L'eau chaude vint fouetter la poêle posée dans l'évier, domina tout autre bruit, tout ce que Lou pouvait avoir encore à dire. Du coin de l'œil, Eden la vit empiler les assiettes au bord de la table et, lentement, faire avancer son fauteuil vers la porte. Quand les poignées du fauteuil eurent disparu dans le salon, alors seulement, Eden ferma le robinet. La mousse emplissait l'évier à ras bord, l'eau chaude lui brûlait les mains et les poignets. Elle pressa contre ses lèvres un poing savonneux. *Flûte !* Elle s'y prenait tout de travers. Elle se comportait comme l'adolescente qu'elle était à dix-sept ans.

Mais elle était plus coriace, au temps de son adolescence. Une petite scène insignifiante comme celle-là n'aurait jamais suffi à la faire pleurer.

Ce soir-là, au dîner, ils mangèrent des poissons-chats, panés et frits à la poêle, servis, sur l'insistance de Cassie, sur le plat en forme de carrelet.

– C'est l'oncle Kyle qui a attrapé les gros. Moi, j'ai pris le petit, déclara l'enfant.

Eden n'avait jamais vu Cassie manger du poisson. Elle regardait sa fille faire de louables efforts pour en avaler quelques bouchées. Bientôt, l'enfant réclama un sandwich au beurre de cacahuète et à la gelée de fruits.

Après la matinée passée avec Kyle, Cassie était rentrée épuisée. Son short était mouillé, ses joues et ses bras maculés de traînées de vase qui s'était incrustée aussi sous ses ongles. Elle sentait le poisson et les vers, la terre et la rivière. Des odeurs qui avaient envahi la petite salle de bains quand Eden vint faire couler l'eau de son propre bain, qui subsistaient encore une heure plus tard, lorsqu'elle nettoya la baignoire. Des odeurs qui appartenaient à l'enfance de la jeune femme, cette enfance dont elle ne parvenait pas à se débarrasser, qui la laissait dans un état douloureux fait à la fois de contentement et de nostalgie. Mais l'odeur dont elle désirait le plus se souvenir était absente. Celle de la caverne. Elle n'arrivait pas à se rappeler, ni même à évoquer, la teneur, la senteur de l'atmosphère dans la caverne.

Tout en extrayant une arête du poisson posé sur son assiette, elle regarda Kyle.

– Que sentait la caverne ? demanda-t-elle.

Il leva les yeux.

– Elle avait l'odeur d'une tombe, répondit-il brutalement.

Le sujet était clos, indiquait le ton de sa voix. Elle comprit tout à coup qu'il était, lui aussi, furieux contre elle.

Le lendemain, Cassie et elle, en rentrant d'une matinée

au théâtre de Coolbrook, trouvèrent Ben assis à la table de la cuisine. Eden n'en fut pas surprise. Ils s'étaient parlé au téléphone, la veille au soir, et ils avaient décidé qu'à un moment quelconque de la journée il viendrait à Lynch Hollow. Pourtant, après deux jours passés sans le voir, la réaction immédiate de la jeune femme fut viscérale : une poussée d'adrénaline, une flamme au plus profond de ses entrailles, comme s'il s'agissait d'un inconnu attirant rencontré dans la rue. Elle sourit à cette réponse de son propre corps, à la satisfaisante certitude que cet inconnu lui appartenait.

Il lisait le journal en buvant du jus de pomme, et il ne se leva pas à l'entrée de la femme et de l'enfant. Il resta sur sa chaise, au niveau de Cassie. Eden admira sa finesse, cette compréhension à l'égard d'une enfant.

— Cassie, voici Ben, un ami à moi, dit-elle.

La petite fille se pressait contre sa jambe et, le front plissé, dévisageait le visiteur. Lors de sa première rencontre avec Michael, elle s'était comportée ainsi, était restée sur la réserve. Jamais elle n'avait vraiment accepté Michael.

— J'ai appris qu'il y avait un petit chat ici, dit Ben. J'ai eu envie de le connaître.

Cassie le regarda d'un air soupçonneux.

— Il est à toi, Eden ? demanda-t-il.

Ses yeux gris étaient parfaitement innocents.

— Non. A moi ! affirma Cassie.

— Je peux le voir ?

Cassie se précipita vers le salon. Ben sourit à Eden.

— Elle est superbe, dit-il.

Elle se pencha pour l'embrasser.

— Tu me manques.

Cassie revenait, le chaton dans les bras. Elle le tendit à Ben. La méfiance, dans son regard, s'était un peu atténuée.

— C'est un garçon ou une fille ? questionna-t-il.

— Un garçon. Il s'appelle Stuart.

— Stuart ?

Il y avait de l'amusement dans les yeux de Ben.

— Il a l'air bien soigné.

— Bien sûr.

Cassie se lança dans les détails du régime alimentaire de Stuart, de la façon dont elle nettoyait chaque jour sa litière. Stuart étirait son petit corps dodu, les pattes de derrière sur la cuisse de Ben, tandis que les pattes de devant pétrissaient la chemise, sur son torse. Eden se sentit jalouse du chat.

Cassie, par degrés, se rapprocha de Ben, finit par se retrouver assez près de lui pour gratter le crâne de Stuart. Elle était maintenant bien lancée : elle parlait au visiteur des vitamines nécessaires aux chats, de la manière d'empêcher la formation des boules de poils, des mérites respectifs des différents produits antipuces. Eden ignorait tout de l'étendue des connaissances de sa fille sur le sujet. Ben posait des questions, écoutait attentivement les réponses. Il ne taquinait pas l'enfant, ne montrait aucune condescendance. Cassie se dilatait de fierté devant cet homme qui la prenait au sérieux et dont l'insatiable curiosité pour les chats ne faisait aucun doute.

Ben ne s'attarda pas, mais, le lendemain après-midi, il invita Eden et Cassie à lui rendre visite, et il conquit là, définitivement, la petite fille. Cassie tomba en admiration devant la maison de poupée.

– C'est pour moi ? demanda-t-elle en ouvrant de grands yeux.

Elle ne devait pas bien comprendre pourquoi cet inconnu lui faisait un cadeau aussi somptueux. Elle fit le tour de la maison victorienne jaune et bleue posée sur la table.

– Elle est *exquise,* souffla-t-elle.

Ben, qui l'entendait pour la première fois utiliser ce mot, eut un rire joyeux.

Ils emmenèrent l'enfant au magasin de Belhurst, afin d'y acheter des poupées pour la petite maison. Cassie choisit une maîtresse de maison en robe d'intérieur, un homme qui portait une serviette de cuir et deux petites filles blondes. Eden lui donna l'argent nécessaire pour payer à la caisse. Ben et elle attendirent Cassie sur le seuil du magasin pendant qu'elle réglait ses achats.

– A ton avis, la poupée-maman, pour elle, c'est Pam ou moi ? demanda la jeune femme.

– Elle la voit probablement comme une poupée-maman, tout bonnement.

Pour regagner la camionnette, Ben prit la main d'Eden. Cassie s'interposa entre eux, s'empara de leurs deux mains, les sépara.

– Ne lui donne pas la main, Maman, ordonna-t-elle.

– Pourquoi pas ? demanda Eden. J'aime bien lui donner la main.

— Parce qu'il n'est pas Papa. Tu as seulement le droit de donner la main à Papa.

Le temps de quelques pas, elle surveilla étroitement sa mère. Lorsqu'elle eut la certitude que celle-ci n'allait pas reprendre la main de Ben, elle se mit à courir devant eux.

Ben regarda Eden en fronçant les sourcils.

— Je ferais bien d'avoir avec elle une petite conversation, constata-t-elle.

— Plutôt, oui. Tu y aurais intérêt, si tu veux me tenir la main une autre fois.

— Ce n'est pas seulement ta main que j'ai envie de tenir.

Il poussa un gémissement.

— Pas de pornographie, veux-tu, quand tu ne peux pas aller au bout de tes fantasmes.

Il lui passa un bras autour de la taille, le laissa aussitôt retomber.

— Allons-nous pouvoir refaire l'amour, un de ces jours ?

— Juste ciel, je l'espère bien.

C'était l'unique inconvénient soulevé par la présence de Cassie : il n'y avait plus un seul moment, un seul endroit où se retrouver seule avec Ben.

Eden entreprit de chercher où elle pourrait mettre l'enfant en garde à l'automne. Maggie DeMarco, la fille cadette de Sara Jane Miller, avait organisé chez elle une petite garderie. Eden et Cassie passèrent un après-midi avec Maggie et ses petites filles. Cassie prit un plaisir fou à se retrouver avec d'autres enfants. Auparavant, elle préférait la compagnie des adultes, mais Eden constatait qu'un mois passé avec April et Lindy avait fait une grande différence. Elle-même se sentait à l'aise avec Maggie qui la traitait comme n'importe quelle autre mère. Recevoir chez elle Eden Riley ne paraissait ni l'impressionner ni l'intimider. Maggie conservait ce sourire nonchalant, presque blasé, qu'Eden lui avait vu lors de leur rencontre chez Sara Jane. Elle avait l'air de n'être jamais à bout de nerfs.

Maggie servit du thé glacé.

— Vous savez, dit-elle, la fois où nous nous sommes vues, chez ma mère, ce n'était pas la première fois que nous nous rencontrions. Nous étions copines, vous et moi, quand nous étions petites, avant la mort de votre père. Moi, je ne m'en souviens pas, mais c'est ce que dit ma mère.

Eden n'en revenait pas.

— Je n'aurais pas cru que j'avais des compagnes de jeux, en ce temps-là.

Maggie haussa les épaules.

– Je ne pourrais pas en jurer, mais Maman prétend que c'est vrai.

Eden inscrivit Cassie à la garderie pour septembre. Maggie se déclarait toute disposée à la prendre pour le reste de l'été, mais Eden n'était pas prête à se séparer de sa fille si vite.

Cassie, par ailleurs, avait de quoi se distraire à la maison. Elle aidait Lou à confectionner des petits gâteaux et des tartes, et Kyle lui avait installé, à côté du chevalet de Lou, un petit pupitre de musique qu'elle pouvait utiliser elle-même comme chevalet. Cassie adorait jeter les couleurs sur sa « toile », même si elle ne pouvait rester attelée très longtemps à la tâche.

Le soir, elle s'installait sur les genoux de Kyle, qui lui faisait la lecture. Eden les observait, éprouvait à nouveau cette curieuse nostalgie. Sûrement, il avait lu ainsi pour elle, jadis : elle était blottie dans ses bras, et la joue barbue reposait sur sa tempe. Elle parvenait presque à en retrouver le souvenir.

Une ou deux fois, le matin, elle emmena l'enfant sur le site des fouilles. Ben enterrait pour elle des pointes de flèches qu'elle retrouvait. Il traitait ses découvertes avec une profonde gravité, faisait semblant de les inscrire sur le graphique et lui parlait des êtres humains qui avaient façonné ces pointes des milliers d'années plus tôt. Dans quelle mesure Cassie comprenait ses explications, Eden n'en savait trop rien. Mais elle écoutait avec une grande attention et prenait le plus grand soin de ses trouvailles.

A la fin de cette première semaine, Eden et Ben pouvaient se tenir par la main sans s'attirer de protestations de la part de la petite fille. Cassie s'attachait à Ben, mais cela n'allait pas chez elle sans une certaine confusion, une certaine culpabilité. Il lui arrivait, subitement, hors de tout contexte, de répéter à la manière d'un perroquet des phrases qu'Eden lui avait dites. Un soir, alors que Kyle lui faisait la lecture, elle leva les yeux pour déclarer :

– Il est tout à fait normal que j'aime bien Ben.

Kyle dissimula sa surprise.

– Bien sûr, mon ange. Tu peux aimer qui tu veux.

Un autre soir, Ben, qui s'était procuré un long tube à cet usage, passa la soirée, avec Cassie, à souffler d'énormes bulles iridescentes qui flottaient et dansaient dans l'air chaud de la cabane. Eden, assise sur le lit, regardait Ben créer des bulles de la taille de ballons de plage et d'autres bulles à l'intérieur des premières. Cassie riait, criait, en réclamait toujours davantage. Soudain, elle courut à Ben, qui s'était installé sur le canapé. Elle posa les mains sur ses genoux, le regarda droit dans les yeux.

– Mon papa sera toujours mon papa, affirma-t-elle.

C'était une manière de lui dire que tout ce plaisir n'y changerait rien.

– Mais certainement, fit Ben, le visage grave. Il l'est, absolument.

Lorsque Cassie finit par se fatiguer de poursuivre des bulles, Eden l'allongea sur le lit, sur la courtepointe bleue et blanche, et alla retrouver Ben sur le canapé.

– C'est une enfant extrêmement précoce, dit-il.

– S'agit-il d'une insulte ou d'un compliment ?

– D'un compliment, en l'occurrence. J'aimerais que Bliss ait un peu de la détermination de Cassie. Ta fille est très sûre d'elle-même. Je n'imagine pas qu'on puisse jamais lui faire du mal sans qu'elle en parle. As-tu eu des entretiens avec elle sur le sujet ?

– Oui, elle a un livre qui en parle, à Santa Monica. J'ignore si l'on doit reprendre très souvent le message : je ne voudrais pas la rendre paranoïaque.

– A mon avis, jamais trop souvent. Mais ma perspective sur ce sujet est complètement déformée. Sharon et moi, nous en avons parlé à Bliss je ne sais combien de fois, mais, apparemment, nous avons fait fausse route quelque part. Nous lui disions que, si quelqu'un s'attaquait à elle, elle devait nous le dire, ne jamais tenir la chose secrète, quoi qu'ait pu lui recommander la personne en question. Pourtant, elle n'a rien dit. Sans doute parce qu'elle était convaincue qu'il s'agissait de moi. Si je lui demandais, moi, de garder un secret, naturellement, elle n'y manquerait pas. Si l'on ne peut se fier à son papa, en qui peut-on avoir confiance ?

Il avait ainsi, de temps à autre, de ces moments où Eden le sentait s'enfoncer dans son cafard, où son bras, sur les épaules de la jeune femme, semblait de plomb. Mais ils se faisaient moins fréquents, moins violents. La présence de Cassie, elle le savait, lui apportait plus de joie que de souffrance.

Ces derniers temps, elle et Ben passaient moins de temps avec Kyle et Lou. Le plaisir qu'ils avaient partagé tous les quatre, quelques semaines seulement plus tôt – le *tram-*

*poso,* les conversations détendues – avait connu une mort subite. Eden avait conscience d'être la seule à pouvoir écarter le sombre voile qui s'était abattu sur Lynch Hollow, mais elle n'avait pas l'intention de le faire. Elle se contentait de laisser à Cassie la responsabilité d'alléger l'atmosphère.

L'aspect sexuel de ses relations avec Ben lui manquait plus qu'elle ne l'aurait imaginé. Pendant plus d'une année, elle ne s'était pas préoccupée de sexe et elle n'avait eu aucun mal à repousser toutes les propositions dans ce domaine. Mais c'était avant de rencontrer Ben. Son corps, depuis, s'était accoutumé au contact d'un homme, dans le lit étroit. Hors de sa présence, tout allait bien, mais le voir sans pouvoir le toucher lui apparaissait comme un châtiment cruel. Elle ne se sentait pas libre de lui témoigner sa tendresse physique devant Cassie, et Ben était d'accord pour penser que de telles manifestations seraient prématurées. Un soir, au moment où il se préparait à quitter la maison de Lynch Hollow, il prit Eden dans ses bras mais s'écarta précipitamment lorsque Cassie entra dans la pièce. Au lieu d'embrasser la jeune femme, il se contenta d'un « Au revoir » et, un sourire mélancolique sur ses lèvres interdites, franchit le seuil.

Lou, témoin de la scène, avait dû lire la frustration sur le visage d'Eden.

– A présent, dit-elle, tu as une petite idée de ce que devait éprouver ta mère.

– Que veux-tu dire ?

– Aimer quelqu'un sans pouvoir le toucher.

Eden fit la grimace.

– Tais-toi, Lou. Il n'y a aucune comparaison.

Mais, cette nuit-là, dans son lit, elle ressentit pour sa mère une sympathie renouvelée. Kate avait aimé un homme aussi passionnément que pouvait aimer une femme. Elle l'avait eu une seule fois, avant de connaître la souffrance de savoir qu'elle ne l'aurait plus jamais.

Le lendemain, Kyle proposa une visite aux grottes de Luray. Eden avait eu l'intention de s'y rendre depuis le jour de son arrivée. Pourtant, en préparant Cassie pour les trois quarts d'heure de route, elle sentit monter en elle une certaine appréhension. Elle comprit alors pourquoi elle avait remis de jour en jour cette excursion. Elle ne s'était plus retrouvée dans une caverne depuis le jour où sa mère était morte. Elle avait eu beau en parler d'un ton léger lorsqu'elle travaillait au scénario, elle ne pouvait nier son malaise à l'idée de pénétrer dans une grotte de calcaire.

Lou prétendit vouloir rester à la maison afin de peindre. Mais, lorsqu'Eden descendit les marches sans fin qui menaient aux grottes, elle comprit que sa tante n'avait pas donné la véritable raison de son refus : l'endroit n'était pas équipé pour un fauteuil roulant.

Quand elle se trouva dans les entrailles de la terre, entourée de tous côtés par des draperies de stalactites dans une atmosphère humide et froide, Eden eut l'impression d'être prise au piège. L'air lui paraissait raréfié. Elle se surprit à respirer plus vite afin d'absorber plus d'oxygène. Son cœur lui martelait les côtes. Leur guide les gratifiait d'un discours soigneusement appris sur les dépôts de quartz en forme de choux-fleurs, sur les cent vingt années qu'il fallait aux stalactites pour former un pouce de calcite, sur les crevettes albinos et aveugles qui vivaient dans les bassins des grottes. Combien de temps, avait-il dit, devait durer cette visite ? Elle se tordait le cou pour voir par où l'on sortait de cette immense caverne.

— Je ne vois rien, Maman, dit la voix plaintive de Cassie, à hauteur de sa hanche.

— Viens ici, Cassie.

Ben se pencha, souleva l'enfant. Il la plaça sur ses épaules, et elle croisa les mains sur son front pour se maintenir.

Ils passèrent dans la salle suivante. Eden se forçait à mettre un pied devant l'autre. En dépit de la fraîcheur de l'air, elle sentait la sueur lui perler aux tempes, à la racine des cheveux.

— N'est-ce pas extraordinaire ? lui dit Ben à l'oreille.

Elle s'aperçut alors qu'elle n'avait rien entendu de ce qu'avait dit le guide. Elle sentit la main de Kyle se poser sur son dos.

— Tu te sens bien, ma chérie ?

— Je suis un peu étourdie.

— Pourras-tu suivre la visite jusqu'à la fin ?

Elle plongea son regard dans les yeux bleus inquiets, le détourna.

— Je n'en suis pas sûre.

— Reste ici.

Kyle, à travers le groupe de visiteurs, alla rejoindre le guide, attendit que l'homme eût achevé son discours. Eden le vit murmurer quelques mots au jeune homme. Elle vit le guide hocher la tête, avant de parler dans le talkie-walkie qu'il tenait dans sa main. Kyle échangea ensuite quelques propos avec Ben, qui lança un rapide coup d'œil vers elle et acquiesça d'un signe de tête. Cassie appuyait son torse contre la tête de Ben et croisait ses petits doigts sur son menton, à la manière d'une mentonnière de casque.

Kyle revenait vers Eden, qui se sentit gênée.

— Il appelle un collègue pour te sortir d'ici. Je t'accompagnerai. Ben et Cassie pourront aller jusqu'au bout.

Les autres visiteurs disparurent dans la salle suivante. Eden regarda Ben se baisser pour éviter à Cassie de se cogner la tête contre le passage surbaissé. L'un et l'autre, à leur tour, furent absorbés par la terre. Elle se retrouva seule avec Kyle, au centre d'un cercle de stalactites qui évoquaient pour elle des dents de chauve-souris.

— Je te demande pardon, dit-elle. J'ai été prise d'une faiblesse, subitement.

Kyle s'assit sur une saillie rocheuse.

— Je connais ça, répondit-il. J'ai éprouvé le même malaise, le jour où je suis entré dans une caverne pour la première fois depuis que j'avais scellé celle de Lynch Hollow. Ça se passait des années plus tard, mais tous les souvenirs me sont revenus.

Il dégagea son appareil photo pendu à son épaule, le posa près de lui, sur la pierre.

— La dernière fois où nous nous sommes trouvés toi et moi dans une caverne a été très pénible. Tu étais si petite... tout juste l'âge de Cassie. Tu ne te souviens pas de grand-chose, je suppose. La rivière...

— Kyle, tais-toi, je t'en prie. Je ne veux pas parler de ça.

Elle avait l'impression qu'elle allait être malade. Elle s'agrippa à la pointe d'une stalagmite toute proche, mais la lâcha vivement, saisie de répugnance au contact familier, froid et lisse. Elle ne se rappelait rien de ce dernier jour dans la caverne. Mais, par la suite – cela, elle le revoyait nettement –, la face intérieure des bras de Kyle était striée d'écorchures à vif. Elle se retrouvait assise près de lui à la table du dîner, avec son grand-père et quelques voisins, en cette soirée où chacun était triste et silencieux. Elle avait ouvert de grands yeux sur les bras de Kyle, lorsqu'il avait saisi quelque chose sur la table. Elle voyait encore la disposition des entailles, les longues traînées irrégulières de sang séché sur la peau bronzée de ses bras. Il lui avait alors paru si vieux. En réalité, il était alors plus jeune qu'elle-même ne l'était à présent.

— Hier au soir, reprit Kyle, un type m'a téléphoné. De Hollywood. Il avait appris, m'a-t-il dit, que tu avais décidé de ne pas faire le film sur Kate. Lui, il voulait le faire. Il m'a demandé si j'accepterais de m'entretenir avec lui.

Eden en oublia sa nausée.

— Qui était-ce ?

— Un certain William Crisper, ou Crispin... quelque chose de ce genre.

*Bill Crispin.*

— Il fait de l'esbrouffe, Kyle. Il est capable de tirer du sensationnel à partir d'une journée dans la vie d'un œillet. Je t'en prie, n'accepte pas de lui parler.

— Je n'en ai pas l'intention, même s'il était disposé à me verser une grosse somme pour lui servir de conseiller. Assez pour sauver le site et plus encore. D'autres, m'a-t-il dit, vont s'intéresser au film, maintenant que tu as renoncé, mais il était prêt à surenchérir sur toutes les autres offres que je pourrais recevoir. La seule personne que j'étais disposé à aider, lui ai-je répondu, c'était toi.

— Salut !

Une jeune femme souriante apparut soudain à l'entrée de la grotte et leur fit signe de la suivre. Elle tapota l'épaule d'Eden.

— Ça arrive constamment, lui dit-elle. Ne vous en faites pas.

Au moment où ils sortaient de la caverne, leur guide étouffa une exclamation et fit un pas en arrière pour mieux dévisager Eden.

— Seigneur ! Vous êtes Eden Riley.

Eden força un sourire.

— Pouvons-nous garder ça entre nous, s'il vous plaît ?

Elle voyait déjà les gros titres. EDEN RILEY S'EFFONDRE DANS UNE GROTTE.

— Mais oui, bien sûr.

La jeune femme guida Eden et Kyle tout au long des escaliers et les fit sortir à l'air libre d'un mois d'août torride. Elle prit Eden par le coude, lui montra un banc.

— Tout ira bien, maintenant. Asseyez-vous et reprenez votre souffle.

— Merci.

Elle s'assit près de Kyle. Leur guide les laissa pour retourner vers les grottes.

— Ironique, n'est-ce pas ? fit Kyle. Le seul endroit où ta mère se sentait à l'aise était une caverne.

— Mmm...

Eden avait encore les jambes flageolantes. Elle pensa une fois de plus à Bill Crispin. Il était impensable qu'il pût écrire le scénario d'un film sur Katherine Swift. Ce serait de la littérature de camelote. Si *n'importe qui* d'autre qu'elle faisait ce film, il ne vaudrait rien. On déformerait Katherine Swift, comme elle avait été déformée par le passé. Mais du moins personne n'apprendrait-il jamais ce qu'avait appris Eden. C'était impossible, n'est-ce pas ?

Elle se tourna vers Kyle.

— Qui sait que tu es... que tu n'es pas mon oncle ?

— Nous quatre, c'est tout. Toi, moi, Lou et Ben. Le spécialiste en génétique que j'avais consulté à New York est mort il y a environ un an.

— Personne n'a donc le moyen de découvrir la vérité, n'est-ce pas ?

Kyle soupira. Lorsqu'il répondit, elle perçut dans sa voix une note de sarcasme.

— Non, Eden. Aucun moyen. Ta réputation ne court aucun risque.

Les portes qui donnaient accès aux cavernes s'ouvrirent. Leur groupe de visiteurs en sortit. Eden sentit un courant d'air froid frôler son visage et ses bras. Ben émergea de la grotte. Il tenait Cassie par la main. Elle lui parlait avec son animation habituelle, et il se penchait pour l'écouter.

— Ben et Cassie semblent bien s'entendre, remarqua Kyle.

— Sa présence l'empêche de trop penser à Bliss, je crois.

— Ça, j'en doute.

Kyle passa la courroie de son appareil photo sur son épaule, se leva.

— Peu importe avec qui tu es, ce que tu fais, ton enfant te manque toujours. Même lorsqu'elle est assise tout près de toi.

# 40

Le King's Dominion, le parc d'attractions, avait exténué Cassie, et Ben se sentait coupable. Il avait épuisé l'enfant. Certes, Eden l'avait laissé faire. Pas une seule fois elle ne lui avait dit : « C'est assez, Ben. » Elle semblait comprendre qu'il avait besoin de cette journée pour compenser l'existence privée d'enfant qu'il menait depuis un an. Mais, à présent, Eden et lui allaient devoir payer pour leur indulgence.

Durant toute la première heure du trajet de retour vers la vallée, Cassie ne cessa de pleurnicher. Il ne l'avait encore jamais vue ainsi. Finalement, elle s'était mise à geindre et elle dormait maintenant profondément, retenue par sa ceinture de sécurité, sur le siège arrière de la voiture d'Eden.

Celle-ci détacha sa propre ceinture et se mit à genoux pour atteindre la banquette.

— Puis-je prendre ton sweat-shirt pour lui faire un oreiller ? demanda-t-elle.

— Bien sûr.

Eden était en short. Il abandonna d'une main le volant pour faire courir ses doigts le long de la cuisse de la jeune femme. Il sentit tout le corps d'Eden frémir sous sa caresse.

— J'avais oublié comme c'était bon de te toucher, dit-il.

— Je *déteste* cette situation.

Elle reprit sa place.

— Je vais me trouver une maison à Coolbrook, même si je dois payer le loyer d'une année entière.

Avoir un endroit bien à elle, où ils pourraient se retrouver plus facilement, n'était pas la seule raison qui la poussait à vouloir quitter Lynch Hollow. Cela, il le savait. Elle avait hâte de s'éloigner de Kyle et de Lou qu'elle traitait avec une réserve imméritée.

Elle lui prit la main, la retint sur sa cuisse.

— T'ai-je dit aujourd'hui que je t'aime ? demanda-t-elle.

— Pas en paroles, répondit-il. Mais je m'en suis rendu compte.

A plusieurs reprises, ce jour-là, il avait surpris son regard posé sur lui : elle l'observait à travers les lunettes de soleil dont elle s'était munie pour éviter d'être reconnue. Chaque fois, elle lui souriait. Un sourire approbateur. Consentant. Elle lui avait fait présent d'un sweatshirt, avait pris de lui une douzaine de photos, uni ses doigts avec les siens quand ils marchaient. Il savait parfaitement qu'elle l'aimait.

A la limite de Coolbrook, ils s'arrêtèrent devant le petit supermarché pour y acheter de quoi dîner. Ils durent tirer Cassie de son sommeil pour l'emmener avec eux, et elle se montra maussade, grognon. Ils achetèrent une laitue, un pain italien, de la sauce pour les spaghettis. Cassie les suivait en traînant les pieds.

— Je veux des bonbons, Maman, gémissait-elle. Je veux des barres au chocolat.

Quand ils prirent la queue à la caisse, elle s'affala dramatiquement entre eux sur le comptoir.

— Maman, j'en ai besoin. Je peux avoir des barres au chocolat, s'il te plaît ? S'il te plaît, s'il te plaît !

— Tu as eu plus que ton compte de sucreries aujourd'hui, Cassie, déclara Eden.

Ben sortit de son portefeuille un billet de dix dollars, mais Eden secoua la tête, ouvrit son sac. Sans rien dire, avec gratitude, il rangea son argent. La jeune femme, sur le point de tirer un billet de son propre portefeuille, s'immobilisa. Il suivit la direction de son regard. Un présentoir de journaux était posé sur le comptoir, et il vit aussitôt ce qui avait attiré l'attention d'Eden. C'était une grande photo d'elle-même en compagnie de Michael Carey. Une large balafre noire les séparait. Le gros titre proclamait simplement, sans la moindre équivoque : EDEN LAISSE TOMBER MICHAEL AU PROFIT D'UN DÉTRAQUÉ SEXUEL.

Ben posa la main sur le bras d'Eden, perçut la rigidité de tout son corps. Elle prit un journal, le posa à l'envers sur le comptoir, à côté de leurs emplettes. Elle sortit ensuite de son sac ses lunettes noires, bien qu'elle fût à l'intérieur, à près de sept heures du soir.

– Maman, j'en ai besoin !

Cassie ne quittait pas des yeux le présentoir de friandises, tout proche.

Eden se retourna d'un bloc.

– Cassie, je t'ai dit non, bon Dieu !

C'était la première fois que Ben l'entendait parler sans tendresse à l'enfant. Mais sa surprise n'était rien au regard de celle de la petite fille : elle se tut immédiatement, et ses yeux fatigués s'emplirent de larmes. Il posa les doigts sur la petite épaule, la pressa doucement.

De retour dans la voiture, Cassie se mit à pleurer. Ses gémissements, agaçants par leur insistance, meublaient le silence de mauvais augure qui s'était installé entre Eden et lui. Le journal était posé sur les genoux de la jeune femme. La photo, qui représentait Eden en fourreau collant, très décolleté et Michael en smoking, était à peine visible dans la faible lumière, et elle ne la regardait pas. Tournée vers la portière, elle contemplait les champs de maïs qui s'assombrissaient.

– Je veux des bonbons ! gémit Cassie.

Et, rusée, elle ajouta, avec un petit tremblement dans la voix :

– Je veux mon papa !

– Cassie, dit Ben, veux-tu cesser de pleurnicher, s'il te plaît ?

Eden tourna brusquement la tête vers lui.

– Ne lui parle pas sur ce ton !

Il eut l'impression qu'elle l'avait giflé. Les mains crispées sur le volant, il fixa son regard sur les lacets de la route.

Il immobilisa la voiture dans la clairière, devant la cabane, coupa le moteur. Pendant un moment, tous trois restèrent assis dans l'obscurité, à écouter le chant des grillons. Ils étaient incapables de rassembler l'énergie nécessaire pour détacher une ceinture, ouvrir une portière.

Au bout de quelques minutes, Eden se tourna vers Ben.

– Je te demande pardon de m'être emportée.

Il essaya de voir son visage, mais il faisait trop sombre.

– Ça devait arriver un jour ou l'autre, tu le savais, dit-il.

Elle tendit la main vers l'attache de sa ceinture de sécurité.

– Non, répondit-elle. Je ne devais pas m'en rendre compte.

Dans la cabane, il fit fondre le beurre, le malaxa avec l'ail pilé pour en tartiner le pain. Pendant ce temps, Eden préparait le canapé pour y coucher Cassie. Trop épuisée, la petite fille ne protestait plus. Elle se glissa entre les draps. Quand Eden s'assit à la table et ouvrit le journal, elle dormait déjà. Ben éprouvait un sentiment de culpabilité qui le contrariait. Il n'avait rien caché à la jeune femme. Il ne l'avait pas trahie. Pourtant, le silence d'Eden ressemblait à une accusation.

Il prépara une laitue, se mit à couper une tomate en tranches. Eden lança un coup d'œil vers Cassie, avant de lire à haute voix le sous-titre de l'article :

« La fondatrice du Fonds d'aide aux enfants handicapés prend pour amant le coupable d'attentats à la pudeur sur une enfant. »

Ben enfonça brutalement la lame dans la tomate. Les pépins jaillirent, retombèrent sur sa chemise, sur le mur.

– Ont-ils mon nom ? demanda-t-il.

– Oui. Quelqu'un s'est scrupuleusement acquitté de son travail de recherche.

Elle lut pour elle-même une partie de l'article, émit une sourde exclamation de dégoût.

– Sue Shepherd, reprit-elle à haute voix, présidente du Fonds d'aide aux enfants handicapés, créé par Mrs Riley, nous a déclaré : « Si c'est vrai, nous ne désirerons certainement pas qu'elle représente plus longtemps notre organisation. »

Eden était très pâle, sa poitrine se soulevait et retombait convulsivement. Elle continua de lire tout haut :

– Une amie très proche nous a confié : « On a peine à croire qu'Eden ait pu se lier avec un homme de cette espèce, mais son divorce l'avait laissée dans une profonde détresse. Alors, qui peut juger ? On va certainement retirer des écrans ses films pour enfants. Je ne parviens pas à croire qu'elle ait pu mettre ainsi sa carrière en danger. » Curieusement, Michael Carey, qui est probablement le grand perdant dans l'aventure, dit qu'il n'en veut aucunement à Eden : « Si l'information est vraie, je suis inquiet pour elle. C'est tout ce que j'ai à dire sur le sujet. »

C'était pire que tout ce qu'il avait imaginé. Il s'approcha de la table, posa timidement la main sur l'épaule d'Eden.

– Je ne sais que te dire...

Elle leva sa propre main, entrelaça ses doigts aux siens. Il se sentit soulagé. Elle posa sur lui des yeux agrandis, limpides.

– Fais-moi l'amour, dit-elle.

– Tout de suite ?

– Oui.

Il regarda Cassie, endormie sur le canapé.

– Où ça ?

Eden, à son tour, jeta un coup d'œil vers sa fille, avant de faire du regard le tour des quatre murs de la cabane. Ses yeux s'arrêtèrent sur le seul endroit où ils pourraient s'isoler.

– Dans le cabinet de toilette.

Il la suivit, conscient de son propre désir douloureux. Mais ce fut le genre de relation sexuelle qu'on trouve dans les films pornographiques. Ce que pourrait accomplir un violeur d'enfants, se dit-il. Ni l'un ni l'autre ne se sentait tendre. La porte à peine refermée sur eux, Eden tendit la main vers la fermeture du short de Ben, et il lui releva son tee-shirt au-dessus des seins. Elle se pencha sur le lavabo, et il la pénétra brutalement. Elle venait au-devant de chacun de ses mouvements avec une fureur qui, il l'espérait, ne lui était pas destinée. Il parvint à la jouissance avec une rapidité qui lui fit honte, alors qu'Eden restait loin derrière. La lumière blanche et froide du cabinet de toilette lui blessait tout à coup les yeux. Il ferma les paupières pour apaiser la souffrance. Haletant, il appuya la joue sur le dos d'Eden, glissa la main entre ses cuisses.

– Non.

Elle écarta ses doigts, se redressa.

– Je m'en moque.

Elle rajusta son tee-shirt, se laissa glisser jusqu'au sol. Elle posa la tête sur ses bras, se mit à pleurer. Ses sanglots éveillaient des échos sur le froid métal et la porcelaine grisâtre. Ben sentit les murs se refermer sur lui. Il remonta son short, s'assit près d'elle. Il voulut la prendre dans ses bras, mais elle était rigide – une masse hérissée de coudes, de genoux, d'épaules. Il était impossible de l'approcher. A la recherche de quelque douceur, il lui caressa les cheveux, avant de lui poser la main sur la hanche, là où la peau nue et tiède rencontrait le pitoyable linoléum qui couvrait le sol.

– Eden, je t'en prie. Passons dans l'autre pièce.

Elle secoua la tête sans la lever de ses genoux.

— Ce n'est pas juste, dit-elle.

— Je le sais bien.

— Tout allait si bien. J'avais fini par me rapprocher de Lou et de Kyle. J'avais un film merveilleux à mettre au point. J'étais tombée amoureuse. Et voilà que tout craque de partout.

Elle parlait d'une voix étouffée. Il devait se pencher pour l'entendre.

Il se redressa avec un soupir.

— A mon avis, voici ce que tu devrais faire, dit-il.

Elle ne releva pas la tête. Il continua.

— Appelle cette cochonnerie de journal. Offre-leur une interview. Dis-leur que tu m'as fréquenté très peu de temps, et que je t'avais caché mon passé. Le jour où tu as tout découvert, tu as été choquée, scandalisée. Tu m'as aussitôt laissé tomber.

Lentement, elle leva son visage vers lui. Il demeura interdit par la souffrance qu'il lut dans ses yeux.

— Tu pourrais si facilement renoncer à moi ? demanda-t-elle.

— Tu as travaillé si dur pour arriver là où tu es, Eden. Je ne veux pas te voir tout perdre... ta carrière, le Fonds d'aide aux enfants, les admirateurs qui t'aiment et te respectent. Il n'y a aucune raison pour que tu sois victime de mes problèmes personnels.

Elle rejeta la tête contre le mur. Il vit la détermination remplacer la souffrance dans son regard.

— Je ne vais pas laisser les médias régenter ma vie, Ben.

D'un revers de main, elle s'essuya les yeux.

— J'ai eu une carrière satisfaisante. J'ai connu la célébrité, la fortune. J'ai eu le Fonds d'aide aux enfants handicapés. Mais ce que je n'ai jamais eu...

Elle leva la main, toucha la joue de Ben, laissa ses doigts s'y attarder un instant.

— ... c'est quelqu'un qui te ressemble.

# 41

A Lynch Hollow, le lendemain, Eden refusa tous les coups de téléphone. Kyle finit par demander à Michael et à Nina de ne plus appeler.

— Quand elle sera prête à vous parler, Eden vous téléphonera, dit-il.

Tout en se sentant coupable, la jeune femme lui fut reconnaissante de son intervention.

Mais ce fut ensuite Wayne qui appela. Il était dix heures, trop tard pour qu'il voulût parler à Cassie. Eden prit le combiné de la main de Kyle. Elle attendit qu'il eût quitté la cuisine pour s'asseoir à la table. Elle se raidissait contre ce qu'allaient lui apporter les minutes suivantes.

— Salut, Wayne, dit-elle.

— Bonsoir, Eden. Dans quoi diable es-tu allée te fourrer ?

Elle soupira.

— Il est innocent, Wayne. Le journal a fait une montagne d'une taupinière.

— Écoute, Eden, je m'efforce de rester calme. J'essaie de rester raisonnable. Mais je me suis renseigné sur ce type. J'ai un ami qui connaissait le procureur dans cette affaire. L'homme est une abomination, Eden. Ce qu'il a fait subir à sa gamine... Tu laisses Cassie approcher ce type ?

— Cassie va *parfaitement bien*. Elle s'amuse énormément.

— Sais-tu ce que ce cochon-là a fait à sa propre fille ?

— Il s'appelle *Ben,* Wayne. Et je sais de quoi on l'a accusé. Je sais aussi qu'il n'était pas coupable.

— Oh, je vois. Tu en sais plus long que le juge et les

jurés. Eden, écoute-moi, tu veux ? Selon mon ami, Alexander est un menteur pathologique. A le voir, il apparaît comme un gars formidable. Sincère. Honnête comme il n'est pas possible. Mais il n'a aucun sens moral. Il est incapable d'aimer quelqu'un d'autre que lui-même.

— Tu ne parlerais pas ainsi si tu le connaissais, si tu savais à quel point il aime sa fille.

— Eden, bonté divine ! Il s'en est pris à sa propre fille. Et plus d'une fois.

— Je ne vois pas l'utilité de poursuivre cette conversation.

Wayne se tut un instant.

— Tout ça est de ma faute, j'en ai l'impression, reprit-il. Je ne me suis pas très bien comporté dans cette histoire de divorce, et tu en as probablement plus souffert que je ne l'avais cru. Peut-être as-tu été réduite au désespoir, ou bien...

— Ne te flatte pas, Wayne. Je ne suis pas désespérée.

— En tout cas, mon premier souci, le tien aussi, j'espère, c'est le bien de Cassie. Si tu tiens à fréquenter ce salaud, tu devras me renvoyer la petite.

— N'y compte pas. Tu l'as eue pendant tout un mois. Maintenant, elle est à moi. Et elle est parfaitement heureuse ici.

— Je ne veux pas qu'elle approche ce type, Eden. Si tu ne la renvoies pas de ton plein gré, je retournerai devant la justice. J'obtiendrai aisément la garde de la petite. Tu t'en rends compte, non ? Apparemment, tu as perdu toute faculté de jugement.

Elle écrasait entre ses doigts le fil du téléphone, comme si, en pressant suffisamment fort, elle pouvait faire taire Wayne.

— Kyle est d'accord pour que tu voies ce bonhomme ?

— Kyle sait qu'il est innocent.

— Vous avez tous perdu l'esprit. Passe-moi Kyle.

— Non. Je ne veux pas l'entraîner dans...

— Écoute-moi, Eden. Je t'accorde le week-end pour réfléchir. Je ne prendrai aucune disposition jusque-là. Mais tiens-le à l'écart de Cassie, tu m'entends ?

— Oui.

Elle raccrocha. Quelques secondes s'écoulèrent. La sonnerie retentit de nouveau. Elle entendit Kyle décrocher dans le salon, perçut des paroles étouffées et comprit qu'il parlait avec Wayne. Elle monta voir Cassie, qui souriait dans son sommeil. Eden s'assit au bord du lit pliant, écarta les cheveux qui étaient retombés sur la joue de Cassie. Si elle venait à penser un seul instant que sa fille était en danger, jamais elle ne reverrait Ben. Jamais. Wayne devait bien le savoir.

Elle retrouva Kyle dans la cuisine.

— Ça m'ennuie de te demander ça, Kyle, mais pourrais-tu veiller un moment sur Cassie ? Elle dort profondément, et je dois à tout prix voir Ben. Je n'en aurai pas pour longtemps.

— C'est d'accord.

Kyle fit de la lumière sur le porche, accompagna Eden dehors.

— J'avais Wayne en ligne. Il parle très sérieusement, Eden. J'aimerais pouvoir te dire de ne pas abandonner Ben, mais il va te coûter très cher, ma chérie. Très, très cher.

Eden se retourna d'un bloc, lui fit face.

— Et, à ton avis, combien m'en coûterait-il, si je faisais un film sur ma mère qui a couché avec son frère ?

Le coup parut cingler Kyle.

— Nous étions cousins, dit-il d'un ton calme et las.

Il se détourna pour rentrer dans la maison.

Elle fit un pas vers lui.

— Kyle... Je te demande pardon. Je...

Elle sursauta, au bruit de la porte grillagée qui se refermait sur ses excuses.

Ben était presque endormi quand le téléphone sonna.

— Ben Alexander ?

C'était une voix masculine, brève, inconnue.

— Oui.

— Wayne Cramer à l'appareil. L'ex-mari d'Eden Riley.

Ben se redressa. Il ne s'était pas attendu à ce coup de fil. Peut-être l'aurait-il dû.

— Oui ?

— Je viens de m'entretenir avec Eden. Si elle a l'intention de continuer à vous voir, lui ai-je expliqué, je me battrai pour reprendre notre fille. Et je gagnerai.

Ben ferma les yeux. Oui, sans aucun doute, il gagnerait. Sans le moindre doute.

— Eh bien, dit-il, si j'en savais aussi peu que vous en savez sur moi, je me conduirais de la même façon, je pense. Mais, je peux vous l'assurer, Cassie ne court aucun risque. C'est une gosse merveilleuse et...

– Oh, bon Dieu, vous n'allez foutrement pas oser me dire ce qu'est ma fille. Si vous la touchez, je vous tuerai, je le jure.

Ben connaissait l'angoisse de cet homme. Il connaissait sa peur.

– Wayne, vous me croyez coupable, je le sais, mais je ne le suis pas. Je comprends ce que vous éprouvez : je l'éprouve, moi aussi. Je me tourmente à l'idée que quelqu'un d'autre a pu faire du mal à ma fille et j'y pense jour et nuit. Cet homme est peut-être encore tout proche d'elle, et je ne peux pas...

– Écoutez, je tiens simplement à vous faire savoir qu'Eden risque de perdre Cassie, en même temps que tout le reste. Valez-vous un tel sacrifice ?

Ben ravala sa salive.

– Personne ne vaut ça, commença-t-il.

Mais il entendit reposer brutalement le combiné à l'autre bout du fil. Wayne Cramer lui avait raccroché au nez.

Il était assis sur le porche quand Eden immobilisa sa voiture dans la clairière. Elle vint s'asseoir sur le banc, près de lui.

– Que fais-tu ici ? demanda-t-il.

– J'avais besoin de te voir, mais je pensais que tu dormirais. Pourquoi es-tu dehors ?

– Je réfléchissais.

Il lui posa une main sur le dos, joua avec ses cheveux.

– Tu as demandé à Kyle et à Lou de veiller sur la petite ?

– Il l'a bien fallu. Wayne vient de m'appeler.

Elle parlait d'un ton indigné.

– Il a lu le journal, je suppose, et il s'inquiète pour Cassie.

– S'il ne l'était pas, ce serait un drôle de père.

Ben enroulait autour de son doigt une mèche des cheveux blonds, observait les jeux de la lumière sous la lampe du porche.

– Il m'a appelé, moi aussi, Eden.

– Oh, non !

Elle se tourna vers lui pour le dévisager.

– Je suis désolée, Ben.

– Il va essayer de te reprendre Cassie.

– Qu'il essaie. J'ai un excellent avocat.

– Écoute-moi, Eden. Ce genre de chose est très difficile à combattre, je le sais par expérience.

Elle secoua la tête.

— Il bluffe, je crois. Pour l'instant, il est simplement remonté. Il a parlé avec quelqu'un qui connaissait l'affaire et qui lui a dit que tu étais un menteur pathologique, un être abominable. Du coup, il est convaincu que tu es tout ça. Le fait que je sois, moi, convaincue du contraire, n'a aucune importance pour lui.

— Je le crois volontiers.

Elle soupira.

— Pour le moment, j'aimerais faire comme s'il ne se passait rien.

— Je ne suis pas sûr d'en être capable.

— Je t'en prie, Ben. Si nous dansions ?

Il se mit à rire.

— Danser ?

— Tu es trop fatigué ?

— Non.

Il se leva. Il ferait ce qu'elle voudrait, quoi qu'elle demandât.

Une fois qu'elle fut dans ses bras, qu'ils suivirent la musique, il comprit ce qu'elle essayait de faire. Elle voulait retrouver les premiers moments de leur relation, lorsqu'ils avaient si peu de soucis. Mais elle ne parvenait pas à se détendre. Il percevait son agitation, tout contre lui.

Elle s'écarta.

— Faisons plutôt l'amour.

Elle lui prit la main, le guida jusqu'au lit. Il la laissa le déshabiller, lui laissa le soin de découvrir que son corps, ce soir-là, ne pouvait lui être d'aucun secours.

— Oh, Ben...

Dans sa déception, elle pleurait presque.

— J'ai besoin de me sentir toute proche de toi.

— Viens ici.

Il l'attira entre ses bras. Elle lui jeta une jambe en travers du corps, se serra contre lui aussi étroitement qu'elle le put.

— Ben ?

— Oui ?

Elle leva la tête pour le regarder, et ses cheveux lui caressèrent la joue.

— M'as-tu jamais menti ? questionna-t-elle.

Il réfléchit un instant.

— Par omission, peut-être, les tout premiers jours qui

ont suivi notre rencontre, quand je ne voulais pas encore te parler de Bliss. Pour la même raison, j'ai pu te faire quelques mensonges sans importance. Je ne m'en souviens pas.

Elle soupira, se rapprocha encore de lui, comme si sa réponse la satisfaisait. Mais il restait troublé. *M'as-tu jamais menti ?* C'était la première graine du doute qu'il découvrait en elle. Qui s'insinuait en elle. Qui s'insinuait entre eux. Elle ne lui faisait plus entièrement confiance.

# 42

Le lendemain, Kyle et Lou partirent pour New York.
Kyle ne prit pas le peine de dire au revoir à Eden,
lorsqu'il se mit au volant, et cette colère muette, cette
fierté blessée lui restèrent comme un poids sur le cœur,
tandis qu'elle les regardait prendre la route au bout de
l'allée de Lynch Hollow.

Elle et Ben, avec Cassie, avaient la maison pour eux
seuls pendant deux jours et une nuit. Ils passèrent la matinée à faire le ménage au rez-de-chaussée, à désherber le
jardin. Ils évitèrent toute discussion à propos de Wayne et
du problème qui planait sur leurs têtes.

Dans l'après-midi, ils se rendirent au parc de Coolbrook, afin de permettre à Cassie de monter les poneys
qui venaient d'apparaître en ville. Ce fut à peine si Cassie
attendit que Ben eût parqué la voiture avant de bondir
hors de la portière pour courir jusqu'au manège de fortune qu'on avait installé près du parc de stationnement. Il
y avait trois poneys. Des chevaux, plus exactement. Fatigués. Maigres. Le dos creusé. Tenus à la longe par des
adolescents aux yeux vitreux, ils tournaient, l'un derrière
l'autre.

Quand Eden et Ben la rejoignirent, Cassie trépignait
d'impatience.

– Je peux monter sur le jaune ? demanda-t-elle.

– Pourquoi pas ?

Ben sortit un billet de sa poche, le tendit à la fille qui
tenait les rênes du vieil étalon blond. Eden s'assit sur un
banc, regarda Ben soulever Cassie pour l'asseoir sur le
cheval. Elle sut à cet instant qu'elle avait sous les yeux
tout son univers. Le sourire de Ben et l'excitation de Cas-

sie qui étreignait la selle de ses petites jambes brunes emplissaient cet univers. La jeune femme ne pourrait vivre sans l'un et l'autre.

*Wayne, je t'en prie, je t'en prie, ne me fais pas ça.*

Cassie se cramponnait au pommeau de la selle avec une profonde concentration et un sourire incertain. Quand le cheval se mit en marche, un petit cri lui échappa. Elle n'avait pas une assiette bien solide. Ben préféra marcher près d'elle, en l'assurant d'une main posée sur son petit short rose. Le sourire d'Eden s'effaça. Elle souhaitait voir Ben déplacer sa main. Il obtiendrait le même résultat en la posant sur le dos de l'enfant, non ? Il parlait à Cassie, la tête levée vers elle, tandis qu'ils tournaient lentement, pesamment autour du manège. Lorsqu'ils revinrent à l'entrée, il souleva la petite fille, et ses mains glissèrent sous le chemisier quand il la reposa sur le sol.

*Tu deviens paranoïaque,* se dit Eden, en regardant Cassie accourir vers elle.

— Tu m'as vue, Maman ? Tu as vu comme j'étais *haute* ? Il s'appelle Dusty. Il est mon cheval préféré dans le monde tout entier.

— Tu veux refaire un tour ? demanda Ben.

— Oh, oui.

Sur le point de refuser, Eden se ravisa. Elle n'allait pas accorder crédit à une crainte déraisonnable. Elle prit dans son portefeuille un billet d'un dollar.

— Tu te sens bien ? questionna-t-il. Tu m'as l'air un peu pâle.

— Je suis très bien.

Cette fois, quand Ben souleva Cassie pour la mettre sur le dos arthritique de Dusty, elle détourna les yeux.

Durant le trajet de retour, Cassie et Ben s'entretinrent de Dusty. Ben parla à l'enfant de la première fois où lui-même était monté à cheval. Il était question de Sam et de leur grand-père. Eden se sentait à part, comme si une cloison de verre avait coupé la voiture en deux. C'était à peine si elle distinguait leurs paroles.

Lorsqu'ils se retrouvèrent à Lynch Hollow, Ben la coinça dans la cuisine.

— Que se passe-t-il ? demanda-t-il.

— De quoi parles-tu ?

— Quelque chose t'a bouleversée.

— Je ne vois vraiment pas quoi, lui lança-t-elle d'un ton bref. Mon ex-mari essaie seulement de me reprendre ma fille. Pourquoi diable serais-je bouleversée ?

Il la dévisagea un instant, avant de la saisir aux épaules et de la serrer contre lui. Il l'embrassa lentement, passionnément, et elle sentit sa peur se désagréger sous ses baisers. Quand il voulut s'écarter d'elle, elle le retint.

— Je te demande pardon, Ben. Je me conduis comme une folle. J'ai des idées folles. C'est simplement parce que j'ai peur.

Le soir venu, elle se sentait mieux. Ils jouèrent à différents jeux avec Cassie, des jeux anciens retrouvés dans le placard du couloir où on les avait rangés. A l'heure du dîner, sa paranoïa du matin lui paraissait ridicule. Elle mit des draps frais au lit de Lou et de Kyle, pendant que Ben préparait du poulet frit. Ils allaient avoir une bonne nuit.

— As-tu toujours besoin de te sentir plus proche de moi ? lui avait demandé Ben, un peu plus tôt, au beau milieu d'une partie.

— Oui.

Par-dessus la tête de Cassie, elle lui avait souri.

— Ai-je quelques chances ? avait-elle ajouté.

— J'estime entre bonne et excellente la possibilité d'un rapprochement mutuellement satisfaisant.

Cassie se dressa pour fermer la bouche de Ben avec sa petite main.

— Arrêtez de dire ces grands mots-là ! exigea-t-elle.

Après le dîner, Eden lava la vaisselle, tandis que Ben jouait aux cartes avec la petite fille. La jeune femme rangeait la dernière assiette quand le téléphone sonna. Elle eut envie de laisser le répondeur prendre le message, mais se ravisa. Il pouvait s'agir de Lou ou de Kyle.

— Allô ?

— Grand Dieu ! Est-ce bien Eden Riley qui répond en personne au téléphone ?

— Bonsoir, Nina.

— J'ai une surprise pour vous, mon petit. Nous nous sommes dit que, si vous refusiez de prendre nos appels, nous n'avions plus qu'à vous obliger à nous recevoir. Nous nous trouvons, Michael et moi, dans un petit hameau appelé Coolbrook. Vous en avez entendu parler ?

— Ce n'est pas possible.

— Mais si, mais si. Alors, s'il vous plaît, dites-nous comment on va d'ici à l'endroit où vous êtes. Lynch Hollow, c'est bien ça ? Si vous refusez, il se trouvera bien quelqu'un dans le coin pour nous indiquer la route.

– Nina...

Eden se passa une main dans les cheveux, avec un regard désespéré à l'adresse de Ben.

– Ne venez pas ici, je vous en prie. Il y a un hôtel à Coolbrook. Pourquoi, tous les deux, n'y passeriez-vous pas la nuit ? Je vous y retrouverai demain pour déjeuner.

– Rien à faire, Eden. Nous sommes ici parce que nous vous aimons bien et que nous avons une peur de tous les diables de ce que vous êtes en train de faire. Vous allez nous voir *ce soir*, même si nous devons pour ça vous enlever.

– Très bien. Il y a un restaurant, juste à la sortie de Coolbrook.

Elle leur expliqua comment arriver au Sugar Hill.

– Je vous y retrouve dans une heure.

Lorsqu'elle eut raccroché, Ben demanda :

– Michael est avec elle ?

– Oui. Cassie, veux-tu aller regarder la télé un moment ?

– Mais, Maman, j'allais gagner !

– Allons, va vite. (Elle poussa l'enfant hors de la cuisine.) J'ai besoin de parler à Ben.

Ben attendit d'avoir entendu Cassie allumer la télévision dans le salon.

– Veux-tu que je t'accompagne ? proposa-t-il.

Eden se mit à rire.

– Ça ne manquerait pas de flanquer leurs projets en l'air, dit-elle. Ils sont ici pour me convaincre que je fais une grosse bêtise en te fréquentant. Message difficile à transmettre en ta présence.

– Tu fais bel et bien une bêtise en me fréquentant.

– Ne parle pas comme ça, je t'en prie. Et merci de ta proposition, mais je ne veux pas que tu m'accompagnes. Nous serions fort mal à l'aise, l'un et l'autre. Ça ne t'ennuierait pas de veiller sur Cassie ? C'est bientôt l'heure de la coucher.

– Non, ça ne m'ennuie pas.

Il rassemblait les cartes restées sur la table.

– Mais veux-tu, s'il te plaît, la préparer pour le lit, avant de partir ? Lui mettre son pyjama ?

– Bien sûr.

Eden comprenait. Il voulait se protéger de tout ce qu'elle pourrait imaginer.

C'était un vendredi soir, le Sugar Hill était comble.

Elle aurait dû proposer un endroit moins fréquenté. Mais elle trouva facilement Michael et Nina, assis à une table d'angle, à l'écart du bar. Désireux de ne pas attirer l'attention, ils l'accueillirent sans éclat.

Michael lui pressa fortement la main en lui souriant. Il portait une chemise bleue. Ses cheveux, qu'elle n'avait jamais vus aussi longs, étaient rejetés en arrière. Il n'en restait pas moins Michael Carey, et Eden s'étonnait qu'il fût parvenu jusque-là sans être reconnu par toutes les femmes.

— Tu es très belle, lui dit-il, mais terriblement pâle. Il te faudrait un peu de soleil californien, n'est-ce pas, Nina ?

— Ce qu'il lui faut surtout, c'est un peu de bon sens, répliqua Nina.

— Écoutez, mes enfants, je suis ici parce que vous ne m'avez pas laissé le choix. Mais, si vous avez l'intention de m'insulter et de me démolir, dites-le moi immédiatement. Je partirai et vous épargnerai une peine inutile.

— Nous ne sommes pas ici pour vous insulter, n'est-ce pas, Michael ? Nous voulons seulement constater de nos propres yeux que vous êtes en forme.

— Eh bien, vous le constatez, non ? Je vais parfaitement bien. J'ai passé un très bon été, et tout...

— Doucement, Eden, intervint Michael. Détends-toi. Inutile de monter sur tes grands chevaux. Je veux te parler, d'accord ? Laisse-moi m'exprimer, c'est tout.

Il reprit longuement son souffle, et elle comprit qu'il avait répété son discours.

— Je t'aime depuis très longtemps, mais je n'ai aucune raison de penser que tu me rendras jamais la pareille. J'ai bien essayé de te faire tomber amoureuse de moi, mais ça n'a pas marché, hein ?

Il sourit.

— Je sais donc que, très probablement, nous ne vivrons jamais ensemble, toi et moi. Je tenais à te le préciser pour t'éviter de penser que c'est cet espoir qui explique ma présence ici. Il n'en est rien.

Il but une gorgée du contenu de son verre, présenta celui-ci aux narines d'Eden.

— Du jus d'orange, sans rien d'autre. Les Alcooliques anonymes prétendent qu'un alcool est aussi nocif qu'un autre. J'ai donc renoncé à tous. A toutes les substances merveilleuses qui modifient le fonctionnement du cerveau et qui atténuent la souffrance. Je suis clair, maintenant, Eden. Je l'étais déjà avant ton départ. Il m'arrive d'en avoir par-dessus la tête, mais, en fin de compte, je le sais, c'est préférable. Toutes ces saletés me détruisaient, j'en ai conscience. Elles auraient démoli ma carrière. Grâce à toi, je m'en suis aperçu à temps, avant de dégringoler tout au fond. Ce que tu fais n'est pas tellement différent, c'est ce que je tenais à te dire. Si tu continues à fréquenter Ben Alexander, c'est toi qui va être détruite. C'est...

Elle l'interrompit.

— Michael...

Il lui posa un doigt sur les lèvres.

— Chut. Laisse-moi finir. A mon avis, tu ne vois pas à quel point cette affaire a déjà pris mauvaise tournure. Tu es très isolée, ici. Tu ignores ce qui se dit, et...

— Vous allez vous faire blackbouler, Eden, intervint Nina.

— Ce serait moins grave si ton image professionnelle était différente, reprit Michael. Mais tu as construit ta carrière sur un public d'enfants. Tu es la fille de Katherine Swift, un peu folle mais d'une pureté liliale. A toi seule, tu as fait plus pour les enfants handicapés que n'importe quelle autre comédienne. Te rappelles-tu ton inquiétude quand *Au cœur de l'hiver* est sorti sur les écrans ? Tu avais peur de perdre tes admirateurs, t'en souviens-tu ? Eh bien, Eden, si tu avais cherché le meilleur moyen de les perdre, tu n'aurais pu mieux choisir que de te lier avec ce type-là.

Le désespoir s'empara de la jeune femme, l'entraîna comme une vague de fond. Elle fixa son regard sur son verre. Elle n'allait pas se laisser aller à pleurer devant ces deux-là.

— Mais il est innocent.

Les mots furent à peine murmurés.

— Il l'est vraiment. Et moi, je l'aime. Et je trouve horriblement injuste d'être obligée de renoncer à lui sous prétexte que le reste du monde le croit coupable.

Nina couvrit de sa main la main d'Eden. Lorsqu'elle parla, ce fut d'une voix douce, teintée de pitié.

— Ma chérie, qu'est-ce qui peut bien vous faire croire qu'il est innocent ?

— *Je le connais.*

Nina regarda Michael. Comme sur un signe convenu, il prit une chemise sur ses genoux, la posa sur la table.

– Je me suis livré à quelques recherches.

Il ouvrit le dossier, en tira une liasse d'articles de presse photocopiés.

– As-tu vu ces comptes rendus de son procès ou bien sais-tu uniquement ce qu'il t'en a dit ?

– Uniquement ce qu'il m'en a dit, avoua-t-elle.

Elle se sentait dans la peau d'une enfant, qui, coincée entre deux grands, rapetissait sur son siège. Elle jeta un coup d'œil sur le premier article de la liasse. Michael avait souligné certains passages avec un marqueur jaune, et il y avait une photo de Ben.

– C'est bien lui ? demanda-t-il.

Le cliché en noir et blanc était si peu flatteur que, par lui-même, il incriminait Ben. Il avait l'air basané, sa barbe noire contrastait avec son teint blême, et il fixait un regard sombre sur un point situé quelque part derrière l'appareil.

– Je ne l'aurais pas reconnu, déclara-t-elle.

Elle se sentait gênée. Michael, avec ses magnifiques cheveux noirs, ses grands yeux limpides, lui demandait si cette ruine humaine était son amant.

Le comédien remit l'article sur le dessus de la liasse, se mit à lire les passages marqués en jaune. Il avait placé tous les extraits de presse dans l'ordre chronologique. Eden put suivre l'épreuve subie par Ben, depuis son arrestation jusqu'à sa condamnation. L'éclat de sa déclaration de culpabilité avait deux jours de suite fait les manchettes. Un journaliste appelait Bliss « la vedette du spectacle ».

– « Elle a fait pleurer la majeure partie de l'assistance, y compris son père », lut Michael. La fillette de quatre ans, pondérée, lucide, a identifié l'accusé, Ben Alexander, comme son père et a nettement déclaré que c'était son « papa » qui lui avait fait du mal. Après le témoignage de sa fille, Alexander a été pris d'un malaise, et l'on a dû lui faire quitter la salle du tribunal... »

Il y avait d'autres photos de Ben et une de Sharon qui s'essuyait les yeux avec un mouchoir de papier. Venait finalement une citation du procureur : « Je suis fier de ce jury. Jamais, dans toute ma carrière, je n'ai été plus sûr d'un verdict. »

Michael referma le dossier, regarda Eden.

Elle était ébranlée. Si elle n'avait pas connu Ben, si elle avait fait partie des hordes de gens qui avaient suivi son procès, elle l'aurait jugé coupable, sans l'ombre d'un doute. Elle aurait voulu le voir pendre.

Elle secoua la tête.

— Je ne parviens toujours pas à croire que le Ben Alexander que je connais...

Elle revit la main de Ben posée sur le short de Cassie, se rappela les mots de Wayne : *Alexander est un menteur pathologique.*

— Êtes-vous convaincue à cent pour cent de son innocence ? demanda Nina.

Eden hésita juste assez longtemps pour se laisser aller à penser que, non, elle n'en était plus convaincue à cent pour cent.

— Parce que, si vous ne l'êtes pas, Eden, poursuivit Nina, vous ne pouvez pas prendre ce genre de risque avec Cassie.

Cassie était restée avec lui. Eden consulta sa montre, vit trembler sa main. En cet instant précis, il devait mettre l'enfant au lit. Elle laissa échapper un petit cri étouffé.

Michael se pencha vers elle.

— Tu as perdu ton objectivité, Eden.

Nina posa la main sur l'épaule de la jeune femme.

— Vous êtes amoureuse de lui. Vous avez couché avec lui. Il a bien fallu que, dans votre esprit, vous fassiez de lui un innocent.

— Exact, appuya Michael. Tu devais trouver un moyen de justifier tes sentiments.

— Mais c'est une chose de vous être liée à lui...

Nina était si proche qu'Eden respirait l'alcool dans son haleine.

— C'en est tout à fait une autre d'impliquer votre fille dans l'histoire.

— Cassie est avec lui en ce moment, articula Eden.

Michael se renversa en arrière si brusquement qu'elle sursauta.

— Tu as laissé ce type-là...

Il brandissait la liasse d'articles.

— ... seul avec ta fille de quatre ans ?

— Il a de l'affection pour elle. J'en suis sûre.

— Je suis sûr aussi qu'il avait de l'affection pour sa propre fille.

Il feuilleta les papiers, lut une citation d'un psychiatre. « Les hommes comme Ben Alexander n'ont aucun contrôle sur eux-mêmes. Ils sont incapables de maîtriser leur comportement. Même après traitement, le pronostic n'est pas favorable. Ceux qui sont conscients de leur problème vont lutter pour ne pas s'attirer d'ennuis en évitant la tentation toutes les fois que c'est possible, mais il s'agit le plus souvent d'une bataille perdue d'avance. »

Eden réentendait Ben lui demander de mettre Cassie en pyjama avant de partir. Essayait-il alors d'éviter la tentation ?

– Oh, mon Dieu...

Elle tendit la main vers son sac.

– Je ferais mieux de rentrer.

Nina la retint par le bras.

– Une chose encore, ma chérie. Il va falloir reconsidérer votre décision à propos du film sur Katherine Swift.

Michael la gratifia d'un regard furieux.

– Bon Dieu, Nina, pas maintenant.

Mais Nina l'ignora.

– Bill Crispin est tout prêt à le faire, et je détesterais voir ce crétin faire un gâchis de votre idée.

– *Je ne peux pas,* Nina.

Nina se leva, prit l'addition sur la table.

– Je vais payer, et nous pourrons tous partir. Essayez de la ramener à la raison, Michael.

Michael rapprocha sa chaise de celle d'Eden, entoura la jeune femme d'un bras protecteur.

– Ne fais pas attention à elle, dit-il, tandis que Nina se dirigeait vers la caisse. Inutile de penser au film pour l'instant.

Elle s'appuya contre lui. Il sentait bon. Il exhalait une odeur de sécurité.

– J'ai découvert quelque chose pendant que je me livrais à mes recherches, Michael.

Elle levait les yeux vers lui, sentait sur son bras la main rassurante.

– Ne répète ça à personne. Pas même à Nina. A personne au monde. J'ai découvert que mon oncle – l'homme chez qui je séjourne actuellement – est en réalité mon père. Ma mère et lui étaient cousins, mais les parents de Kyle avaient adopté ma mère, et ils avaient été élevés comme frère et sœur. Ils ont été amants.

Elle vit s'élargir les yeux de Michael à mesure que ses paroles faisaient leur chemin dans son esprit.

– *Katherine Swift* a fait l'amour avec son frère ?

– Chut. Oui. Comment, sachant cela, pourrais-je écrire le scénario ?

Il tourna la tête vers la façade du Sugar Hill où Nina réglait l'addition.

– N'en dis rien, proposa-t-il. Oublie ce que tu sais. Écris l'histoire comme si Matthew Riley était ton père. Personne n'y verra rien.

Elle le regardait. Il possédait les yeux bruns chaleureux de Matt Riley, elle en était certaine.

– Tu me manques, lui dit-elle. Comme me manquent ma maison, l'océan, Los Angeles.

– Et toi, Eden, tu manques à tout le monde. Tout le monde se fait pour toi un sang de tous les diables. Reviens, je t'en prie. Je t'aiderai à faire le film.

Il s'écarta d'elle : Nina revenait vers leur table.

– C'est fait, dit-elle. Nous partons.

Eden se leva.

– Je ferai le film, Nina. Dis à Crispin de se chercher une autre proie pour y enfoncer ses crocs.

– Bravo ! s'écria Nina.

Trop fort : quelques dîneurs levèrent le nez de leur assiette pour les dévisager.

Michael accompagna Eden jusqu'à sa voiture.

– Emporte ça.

Par la vitre ouverte, il lui tendait le dossier.

– Tu le liras quand tu ne sauras plus où tu en es.

Elle le posa près d'elle sur le siège, leva les yeux vers le comédien.

– Si je t'appelle demain, tu accepteras de me parler ? demanda-t-il.

– Oui.

Il lui pressa l'épaule, la libéra.

Lorsqu'elle atteignit Lynch Hollow, la maison était silencieuse. Elle se contraignit à faire calmement de la lumière dans la cuisine, à poser calmement sur la table son sac et le dossier.

– Ben ?

– Je suis là.

Elle le trouva dans le salon. Il travaillait sur une lampe que Kyle avait essayé de réparer. Il releva la tête à son entrée.

– Comment ça s'est passé ?

– Bien. Cassie dort ?

– Oui, pas depuis longtemps. Après deux histoires,

cinq verres d'eau et trois baisers. Elle sait s'y prendre, ta gamine.

– Je vais la voir.

– Pourquoi ne pas me dire d'abord ce qui s'est passé avec Michael et Nina ?

Il tapotait le canapé, près de lui.

– Je reviens tout de suite.

Quand elle s'assit au bord du lit de Cassie, elle était haletante, au bord de la nausée. Dans la lumière qui venait du couloir, elle regarda l'enfant dormir jusqu'au moment où elle n'y put tenir plus longtemps.

– Cassie ?

Elle la secouait par l'épaule.

La petite ouvrit les yeux, se retourna sur le dos.

– Bonsoir, amour, lui dit Eden.

– Je te croyais sortie.

– Je viens de rentrer. Tu t'es bien amusée, ce soir ?

Cassie referma les paupières sur un signe de tête. En l'espace de quelques secondes, elle s'était rendormie. Eden écarta le drap pour examiner sa fille : la culotte courte du pyjama, les longues jambes brunes. Que cherchait-elle ? Une marque ? Une trace ? Elle recouvrit l'enfant, regagna le rez-de-chaussée.

Ben était dans la cuisine. Debout près de la table, il feuilletait les articles réunis par Michael. Il posa sur Eden des yeux très gris, très froids.

– Tu l'as réveillée, dit-il.

– Oui.

– L'as-tu bien examinée, Eden ? Parce que nous autres, les violeurs d'enfants, nous sommes sournois. Nous nous y connaissons pour dissimuler nos traces.

– Ne parle pas comme ça, Ben, je t'en prie.

– On t'a préparé de la lecture, on dirait.

D'un signe du menton, il désignait les articles.

Elle frissonna.

– Je ne sais plus où j'en suis, Ben. Je ne sais plus que faire. Je t'aime, mais...

– Mais quoi ? Je vais finir ta phrase, tu veux bien ? Je t'aime, Ben, mais je ne peux pas prendre le risque que tu sois coupable, en fin de compte.

Il s'approcha d'elle.

– Je pourrais le supporter si tu me disais que tu m'aimes, mais que Wayne te reprendra Cassie si tu restes avec moi. Ou bien encore, que tu m'aimes, mais que ta carrière sera réduite à néant si tu restes avec moi. Mais je ne peux pas supporter tes soupçons. Tu me connais aussi bien que je peux permettre à quelqu'un de me connaître et, pourtant, tu n'es pas encore convaincue, n'est-ce pas ?

Il la prit par les épaules.

– *Es-tu convaincue ?*

– Au fond de mon cœur, oui, Ben, mais...

Il la lâcha, se dirigea vers la porte.

– Je vais te faciliter les choses, Eden. C'est fini. De toute manière, toute cette conversation nous conduisait à ce résultat, n'est-ce pas ? Sinon aujourd'hui, alors, demain ou le jour suivant. Parce que tes soupçons se multiplient de minute en minute. Je sais comment ça se passe. A partir du moment où tu commences à douter de moi, je ne peux plus rien dire ni faire pour y changer quelque chose.

Il tendit la main vers la porte, mais se retourna vers Eden. Cette fois, ses yeux étaient furieux.

– Va au diable, pour m'avoir fait confiance tout ce temps !

# 43

Pour l'appeler, elle voulait attendre le lendemain matin. Elle errait dans la maison, passait d'une pièce à l'autre, à la manière d'une somnambule, tout en guettant aux fenêtres les premières lueurs de l'aurore. Il faisait encore nuit quand elle s'assit sur le lit de Kyle et Lou, le regard attaché sur l'appareil téléphonique. Si Michael et Nina n'étaient pas venus, elle serait maintenant dans ce lit avec Ben. Peut-être dormiraient-ils, peut-être pas. Mais elle serait avec lui. Elle remonta les genoux, les entoura de ses bras. Elle éprouvait une douleur au creux de l'estomac, née du doute, de l'incertitude, de l'impossibilité de jamais connaître la vérité sur Ben. Il avait mis fin à leurs relations la veille au soir, il avait pris la décision pour elle, mais il avait eu raison. Si elle n'avait pas eu la force de rompre la veille au soir, elle l'aurait trouvée le lendemain ou le surlendemain. Il le fallait. Elle ne pouvait permettre que Cassie fût la victime du passé de Ben, ou, pire encore, de son présent.

Parvenait-il à dormir, cette nuit ? Ou bien était-il bien éveillé, à se demander, comme naguère, quelle raison de vivre lui restait encore ? Pensait-il au Valium ?

Elle composa le numéro, s'accrocha au combiné, écouta les sonneries à l'autre bout du fil. Cinq. Dix. Peut-être s'était-elle trompée. Elle raccrocha, refit le numéro. S'il ne répondait pas, elle mettrait Cassie dans la voiture, monterait chez lui. Elle...

– Allô.

La voix était neutre, contenue. Il était bien éveillé et il savait qui l'appelait.

– Je voulais seulement m'assurer que tu allais bien.

Elle se préparait à subir ses sarcasmes, sa colère.

— Merci.

Il répondait d'un ton sincère qui fit de nouveau couler les larmes d'Eden. Durant un instant, elle fut incapable de parler.

— Je suis assise sur le lit de Lou et de Kyle, dit-elle enfin. Je voudrais que tu sois ici, avec moi.

Un autre silence prolongé s'établit entre eux. Elle entendait sur la ligne une radio qui jouait en sourdine.

— Tu devrais appeler Wayne dès demain, dit enfin Ben. Pour lui éviter la peine de contacter un avocat.

— Ben, j'ai envie de te voir.

— Ça ne servirait à rien, Eden.

Elle ferma les yeux.

— Je t'aime, mais je ne peux pas t'avoir. Tout comme ma mère.

— Que veux-tu dire par là ?

— Rien. Ben, promets-moi de ne pas te faire de mal.

— Si tu as si peu confiance en moi, pourquoi me croirais-tu capable de tenir une promesse ?

— Ben...

— Retourne te coucher, Eden.

Il raccrocha, si doucement qu'elle le crut encore en ligne. Ce fut seulement quand elle entendit la tonalité qu'elle raccrocha à son tour.

Kyle et Lou revinrent le lendemain. Eden attendit le moment où, après avoir défait leurs bagages, ils s'installèrent dans le salon avec le journal, pour leur annoncer qu'ils s'étaient séparés, Ben et elle. Ils n'eurent pas l'air surpris : sans doute, se dit-elle, ses paupières gonflées, son nez rougi l'avaient-ils trahie.

Elle s'assit sur un pouf, près du fauteuil roulant de Lou, leur parla des articles que Michael lui avait apportés.

— Je me suis surprise à douter de lui, dit-elle. Comment me justifier aux yeux de ceux qui me reprochent de le laisser côtoyer Cassie, si je ne suis pas absolument sûre de lui ?

Lou hocha la tête.

— Je suis navrée, mon petit.

— Comment va Ben ? demanda Kyle.

— Je suis inquiète à son sujet.

Il consulta sa montre.

— J'irai le voir dans un moment.

Eden appliquait ses paumes moites sur ses cuisses.

— J'ai réservé deux places pour Cassie et moi, dit-elle : nous repartons à Los Angeles lundi prochain.

Lou lança un coup d'œil à Kyle. Il manipulait la lampe sur laquelle Ben avait travaillé. Il pressa l'interrupteur, et la lumière baigna l'intérieur de l'abat-jour.

— Ben l'a réparée, dit Eden.

— Oui, je vois, répondit Kyle.

Elle se passa la langue sur les lèvres.

— J'ai décidé également de me remettre au scénario. Mais Matt Riley y apparaîtra comme mon père.

Kyle éteignit la lampe, la retourna pour en examiner le pied.

— A la bonne heure, dit Lou. Tu as pris bien des décisions, au cours de ce week-end.

Kyle reposa la lampe sur la table, se leva.

— Tu as besoin de quelque chose dans la cuisine, Lou ? demanda-t-il.

— Kyle... intervint Eden.

Cette fois, sa voix tremblait.

— Puisque je vais reprendre le scénario, pourrais-je voir le cahier suivant, s'il te plaît ?

Il la dévisagea d'un air furieux.

— Pourquoi prendre cette peine, puisque tu peux changer le passé à ta fantaisie ?

— *Ky,* fit Lou, d'un ton désapprobateur.

— Le journal est à toi, Eden.

Il lui tourna le dos, se dirigea vers la cuisine.

Tout le reste de la journée, elle se sentit seule, en dépit du temps passé avec Cassie et des appels téléphoniques de Nina et de Michael. Michael se montra d'une louable modération dans son soutien. Mais Nina réclamait une déclaration à la presse.

— Il le faut absolument, Eden. Quelque chose de bref et de simple. Il vous a *séduite.* Vous étiez *vulnérable,* séparée de Michael depuis des semaines. Vous avez succombé à son charme, sans rien savoir de son crime *odieux.*

— Non, Nina, protesta Eden. Je ne peux rien dire de semblable.

— Vous n'avez pas le choix, mon petit. Nous avons d'énormes dégâts à réparer.

— Je m'en moque.

— Eh bien, pas moi. Et vous ne vous en moquerez pas non plus quand vous sortirez la tête des nuages et que vous vous remettrez à penser normalement. Même si vous ne vous souciez pas du mal que cette histoire pourrait vous faire, Eden, pensez au Fonds d'aide aux enfants handicapés.

— Je ne suis pas la seule personne au monde qui puisse représenter le Fonds d'aide aux enfants.

— Voulez-vous *réfléchir,* Eden, s'il vous plaît ? Votre stupidité me rend folle. Le Fonds pâtit déjà de cette affaire. Il perd ses soutiens essentiels. Vous savez à quelle rapidité vont les choses. Les gens commencent à penser qu'Eden Riley n'est pas la femme merveilleuse qu'ils imaginaient. Si elle est capable de commettre des erreurs dans un certain domaine, elle doit être faillible dans d'autres. Sans doute détourne-t-elle les fonds qu'elle reçoit, ou bien...

— Oh, Nina, pour l'amour du ciel, fermez-la. Vous dites n'importe quoi.

— Pas du tout. Écoutez, je n'avais pas l'intention de vous le dire, mais Sue Shepherd ne sait plus où donner de la tête. Certains des plus généreux donateurs ont décidé de ne plus renouveler leur contribution au Fonds, m'a-t-elle dit.

Eden, découragée, ferma les yeux.

— Ne suffit-il pas que j'aie rompu avec lui ?

— Non, mon ange, ça ne suffit pas. Il nous faut une déclaration.

— Ne pourrai-je au moins préciser que je le crois innocent ?

— Non, Eden. Il a été condamné. D'ailleurs, nous devons convaincre tout le monde qu'il n'est plus rien pour vous.

— Laissez-moi un peu de temps pour réfléchir.

Eden avait besoin d'un répit.

Ce soir-là, elle appela Ben. Pour lui parler de la déclaration. Tout irait bien. Après tout, ne lui avait-il pas suggéré de se mettre en rapport avec la presse, le soir où ils avaient vu le journal. Mais elle tenait à lui expliquer elle-même que ce communiqué s'étalerait partout et combien elle regrettait de ne pouvoir faire autrement. Il ne lui en laissa pas le temps.

— Eden, ne m'appelle plus, d'accord ? dit-il aussitôt qu'il entendit sa voix. Ça rend la situation plus difficile.

Il voulait apporter la maison de poupée le lendemain, l'informa-t-il, mais il le ferait à un moment où elle serait absente. Il ne voulait plus ni la voir ni lui parler, comprit-elle. Elle n'était pas honnête avec lui. Lui téléphoner, c'était pur égoïsme de sa part. Lui demander sa bénédiction pour une déclaration qui allait encore ajouter à ses souffrances, c'était de la cruauté, une manière d'alléger sa propre culpabilité.

— Appelle quand tu seras prêt à descendre, lui dit-elle. Je m'en irai.

Quand Nina rappela, Eden lui lut la déclaration, où elle avait évité le mot « séduite » et toute référence à Michael Carey. Le texte n'en était pas moins horrible. Et Nina en demandait un plus horrible encore.

— Votre indignation ne transparaît pas suffisamment, déclara-t-elle.

Durant une heure encore, Eden discuta avec elle... N'importe quoi pour retarder la publication du communiqué.

— Ça va, dit enfin Nina. On peut y aller ?

Eden était épuisée par la dernière heure, les derniers jours.

— Je ne peux pas lui faire ça, gémit-elle.

— C'est une question d'autodéfense, mon petit : c'est vous ou lui. D'accord ?

Eden baissa les yeux sur le texte manuscrit posé sur ses genoux. Pas grand-chose, quelques lignes griffonnées en bleu sur du papier blanc.

— Eden ?

— D'accord.

Ses regrets furent immédiats. A peine avait-elle raccroché le téléphone qu'elle voulut rappeler Nina. Mais la ligne était occupée. Qu'avait-elle fait ? Elle s'était précipitée, elle s'était laissé influencer.

Elle envoya Cassie dîner sans elle. Une heure plus tard, Kyle frappa à sa porte. Il s'installa dans le fauteuil à bascule, et elle se redressa contre la tête de son lit. Il tenait l'un des cahiers.

— Cassie a dit que tu pleurais.

— As-tu vu Ben aujourd'hui ?

Kyle hocha la tête.

— Il fonctionne comme une machine. Il est distant. Il refuse de parler.

— J'ai dû rédiger une déclaration pour la presse. Je vais le trahir.

Les larmes menaçaient de nouveau. Elle s'attendait à

s'entendre fustiger par Kyle. Elle le désirait. Mais il ne parut pas l'avoir entendue. Il souleva le cahier.

– Plus qu'un seul après celui-ci, dit-il.

Il soupira.

– J'aimerais que tu ne partes pas si vite, Eden. J'ai peur que tout ne redevienne comme avant : nous ne te verrons plus que rarement.

– Je dois partir, Kyle. J'ai été folle de penser que je pourrais vivre ailleurs qu'à Los Angeles. C'est le seul endroit où je me sente en sécurité.

– Comme un animal dans un zoo, hein ? Tu sais que quelqu'un te nourrira, nettoiera derrière toi, que tu n'auras jamais besoin de te soucier du monde extérieur à ta cage.

Il se leva, posa le cahier sur le lit.

– Mais ce n'en est pas moins une cage, Eden.

Elle ne s'attela pas ce soir-là à la lecture du journal. Une fois de plus, elle dormit fort mal. Le lendemain matin, Lou revint de la ville avec des muffins et le *Washington Post*. La déclaration d'Eden s'y trouvait. En noir sur blanc, elle prenait une troublante crédibilité. Personne n'allait douter de la sincérité de la jeune femme. Personne n'allait douter de la nature retorse de Ben et de son irréfutable culpabilité. Eden relut le texte une seconde fois, avant d'aller vomir dans la salle de bains.

Un peu plus tard dans la matinée, elle se rendit au site des fouilles. Ben était accroupi dans la troisième fosse. Il leva la tête à l'approche d'Eden, mais, aussitôt, baissa les yeux.

– Laisse-moi en paix, Eden, dit-il.

– Tu as vu le journal ?

Il s'assit sur ses talons, la regarda de nouveau.

– Je suis passé ce matin à la boulangerie Miller. Sara Jane Miller a refusé de me vendre un petit pain. « Nous nous réservons le droit de refuser de servir les rebuts de la société », m'a-t-elle dit. « Comment avez-vous pu tromper une charmante fille comme Eden Riley ? » a-t-elle ajouté.

– Ben, je suis vraiment désolée.

– Moi aussi.

Elle fit un pas de plus vers la fosse.

Il se mit debout.

– Écoute, Eden, cet endroit est le seul où je puisse m'oublier, où je n'aie pas besoin de penser à quoi que ce soit. Ce bon sang de trou dans la terre est mon refuge, comprends-tu ? Le moins que tu puisses faire, c'est de m'y laisser travailler en paix.

Elle fit volte-face, traversa le champ, s'enfonça dans les bois. A l'entrée de la caverne, elle s'arrêta, posa ses mains à plat sur la froide surface du rocher énorme poussé par Kyle dans l'ouverture. Elle leva les yeux vers l'orifice triangulaire, au-dessus du rocher, et frissonna. Sa mère avait créé son univers à l'intérieur de cette caverne. Elle y avait trouvé la vie et la mort. Le journal tirait à sa fin. Tout allait s'achever.

*5 janvier 1956*

J'aime le mot « sacrifice ». J'en aime le son à la fois dur et doux, la signification à la fois douce et dure. Faire le sacrifice, c'est ce qui est dur. Se sentir bien, après l'avoir fait, c'est ce qui est doux. La maternité est ainsi : je dois toujours faire passer les besoins d'Eden avant les miens. Je n'ai pas eu le temps d'écrire plus qu'un mot ou deux, depuis sa naissance, mais je ne m'en plains pas. La récompense est magnifique : cette enfant est vraiment une belle petite fille en fleur. J'aime à penser que je suis absolument nécessaire à quelqu'un.

Pour Noël, Kyle et Lou ont envoyé à Eden un merveilleux cheval à bascule en bois sculpté, peint d'un jaune d'or éclatant, avec une crinière et une queue en crin véritable. Eden a maintenant sept mois, et les cadeaux ne l'impressionnent guère, mais je l'ai tenue sur le cheval, et Susanna a pris des photos que nous enverrons à Kyle.

Lou et lui nous ont fait parvenir des photos de Machu Picchu et des autres incroyables sites archéologiques du Pérou. Je suis un peu envieuse de leur travail, mais jamais, je le sais, je ne pourrais aller dans ce genre d'endroits. Même les petits déplacements jusqu'à Coolbrook me terrifient, ces temps-ci. Parfois, ça me fait peur. Je ne peux pas élever un enfant dans une caverne.

*22 mai 1956*

Kyle et Lou, après un merveilleux séjour de trois semaines, viennent de repartir pour le Pérou. Kyle a eu beaucoup de mal à se séparer d'Eden. Il l'adore. Durant l'année écoulée, j'ai fait tous mes efforts pour lui donner l'impression qu'il la connaissait. Je lui ai envoyé chaque semaine des photos, des lettres qui décrivaient chaque nouvelle dent, chacune de ses petites mines. Certains hommes – la plupart, sans doute – en auraient par-dessus la tête. Mais Kyle, dans ses propres lettres, en réclame toujours davantage. Il se refuse à voir Eden devenir pour lui une étrangère.

Je leur avais offert ma grande chambre et mon grand lit, au premier étage, mais ils ont refusé de m'en priver. Ils ont couché dans mon ancienne chambre, celle que nous partagions jadis, Kyle et moi.

Nous avons passé la majeure partie de leur séjour dans la caverne. J'y ai de nouveau transporté ma machine à écrire, à présent que le temps est plus chaud. Je constate une différence entre la façon dont Kyle se comporte avec Eden dans la maison, en présence de Papa et de Susanna, et celle dont il se conduit dans la caverne, où il a toute liberté pour agir en père plutôt qu'en oncle. Eden répète constamment pa-pa-pa-pa – c'est à peu près tout ce qu'elle articule pour le moment – et j'ai adoré l'entendre le dire à Kyle. Lui, pourtant, ça le rendait nerveux. « Dis *Oncle Kyle*, Eden », lui disait-il. Et elle répondait « Pa-pa-pa-pa ».

Elle a fait ses premiers pas pour aller se jeter dans ses bras. Depuis quelques mois, elle marche en se cramponnant à mes mains. Un jour où je la faisais avancer ainsi, dans la caverne, Kyle s'est accroupi en lui disant : « Viens me voir, Eden. » Il lui tendait les bras. Je lui ai lâché les mains, et elle est partie en titubant pour aller jusqu'à lui, en riant tout le long du chemin. Du coup, Kyle en est venu à penser qu'elle n'apprendra jamais rien s'il n'est pas dans les parages. Il s'est mis à me donner des conseils sur la manière de l'élever, ce qui m'amuse et amène Lou à lever les yeux au ciel.

Ils m'ont apporté un exemplaire de l'un de mes livres, *l'Enfant de l'étoile du Nord,* traduit en espagnol ! Je savais que mes livres existaient en d'autres langues, mais je n'en avais encore jamais vu un seul. C'était extraordinaire. Mais ce qui l'est plus encore, c'est que Kyle et Lou puissent le lire.

Un soir, quelques jours avant leur départ, ils m'ont donné une leçon de danse dans la caverne. Ils avaient apporté un phono et quelques disques. Lou a commencé par passer de la musique espagnole et a dansé seule. Elle a travaillé la danse au temps de son adolescence. C'est une excellente danseuse, et elle est très sensuelle. Toute vêtue de noir, elle tournoyait autour de la caverne, et l'on était convaincu, à la voir, qu'elle aurait dû faire du cinéma. Elle levait la jambe presque à hauteur de la tête, la laissait redescendre lentement, la tête rejetée en arrière, un bras tranchant l'air. Elle a dansé ensuite avec Kyle, et, je dois le reconnaître, ils forment un couple merveilleux. Pour commencer, je me suis contentée de les regarder. Eden s'est endormie entre mes bras, et je l'ai emmenée à la maison. Quand je suis revenue à la caverne, Kyle nous avait servi à chacun un verre de vin. Il était temps de me donner ma leçon, annonça-t-il. Lou me montra d'abord les pas de la cavalière, et j'essayai ensuite de danser avec Kyle. Je ne sais si c'était le vin ou bien mon manque naturel de coordination, mais j'étais incapable d'exécuter les pas. Finalement, nous riions si fort que nous n'entendions plus la musique. Lou, alors, s'est placée derrière moi afin de pouvoir me guider. Nous dansions maintenant toutes les deux avec Kyle, je me trouvais pressée entre eux, et, brusquement, chacun de nous a cessé de rire. Je sentais contre mon dos la chaleur des seins de Lou, sur ma taille la pression légère de sa main. Kyle nous tenait l'une et l'autre contre lui d'un seul bras. Il s'est laissé pousser la barbe, et j'en aimais le contact contre mon front. Au début, nous avons suivi les pas, mais, bientôt, nous nous sommes mis à tourner et à nous balancer tous les trois en mesure, un peu comme des ivrognes, je le crains. Il y avait si longtemps que je n'avais senti le contact d'êtres humains adultes. Je ne voulais ni parler ni même respirer, de peur de rompre le charme. Pour la première fois depuis des mois et des mois, je ressentais un immense désir, et mes deux compagnons l'éprouvaient aussi, j'en suis sûre. Mais, je le savais, aucun de nous n'y céderait. Apparemment, une règle tacite entre nous décrétait que nous profiterions de cet instant, sans toutefois aller plus loin. Il me semblait donc sans danger de caresser le dos de mon frère, et il devait lui aussi se sentir en sécurité puisqu'il posa la main sur le côté de mon sein et me caressa le front de ses lèvres. Mon corps était si plein de vie que je me sentais même attirée vers Lou. Un bref instant, je laissai mon imagination s'égarer : nous nous dévêtions l'un l'autre et nous faisions l'amour sur le sol de la caverne. Je ne sais combien de temps nous restâmes ainsi, conscients seulement de toucher les deux autres et d'en être touchés. L'aiguille du phono était depuis un bon moment parvenue à la fin du disque lorsque Kyle constata, avec un petit rire :

— Bon sang, nous sommes fin soûls !

Lou leva la tête pour l'embrasser.

— Pour ça, oui, dit-elle, nous sommes pafs.

— A mon avis, nous allons rester comme ça éternellement, déclarai-je.

Cette seule pensée me rendait heureuse.

— Si l'un de nous lâche prise, les deux autres vont s'effondrer, ajoutai-je.

— On va être obligé de revenir à la maison soudés les uns aux autres, fit Kyle d'une voix confuse.

Du coup, je revins à moi. Nous allions devoir rentrer à la maison, retrouver nos chambres séparées. Je savais que ce désir, en moi, allait me tenir éveillée, je savais qu'à un moment quelconque de la nuit, Kyle abandonnerait son lit pour rejoindre Lou dans le sien. Il lui ferait l'amour dans ce lit qui avait été le mien.

Doucement, je me dégageai du cercle.

— Je ferais bien de rentrer pour voir si Eden dort bien, dis-je.

Mes paroles ramenèrent Lou et Kyle à la vie. En un instant, le phono était arrêté, les verres rassemblés, et nous reprenions, à travers la forêt obscure, le chemin de la maison.

## 10 avril 1957

Eden va avoir deux ans. Elle a une énergie inépuisable, et l'on a bien du mal à suivre son rythme. Pourtant, un livre d'images la fait tenir tranquille. Hier au soir, je pensais à un vieux livre de ce genre, que Papa nous lisait, à Kyle et à moi, quand nous étions petits. Je suis descendue dans notre ancienne chambre et j'ai fouillé dans le tiroir du bas de la commode de Kyle : les livres que Papa y cachait pour nous y sont toujours. J'ai trouvé celui que je cherchais, mais, ensuite, impossible de refermer le tiroir. Je l'ai donc entièrement sorti pour regarder à l'intérieur de la commode. Une longue boîte blanche était restée coincée au fond. Je l'ai dégagée, je l'ai ouverte et j'ai failli pousser un cri en voyant ce qu'elle contenait. Mes cheveux ! Les cheveux que Maman avait coupés à la diable pour je ne sais même plus quel méfait. Je n'y avais plus jamais songé, je ne m'étais pas demandé ce qu'ils étaient devenus. De toute évidence, Kyle les avait conservés. Il les avait rassemblés, les avait noués d'un ruban bleu et il avait trouvé quelque part cette boîte. Je les contemplai longuement. Ils sont blonds, d'un blond bien plus clair que ma chevelure aujourd'hui, mais pas tout à fait autant que ceux d'Eden. Je me demande si Kyle se rappelle qu'il les avait ainsi cachés. J'ai réussi à remettre la boîte en place dans la commode. J'ai emporté dans le salon le livre que j'avais retrouvé et j'ai fait la lecture à Eden, mais, en esprit, j'étais au Pérou. Après avoir couché ma fille, j'ai écrit à Kyle une longue lettre. Je n'y ai pas parlé des cheveux. Je ne voulais pas le gêner. J'avais seulement envie de me sentir proche de lui.

J'essaie de toutes mes forces de ne pas souhaiter que tout ait été différent. Quand je commence à imaginer que je pourrais être avec Kyle, je repousse cette idée. Tout au fond de la corniche, dans ma caverne, je conserve des dizaines d'histoires que j'ai écrites il y a longtemps, dans lesquelles j'imaginais que j'étais avec lui, que j'étais sa maîtresse. Parfois encore, il m'arrive de laisser ces rêves s'épanouir. J'imagine que Kyle est chaque jour avec Eden et moi, qu'il travaille à mes côtés, qu'il passe les nuits avec moi. Mais rêver ainsi rend la réalité intolérable. J'essaie donc d'écarter ces pensées et de me consacrer à mes tâches de mère, d'écrivain et d'archéologue. De sœur aussi. Cela devrait suffire à remplir la vie de n'importe qui.

Le lendemain matin, Eden faisait le lit de Cassie quand elle remarqua le long carton blanc posé sur la commode, près de la porte. Elle comprit aussitôt ce que contenait cette boîte, plus grande, pourtant, qu'elle ne l'avait imaginé en lisant le journal de Katherine. Kyle avait dû la poser là, la veille au soir, quand il était monté dire bonsoir à Cassie.

Eden acheva sa tâche, pendant que Cassie s'habillait tant bien que mal. Lentement, délibérément, la jeune femme s'approcha ensuite de la commode, souleva le couvercle du carton. Elle étouffa un petit cri lorsque les longues mèches dorées, enfin libérées, débordèrent. Elle ne s'était pas attendu à une telle abondance : quelques mèches, peut-être, une centaine de fils d'or attachés d'un ruban.

Elle prit l'extrémité liée par le ruban bleu, souleva les cheveux.

— Regarde, Cassie, dit-elle.

La chevelure mesurait au moins quarante-cinq centimètres de long, et Eden pouvait à peine refermer sa main sur elle.

Cassie, qui se débattait avec ses sandales, releva la tête.

— Qu'est-ce que c'est ? demanda-t-elle.

— Les cheveux de ta grand-mère. On les lui a coupés quand elle avait treize ans. Ils sont beaux, n'est-ce pas ?

— Ma grand-mère de la photo ?

— C'est ça. Grand-maman Riley.

Cassie se mit debout, vint toucher les cheveux doucement, comme elle aurait caressé son petit chat.

— C'est exquis, dit-elle, avant de se rasseoir pour finir de s'habiller.

Eden remit la chevelure dans la boîte, non sans avoir d'abord pris soin de vérifier le ruban pour être sûre qu'il tenait encore. Il n'y avait aucun danger. Il comportait toute une série de doubles nœuds qui dureraient jusqu'à la fin des temps. C'était le travail méticuleux d'un garçon de quatorze ans plein d'amour.

# 44

Eden, dans la cuisine, regardait la pluie fouetter l'allée du jardin quand la voiture s'arrêta devant la maison. Il pleuvait si fort qu'elle ne put distinguer ni la couleur ni la marque. Lou et Kyle s'étaient absentés pour l'après-midi. Eden espérait qu'un de leurs vieux amis n'avait pas affronté le mauvais temps pour leur rendre visite.

Un homme descendit de la voiture. Son visage se dissimulait sous un grand parapluie. Ce fut seulement en ouvrant la porte de la cuisine qu'Eden reconnut Sam Alexander.

— Entrez, Sam, dit-elle, comme si elle l'avait attendu.

D'une certaine façon, c'était vrai. Elle s'était dit qu'il passerait peut-être la voir pour lui dire précisément ce qu'il pensait d'elle à présent.

Sam abandonna son parapluie sous le porche, entra dans la cuisine après s'être secoué pour se débarrasser du plus gros de la pluie.

— Quel orage incroyable, dit-il.

Sa chemise bleue était mouillée, mais chacun de ses cheveux avait gardé sa place.

— Voici ma fille, Cassie, présenta Eden, au moment où l'enfant émergeait du salon.

Sam lui tendit la main, comme si la petite fille avait été un adulte. Cassie fit un pas en arrière, le gratifia du regard en dessous qu'elle réservait aux inconnus.

— Cassie, Sam est le frère de Ben.

— C'est pas vrai, dit Cassie. Ben est trop vieux pour avoir un frère.

Sam sourit. Cassie, satisfaite de l'avoir amusé, lui rendit son sourire.

– Ben m'a construit une maison de poupée, annonça-
t-elle.

– Oui, je sais.

– Tu veux la voir ?

– J'y jetterai un coup d'œil avant de partir, Cassie.
Pour le moment, je voudrais parler avec ta mère.

Eden renvoya Cassie dans le salon. Sam s'assit à la
table de la cuisine. Elle lui offrit de boire quelque chose.
Il refusa. Elle s'installa en face de lui.

– Vous êtes furieux contre moi, dit-elle.

Il ôta ses lunettes, entreprit de les nettoyer avec son
mouchoir. Ses yeux verts ne quittaient pas le visage
d'Eden.

– J'ai de loin dépassé la colère, Eden. La colère, c'est
ce que j'ai ressenti quand Ben m'a appris que vous vous
étiez séparés. Ce que j'ai éprouvé après avoir lu votre
déclaration dans le journal était plus proche de la rage.
Plus proche du *dégoût*.

– Je sais. Je n'en suis pas fière.

– Alors, pourquoi diable avez-vous fait ça ?

– Par la force des circonstances, répondit-elle. Rien
que je puisse vraiment justifier.

Il glissa ses lunettes dans la poche de sa chemise.

– Vous donnez à un homme le coup de pied de l'âne,
Eden. Vous auriez intérêt à trouver de quoi vous
défendre.

Elle se pencha en avant.

– Sam, Ben m'inquiète. Il a toujours ce Valium que
vous lui aviez prescrit. Il lui est déjà arrivé de penser à se
tuer, je le sais.

Sam fronça les sourcils.

– Il a toujours nié se sentir suicidaire.

– A une époque, il l'a envisagé, il me l'a dit.

Sam la dévisageait.

– Grand Dieu, si jamais...

Il ferma les yeux, se couvrit le visage de ses mains.
Eden souffrait pour lui.

Elle se pencha, lui toucha le bras.

– Sam ?

Lentement, il reposa ses mains sur la table. Elle ne fut
pas surprise de lui voir les yeux pleins de larmes.

– Tout ça est allé trop loin, dit-il. Ça a duré trop longtemps. Il a souffert plus que...

Il posa sur la jeune femme un regard perçant.

– Eden, je sais de façon certaine que Ben est innocent.

– Comment personne, sinon Ben, peut-il avoir cette certitude ?

– Je suis psychiatre. Je comprends les comportements humains. Il n'a jamais fait de mal à votre petite fille, n'est-ce pas ?

– Non.

– Vous voyez bien. S'il était pédophile, il ne pourrait pas se retenir. Quand l'occasion se présente, le pédophile ne peut s'empêcher de la saisir.

La voix de Sam avait monté d'un ton. Des gouttes de sueur lui perlaient au front. Il se leva brutalement, alla jusqu'à l'évier, revint.

– Il ressemble à un drogué. Une force extérieure prend possession de lui, et il est incapable de la dominer.

– Mais il peut exister des incidents isolés, non ? Je veux dire qu'il pourrait s'en être pris à Bliss sans jamais...

Elle sursauta quand Sam abattit son poing sur la table.

– *Il ne s'en est pas pris à Bliss.*

Eden eut un mouvement de recul. Elle était saisie d'une certaine crainte. Déraisonnable. Néanmoins, elle aurait souhaité la présence de Kyle et de Lou.

– Il faut maintenant que je sois *tout* pour Bliss, déclara Sam qui s'était remis à arpenter la cuisine. Oncle et père à la fois. Jeff ne sert à rien. Je ne peux pas le supporter. Sharon et lui nous invitent en toutes sortes d'occasions, pour faire plaisir à Bliss : nous allons encore chez eux demain soir, pour un barbecue. Et je dois rester là, à regarder son expression suffisante pendant qu'il profite de tout ce que Ben avait réussi à acquérir et qu'il n'a plus.

Sam tira de nouveau son mouchoir de la poche de son pantalon pour s'éponger le front, avant de se retourner vers Eden, les poings sur les hanches.

– Et vous, vous avez certainement beaucoup fait pour Ben, hein ? Avec votre satanée condamnation publique ?

– Je vous en prie, parlez moins fort. Je ne veux pas que Cassie...

Le visage de Sam s'était empourpré. Les tendons saillaient sur son cou.

– Une rupture aurait déjà été assez douloureuse pour lui. Il était tellement accroché qu'il en aurait été accablé. Mais le faire passer pour un menteur, faire croire qu'il s'était servi de vous, alors que c'est vous qui vous êtes servie de lui, pas vrai ? Je vous avais devinée dès le début.

420

La superstar, bloquée dans un coin de campagne, avait besoin de distraction. Il était séduisant, satisfaisant au lit. Vous pouviez...

Elle se leva vivement, faillit renverser sa chaise.

— Vous feriez mieux de partir, je crois.

Il la regarda d'un air abasourdi, comme si ses propres paroles l'avaient surpris lui-même.

— Oh, Dieu, je vous demande pardon.

Il secoua la tête avec lassitude.

— Je suis vraiment désolé. Mais c'est que je ne vois pas ce qu'il lui reste.

Elle eut envie de lui dire qu'il ferait mieux de se soucier de lui-même. Il semblait au bord de la dépression. Mais sa sollicitude serait mal accueillie, elle le savait.

Il lança un coup d'œil vers le salon.

— Je vais aller voir cette maison de poupée, avant de partir, dit-il.

Debout, tremblante, appuyée à l'évier, elle écouta Sam bavarder avec Cassie. A entendre sa voix de la pièce voisine, elle aurait pu jurer que c'était celle de Ben. Un court moment plus tard, il était de retour dans la cuisine. Il ouvrit lui-même la porte, et le bruit de l'averse emplit la pièce. Il se retourna pour regarder Eden une dernière fois.

— Je suis furieux contre vous parce que je le suis contre moi-même, Eden. Vous n'êtes pas la seule personne dans cette pièce qui ait trahi Ben. Pensez-y, voulez-vous ?

Les sourcils froncés, elle regarda la voiture disparaître derrière le rideau de pluie. Elle passa ensuite dans le salon, où Cassie avait sorti de la maison de poupée tous les accessoires qui étaient répandus sur le sol.

— Rangeons tout ça, Cassie, dit-elle. Il faut remettre de l'ordre, avant le retour de l'oncle Kyle et de la tante Lou.

En silence, l'enfant, agenouillée devant la maison, aida Eden à remettre tous les meubles à leur place dans les pièces minuscules.

— Il me plaît pas, le frère de Ben, dit-elle enfin.

Eden n'avait aucune peine à comprendre ça. Sam pouvait très bien faire peur. Elle se demanda comment il se comportait avec une enfant fragile comme Bliss.

— Pourquoi ça, ma chérie ? demanda-t-elle.

— Il me donne la chair de poule. Et il m'a fait des vilaines choses, Maman.

Elle regardait sa mère avec indignation. Les mains d'Eden se changèrent en glaçons.

— Qu'est-ce que tu veux dire par là ?

— Il a pincé mon derrière.

— Vraiment ?

*Du calme, Eden, du calme.*

— Quand t'a-t-il fait ça ?

Cassie poussa le canapé contre le mur du fond de la salle de séjour, la pièce que Ben avait tapissée d'un papier fleuri de minuscules marguerites jaunes.

— Quand il est parti. Avec sa vieille main stupide.

La main d'Eden vint se plaquer sur sa bouche.

— Oh, mon Dieu, souffla-t-elle. Oh, mon Dieu !

Cassie, effrayée, se pencha pour passer les bras autour du cou de sa mère.

— Pardon, Maman.

— Non, tu n'as rien fait de mal. C'est très bien de me l'avoir dit.

*Vous n'êtes pas la seule personne dans cette pièce qui ait trahi Ben.*

— Tu es si intelligente, de savoir ce qui est bien et ce qui est mal.

*Pensez-y, voulez-vous ?*

Elle appela Maggie DeMarco pour lui demander de garder Cassie un moment. Elle chercha ensuite dans l'annuaire l'adresse dont elle avait besoin. Après avoir laissé un petit mot pour Lou et Kyle, elle courut sous la pluie avec Cassie jusqu'à sa voiture et quitta Lynch Hollow.

Il faisait nuit, et la pluie avait finalement cessé lorsqu'elle atteignit la maison. Elle la reconnut d'après la photo que lui avait montrée Ben. Mais elle était plus imposante dans la réalité, avec ses longues lignes nettes, ses immenses baies vitrées. Eden rangea la voiture dans la rue, alla à pied jusqu'à la porte d'entrée. Elle avait eu beau répéter ce qu'elle allait dire durant les dernières heures, elle était nerveuse.

Dans la femme qui vint lui ouvrir la porte, elle reconnut Sharon, bien qu'elle eut les cheveux plus courts et plus blonds que sur les photos qu'avait vues Eden. Visiblement, Sharon la reconnut aussi. Les lèvres serrées, elle restait derrière le battant grillagé.

— Que venez-vous faire ici ? demanda-t-elle.

— Il faut que je vous parle, Sharon.

— Vous en avez déjà assez fait. Toute cette ruse pour rendre visite à la classe de Bliss... C'était si gentil, m'étais-je dit, de la part d'Eden Riley, de prendre sur son temps pour venir faire la lecture à un groupe de petits enfants... jusqu'au jour où j'ai découvert que vous fréquentiez Ben. C'était lui qui vous avait donné cette idée, n'est-ce pas ? Qui vous avait envoyée l'espionner ? Il ne peut pas la laisser en paix.

— Non, Sharon, l'idée venait de moi. Je vous en prie, accordez-moi quelques minutes. C'est très important.

Sharon jeta un coup d'œil derrière elle, avant d'ouvrir le battant grillagé et de sortir sur la première marche du perron. Elle était très jolie, avec un teint clair semé de quelques taches de rousseur. Les bras croisés sur la poitrine, elle dévisagea froidement Eden.

— Mon propos va peut-être vous paraître déplacé, commença Eden, mais je dois vous dire qu'à mon avis c'est Sam qui s'est attaqué à Bliss.

Sharon se mit à rire.

— Ça, alors ! Là, vous y allez fort. Je croyais que vous en aviez fini avec Ben ? Le journal disait qu'il vous avait menti, et...

— C'est moi qui ai menti. J'ai menti à la presse pour sauver ma propre peau. Et parce que je commençais à me demander s'il n'était pas coupable. Mais, aujourd'hui, Sam est venu me voir.

— Sam vous fait-il vraiment l'effet d'un pédophile ?

— Ben vous faisait-il l'effet d'en être un ?

Le visage de Sharon prit une expression neutre.

— Je me suis accoutumée à le considérer comme tel.

— Sam s'est livré à des attouchements sur ma fille.

— Que voulez-vous dire ?

— Il lui a pincé les fesses, m'a-t-elle dit.

— Peut-être s'est-elle... méprise.

— Peut-être est-ce Bliss qui s'est méprise.

Sharon se tut. Eden poursuivit :

— Il m'a avoué qu'il avait trahi Ben. Qu'aurait-il pu vouloir dire d'autre par là ?

— Qu'il se sentait coupable de n'avoir pu lui venir en aide. Ça le tourmente de ne pouvoir faire davantage pour lui.

— Peut-être n'est-ce pas la seule raison de son sentiment de culpabilité, Sharon. Il voulait, je crois, me voir résoudre le problème. Il m'a fourni suffisamment d'indices. Il m'a dit, entre autres, qu'il était absolument certain de l'innocence de Ben. Comment pourrait-il avoir une telle certitude ?

Sharon haussa les épaules.

– Il adore Ben. Jamais il n'a pu accepter l'idée que son propre frère ait commis un tel crime.

– Quand j'ai vu Bliss aux Pignons verts, elle m'a dit que son papa lui rendait encore parfois visite, la nuit.

– Elle rêve.

– Je crois, moi, que Sam continue à l'importuner.

Même dans la lumière diffuse, Eden vit s'empourprer les joues de Sharon.

– Franchement, vous n'avez aucun droit de venir ici pour...

Elle repoussa la mèche qui lui retombait sur le front, lança un coup d'œil du côté de la rue. Son esprit travaillait, Eden le voyait bien.

– Il faut bien que Ben soit le coupable, reprit Sharon. Si ce n'était pas lui... je ne pourrais pas vivre avec l'idée qu'il a payé un tel prix pour une faute qu'il n'aurait pas commise.

Un homme apparut derrière l'écran grillagé. Il était très grand, très large et il avait les cheveux roux, un détail auquel Eden ne s'était pas attendu chez Jeff.

– Tout va bien, ici ? demanda-t-il.

– Oui, Jeff. Je vais rentrer dans un instant.

Sharon attendit qu'il se fût éloigné.

– Comment va Ben ? questionna-t-elle.

A sa voix, Eden comprit qu'elle avait naguère beaucoup aimé Ben. Elle eut de nouveau envie de pleurer. Tout le monde, et pas seulement Ben et sa fille, avait souffert dans cette affaire.

– Je ne l'ai pas vu depuis quelques jours, répondit-elle. Mais mon oncle me dit qu'il n'est pas bien. Il est déprimé.

Eden leva les yeux vers la maison.

– Ben m'a appris qu'à vous deux vous aviez conçu cette maison.

– Oui.

– Actuellement, il vit dans une cabane pas plus grande que votre garage. Sans climatisation, sans...

Sharon plissa les paupières.

– Est-ce lui qui vous a demandé de venir ici ?

– Il ne sait rien de tout cela, Sharon. Il refuse de me voir. Ma visite n'a vraiment rien à voir avec Ben. Si je suis ici, c'est parce que je suis mère, moi aussi. Si quelqu'un jugeait que ma fille est en danger, je voudrais le savoir. Sam m'a dit qu'il venait ici demain soir. A votre place, je ne le laisserais pas seul avec Bliss.

# 45

Ben se trouvait aux portes d'Annapolis, sans savoir plus
la raison pour laquelle Sharon avait demandé à le voir.
Elle l'avait appelé au moment où il rentrait du site des
fouilles pour déjeuner. Elle pleurait au téléphone, si violemment qu'il comprenait à peine ce qu'elle disait. Il crut
d'abord qu'il était arrivé quelque chose à Bliss. Mais elle
le rassura.

– Bliss va très bien. Il ne s'agit pas de ça.

Mais elle avait besoin de le voir. Immédiatement. Il
pourrait être là vers trois heures, lui dit-il – l'heure approchait, à présent –, et il lui demanda où il pourrait la
retrouver. Il se tendit quand elle lui demanda de venir à la
maison.

– Bliss sera là ? demanda-t-il.

– Non. Je m'arrangerai pour qu'elle soit sortie.

Il redoutait de revoir la maison, il avait peur des émotions que cette vue éveillerait en lui. Il vira dans Gracey
Court, s'arrêta au bord du trottoir. De là, il voyait la maison, à quelques centaines de mètres de sa camionnette. Ils
avaient mis plus d'un an à trouver ce terrain. Il se rappelait encore leur enthousiasme lorsqu'ils avaient vu, pour la
première fois, ce long croissant de terre qui rejoignait à
l'arrière la forêt dense, d'un bleu-vert, et, au-delà, la
rivière.

La maison était toujours la même, le bois naturel avait
pris une riche patine brune. La voiture bleue de Sharon
était garée dans l'allée.

Ben ramena sa camionnette sur la route, prit lentement
la direction de son ancienne demeure.

Sharon lui ouvrit la porte. Elle avait les paupières gonflées, les joues mouillées de larmes. Elle pleurait rarement, et il s'effraya de lire sur son visage une telle souffrance.

Elle lui tendit les bras, les lui passa autour du cou.

– *Ben...*

Le cœur battant à tout rompre, il la serra contre lui. Il s'agissait de Bliss. Il devait forcément s'agir de Bliss. Il était arrivé quelque chose d'affreux, et Sharon n'avait pas voulu le lui annoncer au téléphone.

– Est-elle en vie ? questionna-t-il. Sharon, je t'en prie, dis-moi seulement qu'elle est en vie.

– Oui, oui, elle va très bien.

Elle s'écarta de lui. Il vit alors, à travers la paroi de verre de la salle de séjour, l'étendue d'eau de sa piscine, et, derrière, le rideau luxuriant des sapins.

– Assieds-toi, Ben. Veux-tu boire quelque chose ?

– Non. Je veux que tu me dises ce qui se passe.

Elle s'assit à l'autre extrémité du canapé. Jamais il ne l'avait vue aussi pâle, aussi fragile. Elle porta sa main à ses lèvres.

– Tu es innocent, je le sais, dit-elle.

– C'était Jeff ?

Une haine renouvelée montait en lui contre l'homme qui avait pris sa place.

– Non.

Elle secoua la tête. Une larme, puis une autre, glissèrent le long de sa joue.

– Je ne sais pas comment te l'annoncer, Ben, mais... C'était *Sam*.

– Allons donc ! fit-il en riant.

Sharon se rapprocha de lui, posa sur son bras une main froide.

– Hier au soir, nous lui avons tendu un piège, reprit-elle. Jen et lui étaient venus passer la soirée ici. Quand Bliss a été couchée, nous sommes parties, Jen et moi, pour aller acheter de la layette. Jeff a dit à Sam qu'il devait faire un saut à l'épicerie. Mais il n'est pas sorti. Il a surveillé la chambre de Bliss à travers la fenêtre. Quand Sam a pénétré dans la pièce, Jeff est rentré et l'a affronté. Sam a commencé par déclarer qu'il était simplement venu voir si elle dormait. Mais, très vite, il s'est démonté, il a avoué que c'était lui le coupable, depuis le début. La police l'a arrêté hier au soir.

Ben la dévisageait. Il sentait le sang se glacer dans ses veines.

– Il doit y avoir une erreur quelque part, dit-il.

Les longues mains pâles de Sharon se pétrissaient l'une l'autre sur ses genoux.

– C'est moi qui ai commis une erreur quand j'ai refusé de te croire. Oh, mon Dieu, Ben, je te demande pardon.

– C'est de la folie.

Ben se leva, fourragea des deux mains dans ses cheveux.

– D'abord, pour quelle raison l'avez-vous soupçonné ? Comment vous est venue l'idée de lui tendre un piège ?

– C'est Eden Riley qui a compris ce qui se passait.

– *Quoi ?*

– Sam lui a dit quelque chose qui a éveillé ses soupçons. Elle a eu l'impression qu'il voulait se faire prendre. Elle est venue me mettre en garde. J'ai d'abord cru que c'était toi qui l'avais poussée à le faire.

Les doigts pressés sur les tempes, Ben ferma les yeux. Eden était venue ici. Elle avait vu sa maison, elle avait parlé à Sharon. Mais elle ne lui avait rien dit, à lui.

– Peut-être Sam s'est-il reconnu coupable pour qu'on me fiche la paix, dit-il.

Sharon secoua la tête.

– Il est malade, Ben. Jen est accablée. Le bébé aurait dû être là dans quelques mois. Cette catastrophe a mis fin à tous ses espoirs.

Ben se rassit. Il avait cru connaître son petit monde et tous ceux qui l'habitaient, savoir à qui il pouvait faire confiance et à qui il ne pouvait se fier. Ce nouveau développement n'avait aucun sens.

– Je n'arrive pas à croire que Sam m'ait laissé subir une telle épreuve. Il m'a laissé aller en prison, perdre mon emploi...

Il regarda Sharon.

– ... et ma femme.

Il parlait, il le savait, comme un enfant blessé, désorienté. Quand Sharon se rapprocha de lui, l'entoura de ses bras, il ne put retenir ses larmes.

– Toute la matinée, j'ai pensé à ce que tu avais enduré, dit-elle. Je ne le supporte pas, Ben. Je me demande comment je pourrai jamais réparer. Je n'ai jamais cessé de t'aimer, même si je m'en sentais coupable. Je me disais : Qu'est-ce qui ne va pas chez moi, pour que j'aime encore cet homme qui a fait du mal à ma petite fille ?

Il s'écarta d'elle.

– Elle est *notre* petite fille, et je ne lui ai jamais fait de mal. Je veux la voir.

– On ne veut pas que tu la rencontres tout de suite. Ce matin, elle est allée chez sa conseillère, et celle-ci dit qu'il va falloir la préparer encore un peu, avant qu'elle te voie.

– Je me fous de la conseillère. J'en ai assez de ces gens qui gèrent ma vie. Où est-elle ?

Sharon hésita.

– A côté, chez Mary. Mais écoute-moi, Ben. Nous devons agir très prudemment. Depuis un an et demi, on lui a répété que tu lui avais fait de vilaines choses, que tu devais rester loin d'elle pour sa propre protection. Il faut qu'on te prépare un peu le chemin.

Bliss se trouvait à côté, à quelques mètres de lui. Il se leva.

– Je veux la voir tout de suite.

A son tour, Sharon se mit debout, posa la main sur la sienne.

– Très bien. Mais, d'abord, calme-toi, Ben. Promets-le-moi.

Elle lui pressait la main.

– Tu vas lui faire peur. Tout le monde lui a dit, maintenant, que c'était Sam. Il l'a appelée lui-même, ce matin, après avoir été remis en liberté sur parole. Mais elle ne comprend pas encore très bien.

Ben, décidé à rester calme, serrait les dents.

– Sharon, va la chercher, je t'en prie, ou j'y vais moi-même.

Elle fut longtemps absente. Ben, d'abord, resta assis sur le canapé, comme engourdi. Il passa ensuite dans la cuisine, se pencha sur l'évier : il avait l'impression qu'il allait vomir.

*Sam.*

Non, il ne voulait pas penser à Sam pour l'instant. Un seul choc à la fois. Bliss allait-elle avoir peur de lui ? Il ne supportait pas cette idée. Il s'aspergea le visage d'eau froide. Il venait tout juste de regagner la salle de séjour quand Sharon et Bliss entrèrent.

Bliss avait grandi. Ses jambes, ses bras s'étaient allongés, mais ils étaient bien trop maigres. Cramponnée à la main de Sharon, elle levait vers Ben un regard incertain, sans sourire. Il en eut le cœur brisé. Il s'approcha d'elle, s'agenouilla pour la prendre dans ses bras. Sharon lui lâcha la main, se retira dans la cuisine. Il l'entendit pleurer, pendant qu'il étreignait sa fille. Elle était si rigide, si délicate qu'il craignait de la voir se briser entre ses bras. Il se rejeta en arrière pour mieux la voir. Les grands yeux gris étaient limpides.

— Ne pleure pas, lui dit-elle.

— Je ne peux pas m'en empêcher. Je suis si heureux de te revoir. Tu m'as manqué, beaucoup, beaucoup.

Bliss jeta un coup d'œil anxieux vers la cuisine.

— Maman ?

— Je suis là, Bliss.

Sharon apparut sur le seuil. Elle souriait courageusement, mais froissait dans sa main un mouchoir en papier.

Le regard de Bliss revint à Ben.

— Où elle est partie, ta barbe ?

Elle ne l'avait jamais connu sans sa barbe. Il devait lui paraître plus étranger encore.

— Je l'ai rasée. A ton avis, c'est mieux ou pire ?

— Pire, répliqua-t-elle.

Et il crut discerner l'ombre d'un sourire.

Il s'accroupit devant elle.

— Comprends-tu ce qui se passe ?

Bliss hocha la tête. Sa frange était trop longue. Les cheveux se prenaient dans ses cils, quand elle battait des paupières.

— Sam a dit que tu ne m'avais jamais fait des vilaines choses. Il a fait semblant que c'était toi.

— Oui, c'est vrai, répondit-il.

Pourtant, il n'y croyait pas encore lui-même.

— Après ça, j'ai été obligé de partir, parce que la police pensait que je t'avais fait du mal. Elle voulait te protéger. Maintenant, ils savent que je ne t'ai rien fait, et je pourrai te voir aussi souvent que je le voudrai.

Il leva les yeux vers Sharon qui approuva d'un signe.

— Tu veux voir ma nouvelle Barbie ? demanda Bliss.

Des poupées Barbie ? Bliss ? Il allait devoir refaire connaissance avec cette étrange petite fille.

— Oui, j'aimerais bien.

Il se releva, se dirigea vers la chambre de l'enfant, mais celle-ci resta en arrière.

— Il faut que Maman vienne aussi.

Quand Sharon les rejoignit dans le vestibule, Ben se demanda combien de temps il faudrait à Bliss pour se sentir à l'aise, seule avec lui. Il serait patient. Il regagnerait petit à petit sa confiance. Elle reprendrait du poids, elle perdrait cet air désolé, apeuré. Elle retrouverait son sourire. Mais il se sentait déchiré à la pensée que, tout le reste de sa vie, elle serait hantée par les démons de l'année écoulée.

Ce fut Sam lui-même qui vint ouvrir la porte. Ben vit aussitôt, sur le visage de son frère, les marques d'une nuit passée en prison. Il n'était pas coiffé, ses rides se marquaient en sombre, ses yeux étaient rougis. Il semblait vieilli, vaincu. La transformation était effrayante, et la fureur de Ben en fut quelque peu apaisée.

Sam s'effaça pour le laisser entrer.

— Où est Jen ? demanda Ben.

— Chez ses parents.

Sam pénétra dans la cuisine. Ben l'y suivit.

— Je ne savais pas si tu allais venir ou non.

Sam sortit deux bières du réfrigérateur, en posa une sur le comptoir, pour Ben, ouvrit l'autre. Il but longuement. Ben s'étonnait de sa propre réaction devant cet homme. En venant jusque-là en voiture, il s'était vu franchir le seuil en pleine rage et assommer son frère à coups de poings, à le laisser sur le tapis. Mais, à présent, il se sentait calme. Il avait l'impression d'être hors de lui-même et d'observer la scène.

— Comment as-tu pu faire ça ? questionna-t-il.

Sam s'assit sur l'un des tabourets du bar et regarda Ben bien en face. Il exhala un long soupir.

— Que veux-tu dire ? Comment j'ai pu caresser Bliss, ou comment j'ai pu te laisser condamner à ma place ?

— *Tout*.

La colère montait en Ben, et il s'efforçait de la contenir.

— Et pas d'euphémismes, tu veux ? Tu n'as pas caressé Bliss, tu lui as fait subir des *sévices*.

Il secoua la tête.

— J'ai l'impression de ne pas te connaître du tout.

— Il y a bien des choses que personne ne connaît de moi.

Sam posa sa bière sur le comptoir.

— J'adore Bliss, continua-t-il. J'étais jaloux de toi. Tout avait été si facile, pour toi et Sharon. Vous décidez un beau jour d'avoir un enfant, et, le lendemain, semble-t-il, Sharon est enceinte. Et Bliss était si belle. Jamais je ne lui ai fait de mal, Ben. Il faut me croire. Tu vois, j'ai toujours été très doux avec elle.

430

Ben, à son tour, posa bruyamment sa boîte de bière sur le bar.

— Comment peux-tu dire une chose pareille ? Tu es *psychiatre,* bon Dieu. Tu sais quelles traces tout ça a laissé en elle.

Sam secoua la tête.

— J'agissais avec douceur. Et je n'ai jamais souhaité te voir accusé. La première fois que je l'ai rejointe dans sa chambre, elle était tout ensommeillée, à demi inconsciente. Elle m'a pris pour toi, et j'ai simplement joué le jeu. Je ne me suis pas laissé reconnaître. Par la suite, quand le scandale a éclaté, j'ai eu la certitude que tu te tirerais d'affaire, et qu'il y aurait plus de peur que de mal. Quand l'affaire a tourné autrement, j'ai accepté la tournure des événements. J'ai appris à vivre avec ma culpabilité, je suppose. Je te demande pardon, Ben. Je ne saurais te dire à quel point je regrette.

Il regardait son frère.

— Tu ne sais pas combien c'est dur d'être ainsi. Je suis incapable de me contrôler. Il m'arrivait d'être chez toi, de me représenter Bliss endormie dans son lit, et je ne pouvais m'empêcher d'aller la retrouver.

Ben dévisageait cet inconnu qui lui faisait face.

— Y en a-t-il eu d'autres ?

Sam baissa la tête.

— Quelques-unes, au cours des années.

Il soupira, se frotta les yeux.

— Sans doute vaut-il mieux qu'on m'enferme.

— Je ne comprends pas comment tu t'y prenais.

— Quand nous étions chez toi, et que je pouvais trouver un prétexte... Un soir, par exemple, nous étions tous autour de la piscine. Bliss était déjà couchée. J'ai dit que je ne me sentais pas bien et que j'allais me reposer dans la chambre d'amis. Mais je ne suis pas allé dans cette chambre.

Ben se souvenait de ce soir-là. Pauvre Bliss. Lui-même était en train de rire et de plaisanter avec Sharon et Jen, dans la piscine, pendant que l'enfant se trouvait totalement sans défense dans sa chambre.

A ce moment, la scène se forma dans son esprit. L'image qu'il avait tenue à l'écart s'y glissa si vite qu'il ne put la retenir. Il voyait Sam derrière sa fille, il le voyait la dévêtir, la toucher. Il se mit à trembler de rage. Il se leva, saisit Sam au collet, le souleva pratiquement de son tabouret, l'accula contre le bar.

– *Je te hais.*

De toutes ses forces, il envoya un direct au visage de son frère. La tête de Sam fut violemment rejetée sur le côté, du sang se montra à la commissure de ses lèvres. Il ferma les yeux pour attendre le coup suivant. Il l'attendait comme s'il le méritait, comme s'il en était heureux. Mais il était pitoyable. Détruit.

Ben le lâcha, passa dans la cuisine. Il enveloppa d'un torchon quelques cubes de glace, se pencha par-dessus le comptoir pour mettre le tout dans la main de Sam.

Celui-ci s'accotait au mur. Il pressa le torchon contre le côté de son visage. Deux gouttes de sang, rondes et rouges, brillaient comme des rubis sur son col.

– Peut-être, un jour, te pardonnerai-je pour ce que tu m'as fait, dit Ben. Mais jamais je ne te pardonnerai pour ce que tu as fait à ma fille.

Il passa la matinée du lendemain à l'université, à prendre toutes dispositions pour sa réintégration au trimestre de printemps. L'idée lui vint d'appeler Alex Parrish, mais il était encore trop furieux contre son vieil ami. Alex pouvait bien apprendre la nouvelle par la rumeur publique et patauger pendant quelques jours dans sa culpabilité. Ce serait alors à lui d'appeler Ben.

Ben passa l'après-midi avec Bliss et Sharon, avant de reprendre le chemin de la Virginie. Mais, en route, ce ne fut pas Bliss qui emplit ses pensées mais Eden. C'était de la folie. Il s'était vu rendre sa fille, sa profession, *sa vie.* Pourtant, il n'était pas satisfait. Dans toute cette affaire, il avait perdu Eden. Il allait l'appeler, la remercier, mais il refuserait de la voir. Dans sa déclaration à la presse, elle avait précisé qu'elle avait hâte de regagner la Californie. « Je veux laisser cet été derrière moi », avait-elle dit. Parfait. Il ferait comme elle.

Parvenu à la vallée de la Shenandoah, il emprunta les routes secondaires qui traversaient toute une série de petites agglomérations. Le premier village était Gloverton : quatre pâtés de maisons en tout. En y pénétrant par l'ouest, il vit tout de suite la façade du minuscule cinéma. *Au cœur de l'hiver.* Il s'arrêta au bord de la route, regarda fixement l'affiche. *Au cœur de l'hiver* avait depuis longtemps disparu des grandes salles. Cette affiche n'était là que pour le tourmenter.

Il descendit de sa camionnette, alla regarder les

horaires de projection. Sept heures. Il avait une heure à tuer. Il mangea un hamburger et des frites dans un petit café, traversa Gloverton dans un sens et dans l'autre. Après quoi, il alla s'installer dans l'un des durs fauteuils en vinyle de la salle et attendit.

La musique qui ouvrait le film avait un pouvoir pénétrant. Il ne l'avait pas remarquée la première fois, mais elle l'émouvait maintenant jusqu'à la souffrance. Les images apparurent, et Ben se demanda pourquoi il se torturait à regarder Eden avec Michael Carey. Eden n'était pas la même femme, à l'écran. Sa voix, ses expressions n'étaient pas les siennes. C'était là Eden Riley, la comédienne. Lui, il connaissait la femme véritable. Carey la connaissait-il aussi ? Dans une agitation sans cesse croissante, il regardait se développer *la relation* entre les deux acteurs. Il quitta la salle avant la séquence de la chambre d'hôtel. Il s'était réinstallé dans sa camionnette et se retrouvait sur la route lorsqu'il remarqua à quelle allure battait son cœur, comme s'il avait échappé juste à temps à un terrible danger. Il n'aurait pas été bon pour lui de regarder cette séquence, de voir le corsage d'Eden s'ouvrir devant la caméra, de voir Carey plonger les mains sous sa jupe, de voir Eden rejeter la tête en arrière dans une cascade de cheveux blonds. Il n'avait pas besoin de voir ces images pour se les rappeler.

# 46

Chaque matin, elle émergeait du sommeil avec la certitude que Ben se trouvait près d'elle. Elle avait la main posée sur son ventre, juste au-dessous du nombril, et le pénis était rigide sur ses doigts. Ou bien elle retrouvait le goût de Ben sur ses lèvres, son odeur sur son oreiller. C'était seulement quand elle avait les yeux grands ouverts, quand le soleil avait balayé les ombres de la chambre qu'elle reconnaissait son erreur : sa main reposait simplement sur la ferme surface du matelas, le goût sur ses lèvres n'était que le remugle d'une nuit presque blanche.

Sans la présence de Cassie qui, dans la chambre voisine, jacassait tout seule en attendant que sa mère se levât, elle se serait retournée de l'autre côté, se serait rendormie pour voir de nouveau Ben, lui parler, le toucher. Elle songeait à l'appeler au téléphone, mais n'acceptait pas la pensée d'entendre dans sa voix la souffrance et la colère. Elle envisagea de lui faire part de ses soupçons à propos de Sam. Mais si elle était dans l'erreur ?

Dans quelques jours, elle ne serait plus tentée par sa proximité. Sa maison de Santa Monica l'attendait. Une fois là-bas, tout irait bien pour elle. Elle se jetterait à corps perdu dans son scénario. Elle se contraindrait à lire le script de *La Maison au trésor*. Elle laisserait la nouvelle personnalité de Michael, grave et tendre, remplir le vide laissé par Ben.

Elle passait son temps soit avec Cassie, soit au travail sur le scénario. Elle était bien décidée à emporter la première mouture terminée lorsqu'elle partirait, le lundi suivant. Tout allait pour le mieux, depuis qu'elle était libre de modifier l'histoire de sa mère. Elle ne manquait pas de talent pour raconter une histoire, pour imaginer des personnages, et ce travail l'empêchait de penser à Ben, à la Californie.

Le vendredi, elle rédigea la séquence de sa propre conception : Kate cédait finalement à la tendre persuasion d'un Matthew Riley doucement sensuel. C'était une séquence d'une grande beauté qui s'écrivait pratiquement d'elle-même. Eden n'éprouvait pas le moindre sentiment de culpabilité à faire passer un mensonge à l'écran. Elle en était elle-même venue à y croire.

Lorsqu'elle descendit au rez-de-chaussée, ce vendredi soir, elle était presque étourdie de fatigue. Elle avait promis à Cassie de jouer avec elle, mais, mis à part Kyle et elle-même, la maison était déserte.

— J'ai envoyé Cassie et Lou acheter de la crème glacée, déclara Kyle.

Il était assis sur le canapé, un bloc de papier sur les genoux, un crayon à la main.

— Je voulais être un moment seul avec toi.

Nous y voilà, pensa Eden. Kyle n'allait pas la laisser repartir en Californie sans tenter d'abord une réconciliation. Au lieu de s'asseoir, elle s'adossa au mur, attendit.

— Ben m'a appelé d'Annapolis, tout à l'heure, reprit Kyle. Il a été innocenté. Son frère a tout avoué.

Des larmes emplirent aussitôt les yeux d'Eden. Elle battit des paupières pour les chasser.

— C'est merveilleux, dit-elle.

— Il t'est reconnaissant d'être allée trouver Sharon.

Elle secoua la tête.

— Ce n'est pas grand-chose, comparé à la souffrance que je lui ai infligée.

— Par la même occasion, il a retrouvé son poste à l'université, pour le printemps prochain. Il a persuadé les autorités de fournir des fonds et des équipes d'étudiants pour le site de Lynch Hollow... à condition de pouvoir présenter l'un des squelettes de la caverne.

Eden fronça les sourcils : elle était stupéfaite que Ben eût suggéré à Kyle de rouvrir la caverne.

— Je vais le lui permettre. Je n'entrerai pas moi-même, mais, s'il y tient...

Kyle haussa les épaules.

— Il a raison. C'est la seule démarche qui puisse sauver le site. *La seule.* J'ai pris mes dispositions pour faire venir demain après-midi une équipe qui déplacera les rochers.

– Comment Ben saura-t-il où chercher ?

– Je suis en train de lui dresser de mémoire un plan, dit-il en soulevant le bloc. La salle principale de la caverne ne devrait pas lui poser de problèmes. C'est le labyrinthe qui vient ensuite qui peut vous faire perdre le nord.

La caverne allait être ouverte. Elle pourrait y pénétrer si elle le désirait. Elle frissonna. Kyle s'en aperçut.

– Tu veux y aller ? demanda-t-il.

– Non, répondit-elle vivement. Non, je ne pourrais pas.

Elle fit quelques pas vers l'escalier.

– Tu m'appelleras quand Cassie rentrera ?

– Certainement. Et... Eden ?

Elle se retourna vers lui.

– C'est bien, ce que tu as fait pour Ben.

Elle hocha la tête.

– J'aurais seulement aimé pouvoir le faire avant de l'avoir perdu.

De retour dans sa chambre, elle s'installa devant sa machine, afin de rédiger une déclaration pour la presse. Il ne lui fallut pas longtemps, cette fois. Les mots coulaient de ses doigts, des mots qui, pourtant, l'incriminaient plus que Ben.

– Rien à faire, décréta Nina, quand Eden lui lut le texte au téléphone. La première déclaration a été très bien accueillie, Eden. Restons-en là.

– Je ne peux pas, Nina. Il est innocent.

– Alors, qu'il rédige sa propre déclaration.

– Nina, ou bien vous transmettez ce texte à la presse, ou bien je le ferai moi-même.

Nina soupira.

– C'est bon. Relisez-moi ça encore une fois.


Le lendemain matin, la pluie était devenue un crachin insistant, mais les averses abondantes des derniers jours avaient des conséquences.

– La Shenandoah a quitté son lit la nuit dernière, annonça Kyle, au petit déjeuner. Ferry Creek même est sur le point de déborder.

Cassie regarda Eden.

– Qui c'est, maman, qui a quitté son lit ?

– La rivière. L'eau a monté et a débordé sur la terre.

Elle se surprit à éviter le mot « inondation ». Il lui était de tout temps resté dans la gorge.

– Tu ne manges pas, Ky, remarqua Lou.

– Je n'ai pas faim, ce matin.

Kyle tapotait de sa tranche de pain grillé le bord de son assiette. De temps à autre, il regardait par la fenêtre. Lou comprenait son appréhension. Peut-être même la partageait-elle. On allait, ce jour-là, rouvrir la caverne, ce gouffre qui lui rappelait le passé.

Les rochers une fois enlevés, Ben devrait faire vite, pour le cas où la rivière monterait suffisamment pour constituer une menace.

– A quelle heure arrive ton équipe ? demanda Eden.

– A une heure. Ben les accueillera. Je reste ici.

Presque toute la matinée, la jeune femme travailla au scénario. Elle fit une seule pause, pour aller en voiture avec Cassie jusqu'au parc de Coolbrook, afin de regarder la Shenandoah en crue envahir la forêt. L'eau était blanche, écumeuse. Elle balayait sur son passage des arbres entiers, les projetait en l'air comme des cure-dents. Les autres spectateurs, en effervescence, parlaient d'inondation possible. Certains, groupés autour d'un mince piquet, au centre du parc de stationnement, montraient du doigt la ligne jaune, à quelque soixante centimètres au-dessus de leurs têtes. Une date était inscrite au-dessous. Eden ne prit pas la peine de s'approcher pour la déchiffrer : elle la connaissait par cœur. La dernière fois que l'eau avait atteint cette ligne, c'était le 29 mai 1959. Elle avait alors l'âge de Cassie. Et elle avait failli se noyer.

Elle déposa Cassie chez Maggie DeMarco pour l'après-midi, avant de retourner vers Lynch Hollow, pour retrouver son scénario. Mais, lorsqu'elle s'assit devant sa machine, sa concentration l'abandonna, et elle se surprit à regarder par la fenêtre, comme l'avait fait Kyle le matin.

Finalement, elle enfila ses bottillons imperméables, prit dans le placard de l'entrée l'immense parapluie vert de Lou et quitta la maison. Le chemin qui menait à la caverne et au site des fouilles, lui avait dit Kyle, avait été recouvert par l'eau. Elle emprunta donc l'allée d'accès à la maison et suivit ensuite la route.

Lorsqu'elle atteignit le champ, elle était encore à bonne distance du site. Elle vit trois hommes, debout entre les arbres, près de la caverne. Elle fit quelques pas pour mieux les distinguer : l'un d'eux était Ben. Elle préféra rester où elle était pour observer le déroulement des opérations.

Les hommes émergèrent des bois. Près de la deuxième fosse, l'un se pencha pour ramasser une feuille de papier, par terre. Tous les trois se groupèrent, s'entretinrent avec de grands gestes vers la caverne. Ben, alors, aperçut la jeune femme. Son regard s'attarda quelques secondes dans sa direction, avant de revenir au papier. S'imaginait-il qu'elle était venue pour le voir ? D'ailleurs, n'était-ce pas le cas ? Elle savait qu'il serait là.

Au bout d'un moment, les deux ouvriers ramassèrent une chaîne et retournèrent s'enfoncer dans les bois. Ben, lui, à travers le champ, s'avança vers Eden. Le cœur de celle-ci bondit dans sa poitrine, sa main se crispa sur le manche du parapluie. La pluie avait donné aux cheveux de Ben une teinte plus foncée, sa chemise était trempée. Elle avait envie de crier, envie de lui jeter les bras autour du corps, de lui dire combien elle était heureuse pour lui, désolée pour elle-même. Mais elle demeura immobile, cramponnée au parapluie, sans trop savoir quelle expression prendre, quel masque porter.

— Salut, dit-il, quand il se trouva près d'elle.

Il enfonça ses mains dans ses poches, se retourna vers les bois.

— Tu veux partager mon abri ?

Elle tendait vers lui le parapluie. Il se glissa dessous. Leurs bras, leurs épaules se touchaient. Elle respirait le parfum de sa lotion après-rasage.

— Parviens-tu à croire que Kyle nous laisse faire ? demanda-t-il avec un signe de tête vers la caverne. Les gars ont un peu de mal à décider du moyen à employer pour déplacer les rochers. Les barres à mine sont insuffisantes. Nous allons essayer de passer des chaînes tout autour et de les accrocher ensuite à ma camionnette. Si ça ne marche pas, il nous faudra un engin spécial. Le jour où Kyle a scellé cette caverne, il pensait bien que c'était pour toujours.

— Oui, j'en suis sûre. Ces hommes t'accompagneront-ils à l'intérieur ?

— Non.

Il serait imprudent pour Ben, semblait-il, d'y pénétrer seul. Pourtant, Eden se sentit soulagée. La présence d'étrangers dans la caverne de sa mère lui aurait déplu.

— Eden...

Ben plongea ses mains plus profondément encore dans ses poches.

— Merci pour ce que tu as fait. Tu as tout changé pour moi.

— Je te demande pardon d'avoir un temps douté de toi.

— Bah, tu n'étais pas la seule. Mais c'est fini. Tout ce qui m'importe, à présent, c'est d'achever mon travail ici, avant de repartir pour Annapolis et de me remettre à vivre. Je veux dédommager Bliss pour l'année écoulée.

— Comment va-t-elle ?

— Elle ne sait plus trop où elle en est.

Les mâchoires de Ben se crispaient.

— Je me trompe peut-être, mais j'ai l'impression d'être le seul à pouvoir la guérir.

— Tu as raison, je le parierais.

Ben jeta un coup d'œil derrière eux.

— Je me demande jusqu'où la rivière va déborder.

— Ce matin, nous sommes allées au parc de Coolbrook, Cassie et moi. La rivière est très haute, furieuse, et les gens parlaient... d'inondation. Peut-être ferais-tu mieux d'attendre que ce soit fini, avant de pénétrer dans la caverne.

Elle avait la gorge serrée. Ils se parlaient comme deux vagues relations, sans plus. Elle avait envie de lui dire : *Je rêve de toi chaque nuit. Je me réveille en souhaitant de trouver près de moi.* Mais l'expression distante, un peu froide de Ben ne l'engageait pas à lui faire partager ses pensées les plus intimes.

Il secoua la tête.

— Si l'eau arrive jusqu'à la salle où sont les squelettes, elle pourrait les détruire.

— Peut-être le sont-ils déjà, depuis la précédente inondation.

— Non. Si j'en crois Kyle, elle n'avait pas atteint le labyrinthe.

Ils se turent quelques minutes. Ils regardaient les bois, où il n'y avait d'ailleurs rien à voir. Les ouvriers, qui mettaient toutes leurs forces à tenter de passer les chaînes sur les rochers, étaient presque invisibles.

Finalement, Ben reprit son souffle.

— Je suis navré que Sam ait ennuyé Cassie, Eden. Sincèrement.

— Elle n'en a pas souffert. Il a pensé, j'en suis sûre, que c'était le seul moyen de m'amener à comprendre ce qui se passait sans vraiment me le dire.

— Oui, je sais.

Il y eut un autre silence, bref, celui-là.

— Ainsi, lundi, c'est le grand jour ? Tu retournes au paradis des paillettes et du clinquant ?

— Oui.

— Tu t'emploieras à oublier cet été.

Elle fit la grimace. C'était une citation de sa première déclaration à la presse. Elle tourna la tête vers lui.

— Ben, je te demande pardon d'avoir...

— Ne me fais pas d'excuses. Je comprends parfaitement ce que tu ressens. J'ai hâte, moi aussi, d'oublier les dix-huit mois derniers.

Il regardait la caverne.

— Je ferais bien d'amener la camionnette et de voir ce qu'on peut faire.

Quand les hommes fixèrent les chaînes au pare-chocs de la camionnette, Eden se rapprocha de la caverne. Ben se mit au volant, appuya lentement sur le champignon. Le véhicule avança de quelques mètres de long de la troisième fosse, mais la chaîne glissa du rocher. Un ouvrier lâcha un chapelet de jurons. Après deux autres tentatives, l'énorme rocher bascula dans l'ouverture, resta quelques secondes en équilibre instable sur une face arrondie, avant de se mettre à rouler. Il écrasa sur son chemin plusieurs jeunes arbres, s'arrêta juste avant la troisième fosse.

Les hommes poussèrent des acclamations. Eden ne pouvait détourner le regard de l'étroite et ténébreuse ouverture au flanc de la colline. Combien de fois, dans son enfance, avait-elle franchi ce seuil obscur ? Pourquoi lui paraissait-il si étrange ? Une pensée la frappa : sa mère avait été extraordinairement bizarre, pour faire de ce sinistre trou son second foyer, le terrain de jeu de son enfant.

Ben, à genoux devant l'entrée de la caverne, vérifiait le fonctionnement de sa lampe. Eden fit volte-face, reprit la direction de la route. Ce qu'elle avait vu de la caverne lui suffisait. Elle ne tenait pas à voir Ben y disparaître. Elle allait rentrer, se perdre une fois de plus dans son scénario.

Mais, cet après-midi-là, le scénario ne lui offrait aucun refuge. Elle songea à devancer l'heure à laquelle elle devait aller chercher Cassie ; elle emmènerait sa fille quelque part pour le reste de la journée, elle laisserait à l'enfant le soin de lui occuper l'esprit. Non : Cassie serait déçue si son après-midi avec les enfants de Maggie était écourté.

De guerre lasse, Eden descendit à la cuisine. Kyle pelait des pommes. Lou roulait de la pâte à tarte sur la tablette à coulisse aménagée sous le comptoir.

— Je vais te remplacer, Kyle, dit Eden.

Il n'offrit aucune résistance lorsqu'elle lui prit l'éplucheur et s'assit à sa place.

— Merci.

Il consulta sa montre.

— J'ai envie d'aller jeter un coup d'œil sur Ferry Creek. Je te croyais au travail sur le scénario.

— J'avais besoin d'une pause.

— Comment ça marche, ma chérie ? demanda Lou.

— Beaucoup mieux, depuis que j'ai décidé de faire de Matthew Riley mon véritable père. Tout le reste se met en place.

Un silence suivit ses paroles. Elle aurait dû, elle le comprit, trouver une autre formule pour leur dire que tout allait bien.

— Je reviens dans un moment, annonça Kyle.

Il s'arma du parapluie, sortit de la maison.

Eden entreprit de peler une petite pomme rouge.

— Eden, dit Lou, laisse cette pomme un moment.

Eden leva les yeux sur sa tante.

— Pose ça. Je veux que tu m'écoutes attentivement.

La jeune femme posa sur la table la pomme et l'éplucheur.

— Je ne peux plus supporter ça, reprit Lou.

— Supporter quoi ? demanda Eden.

Mais elle était certaine de le savoir.

— Ton attitude. Kyle l'endure, lui. Il est prêt à te laisser retourner en Californie, à te laisser prendre la fuite, une fois de plus. Moi, je ne le veux pas, je ne le peux pas. Pas sans me battre. Kyle supporte tout, de ta part : il a tellement peur de... Eden, reporte-toi en arrière. Tu te rappelles la nuit de l'accident ?

La jeune femme se raidit.

— Oui.

— Tu sais, on dit qu'en état de choc, quand on subit une épreuve traumatisante, l'amnésie intervient. On ne s'en souvient pas. Moi, je me rappelle tous les détails de cette nuit-là. Je me rappelle vous avoir suivis, toi et ce garçon qui était bien déterminé à t'enlever à nous. Je me souviens de la peur que j'éprouvais pour toi. Tu étais si jeune... prête à tout. Je me souviens d'avoir pensé que Kyle en mourrait si, en rentrant à la maison, il découvrait que tu avais disparu comme ça, sans un mot.

Le menton de Lou tremblait. Eden baissa les yeux.

– Je me rappelle avoir vu cette voiture glisser vers moi. *Se glisser en moi.* Je l'ai sentie. Ma jambe n'est plus là depuis dix-sept ans, mais il m'arrive encore d'éprouver cette souffrance. Tu as essayé de me sortir de la voiture. Tu hurlais, tu sanglotais. J'ai su alors que tu m'aimais. La moitié de mon esprit avait peur de la mort. L'autre moitié pensait : Mais cette enfant m'aime pour de bon. Elle ne le dit jamais, mais je le sais.

Eden se leva, alla jusqu'au comptoir pour regarder par la fenêtre. Elle voyait la resserre, le sentier qui s'enfonçait dans les bois et conduisait à la caverne.

– Le trajet en ambulance ne m'a pas laissé grand souvenir, dit encore Lou, sinon que tu me tenais la main, en me suppliant de ne pas dire à Kyle ton rôle dans l'accident. Un jour ou deux après, je t'ai aidée à monter cette version selon laquelle tu étais avec moi dans la voiture, afin qu'il ne sût jamais ce qui s'était vraiment passé.

– Je regrette de m'être conduite comme ça, Lou. Je voudrais pouvoir l'effacer. Je voudrais pouvoir effacer cette nuit-là tout entière.

Elle se tourna vers sa tante.

– Tu n'as jamais rien dit à Kyle, n'est-ce pas ?

– Non. C'est le seul mensonge qu'il y ait jamais eu entre nous. Eden, je veux que tu te rappelles quelque chose. Pourquoi ne voulais-tu pas que Kyle connût la vérité ? De quoi avais-tu peur ?

Eden haussa les épaules.

– Je n'avais pas envie de me faire houspiller.

D'un geste, Lou rejeta cette explication.

– Ça t'était déjà arrivé. Kyle n'était pas très strict en matière de discipline, et tu le savais.

Eden se reporta à cette terrible nuit et découvrit aussitôt la réponse à la question de Lou. Elle se rappelait ce qu'elle avait ressenti à dix-neuf ans, ce qu'elle avait ressenti durant la plus grande partie de son adolescence.

– J'avais peur de le voir se mettre à me détester s'il apprenait la vérité. J'ai toujours eu cette crainte : qu'il cessât de m'aimer.

Lou hocha la tête.

– Voilà, c'est ça. Et c'est précisément la raison pour laquelle il ne t'a jamais dit qu'il était ton père. Il avait peur de te voir cesser de l'aimer. C'est pourquoi il supportait tout de toi. Il était si heureux, la première partie de cet été, quand, finalement, tu as paru te détendre en notre compagnie, quand tu as paru désirer être avec nous. Il s'est pris à croire que tu pourrais accepter la vérité. Maintenant, il redoute de t'avoir à jamais perdue.

– C'est faux.

– Tu dois le lui faire comprendre.

Eden se rassit, reprit la pomme qu'elle avait commencé de peler.

– Je ne sais pas trop comment m'y prendre.

– Ne pars pas lundi.

Les yeux de la jeune femme s'emplirent de larmes.

– Il le faut. Il faut que je m'éloigne de Ben.

Lou tendit le bras, reprit la pomme des doigts d'Eden.

– Non seulement tu fuis la famille qui t'aime, tu fuis aussi l'homme dont tu es amoureuse. Où est le bon sens, là-dedans, Eden ? A mon avis, tu dois faire la paix avec deux hommes, avant de quitter Lynch Hollow.

Lou leva la tête au bruit des pas de Kyle sur le porche. Il ouvrit la porte, se retourna pour déposer le parapluie sur le seuil.

– Ferry Creek monte rapidement, - dit-il. L'eau est presque arrivée aux fosses. A ce train-là, elle pourrait parvenir dans une heure ou deux à la caverne. Il faut que j'y aille pour prévenir Ben : s'il n'a pas trouvé l'un des squelettes d'ici une heure, il devra renoncer. Le jeu n'en vaut pas la chandelle.

Kyle était essoufflé, son visage était empourpré. Les cheveux, sur ses tempes, se mouillaient de sueur. Il était impossible qu'il se rendît à la caverne.

– Je vais y aller, déclara Eden.

Kyle la regarda en fronçant les sourcils.

– Tu ne peux pas entrer dans une caverne.

– Toi non plus.

– Tu vas t'évanouir.

– Tu vas tomber et te rompre le cou.

– Ça va, ça va, fit Lou. C'est moi qui vais y aller.

Kyle se mit à rire, revint à Eden.

– Tu es sûre de toi ?

– Oui.

– Il te suffira d'aller jusqu'à l'entrée du tunnel et de l'appeler. Ta voix devrait porter jusqu'à lui, mais peut-être devras-tu t'avancer un peu.

La jeune femme sentit s'accélérer le rythme de son cœur.

– Quelle est la longueur du tunnel ?

– Une trentaine de mètres.

Il la regardait d'un air dubitatif.

– Rappelle-toi, ma chérie : ce ne sera plus comme du temps où tu étais petite. Il n'y aura pas d'autre lumière que celle que tu emporteras.

Eden alla chercher un lainage dans sa chambre. Quand elle revint, Kyle lui remit un casque vert qui portait une lampe sur le devant. Elle le mit. Il était un peu grand.

– De quoi ai-je l'air ? demanda-t-elle.

– Ce casque prouve que tu serais belle dans n'importe quelle tenue.

Il lui tendit une torche électrique.

– Je vais t'accompagner. Si l'eau approche trop rapidement, je t'appellerai pour que tu sortes.

Pendant qu'ils gagnaient la route, il lui parla du labyrinthe.

– J'ai bien essayé de dire à Ben où il devrait chercher, mais mes souvenirs ne sont pas très précis, et cette partie de la caverne serait un cauchemar pour n'importe quel spéléologue.

– Grand Dieu ! s'écria-t-elle lorsqu'ils atteignirent le champ.

La camionnette de Ben était stationnée sur la route, et c'était heureux : Ferry Creek avait dévoré la plus grande partie du champ. L'eau verte, turbulente s'attaquait au bord de la première fosse.

– Elle ne peut pas monter plus haut, dit-elle.

– Tu ne te rappelles pas, hein ? Elle le pourrait et elle le fera peut-être.

A mesure qu'ils approchaient de l'entrée de la caverne, l'énormité de l'entreprise effarait Eden. Elle plongea son regard dans la noire blessure au flanc de la colline, s'adossa au rocher.

– Tu n'es pas obligée d'y aller, ma chérie, dit Kyle.

– Je veux y aller. Je me sens bien.

Elle alluma sa torche et la lampe de son casque, fit un pas à l'intérieur. Aussitôt, le sol plongea sous ses pieds, et le cœur lui manqua. Elle avait oublié la pente. Dieu, avec quelle force l'eau y déferlerait. Elle se retourna vers l'entrée, mais, déjà, la muraille de la caverne lui cachait Ferry Creek.

Elle reprit sa marche. Les rayons de ses lampes illuminaient le prodigieux décor de stalactites et de stalagmites. Lentement, le sol revint à l'horizontale, et elle n'eut plus à redouter de tomber à chaque pas. La caverne, fermée durant toutes ces années, sentait le moisi. Les deux lampes donnaient une lumière éclatante mais étrangère à ces lieux. La grotte avait tiré une grande part de sa personnalité de l'éclairage de Katherine qui avait disposé partout, sur les murs et les corniches, des lanternes et des bougies.

Quelques pas encore, et l'étroit passage s'ouvrit soudain sur la grande salle. Eden, pour garder son équilibre, dut s'accrocher à une stalagmite. Elle eut brusquement une impression de familiarité. Elle savait maintenant où elle se trouvait. Tout autour d'elle, les « tites » et les « mites » formaient des parois de draperies orangées, des cascades de roche.

Elle poursuivit sa marche, la tête levée vers le haut plafond voûté où les stalactites aiguës se faisaient capturer dans la lumière de la lampe de son casque. Le bout de son pied heurta quelque chose. Elle faillit trébucher. Elle baissa les yeux, retint son souffle. *La machine à écrire.* Eden s'agenouilla. La machine était renversée sur le côté, rouillée au point d'en être méconnaissable. Elle en frôla les touches, regarda ses doigts couverts d'une poussière orangée. Le couvercle était aminci, rugueux, et cédait au moindre contact.

La jeune femme se releva, regarda autour d'elle. Dans cet endroit où le sol était plan, Kate avait disposé les meubles. Son bureau se trouvait à droite, et Eden retrouva la corniche où sa mère avait caché son journal et, tout au fond, les histoires qu'elle écrivait sur elle-même et Kyle, les histoires que Kyle avait trouvées et brûlées, en dépit des protestations de Lou pour qui c'était ce que Kate avait écrit de mieux.

Eden fit volte-face, regarda vers l'entrée, mais les ténèbres avaient englouti toute lumière venant du dehors. Elle n'était pas sûre de pouvoir continuer. Elle aspirait l'air convulsivement, respirait si profondément que le froid de l'atmosphère lui brûlait les poumons. Kyle est là, dehors, se rappela-t-elle. Il est assis juste à l'entrée de la caverne. Il t'attend. Et Ben est ici, quelque part. Elle sentait tout autour d'elle la présence bienveillante de tous les fantômes du passé. Sa mère. Matthew Riley. Kyle. Elle les imaginait, installés sur le canapé, dans le fauteuil à bascule. Ils lisaient à la lumière jaunâtre des lanternes, comme s'ils avaient été dans un salon. Elle imaginait les échos qu'avait dû éveiller la musique espagnole de Kyle, la manière dont cette musique avait dû emplir la salle, tandis que Lou dansait parmi les rochers.

Elle reprit sa marche, parvint enfin au mur du fond, où elle découvrit l'eau immobile et noire du bassin. Celui-ci était creusé dans le roc à la hauteur de sa ceinture, et le plafond se trouvait à un mètre tout au plus de la surface, si bien que les milliers de minuscules stalactites se reflétaient dans l'eau. Devant la jeune femme, accumulé contre la muraille, s'entassait le vieux mobilier. La carcasse du canapé était à peu près intacte, le rembourrage entièrement pourri – ou rongé – s'en détachait. Il était renversé sur le dos, exhibait ses ressorts rouillés. Le bureau de Katherine, dont le bois était sec et crevassé, gisait sur le côté. Tout près, une chaise était en miettes.

Eden savait que le tunnel s'ouvrait sur sa droite. Elle le trouva rapidement, s'immobilisa à l'entrée. Le plafond bas frôlait presque sa tête. Ben avait sûrement dû se baisser pour passer. Les mains en coupe sur sa bouche, elle appela : « Ben ! » Elle pencha la tête pour mieux écouter, n'entendit aucune réponse. Une trentaine de mètres, avait dit Kyle. Elle allait devoir s'approcher un peu.

Elle baissa la tête, s'engagea dans le tunnel. Elle avait parcouru plusieurs mètres quand les parois commencèrent à se resserrer sur elle. Le plafond s'abaissait. Elle ne pouvait plus se redresser sans se heurter le crâne ni tendre les bras sans les écorcher contre les parois. Elle s'immobilisa, s'efforça de respirer plus lentement.

– Ben !

Toujours pas de réponse. Et pas d'autre choix, à présent, que de continuer d'avancer. Elle préférait se retrouver au bout du tunnel, avec Ben, plutôt que de retourner dans les ténèbres de la caverne et d'avoir toute la grande salle à traverser avant de revoir la lumière du jour. Elle se concentra sur l'effort de mettre un pied devant l'autre. Le plafond s'abaissait encore, le sol montait, elle était presque accroupie. Elle passa un angle du tunnel, se trouva devant une énorme saillie rocheuse qui bloquait devant elle plus de la moitié du passage. Elle se sentit paralysée par la peur : peur de tenter de se glisser entre la paroi et le rocher anguleux, mais peur aussi de revenir en arrière. Incapable de rester plus longtemps pliée en deux, elle se laissa tomber à genoux.

— Ben ! *Ben !*

— Eden ?

La voix était lointaine, mais elle l'entendait distinctement.

— Que viens-tu faire ici ?

— Je t'apporte un message de Kyle. Mais je suis coincée. C'est tellement étroit.

— Ça s'élargit un peu après, cria-t-il. Continue.

Elle essaya de se remettre debout, se rappela juste à temps qu'elle devait rester repliée sur elle-même si elle voulait éviter de se cogner la tête au plafond. Elle put se faufiler de l'autre côté de la saillie rocheuse, laissa échapper le souffle qu'elle avait retenu.

— Eden ? Tu es toujours là ?

— Oui.

Elle avait repris sa marche, le dos courbé, les genoux tremblants. Bientôt, elle vit une pâle lumière jaune éclairer les rochers devant elle. Elle passa un autre angle, se trouva presque aveuglée par la lampe assujettie au casque de Ben.

— Encore quelques mètres, dit-il.

Il marchait à reculons devant elle. Elle le suivit, pénétra dans le labyrinthe. Soulagée, elle mourait d'envie de tomber dans ses bras, mais il se contenta de lui effleurer rapidement l'épaule, pendant qu'adossée à la muraille, elle cherchait à reprendre haleine.

— Ça va ? demanda-t-il.

— Oui, mais Ferry Creek approche des fosses. Kyle dit qu'il te reste moins d'une heure. Il te conseille, si tu ne parviens pas à retrouver le squelette, de cesser tes recherches et de sortir d'ici.

Ben hocha la tête.

— Il est difficile de progresser, là-dedans. Regarde un peu.

Il promena autour de la salle le faisceau lumineux de sa torche. C'était bien un labyrinthe, une forêt dense et sans fin de colonnes de pierre.

— Je n'ai pas été en mesure d'avancer bien loin : je suis resté attaché à l'entrée afin de pouvoir retrouver mon chemin pour sortir.

Eden vit alors la corde nouée à une colonne et rattachée à la ceinture de Ben.

– Mais, puisque te voilà, je vais laisser ma torche près de l'entrée, et nous pourrons chercher tous les deux.

Elle approuva d'un signe de tête, entreprit de se frayer un chemin dans le labyrinthe. Le silence s'établit entre eux. Elle avait envie de parler à Ben. Elle en avait *besoin*. Elle pouvait commencer par une remarque anodine.

– J'ai éprouvé une impression bizarre en traversant la caverne après tant d'années, dit-elle.

Il ne répondit pas tout de suite. Elle l'entendait se mouvoir de l'autre côté de la salle, voyait les ombres se déplacer autour d'elle avec les mouvements de Ben qui faisaient danser sur les murailles le faisceau de sa lampe.

– Occupons-nous de nos recherches, Eden, dit-il enfin. Nous n'avons pas le temps de bavarder.

Elle se sentit les joues brûlantes. Une bonne douzaine de ripostes lui venaient à l'esprit, mais elle n'en articula aucune. Elle allait le laisser jouir en paix de son silence.

Elle changeait sans cesse la position de son corps pour se faufiler entre les colonnes. En très peu de temps, elle se retrouva dans un espace plus découvert. Avant même d'avoir examiné le sol, elle eut la conviction d'avoir découvert le lieu de repos de Rosie. Elle ne se trompait pas : le squelette gisait à moins d'un mètre de ses pieds. Elle appela Ben, s'agenouilla pour mieux voir les restes. Rosie était toute petite. Une enfant. Pas beaucoup plus grande que Cassie.

Ben avait rejoint la jeune femme. Il secoua la tête.

– Voilà plus d'une heure que je fouille les lieux. Toi, tu arrives et tu tombes dessus. C'est fantastique.

Il braqua son appareil photo, prit quelque clichés, avant d'étendre un drap sur le sol, le plus près possible du squelette. Celui-ci était incrusté dans quelques centimètres de terre. Ben tira une brosse de la poche de son jean, balaya la poussière superficielle. Après quoi, il se mit à creuser la terre avec son couteau de poche. Comme toujours, en observant ses mains, Eden se sentait électrisée. C'étaient des mains bien modelées, vigoureuses, efficaces. Il touchait ces os comme s'ils lui fournissaient des indices sur leur existence, comme si l'extrémité de ses doigts lui transmettait des informations qu'elle-même ne pouvait espérer découvrir.

Elle l'aida à soulever le squelette pour le poser sur le drap. Il l'enveloppa, glissa sur le tout un sac en plastique noir, toujours sans rien dire. Eden, pour sa part, n'osait plus parler, de crainte de se faire à nouveau réprimander.

Il leur fallut quelques minutes pour revenir à la sortie du labyrinthe. Ben s'engagea le premier dans le tunnel. Il tirait le squelette derrière lui, le plus délicatement possible. Eden le suivait, gênée par la position penchée qu'elle devait garder. Lorsqu'ils devaient franchir des angles ou passer sur des endroits plus rugueux, elle soulevait un peu le sac. Elle commençait à être ankylosée. Ses épaules, les muscles de ses cuisses, son dos lui faisaient mal. Mais, cette fois, elle n'éprouvait aucune appréhension. Rien, en ces lieux, ne lui paraissait plus étrange. Et elle était avec Ben.

Lorsqu'ils se retrouvèrent dans la grande salle, Ben souleva le paquet entre ses bras, le porta comme il l'aurait fait d'un enfant. Eden passa en tête afin d'éclairer leur chemin.

— Ta mère était une drôle de créature pour se trouver à l'aise dans un tel endroit, remarqua-t-il.

— Imagine à quel point elle devait se sentir mal chez elle pour préférer vivre ici, répliqua la jeune femme.

Juste à l'entrée de la caverne, Kyle les attendait, sous le grand parapluie vert de Lou.

— Je suis bien content de vous revoir tous les deux, déclara-t-il.

— Nom d'un chien ! s'exclama Ben.

Il regardait l'eau de Ferry Creek se déverser dans les fosses. Celles-ci étaient déjà presque pleines.

— Si j'avais su ça, je n'aurais pas été aussi détendu là-dedans.

Il se dirigea vers la camionnette.

— Je vais emporter ça à la cabane, Kyle. Et lundi, en route pour l'université.

— Tu veux que je t'aide ? proposa Eden.

Elle avait besoin de lui parler. *Tu fuis l'homme que tu aimes.*

— Non, merci, dit-il sans se retourner. Tout ira bien.

Elle alla jusqu'à la route, pendant que Kyle aidait Ben à installer le squelette dans la camionnette. Ils le placèrent sur le siège avant, pour l'abriter de la pluie. Eden ne suivit pas l'opération. Ben ne voulait plus avoir rien à faire avec elle. Tout était fini entre eux, et il était tout disposé à accepter la situation. Il était même *pressé* de reprendre sa vie là où il l'avait laissée. Et elle, que voulait-elle ? Pas ça. Pas ces adieux d'une douloureuse froideur. Pourtant, si elle l'avait perdu, c'était entièrement sa faute. Personne d'autre n'en était responsable. Elle ne lui avait pas fait confiance, elle l'avait calomnié. De quel droit attendrait-elle maintenant de sa part une autre attitude ?

Kyle s'avançait vers elle. Elle leva la tête, exposa son visage à la pluie pour effacer toute trace d'émotion. Ils étaient tous les deux sur la chaussée, quand Eden entendit Ben lancer le moteur de la camionnette. Il allait passer devant eux. Elle lèverait la main en signe d'adieu. Ce serait tout simple.

— Tu as envie d'être avec lui, constata Kyle, au moment où ils se remettaient en marche.

— Il n'a pas envie d'être avec moi.

— Foutaise, fit-il.

Ben, au passage, actionna par deux fois son avertisseur. Eden leva la main sans cesser de regarder la route. Elle et Kyle rentrèrent à la maison en silence. Mais, une fois à l'intérieur, dans l'odeur des pommes et du gingembre, Kyle se tourna vers la jeune femme.

— Je vais aller chercher Cassie chez Maggie DeMarco. Toi, monte donc chez Ben.

Il décrocha du tableau fixé près de la porte les clés d'Eden, les lui mit dans la main. Il ouvrit ensuite un tiroir du vaisselier, lui tendit un cahier noirci par l'âge.

— C'est le dernier, dit-il.

# 47

Lorsqu'elle atteignit enfin la cabane, la pluie avait cessé. Au moment où le soir descendait sur la vallée, les nuages gris s'ouvrirent au-dessus de sa tête pour découvrir le ciel d'un bleu violacé profond.

Elle n'eut pas le temps de frapper : Ben ouvrait déjà la porte. Il s'était douché, avait passé un jean délavé, une chemise chinée bleu et blanc qu'elle ne lui connaissait pas.

— Je peux entrer ? demanda-t-elle d'une voix timide.

L'expression de Ben n'avait rien d'accueillant.

Il lâcha la porte, rentra et, dans le coin cuisine, se versa un verre de jus d'orange.

— Tu en veux ? questionna-t-il.

Elle secoua la tête, parcourut du regard l'intérieur de la cabane. Le squelette, dans son sac de plastique noir, reposait sur la table, au centre de la pièce, mais quelque chose d'autre avait changé.

— Il fait *frais,* ici, s'étonna-t-elle.

Elle remarqua alors, à l'endroit où s'était trouvé le ventilateur, un appareil de climatisation.

— Un climatiseur !

Il s'appuyait au comptoir.

— Je l'ai rapporté de chez moi. Avec quelques autres choses. J'aurais pu prendre tout ce que je voulais. Sharon a terriblement mauvaise conscience.

— Moi aussi.

Il soupira, posa son verre sur le comptoir.

— Écoute, Eden : tu penses, je suppose, que nous devons mettre à plat cette malheureuse affaire, que nous devons en parler à fond, mais moi, ça ne m'intéresse pas. J'ai accepté le fait que tout était fini entre nous et, maintenant, je veux penser à l'avenir. Car j'ai enfin l'impression d'en avoir un.

Elle n'aurait pas dû venir. Kyle s'était trompé : Ben n'avait aucun désir de la voir. Elle regarda par la fenêtre. Le ciel s'assombrissait rapidement.

— Tu veux que je m'en aille ?

— Je ne vois vraiment pas pourquoi tu resterais.

— Tu es encore furieux contre moi.

— Non, pas du tout.

Elle croisa étroitement les bras sur sa poitrine.

— Tu dois l'être, pour me traiter avec une telle froideur.

— Je ne veux tout simplement plus me sentir proche de toi. Quand tu seras partie, lundi, j'aimerais ne pas remarquer ton absence, ou presque. J'ai atteint ma limite de souffrance. Mardi matin, j'aimerais me réveiller en me disant : « Eden est partie. La belle affaire ! »

Elle grimaça douloureusement. Il détourna la tête.

— Ce n'était pas très courtois, dit-il. Je te demande pardon. Oui, je dois être encore furieux. J'éprouve le désir de te faire souffrir. J'ai envie de faire souffrir tout le monde. Mais je n'aurais pas dû te dire ça.

— Je t'aime toujours, Ben.

Il se mit à rire.

— Tu veux savoir ? Je ne pense pas que je te croie. Je ne te fais plus confiance. Tu m'avais dit que tu étais amoureuse de moi, mais, après ça, tu passes une heure, une seule, avec Michael Carey, et voilà que, tout à coup, tu me traites comme si j'étais Jack l'Éventreur. En un rien de temps, les gens dans la rue me traitent d'ordure, et je lis dans les journaux que je ne compte pas pour toi. J'ai été une erreur de jugement. Je représentais pour toi une belle occasion, hein ? Tu m'appréciais en privé, mais il ne fallait surtout pas qu'on te vît en ma compagnie.

Il marcha jusqu'à la porte, l'ouvrit toute grande.

— Quel effet ça fait-il de ne plus inspirer confiance ?

Elle ravala péniblement sa salive. Sur le seuil, elle se retourna.

— Je te souhaite d'être heureux, Ben.

Elle traversa la clairière, monta dans sa voiture et démarra avant de laisser couler ses larmes.

Ben sortit tout de suite après Eden. Il était près de neuf heures, et il avait faim : il n'avait rien mangé depuis le déjeuner. Au volant de sa camionnette, il couvrit les quelques kilomètres qui le séparaient du Sugar Hill. Il aurait aimé que la dernière demi-heure n'eût pas eu lieu. Cette expression meurtrie sur le visage d'Eden, quand elle avait quitté sa cabane, allait le hanter toute la nuit. Oui, il l'avait bien fait souffrir. Elle n'aurait pas dû venir. Elle aurait mieux fait de quitter la vallée sans un autre échange de paroles entre eux.

Le Sugar Hill était étrangement tranquille, pour un samedi soir. Il n'eut aucun mal à trouver une table. Ruth s'approcha de lui, avec le menu. Déjà, il se préparait à son accueil venimeux, mais elle le surprit.

— Je peux m'asseoir une minute ? lui demanda-t-elle.

Stupéfait, il la regarda.

— Oui.

Elle s'installa en face de lui, se passa la langue sur des lèvres orangées.

— Je vous dois de foutues excuses, déclara-t-elle.

— Pourquoi ça ?

— Pour avoir pensé, tous ces derniers mois, que vous aviez pu faire du mal à votre petite fille. Nous le pensions tous et nous vous traitions comme vous deviez être traité, à notre avis. Maintenant, nous savons que ce n'était pas vrai et nous ne sommes pas fiers, c'est moi qui vous le dis.

Il plissa les paupières.

— Comment savez-vous que je n'étais pas coupable.

— C'est cet article, dans le journal.

— Quel article ?

— Vous ne l'avez pas vu ? bien sûr, vous ne pouviez pas. C'est dans le journal de demain, celui du dimanche. Mon fils en prend une bonne pile en ville, le samedi, et il les apporte ici quand il vient pour le week-end.

Ben, les sourcils froncés, s'efforçait de la suivre.

— Il y a un article sur moi dans le journal de demain ?

— Attendez un peu.

Elle se leva, l'instant d'après, avec un numéro du *Post,* édition du dimanche.

— Tenez, c'est là.

— Elle ouvrit le journal à la page trois, le posa devant lui.

— Je vous sers comme d'habitude, mon petit ?

*Mon petit ?*

— Oui, s'il vous plaît.

Il y avait cette photo de lui et d'Eden, prise dans Greenwich Village, et plusieurs citations d'Eden, qui ne se contentait pas de le disculper mais s'accusait d'avoir douté de lui. « J'ai commis une erreur, disait-elle à la fin. J'avais peur pour ma fille et pour ma carrière. Je me suis protégée de la seule manière dont je l'ai pu sur le moment. Et j'ai fait souffrir ainsi un homme auquel je tiens énormément. »

Les mots se brouillaient sa vue. Ben se leva, alla trouver Ruth.

– Je dois partir, Ruth.

Il lui posa la main sur l'épaule, une épaule qu'il n'aurait pas osé toucher une heure plus tôt.

– Est-il trop tard pour annuler ma commande ?

– Pas de problème, mon petit. Revenez demain soir. C'est la maison qui offrira.


Eden lut une histoire à Cassie. Les mots tombaient mécaniquement de ses lèvres. Elle embrassa l'enfant, lui souhaita une bonne nuit, ferma la porte de la chambre et passa dans la sienne, de l'autre côté du palier. Elle ôta son jean et son tee-shirt, passa une chemise de nuit en satin blanc et se glissa sous les couvertures. Il était encore tôt, mais son travail dans la caverne l'avait épuisée, tout comme sa confrontation avec Ben. Ses épaules restaient douloureuses, après son passage dans le tunnel, les muscles de ses cuisses la brûlaient.

Elle demeura un moment immobile, les yeux fixés sur le plafond obscur. Finalement, elle alluma la lampe de chevet, ramassa son sac, resté sur le tapis. Elle allait lire le cahier que lui avait remis Kyle. Le dernier.

Elle plongea la main dans le sac mais s'immobilisa : elle venait d'entendre une portière claquer dans l'allée. Figée, elle écoutait. On frappa à la porte de la cuisine. La voix murmurante de Kyle lui parvint. Des pas gravirent l'escalier. *Ben.* Elle reposa son sac sur le tapis, croisa les mains sur la couverture.

Il frappa doucement à la porte.

– Eden ?

– Entre, dit-elle.

Il ouvrit la porte, la referma doucement derrière lui. Il vint s'asseoir au bord du lit, prit les mains d'Eden dans les siennes.

– Je me suis conduit comme un idiot, tout à l'heure, dit-il. Je te demande pardon.

– Ce n'est rien.

– Ruth avait un exemplaire du journal de demain. Ta nouvelle déclaration à la presse s'y trouve.

– Tant mieux.

Elle était heureuse qu'il eût lu l'article. Quand elle partirait, le lundi, elle serait malheureuse, mais elle aurait au moins la conscience nette.

– Tu n'aurais pas dû te montrer aussi dure envers toi-même, reprit-il.

– Mais si.

Il baissa les yeux sur la main de la jeune femme, caressa du pouce la peau satinée.

– Tu étais sincère, tout à l'heure, quand tu m'as dit que tu m'aimais toujours ?

– Oui.

Il sourit, un peu mélancoliquement, lui pressa la main.

– Hier soir, j'ai vu *Au cœur de l'hiver*. Le film passe à Gloverton. Je revenais d'Annapolis et je me suis arrêté.

– Mais tu l'avais déjà vu deux fois.

– Oui, je sais. Mais c'était toi que j'avais envie de voir, et c'était un moyen sans danger. Je pouvais te regarder sans... sans être tenté par toi. Sans risquer de me rendre ridicule ou... Je t'étais si reconnaissant de m'avoir aidé à me tirer du gâchis dans lequel j'étais, mais je ne voulais pas oublier ce que tu m'avais fait.

Il haussa les épaules.

– Ce n'était pas très satisfaisant de te voir sur l'écran. Ce n'était pas toi, là-haut. Tu étais la femme du film, Lily je-ne-sais-plus-quoi. Tu étais elle, entièrement. Tu es une excellente comédienne, Eden. Je n'en étais pas moins exaspéré de voir Michael Carey te peloter, de te voir l'embrasser.

Ben fut secoué d'un frisson.

– Je suis parti avant le point culminant, si j'ose dire.

Elle sourit, leva la main pour lui caresser la joue.

– Je t'aime, moi aussi, Eden, dit-il.

– Alors, dis-moi que tu ne veux pas me voir partir lundi.

– Ne pars pas, je t'en prie.

Elle se mit à genoux pour l'embrasser, mais la douleur dans ses épaules et dans ses jambes la fit broncher.

– Le tunnel t'a laissé des courbatures ? demanda-t-il.

Elle hocha la tête.

– Je t'offrirais bien de te masser, mais, si je te touche, je ne pourrai plus m'arrêter, j'en ai peur.

– Touche-moi, Ben. Je t'en prie.

Il se leva pour aller tourner le verrou, revint vers le lit.

– Cette chemise est magnifique.

Il passait le dos de ses doigts sur le satin blanc, entre les seins de la jeune femme.

— Comment se fait-il que je ne l'aie encore jamais vue ?

— Je n'en ai jamais eu besoin à la cabane. Nous passions sans transition de l'état habillé à l'état déshabillé.

— A mon avis, il va falloir te l'enlever, si tu veux que je te masse convenablement les épaules.

Elle était subitement prise de timidité à l'idée de passer sa chemise de nuit par-dessus sa tête et de se retrouver nue et vulnérable devant lui. Mais Ben se pencha pour éteindre la lampe de chevet, et l'obscurité emplit la jeune femme de désir. Il remonta la chemise sur son corps, la lui ôta, la posa sur le lit, derrière lui.

— Allonge-toi sur le ventre, dit-il.

Elle obéit docilement, posa la tête sur ses bras et attendit, pendant qu'il se débarrassait de ses chaussures. Il se mit à califourchon sur elle. Le premier contact de ses mains tièdes sur son corps fit monter les larmes aux yeux d'Eden. Il y avait trop longtemps qu'elle n'avait eu de sa part la moindre preuve d'amour.

Il la massait, lui pétrissait les muscles avec douceur.

— Tu es crispée, dit-il.

Ses mains s'immobilisèrent, à plat sur son dos. Elle comprit qu'il avait perçu les spasmes qui l'ébranlaient, dans ses efforts pour ne pas pleurer. Elle sentit sur sa peau ses lèvres, sa joue.

— Non, murmura-t-il. Non, ne pleure pas, je t'en prie.

Il l'attira entre ses bras. Elle s'accrocha à lui.

— J'avais peur de ne plus jamais te revoir. Ni te parler. Ni te toucher. Je n'ai pas l'habitude d'un amour comme celui-là. Je me disais que tout irait bien quand je serais de retour en Californie. Je pourrais faire comme si tout était pour le mieux. Là-bas, je ne souffre pas, mais je n'y ai non plus jamais été heureuse vraiment. Cet été a été différent. J'ai ressenti toutes les émotions. Elles ont parcouru toute la gamme, avec des hauts et des bas, des allées et venues, mais c'étaient *mes* émotions. Elles m'appartiennent. Ce ne sont pas celles d'un personnage que j'interprète, celles d'une Eden Riley en matière plastique.

Il lui posa un baiser sur l'épaule.

— Recouche-toi, dit-il.

Elle s'allongea cette fois sur le dos. Il posa les mains sur ses cuisses.

— Montre-moi où tu as mal.

Elle guida ses doigts jusqu'à la zone douloureuse. Il passa les pouces le long des muscles meurtris. Eden agrippa le drap de ses poings, se raidit contre la souffrance.

– Essaie de te détendre, lui conseilla-t-il.

Il était doué pour le massage. Elle lâcha le drap, ferma les yeux. Par degrés, ses muscles se dénouèrent sous les doigts de Ben.

Elle sut qu'il en avait fini de son traitement lorsque les pouces habiles passèrent des muscles cuisants à la face interne de ses cuisses. Et elle sut qu'elle en avait fini avec la souffrance quand ses cuisses s'écartèrent d'elles-mêmes.

– Voilà, chuchota-t-il.

Sa voix était aussi satinée que la chemise de nuit restée au bout du lit. Eden se concentrait sur le contact des mains qui lui caressaient les cuisses, qui, avec chaque frôlement d'une angoissante lenteur, se rapprochaient de leur but. Le souffle de la jeune femme se précipitait, et, quand, enfin, les deux pouces effleurèrent leur cible, elle laissa échapper un gémissement.

Elle ne pouvait plus demeurer immobile. Elle enfonçait ses talons dans le matelas, se soulevait pour se tendre vers son compagnon. Mais il prolongeait l'attente, ses mains la caressaient avec une délicatesse à peine perceptible. Finalement, ses doigts la trouvèrent, la maintinrent ouverte. Ses lèvres, sa langue les rejoignirent. Cette fois encore, elle s'agrippa au drap, sentit la pièce chavirer autour d'elle, comme si elle était droguée. La bouche de Ben se détacha légèrement d'elle. Elle se pressa avidement contre lui, tandis qu'il ne cessait d'aiguillonner son désir. Brutalement, elle se rappela où elle était : sa fille se trouvait dans la chambre voisine, Kyle et Lou au rez-de-chaussée. Elle rabattit sur ses lèvres un coin de son oreiller, juste à temps pour étouffer un cri.

Ben remonta tout le long de son corps pour l'embrasser. Ses vêtements lui frôlaient les hanches, le ventre, les seins.

– Tu es encore tout habillé.

Elle le fit basculer sur le dos, se mit en devoir de déboutonner sa chemise.

– Je n'ai pas eu le temps de me dévêtir, dit-il à voix basse. Tu te montrais si exigeante. Toutes ces douleurs, toutes ces crampes que je devais apaiser.

Elle sourit dans l'obscurité.

– Et toi, d'où souffres-tu ? demanda-t-elle.

Il l'aidait à lui ôter son jean.

Il lui prit le visage entre ses mains, le rapprocha du sien.

— Je n'ai plus mal nulle part, répondit-il.

Elle se pencha vers lui pour l'embrasser, laissa ses lèvres glisser le long de son cou, de sa poitrine, jusqu'au ventre plat où elle s'attarda à le caresser du bout des doigts.

— J'ai rêvé de toi toutes les nuits, lui dit-elle.

— C'étaient des rêves agréables ?

— Merveilleux. Je détestais me réveiller.

Elle pressa ses lèvres sur le ventre de Ben, releva la tête pour le regarder.

— Tu as passé presque toute la nuit dernière dans ma bouche.

— Mmm...

Il posa sa main en coupe sur la joue de la jeune femme pour la guider vers son pénis.

— Je devrais m'en souvenir.

— Toute la journée, c'est ce que j'ai désiré, et, toute la journée, j'ai redouté de ne plus jamais l'obtenir.

Elle sentit contre sa joue la brûlante rigidité de son membre viril, tourna la tête pour l'accueillir.

— Oh, Dieu...

Il enfonçait les doigts dans la chevelure blonde.

— Que diable allons-nous bien pouvoir faire pour guérir ta frigidité ?

— Reviens avec moi à la cabane, tu veux ? dit-il.

La chambre était de nouveau plongée dans le silence, les battements du cœur d'Eden avaient retrouvé un rythme normal.

— D'accord. Mais j'aimerais être de retour ici de bonne heure, demain matin, avant le réveil de Cassie.

Mais Lou et Kyle leur dirent de ne pas s'inquiéter de Cassie.

— Demain matin, promit Lou, nous la prendrons dans notre lit. Partez, maintenant. Elle sera très bien avec nous.

Cette heure passée dans son lit, Eden s'en souviendrait toujours. Mais ce fut le reste de la nuit, dans la cabane de Ben, les heures où ils se parlèrent, se retrouvèrent, qui les lièrent l'un à l'autre, décidèrent de leur avenir.

Ben lui raconta les deux jours passés à Annapolis, les émotions en montagnes russes, presque intolérables, le mélange de colère déchaînée contre Sam et d'amour pur pour sa fille.

— Es-tu toujours amoureux de Sharon ? questionna Eden.

Ils étaient au lit, sous une couverture qui les protégeait de la fraîcheur du climatiseur.

— Non. Jamais je ne parviendrai à faire revivre les sentiments que j'éprouvais à son égard et je n'ai pas envie d'essayer. Mais je la plains du fond du cœur. Elle a réellement connu l'enfer.

— As-tu vu Sam ?

— Oh, oui.

Le corps de Ben devint rigide près du sien.

— Mon incroyable frère. Le seul être au monde sur lequel je croyais pouvoir toujours compter. Les parents meurent, les amis vont et viennent, une épouse, même, pourrait en faire autant. *Mais un frère*... Jamais je n'aurais cru pouvoir perdre Sam.

Il lui raconta sa rencontre avec Sam, la satisfaction qu'il avait éprouvée à le frapper. Eden avait peine à imaginer Ben usant de violence contre quelqu'un. Mais n'était-ce pas ce qu'il avait fait, au début de la soirée, quand elle était passée le voir à la cabane ? Certes, il ne s'était pas servi de ses poings, mais elle n'en avait pas moins ressenti toute la violence de son attaque.

— Il y a tant de fureur en moi, reprit-il. Elle est dirigée contre Sam, je le sais, mais je la laisse se répandre un peu partout. Je ne sais pas comment m'y prendre avec lui. Un instant, j'ai envie de le tuer. L'instant d'après, je voudrais le prendre dans mes bras, lui dire que je suis prêt à faire tout au monde pour lui venir en aide. Ce que je ne supporte absolument pas, c'est de l'imaginer avec Bliss.

— Qu'as-tu éprouvé en la revoyant ?

— C'était formidable. Mais tu avais raison : elle est bien trop maigre, bien trop fragile. Elle m'a l'air hantée. Et elle joue avec des *poupées Barbie*.

Il se mit à rire.

— A cinq ans. J'espérais que ça n'arriverait jamais. J'ai l'impression d'être en faute. Si j'avais été là, j'aurais pu m'arranger pour la protéger de l'influence malencontreuse de ses camarades.

Eden sourit.

— C'est si bon de t'entendre rire.

Il l'attira contre lui, et sa voix s'adoucit.

— Un jour, Bliss va comprendre ce qui s'est passé. Elle saura que, parce qu'elle a pris Sam pour moi, ses parents se sont séparés, et son père est allé en prison. Comment pourrai-je la protéger d'un sentiment de culpabilité ?

— Tu en trouveras le moyen, lui dit-elle. Ce qui m'a toujours émue chez toi, c'était la manière dont tu faisais toujours passer Bliss avant toi-même. Même quand tu te trouvais au plus creux de la vague.

— Tu ferais la même chose. Pour tout dire, tu l'as bel et bien fait, et je ne t'en ai jamais voulu d'avoir tenu à protéger Cassie.

Ils se turent un instant.

— A quoi ressemble Annapolis ? demanda-t-elle.

— Quand on visite la ville ou quand on y vit ?

Il souriait. Elle le percevait dans sa voix.

— Quand on y vit.

— C'est un endroit un peu suranné.

Il lui posa un baiser sur le dessus de la tête.

— Une ville qui a beaucoup de charme, mais on y trouve tout ce qu'on peut désirer ou dont on a besoin. Sauf si l'on veut ou si l'on a besoin d'un studio de cinéma.

Elle rit à son tour.

— Ça m'arrivera, c'est sûr.

Pour la première fois depuis longtemps, elle savait qu'elle disait vrai. Elle avait envie de lire le scénario de *La Maison au trésor*. Elle avait envie de reprendre sa carrière. Elle sentait en elle une énergie nouvelle et bien réelle.

— Il faudra que je voyage de temps en temps, reprit-elle. Mais je m'arrangerai.

— *Nous* nous arrangerons, dit Ben.

Le lendemain, elle passa des sous-vêtements qui appartenaient à Ben. Elle prépara du café, revint se mettre au lit avec deux tasses et le journal de sa mère. Ben remonta l'oreiller contre le mur. Elle s'installa près de lui, le cahier sur les genoux.

— C'est le dernier, dit-elle.

Il dut voir l'appréhension dans ses yeux.

— Lis-le moi.

Il lui passa un bras autour des épaules.

— Lis-le à haute voix.

Non sans hésitation, elle rabattit la couverture maculée de taches d'eau, et se mit à lire.

# 48

*5 novembre 1957*

Vendredi dernier, une amie de Susanna est venue à la maison. Une femme d'un certain âge, la cinquantaine environ, qui a connu Susanna quand elle était petite. Elle était simplement passée pour bavarder un peu. Elle et Susanna étaient dans le salon, et je venais de faire déjeuner Eden dans la cuisine, quand Susanna m'a appelée pour montrer la petite. J'ai amené Eden en la tenant par la main, mais, en voyant la visiteuse, elle s'est cachée derrière mes jambes, et j'ai eu beau tenter de la rassurer, rien n'a pu la décider à quitter sa cachette.

— Mais cette enfant a peur de son ombre, a déclaré la femme.

La même réaction s'est déjà produite à plusieurs reprises récemment. Une fois avec le révérend Caper, une autre avec la mère de Susanna : jamais, a-t-elle dit, elle n'avait vu une petite fille avoir aussi peur des gens. C'est ma faute, j'en suis convaincue. Comment une enfant élevée par une recluse comme moi pourrait-elle se comporter normalement ? Jamais elle ne rencontre d'autres enfants. Elle ne voit guère que moi, Papa et Susanna. Celle-ci prétend qu'elle est trop tranquille. Papa la trouve trop pâle. Que suis-je en train de faire à ma fille ?

*29 décembre 1957*

Kyle et Lou sont ici pour deux semaines. Jusqu'à présent, la visite ne s'est pas bien passée. Elle a été horrible, en fait, au moins en ce qui me concerne. Ils sont arrivés deux mois avant Noël et, comme d'habitude, ils apportaient des quantités de cadeaux. Kyle avait hâte de revoir Eden. Mais, quand il a voulu la prendre dans ses bras, elle s'est écartée de lui en pleurant. Il a eu l'air terriblement déçu, et je me suis sentie coupable, responsable de ce qu'était devenue ma fille. « C'est la période où les enfants sont timides, a dit Lou. Ça se produit souvent, à cet âge-là. » Papa et Susanna sont intervenus pour déclarer qu'ils s'inquiétaient pour Eden, qu'elle était ainsi avec tout le monde. « A deux ans et demi, ce n'est pas normal », a insisté Susanna. Bientôt, Lou elle-même trouvait qu'apparemment quelque chose n'allait pas. Kyle ne m'adressait pour ainsi dire plus la parole. J'avais l'impression que son silence traduisait sa colère, et que je le méritais.

Le jour de Noël, c'est à peine si j'ai remarqué les réjouissances, tant j'étais occupée à observer Eden. Elle s'accroche à moi. Elle a voulu que je déballe ses cadeaux. Après le troisième ou le quatrième, Kyle est intervenu :

— Laisse-la se débrouiller seule, Kate. Tu fais tout à sa place.

Sa voix était chargée de reproche, et j'ai dû faire de gros efforts pour ne pas pleurer.

Hier au soir, j'étais dans la cuisine. Kyle et Lou se trouvaient dans le salon. Ils devaient me croire à l'étage : ils parlaient de moi et d'Eden, et leur conversation n'était certainement pas destinée à mes oreilles.

— Par je ne sais quel miracle, dit Kyle, nous avions réussi à créer un enfant parfaitement saine. Et voilà qu'on est en train de tout gâcher.

— Tu exagères.

— Je ne veux pas la voir devenir comme Kate.

— Kate est heureuse à sa manière.

Kyle émit une exclamation de dégoût.

— On peut en dire autant d'un porc dans sa soue, répliqua-t-il.

Ce furent ses mots exacts. Je ne les oublierai jamais, jamais je ne les lui pardonnerai.

— Eden ne paraît pas en bonne santé. Elle est pâle comme un spectre.

— Veux-tu que nous l'emmenions ?

J'eus l'impression que mon cœur sautait hors de ma poitrine. *Ma toute petite.* Jamais je ne les laisserai me la prendre.

— Je ne pourrais pas faire ça à Kate, dit Kyle. Par ailleurs, la vie que nous menons, constamment en déplacement, serait encore pire pour elle.

– Je ne sais que proposer d'autre, soupira Lou.

– Je me suis dit que, peut-être, je... nous pourrions séjourner ici un certain temps.

Je fus envahie d'une joie extraordinaire. Mais j'entendis quelqu'un renifler, et je compris que Lou pleurait.

– Non, dit-il, de cette voix tendre que je connais bien. Je t'en prie, Lou.

– Est-ce bien là ce que tu voudrais faire ?

Elle paraissait profondément blessée.

– Mais non, ce n'est pas ce que j'ai envie de faire !

Cette fois, Kyle criait presque.

– Mais j'ai causé la venue au monde d'une vie, et je ne vais pas la laisser pourrir dans une caverne.

– Chut.

– Il y a de la folie, dans cette famille, et la chaîne doit bien être brisée quelque part.

– Mais c'est de ta vie que tu parles, Ky. De ta carrière. Il te reste tout juste une année pour obtenir ton doctorat. Tu ne peux renoncer à tout.

– Je n'envisage rien de définitif. Mais Eden est ma fille. Si j'étais ici, je pourrais la sortir, l'éloigner de la maison, de la caverne. Que j'obtienne mon doctorat cette année ou dans cinq ans, quelle différence cela fait-il ?

Il y eut un long silence. Lou reprit :

– Je ne crois pas que je pourrais vivre ici. On y étouffe, on s'y replie sur le passé. Qui plus est, ton père et Susanna ne m'aiment pas.

– Veux-tu dire que tu ne resterais pas avec moi ?

J'entendais Lou pleurer. Les larmes de Lou ont quelque chose de terrifiant. Elle s'est fait une carapace si résistante que j'ai presque peur quand je discerne l'aspect le plus faible de sa nature.

Je décidai d'apporter sans retard une solution au problème. Après avoir rassemblé tout mon orgueil, je passai dans le salon. Ils parurent tous les deux stupéfaits de me voir.

Je m'assis sur le canapé.

– J'ai entendu tout ce que vous disiez, commençai-je. Je ne suis ni aveugle ni stupide. Mon isolement, je le sais, est mauvais pour Eden. Je m'en inquiète, moi aussi, et j'aimerais avoir votre aide. Mais en parler derrière mon dos n'est pas la bonne manière de s'y prendre.

Kyle, aussitôt debout, vint s'asseoir à côté de moi, me prit la main.

— Kate, je te demande pardon.

Il m'était pénible de le laisser me réconforter, après ce qu'il avait dit. *Un porc dans sa soue.*

— Je vais revenir m'installer ici pendant quelque temps.

— Il n'en est pas question, protestai-je.

Ce refus me coûta tout ce qu'il me restait de force. Je vis le soulagement se peindre sur le visage de Lou. D'un revers de main, elle s'essuya les yeux.

— Tu dois t'occuper de ta carrière, de ta femme, de toute ta vie. Il n'est donc pas question pour toi de revenir ici.

— Je vais vous apprendre à conduire, proposa Lou. Et libre à vous d'emprunter la voiture de votre père pour rendre visite à des amis.

— Je n'ai pas d'amis, déclarai-je.

Et, tout à coup, Matt me manqua.

— Tu t'en ferais plus facilement si tu conduisais, dit Kyle.

— C'est entendu.

Je peux sans doute apprendre à conduire cette satanée voiture. Ce qui me paraît insurmontable, c'est d'aller quelque part.

— Le dimanche, tu accompagnerais Susanna à l'église, reprit Kyle. Par ici, c'est le meilleur moyen de se faire des relations.

Je levai les yeux au ciel.

— Entendu, répétai-je.

Mais je me vois mal faire ça dans la réalité.

— Et ne retourne pas à la caverne au printemps, poursuivit-il. Reste ici, à la maison, pour écrire.

— Entendu, dis-je pour la troisième fois.

Mais, je le sais bien, quand la température se fera plus douce, je commencerai de me languir de ma caverne. Bah, du moins j'irai moins souvent.

Ainsi, à nous trois, nous avons élaboré notre petit plan pour la sauvegarde d'Eden. Il me revient, je suppose, de le mettre en œuvre.

*8 janvier 1958*

Cet après-midi, Lou m'a appris à conduire. Personne n'a été surpris plus que moi de voir avec quelle facilité je m'y suis mise. Je dois avoir un don pour ça.

— Vous êtes une conductrice-née, m'a dit Lou.

Nous avons même fait l'aller et retour entre ici et Coolbrook, avec moi au volant. Je n'y voyais pas d'inconvénient, puisque nous n'avions pas à entrer dans les boutiques.

Lou et Kyle partent demain. Ce soir, je couchais Eden, lorsque Kyle est entré dans la chambre. Nous nous sommes blottis tous les trois sur le lit étroit où je couchais étant enfant, et il m'a tout le temps tenu la main. J'adorais voir Eden lever vers lui ces grands yeux bleus, tellement semblables aux siens. Il s'est gagné l'enfant par ses histoires, ses cadeaux et sa tendresse.

J'aurai dans ma vie de brefs moments semblables à garder précieusement. Une fois l'an, plus ou moins. Ma main dans celle de l'homme que j'aime, notre enfant, tiède et déjà assoupie, appuyée contre sa poitrine, sa voix... Oh, bon Dieu, je veux davantage ! Je veux plus que je ne pourrai jamais avoir.

### 8 avril 1958

J'ai fait des promesses à Kyle et je ne les ai pas tenues. J'ai bien essayé de me rendre à l'église avec Susanna. Mais toutes mes terreurs m'ont submergée. Je n'entendais plus que les battements de mon cœur. J'ai dû fuir au beau milieu du service. Je me suis éclipsée le plus discrètement possible, mais je n'en ai pas moins créé un scandale, et je n'y retournerai pas. Je ne veux pas faire les choux gras de tout Coolbrook et qu'Eden en subisse plus tard les conséquences. Cette seule pensée me terrifie. J'ai des souvenirs plus précis que je ne le souhaiterais du temps où j'étais la fille d'une femme que tout le monde considérait comme une folle. Comment protéger Eden d'un tel sort ? La chaîne doit être rompue quelque part, a dit Kyle. J'essaie, Kyle, mais je ne sais pas au juste comment m'y prendre.

En ce qui concerne la voiture, je parviens à aller jusqu'à Coolbrook, mais, une fois arrivée, je suis incapable de faire quoi que ce soit. Je ne peux même plus mettre le pied dans une boutique sans avoir l'impression que je vais tomber d'une seconde à l'autre. Je suis arrivée une fois à entrer chez le boucher, mais, pendant que j'attendais mon tour, le vertige m'a prise. J'ai dû sortir et je suis revenue à la maison les mains vides, ce qui n'a pas manqué d'irriter Susanna.

Je passe moins de temps dans la caverne, même si j'y suis plus souvent que ne le voudrait Kyle. Je me suis efforcée de ne pas en faire un foyer pour Eden. Ma machine à écrire reste à la maison. Quand je viens passer quelque temps dans la caverne, c'est pour écrire à la main ou simplement pour réfléchir.

En dépit de tout, Eden se porte comme un charme. Sara Jane Miller a une petite fille de quelques mois plus jeune que la mienne. Susanna a conduit plusieurs fois Eden chez Sara Jane, et Maggie est venue ici. C'est un vrai petit diable, mais elle s'amuse bien avec Eden, et je vois ma fille s'animer quand elle est avec elle. Cette petite pourra faire beaucoup plus que moi pour aider Eden à surmonter sa timidité.

### 2 août 1958

J'ai trente et un ans aujourd'hui et je me suis offert un cadeau : j'ai transporté ma machine à écrire dans la caverne. Quelle joie de pouvoir de nouveau travailler dans cette fraîcheur, parmi les « tites » et les « mites » ! Ce soir, j'écrirai à Kyle une lettre d'excuses. Je lui parlerai des progrès d'Eden, je lui dirai que, si je pensais vraiment qu'en travaillant dans la caverne, je pouvais lui faire du mal, je ne le ferais pas. Mais elle adore la caverne, elle aussi. Hier, Maggie et elle y ont joué tout l'après-midi, pendant que j'écrivais.

### 1<sup>er</sup> septembre 1958

Papa prétend qu'Eden est un petit monstre. A l'entendre, c'est une sale gosse effrontée. Tout ça parce qu'elle lui a pris dans son assiette une poignée de petits pois. J'ai ri en la voyant faire. Je préfère de loin la voir exigeante et audacieuse, plutôt que craintive et timide. Mais Papa était furieux. Il se met facilement en colère, ces temps-ci, et il ne peut pas laisser la bouteille en paix. Il a arraché Eden de sa chaise en la prenant par le bras et lui a donné une bonne fessée. S'il m'avait frappée en plein visage avec la courroie à repasser les rasoirs, ça n'aurait pas été pire. Je me suis levée d'un bond et je me suis mise à le bourrer de coups de poings, tout en lui hurlant de ne plus jamais battre la petite. C'était la première fois qu'on frappait Eden, et je m'étais juré qu'elle ne connaîtrait jamais les coups. J'étais folle de rage. Susanna a été obligée d'user de sa force pour me séparer de Papa. Il s'est rassis, la figure cramoisie, et c'est alors qu'il a dit qu'Eden était un monstre. J'ai déclaré que j'allais quitter la maison (ha !). Il m'a répondu de cesser de dire des sottises : jamais plus il ne toucherait à l'enfant.

### 3 décembre 1958

Cette année, Kyle et Lou ne peuvent pas venir fêter Noël ici. Kyle est maintenant Kyle Charles Swift, docteur en archéologie. Kyle, docteur ! Lou et lui ont encore besoin de quelques mois pour achever le travail entrepris au Pérou, et, en juin, Kyle conduira sa propre expédition en Argentine. Ils viendront tous les deux, me dit-il, passer un mois entier à Lynch Hollow au printemps, avant de partir pour l'Argentine. Il dit aussi qu'il aimerait prélever un os sur notre vieille Rosie, dans le labyrinthe, pour l'envoyer à New York, afin d'obtenir une datation au carbone 14, un procédé qui déterminera précisément l'âge du squelette. Dans sa lettre, il explique ce procédé dans le moindre détail, mais, à la vérité, je ne comprends pas bien et je ne suis pas sûre que ça fonctionne. J'aimerais connaître l'âge de Rosie, mais l'idée de la déranger, alors qu'elle repose en paix dans la caverne depuis des centaines d'années, me déplaît. Quel droit avons-nous de troubler son repos ?

### 1er avril 1959

Je pense que ma pauvre Eden a perdu par ma faute sa petite amie Maggie. Sara Jane, dans tous ses états, a appelé Susanna parce que j'avais laissé Maggie jouer dans la caverne. Maggie est au lit avec une pneumonie, peut-être pire, prétend Sara Jane. La fiente de chauve-souris, la poussière de la caverne ou je ne sais quelle autre sottise lui ont donné de l'asthme. Maggie ne viendra plus jouer ici, a déclaré Sara Jane, mais j'espère au moins qu'elle accueillera Eden chez elle quand Maggie sera rétablie.

Quoi qu'il en soit, Eden ne manque pas de compagnons de jeux. Le seul ennui, c'est qu'ils sont tous dans son esprit. Je suis fière d'être la mère d'une enfant dont l'imagination rivalise avec la mienne. Elle et moi, nous sommes des copines formidables. Elle est toujours prête à parler de n'importe quoi. Elle est tellement intelligente. Elle serait capable, je crois, de faire visiter la caverne.

Kyle et Lou seront ici la semaine prochaine et ils resteront plus d'un mois ! Eden ne se souvient pas d'eux, mais elle a vu mille photos et elle partage mon impatience en répétant : « Oncle Kyle et Tante Lou vont venir ! »

*10 avril 1959*

Eden s'est montrée intimidée en présence de Kyle et de Lou, mais pas pour longtemps. Ils sont arrivés avant-hier soir et ils étaient chargés de tant de cadeaux pour elle qu'il aurait été difficile à mon avide petite fille de leur résister.

Cette fois, j'ai insisté pour que nos visiteurs occupent ma chambre. J'avais pris d'avance toutes les dispositions, de sorte qu'ils se sont trouvés dans l'incapacité de discuter.

Ils vont faire ici un séjour prolongé, et il serait ridicule qu'ils dorment dans les deux petits lits d'une personne, dans la chambre d'Eden. C'est donc moi qui y coucherai avec ma fille, ce qui me convient parfaitement. Chaque nuit, je le sais, elle finira dans mon lit. Parfois, elle monte l'escalier à pas de loup pour venir se couler dans mes draps. Je m'en aperçois seulement si je m'éveille pendant la nuit. J'adore la trouver là, toute tiède et parfumée. Je me demande alors si elle vient parce qu'elle a besoin de moi ou parce qu'elle sait que j'ai besoin d'elle.

*16 avril 1959*

Samedi, Lou a emmené. Eden faire des emplettes en ville. La petite a pleuré un peu pour me quitter, mais, à mon grand soulagement, elle est partie quand même. Kyle m'a passé un bras autour de la taille pour m'emmener vers la caverne. J'ai compris alors que Lou et lui avaient combiné cette sortie pour nous donner, à Kyle et à moi, l'occasion de nous entretenir.

C'est curieux, mais je ne pense pour ainsi dire plus à mes désirs, à mes besoins de femme. Je consacre toute mon énergie à mes livres, aux fouilles et, surtout, à Eden. Apparemment, cela suffit à me satisfaire. Pourtant, quand Kyle m'a prise par la taille, j'ai eu l'impression de ne plus être qu'un immense et douloureux désir.

Je me suis assise dans le fauteuil à bascule, les mains croisées sur les genoux, et il s'est installé sur le canapé.

— Tu t'es si bien tirée d'affaire avec Eden, Kate, m'a-t-il dit. Sa timidité, je le vois bien, s'est beaucoup améliorée. Je sais qu'il n'a pas été facile pour toi de l'élever sans la présence d'un père.

— Elle va très bien, répondis-je.

En même temps, je me sentais un peu coupable : je n'y suis pas pour grand-chose.

— Je reste toutefois quelque peu inquiet, a repris Kyle.

A mon avis, tu n'es pas en mesure de discerner si quelque chose ne va pas parce que tu la vois chaque jour. Mais elle a de larges cernes sous les yeux, et son teint est très pâle. Elle a constamment le nez qui coule. La caverne ne vaut rien pour un enfant, Kate. Ça ne vaut rien.

Mes mains ne tenaient plus en place. Ne sachant où il voulait en venir, je me sentais nerveuse.

— Je ne peux pas laisser se prolonger une telle situation, continua-t-il. Il faut trouver une solution qui me permette de t'aider. Les quelques prochaines années vont être plus difficiles encore, parce que je serai responsable d'une expédition. Je ne sais quand je pourrai m'échapper. Je désire donc que tu nous accompagne, Lou et moi, en Argentine. Je pense à un long séjour. Plusieurs mois. Peut-être pourrais-tu revenir au printemps prochain, avant qu'Eden soit en âge d'entrer à l'école. Et, par la suite, chaque été.

Sous le coup, ma bouche s'ouvrit démesurément.

— Partir pour l'Argentine ? dis-je enfin. Je ne pourrais même pas aller passer un après-midi en Argentine, encore moins plusieurs mois.

— Tu es bien venue à New York, quand tu avais un mobile suffisant.

— Il y a de ça des années, Kyle, et j'étais au bout du rouleau.

Kyle, je le voyais bien, n'avait pas la moindre idée de mon état actuel. Je devais le mettre au courant.

— Je ne peux même plus me rendre à Coolbrook, avouai-je.

Il fronça les sourcils.

— Plus du tout ?

Je secouai la tête. J'avais honte.

— Kate, comprends-tu l'importance d'une telle décision pour Eden ?

— Oui.

Il avait raison, je le savais. L'enfant a besoin de soleil, elle a besoin de rencontrer d'autres gens. Elle a besoin d'une mère toute différente. Je me mis à pleurer : j'allais devoir, pensais-je, la laisser partir avec Kyle et Lou, et rester ici.

— Kate.

Kyle tendait la main vers moi. J'allai m'asseoir près de lui, sur le canapé. Il m'entoura de son bras.

— Ça vous fera le plus grand bien à toutes les deux. Si tu y tiens, tu pourras même emporter ta machine à écrire.

– Je ne peux pas, Kyle. Un voyage *en avion*. Des heures et des heures en l'air.

Je tremblais à cette seule idée.

– Kyle, j'en mourrais.

– Mais non.

Il souriait, il ne me prenait pas au sérieux.

– Tu auras Eden avec toi et tu devras te montrer forte pour elle. Tu seras aussi avec Lou. Et avec moi. T'est-il jamais arrivé de ne pas te sentir en sécurité avec nous ?

– Quand je suis avec toi, j'ai envie de toi.

Ce fut seulement au moment où les mots quittaient mes lèvres que je sus à quel point ils étaient vrais. La réalité me frappa en cet instant : je n'ai jamais cessé d'espérer qu'il serait un jour submergé par son désir pour moi, qu'il me ferait encore une fois l'amour.

J'étais près de lui, je regardais sa peau si brune, ses cheveux et sa barbe décolorés par le soleil, ses yeux du même bleu que ceux d'Eden. Je souffrais le martyre. J'avais absolument besoin de le tenir dans mes bras. Je me contenterais de ça.

Je me tournai vers lui, l'entourai de mes bras, et je sentis les siens se nouer autour de moi. De ses mains plaquées sur mon dos, il me fit pencher en avant, me posa un baiser sur la nuque, avant de me repousser doucement.

– Katie, murmura-t-il en secouant la tête.

– Oui, je sais. Lou.

– Non, ce n'est pas à cause de Lou. Elle comprendrait. C'est moi qui ne veux pas. Certes, en faisant l'amour, nous avons conçu une petite fille magnifique. Ce n'en était pas moins un acte terrible. Je t'en prie, n'essaie pas de me tenter. Ne m'oblige pas à te dire non. Je désire que tu viennes en Argentine, mais je ne veux pas que tu viennes dans l'espoir d'obtenir de moi plus qu'un frère ne pourrait te donner.

– Très bien, dis-je. Nous viendrons.

J'ignore comment je vais faire, mais je sais qu'il a raison. Je me demande ce qui sera le plus dur pour moi : quitter Lynch Hollow ou vivre près de Kyle sans jamais le toucher.

*1ᵉʳ mai 1959*

Depuis que j'ai pris la décision de partir pour l'Argentine, je vois ma petite fille sous un nouveau jour. Pour la première fois, je remarque les cernes sombres qui soulignent ses yeux, la pâleur de son teint. Elle me rappelle quotidiennement que ma décision est la bonne. La seule possible. C'est ce que je me répète quand la peur me saisit.

Hier, Kyle a prélevé un os sur le pied de Rosie pour l'envoyer à New York. Pendant qu'il était dans le labyrinthe, il a découvert deux autres squelettes ! Il est ravi. Un jour, dit-il, il reviendra travailler sur le site de Lynch Hollow.

### 9 mai 1959

Hier au soir, Kyle, Lou, Eden et moi, nous avons passé plusieurs heures dans la caverne, à bavarder, à écouter un disque de chants péruviens apporté par Kyle. Dehors, il pleuvait à verse, comme depuis plusieurs jours. Kyle et Lou ont enthousiasmé Eden en lui parlant de l'Argentine. Quand elle est avec eux, maintenant, c'est un véritable moulin à paroles, et Kyle a décidé qu'il faudrait faire quelque chose pour la débarrasser de son accent.

– Il est difficile de réussir dans ce monde si l'on s'exprime comme si l'on était constamment à moitié endormi.

Kyle ne parle plus du tout comme avant. Heureusement, ses mots conservent toujours une certaine douceur, alors que la voix de Lou me paraît dure.

– Eden se ferait plutôt remarquer, si elle parlait comme vous, par ici, protestai-je.

– Mais elle ne vivra pas éternellement par ici.

Je vis d'un coup l'avenir étalé devant moi. Jamais Kyle n'aura la cruauté de me prendre Eden, mais il sera toujours en mesure de lui offrir quelque chose de plus excitant, de plus intéressant que je ne pourrais lui donner. Cette pensée me déchirait le cœur. La souffrance dut se lire sur mon visage. Kyle murmura :

– A chaque jour suffit sa peine, Kate. Ne t'inquiète pas du lendemain.

Eden s'assoupissait. Il la souleva, la posa sur le canapé où elle ne tarda pas à s'endormir, la tête nichée au creux du bras de son père. Nous restâmes longtemps silencieux. Je pensais que, dans trois brèves semaines, je quitterais définitivement ma caverne.

– Il faudra la condamner pour de bon, dis-je. Qu'il me soit impossible d'y entrer. Sinon, j'y reviendrai tout droit dès que nous serons de retour d'Argentine.

Je sais bien que c'est vrai. Quand il s'agit de la caverne, je suis aussi faible que Papa devant une bouteille.

— Nous trouverons des rochers, dit Kyle. Des gros. Ne t'inquiète pas. Et tu ne mettras plus le nez dans cette caverne.

J'attachais mon regard sur Eden, avec ses cheveux d'un blond de lin, endormie comme une princesse dans les bras de Kyle. *C'est pour elle,* me répétai-je. *Je dois le faire pour elle.*

Le disque s'était arrêté. Nous écoutions la pluie frapper le sol devant la caverne. Lou, s'adressant à nous deux, demanda :

— Lui direz-vous un jour la vérité ?

Nous nous regardâmes, Kyle et moi. J'ai souvent réfléchi à cette question. J'ai toujours souffert de n'avoir pas connu ma véritable mère. A la place d'Eden, j'aurais envie de savoir qui étaient mes vrais parents. Pourtant je ne me vois pas lui annoncer : « Ton oncle Kyle est en réalité ton papa. »

— J'aimerais qu'elle connaisse un jour la vérité, dit Kyle.

— Oui, approuvai-je. Moi aussi.

— Elle a le droit de savoir, continua-t-il. Mais quel âge aura-t-elle quand nous le lui dirons ? J'ai pourtant trente-deux ans et je sais que je n'aimerais pas apprendre ce genre de nouvelle.

Il caressait les longs cheveux d'Eden.

— Peut-être lorsqu'elle sera en âge de comprendre combien je l'aime. Peut-être, alors, sera-t-elle prête à entendre la vérité.

— Mon journal, dis-je. Un jour, je lui ferai lire mon journal. Elle comprendra sûrement.

J'étais soulagée, heureuse d'avoir conservé ces cahiers durant toutes ces années. Ils expliquent tout, me semble-t-il. Et je saurai quand les lui donner. Nous serons si proches, elle et moi, que je reconnaîtrai le moment opportun. Je n'aurai pas à deviner.

*29 mai 1959*

Les orages ont fini par s'apaiser, après avoir déraciné des arbres et gonflé la rivière. Même Ferry Creek a envahi le champ et avance lentement vers les fosses. Kyle et Papa se sont rendus à Coolbrook pour entasser des sacs de sable devant le poste d'incendie et la bibliothèque : on s'attend, en effet, à voir la Shenandoah déborder avant la tombée de la nuit.

Dans deux jours, nous partirons pour l'Argentine, Kyle,

Lou, Eden et moi. Il nous faudra prendre, non pas un seul, mais *trois* avions pour parvenir jusque-là. J'ai beau faire des efforts, je n'arrive pas à me voir gravir la passerelle d'un avion. D'ordinaire, je suis capable d'imaginer n'importe quoi, mais cette image particulière refuse de se former dans mon esprit.

J'ai fait des progrès dans l'art de la terreur. La nuit, dans mon lit, je sens mon cœur battre jusque dans mon dos, jusqu'au matelas. Je tremble constamment et je ne supporte plus la vue de la nourriture. Je ne dis rien de mes angoisses, mais Kyle les perçoit. Il me caresse le dos, me dit combien la vue est belle, de là-haut, combien le soleil est chaud, en Argentine.

Je me trouve pour la dernière fois dans ma caverne bien-aimée. Demain, Kyle entassera des rochers devant l'entrée. Hier au soir, il m'a demandé si j'étais toujours sûre de ma décision. Il est envahi de doutes, il se sent coupable de m'avoir influencée. Mais je lui répète de ne plus m'en parler, de se contenter d'*agir*. Quand nous reviendrons d'Argentine, Eden et moi, je n'aurai plus besoin de cette caverne. Je serai une autre femme. Après six vols en avion et deux mois de séjour dans un pays où personne ne parle anglais, ou bien je serai différente, ou bien je serai morte !

Eden est ici, avec moi. La perspective du voyage l'enchante. Pour l'instant, elle est installée sur le canapé. Elle s'amuse avec de petites poupées de bois que Kyle et Lou lui ont apportées, et qui s'emboîtent les unes dans les autres. Elle leur parle, se parle à elle-même. Quels changements elle va connaître ! Quelle aventure ! Je souris à l'idée de ce que les deux prochains mois vont représenter pour elle. En un rien de temps, prétend Kyle, elle aura des joues toutes roses. Et, à l'en croire, les enfants apprennent très vite les langues étrangères. Dans quelques semaines, elle m'enseignera l'espagnol !

Je regarde mon petit ange au visage pâlot jouer sur le canapé. Elle mérite beaucoup mieux et elle l'aura. Oh, Kyle, entasse vite ces rochers et pousse-moi dans l'avion ! Ça en vaudra la peine. Aucun sacrifice n'est trop grand, quand on le fait pour un être aimé.

— Maman, vient de me dire Eden, je ne vole jamais rien.

Une petite ride lui creusait le front. Je voyais bien qu'elle se tourmentait depuis un bout de temps.

— Non, tu n'es pas une voleuse, je le sais. Tu es une petite fille honnête.

— Mais l'oncle Kyle dit que je vais dérober tous les cœurs, en Argentine. Et dérober, c'est voler.

Je me suis mise à rire.

— Il veut tout simplement dire que tout le monde, en Argentine, va t'aimer.

— Ah... Est-ce que l'oncle Kyle dérobe tous les cœurs, lui aussi ?

— Ça, je n'en sais rien. Mais il m'a dérobé le mien depuis longtemps.

— Le mien aussi, a-t-elle affirmé, avant de retourner à ses poupées.

Je ne peux m'empêcher de me demander si elle a la moindre idée de...

Eden tourna la page, mais la suivante était vierge. Elle feuilleta le reste du cahier. Toutes les pages jaunies étaient vides.

— Oh, Ben.

Elle blottit sa tête au creux de l'épaule de son compagnon, sentit autour d'elle la chaleur de ses bras. Mais il demeurait silencieux : l'image qui se formait dans son esprit, se dit-elle, devait être celle qui occupait le sien. Kate avait immobilisé sa plume au beau milieu d'une phrase pour relever la tête, stupéfaite, en entendant l'eau pénétrer à flots et se précipiter vers elle, se précipiter...

— Eden, murmura Ben, je suis désolé.

Elle leva les yeux vers lui.

— Il faut que je voie Kyle, déclara-t-elle.

Il approuva d'un signe.

— Tu n'auras pas besoin de moi là-bas. Prends la camionnette.

Elle sortit du lit, enfila son jean. Quand elle se pencha pour l'embrasser, il lui attrapa la main pour la faire asseoir près de lui.

— Va voir Kyle, dit-il. Mais reviens-moi vite. D'accord ?

— Oui.

A son tour, elle lui prit la main, la porta à ses lèvres.

— Le passé nous a fait trop souffrir l'un et l'autre, Eden, ajouta-t-il. Le temps est venu d'oublier la souffrance.

# 49

Lorsqu'elle revint à Lynch Hollow, Lou et Cassie étaient déjà installées devant leur chevalet. Lou leva la tête de sa toile et, sans même attendre la question d'Eden, lui dit :

– Il est à Ferry Creek.

Eden se remit au volant de la camionnette, rejoignit la route et descendit vers Ferry Creek. Le champ avait disparu, envahi par les eaux toujours plus profondes du cours d'eau, naguère encore si sage. Elle vit Kyle. Assis sur la plus haute marche de la passerelle, il observait, au-dessous de lui, la nappe tourbillonnante.

La jeune femme arrêta son véhicule et en descendit, l'eau léchait les deux côtés de la route. En marchant vers la passerelle, elle eut l'impression de se trouver sur une île longue et étroite. Eden se retint aux câbles pour gravir les marches et sentit le pont osciller doucement sous son poids. Parvenue à la dernière marche, elle fit volte-face pour s'asseoir près de Kyle. A l'autre extrémité du champ, juste en face d'eux, l'eau se déversait dans l'ouverture de la caverne.

Pendant quelques minutes, ils contemplèrent le spectacle. Kyle dit enfin :

– En 1959, tout le monde disait qu'il s'agissait de la crue du siècle. Il y a peu de chances que cela se produise aujourd'hui.

Eden, fascinée, ne quittait pas des yeux la caverne. On eût dit que ce trou noir, au flanc de la colline, avalait toute l'eau du champ.

– Comment était-ce, hier, à l'intérieur ? questionna Kyle. As-tu reconnu quelque chose ?

– Oui, la grande salle. Mais il y faisait plus sombre que dans mon souvenir.

– Kate laissait constamment brûler ses lanternes.

– J'ai failli tomber en trébuchant sur la machine à écrire.

– Restait-il encore des meubles ?

Elle lui parla du canapé, du bureau, des chaises.

– Tout était entassé contre le mur du fond, près du bassin.

Kyle hocha la tête.

– C'est là qu'on a trouvé Kate. Tu ne t'en souviens pas, hein ? Tu ne te rappelles pas l'inondation ?

– Non.

Elle se tourna vers lui, demanda, presque timidement :

– Tu veux bien m'en parler ?

Kyle regardait vers la caverne.

– Mon père et moi, nous entassions des sacs de sable devant le poste d'incendie, à Coolbrook. Tout à coup – pourquoi si tard ? –, il m'est venu à l'esprit que, si l'eau montait jusqu'au poste d'incendie, elle pourrait aussi bien atteindre la caverne. J'ai voulu m'en assurer, tout en pensant que je me faisais sans doute du souci pour rien. En approchant, j'ai vu à quel point l'eau était haute, déchaînée, et je me suis mis à courir. Je vous imaginais, ta mère et toi, dans la caverne, du coton dans les oreilles, incapables d'entendre le vacarme de l'eau. Arrivé ici, j'ai vu que je ne m'étais pas trompé : la rivière s'engouffrait dans le refuge de Kate. Pas aussi rapidement qu'aujourd'hui, mais très vite néanmoins. A l'entrée, elle atteignait seulement mes chevilles. A l'intérieur, elle était beaucoup plus profonde. Suffisamment pour avoir éteint la plupart des lanternes de Kate. Deux seulement brûlaient encore.

Au début, je ne l'ai pas vue. Je l'ai appelée, depuis l'entrée de la grande salle et, l'instant d'après, quand mes yeux se sont adaptés à la pénombre, je l'ai découverte. Elle te tenait dans ses bras et s'efforçait de parvenir jusqu'à la seule issue. Mais l'eau montait si vite qu'elle ne pouvait avancer. Elle m'a dit : « Prends Eden. » Elle te tendait vers moi. Tu hurlais de toute la force de tes poumons.

Il sourit.

– Tu essayais de t'accrocher à ta maman, ce qui ne lui facilitait pas la tâche. Je me suis avancé le plus loin possible, et elle a presque dû te lancer vers moi. Tu t'es agrippée à moi comme un petit singe, et j'ai réussi à te ramener jusqu'ici. Je t'ai déposée sur la route.

Il tendait le bras vers l'endroit où stationnait la camionnette.

– A l'époque, elle n'était pas goudronnée. Je t'ai dit de m'attendre là. Je me rappelle avoir pensé que, n'étant plus encombrée par toi, Kate pourrait sans doute s'en sortir seule, mais, quand j'ai de nouveau pénétré dans la caverne, elle avait été repoussée plus loin encore. L'eau lui arrivait à la taille. Elle se retenait à une stalagmite pour éviter d'être emportée.

Eden serrait ses genoux entre ses bras. Les images qui se formaient dans sa tête lui donnaient la nausée.

– Je me suis rapproché, continua Kyle. J'avais peur que nous ne nous noyions l'un et l'autre. Je me retournais sans cesse vers l'entrée et je voyais l'espace entre le niveau de l'eau et le plafond diminuer constamment. En même temps, je ne cessais de penser à toi, toute seule là-haut, sur la route. Je craignais que tu n'essaies peut-être de revenir à la caverne ou que tu ne sois emportée dans la rivière.

Je me cramponnais aux stalagmites, je m'efforçais d'arriver jusqu'à Kate. Soudain, tout devint obscur. La dernière lanterne venait de s'éteindre. Il faisait noir comme dans un four. Kate cria mon nom : « Kyle ! » hurlait-elle. Sa voix rebondissait d'un mur à l'autre, me faisait mal aux oreilles. Je l'ai appelée, appelée, appelée, mais...

Il secoua la tête. Ses yeux étaient pleins de larmes. Eden glissa son bras sous le sien, posa la tête sur son épaule.

– Il m'arrive encore d'y penser, dit-il. Peut-être, si j'avais eu une corde... Peut-être, si, en quittant Coolbrook, j'avais couru au lieu de marcher...

– Peut-être, si tu n'avais pas dû me sortir de là, pour commencer..., dit Eden.

– Non.

Il caressa la main qui reposait sur son bras.

– C'est au moins une pensée qui ne m'est jamais venue.

– Tout ce que je me rappelle de ce soir-là, c'est que tes mains et tes bras étaient tout écorchés.

Il eut un léger sourire.

– Tu te souviens de ça ?

Il retourna ses mains, paumes en l'air, sur ses genoux, mais les cicatrices avaient disparu.

– C'était sans doute la faute des « tites » et des « mites ». Les bras de ta mère étaient couverts d'écorchures, eux aussi, quand on l'a retrouvée.

– Qui l'a retrouvée ?

– Papa et un voisin. Ils sont revenus le lendemain. L'eau avait baissé. Moi, je ne pouvais plus rentrer dans la caverne. Pas avant qu'on l'en eût retirée. Je suis alors allé chercher les cahiers de son journal. Quand l'eau a fini par se retirer complètement, j'ai fermé ce trou... pour l'éternité, me disais-je.

Il laissa échapper un long soupir.

– Pauvre Eden. Tu réclamais constamment ta mère, et nous essayions de t'expliquer de notre mieux qu'elle était morte. Finalement, je crois, tu as compris. Pourtant, l'année suivante, quand je suis venu te voir, tu as demandé si Kate était avec moi. Tu aurais voulu qu'elle revienne, disais-tu.

Le silence régna entre eux durant un instant. Ils regardaient les eaux déchaînées tourbillonner au-dessous d'eux.

– Je l'aimais tant, Eden, reprit Kyle. Quand je me reporte à ce temps-là, il me paraît incroyable que nous n'ayons pas fait l'amour plus tôt. Nous avions tant d'occasions, nous étions si proches l'un de l'autre. Et, de ma part, ce n'était certainement pas faute de le désirer. Mais je n'aurais pu que lui faire du mal, je le savais : elle vivait déjà à l'extrême bord de la réalité. Je n'ai cédé qu'une seule fois à ce désir et je l'ai regretté. Je ne saurais te dire à quel point j'avais honte de moi, combien j'étais torturé de remords. Je l'ai regretté jusqu'au jour de ta naissance. Après t'avoir vue, après t'avoir tenue dans mes bras, tous mes regrets se sont envolés.

– Je t'aime, Kyle, dit-elle.

Il l'entoura de son bras, lui posa un baiser sur la tempe.

– Je t'aime, moi aussi, ma chérie.

Ils se turent. Eden se sentait enveloppée d'une sorte de satisfaction, à demi formée, fragmentaire. Elle comprit ce qu'elle devait faire pour la rendre complète.

– J'ai quelque chose à te dire.

Elle releva la tête.

– C'est à propos de l'accident de Lou.

D'un geste, il repoussa l'aveu.

– Je sais tout ce qui concerne l'accident de Lou.

– Non, tu ne sais pas vraiment ce qui s'est passé ce soir-là.

– Mais si.

– Comment serait-ce possible ? Lou m'a affirmé qu'elle ne t'avait jamais rien dit.

– Elle ne m'a rien dit. Jamais elle ne t'aurait trahie. Mais le garçon avec lequel tu t'enfuyais... Tex, c'était bien ça ? Peu de temps après l'accident, il m'a envoyé une lettre. Il faisait une cure de désintoxication, et son conseiller l'a amené à m'écrire. Il m'a plus ou moins fourni tous les détails de ce qui s'était passé.

Eden s'écarta de lui.

– Tu sais tout depuis tout ce temps ?

– Oui.

– Et tu n'as pas été furieux contre moi ?

Kyle soupira de nouveau.

– J'étais furieux contre moi-même, Eden. Pour que tu aies voulu t'enfuir, pour que tu aies eu peur de me dire la vérité, il fallait que je n'aie pas su gagner ta confiance. Dès le début, j'ai eu cette impression. Je ne pouvais pas être pour toi un véritable père. J'aurais dû me battre pour t'emmener, après la mort de Kate. J'aurais dû te dire que j'étais ton père, bien avant le moment où je l'ai fait.

Elle laissa Kyle assis sur la passerelle, reprit la camionnette pour rentrer à Lynch Hollow. Elle aurait dû la ramener à Ben, mais il lui restait une tâche qui ne pouvait attendre.

Installée devant sa machine, elle reprit le scénario là où elle l'avait abandonné quelques jours plus tôt, fit défiler les pages sur l'écran jusqu'au moment où elle retrouva la scène d'amour qu'elle avait imaginée entre Kate et Matthew. Elle relut quelques lignes. C'était un passage magnifique. Charmant et déchirant à la fois. Le dialogue était riche, la tension sensuelle convaincante. Elle pressa le bouton qui allait tout effacer, sourit à l'écran vide. Plus tard, ce même jour, elle le meublerait avec un texte plus riche encore, avec la vérité. Mais pas tout de suite.

Elle effaça la page de titre, remplaça *Une vie de solitude* par *Vies secrètes*.

Sur la page suivante, elle inscrivit :

CE FILM EST DÉDIÉ A MON PÈRE, KYLE SWIFT.

Elle introduisit du papier dans la machine, appuya sur le bouton d'impression. Après quoi, elle regarda les lettres prendre forme sur la feuille blanche.

*Achevé d'imprimer en février 1995*
*sur les presses de l'Imprimerie Bussière*
*à Saint-Amand (Cher)*

POCKET - 12, avenue d'Italie - 75627 Paris Cedex 13
Tél. : 44-16-05-00

— N° d'imp. 430. —
Dépôt légal : février 1995.
*Imprimé en France*